여러분을 위해 준비한 해커스소방 특별 혜택!

KB084114

FREE 소방관계법규 **특강**

해커스소방(fire.Hackers.com) 접속 후 로그인 ▶ 상단의 [무료강좌 → 소방 무료강의] 클릭하여 이용

 해커스소방 온라인 단과강의 **20% 할인쿠폰**

626D5FBE322D48HE

해커스소방(fire.Hackers.com) 접속 후 로그인 ▶ 상단의 [내강의실] 클릭 ▶
좌측의 [인강 → 결제관리 → 쿠폰 확인] 클릭 ▶ 위 쿠폰번호 입력 후 이용

*등록 후 7일간 사용 가능(ID 당 1회에 한해 등록 가능)

해커스소방 무제한 수강상품(패스) **5만원 할인쿠폰**

F33D65EF4FAA625W

해커스소방(fire.Hackers.com) 접속 후 로그인 ▶ 상단의 [내강의실] 클릭 ▶
좌측의 [인강 → 결제관리 → 쿠폰 확인] 클릭 ▶ 위 쿠폰번호 입력 후 이용

*등록 후 7일간 사용 가능(ID 당 1회에 한해 등록 가능)
*특별 할인상품 적용 불가

쿠폰 이용 관련 문의 **1588-4055**

단기 합격을 위한 해커스 커리큘럼

베이스가 있다면 **기본 단계부터!**

문제풀이로 이론 학습을 원한다면 **기출문제풀이 단계로!**

입문 → **기본** → **심화**

START

탄탄한 기본기를 위한
핵심 개념 다지기!

반드시 알아야 할
개념과 이론 완성!

고난도 개념 학습으로
응용력을 다진다!

강의 **쌩기초 입문반**

이해하기 쉬운 개념 설명과 풍부한
연습문제 풀이로 부담 없이 기초를
다질 수 있는 강의

강의 **기본이론반**

반드시 알아야 할 기본 개념과 문제풀이
전략을 학습하여 핵심 개념 정리를
완성하는 강의

강의 **심화이론반**

심화이론과 중·상 난이도의 문제를
함께 학습하여 고득점을 위한 발판을
마련하는 강의

* 커리큘럼은 과목별·선생님별로 상이할 수 있으며, 자세한 내용은 해커스소방 사이트에서 확인하세요.

PASS

기출문제	→	예상문제	→	마무리	→

기출문제풀이 훈련으로
취약영역을 보완한다!

예상문제풀이로
실전력을 강화한다!

시험 직전 반드시
확인할 내용만 엄선한다!

강의 기출문제 풀이반

기출문제의 유형과 출제 의도를 이해
하고, 본인의 취약영역을 파악 및 보완
하는 강의

강의 예상문제 풀이반

최신 출제경향을 반영한 예상 문제들을
풀어보며 실전력을 강화하는 강의

강의 실전동형모의고사반

최신 출제경향을 완벽하게 반영한 모의고사를
풀어보며 실전 감각을 극대화하는 강의

강의 봉투모의고사반

시험 직전에 실제 시험과 동일한 형태의
모의고사를 풀어보며 실전력을 완성하는 강의

목표 점수 단번에 달성,
지텔프도 역시 해커스!

해커스 지텔프 교재 시리즈

유형 + 문제				
32점+	43점+	47~50점+	65점+	75점+

목표 점수에 맞는 교재를 선택하세요! ◀▶ : 교재별 학습 가능 점수대

한 권으로 끝내는
해커스 지텔프 32-50+
(Level 2)

해커스 지텔프 문법
정답 찾는 공식 28
(Level 2)

2주 만에 끝내는
해커스 지텔프 문법
(Level 2)

2주 만에 끝내는
해커스 지텔프 독해
(Level 2)

보카

해커스 지텔프
기출 보카

기출 · 실전

지텔프 기출문제집
(Level 2)

지텔프 공식
기출문제집 7회분
(Level 2)

해커스 지텔프
최신기출유형
실전문제집 7회
(Level 2)

해커스 지텔프
실전모의고사
문법 10회
(Level 2)

해커스 지텔프
실전모의고사
독해 10회
(Level 2)

해커스 지텔프
실전모의고사
청취 5회
(Level 2)

해커스소방

이영철
소방관계법규

기본서 | 1권

"이영철과 함께한
여러분은 이미 소방관입니다."

1973년 2월 8일 지방소방공무원법이 제정되어 국가직과 지방직으로 이원화된 지 47년이 지나서야 2020년 4월 1일 국가직 소방공무원으로 전환되었습니다. 그동안 많은 인명피해와 재산피해의 발생으로 국가재난관리체계에 대한 개선과 국민의 안전보장에 대한 사회적 요구가 반영된 것으로 보입니다. 소방공무원은 국민의 생명과 재산을 구호함을 목적으로 매년 치열한 경쟁률을 보이고 있는 직렬로, 앞으로도 그 위상은 더욱 높아질 것이고, 복지 또한 크게 개선될 것으로 예상됩니다.

소방관계법규는 소방기본법, 소방의 화재조사에 관한 법률, 화재의 예방 및 안전관리에 관한 법률, 소방시설 설치 및 관리에 관한 법률, 위험물안전관리법, 소방시설공사업법으로 구성되며(6분법), 소방공무원 시험, 2차 면접시험, 소방학교 교육 등에서 초석이 되는 필수과목입니다.

또한, 2023년 소방공무원 시험에서 영어와 한국사가 능력검정시험으로 대체됨에 따라 소방관계법규의 중요성이 더욱 높아졌으며, 난이도 또한 상승하였습니다. 따라서 기본에 충실한 개념 이해＋암기＋반복을 통한 학습을 꼭 해야만 합니다. 다년간의 강의 경험이 담긴 이 기본서를 통해 전문과목의 중요도가 높아진 2025년 소방공무원 시험을 완벽하게 대비할 수 있을 것입니다.

어떻게 학습해야 할까요?

많은 수험생 여러분들이 익숙하지 않은 소방 및 법 용어, 구성에 대해 두려움을 느끼곤 합니다. 하지만 <해커스소방 이영철 소방관계법규 기본서>를 아래의 활용법대로 학습하신다면, 수험생 여러분이 원하는 결과를 얻을 것이라 확신합니다!

첫째, 법조문, 시행령, 시행규칙을 연결하여 학습하기

본 교재만으로도 법조문, 시행령, 시행규칙을 유기적으로 연결하여 학습할 수 있도록 구성하였습니다. 전반적인 큰 틀에서 법조문을 먼저 학습한 후, 관련 시행령, 시행규칙 및 별표를 함께 학습한다면, 효율적인 학습이 가능할 것입니다.

둘째, 다양한 학습 장치를 통해 이론 완성하기

1회독 때에는 전체적인 내용을 이해한다는 생각으로 본문 내용과 선생님의 설명을 담은 '영철쌤TIP', 핵심 내용을 요약하여 제시한 '핵심정리'를 통해 내용을 익히도록 합니다. 2~3회독 때에는 1회독 때 확실히 학습하지 못한 부분을 다시 학습하고, 강조 표시한 부분을 확인하며 중요한 내용 위주로 확인합니다. 이렇게 학습한다면 소방관계법규의 내용을 빈틈없이 완성할 수 있을 것입니다.

셋째, 사진과 그림을 통해 이미지메이킹하기

기본서에 수록된 사진과 그림을 적극 활용한다면, 처음 접하고 어려운 소방관계법규 이론을 쉽게 이해할 수 있습니다. 또한, 소방관이 된 후에 소방현장에 빠르게 적응하는 데 도움이 될 것입니다.

넷째, 기출문제로 출제유형 확인하기

시험은 기출문제의 반복이자 변형입니다. 따라서 전체적으로 본문을 학습한 후 '문제로 완성하기'를 통해 학습한 이론을 문제로 확인해보세요. 문제를 풀어보면서 출제의도 및 경향을 파악하고, 소방관계법규의 내용을 문제로 복습·완성할 수 있습니다.

저자 이영철

목차

2권

이 책의 구성

1 이론의 세부적인 내용을 정확하게 이해하기

최신 개정법령을 반영한 이론

1. 법, 시행령, 시행규칙의 연계 구성

소방 관계 법령의 구성에 따라 주제별로 시행령과 시행규칙을 연계 배치함으로써 학습의 효율성을 극대화할 수 있도록 하였습니다. 이를 통하여 법조문을 추가로 찾아보지 않아도, 교재의 흐름대로 출제가능성이 있는 모든 부분들을 빠짐없이 학습할 수 있습니다.

2. 최신 개정법령 반영

최근 개정법령을 교재 내에 전면 반영하였습니다. 특히 개정 후 시행을 앞둔 법조문까지 꼼꼼히 반영하여 시험 시점에 맞는 최신 법령으로 학습할 수 있습니다.

3. 중요포인트 강조

소방관계법규의 방대한 학습분량에서 시험에 반드시 필요한 부분은 꼭 학습하고 넘어갈 수 있도록 중요포인트를 색자로 강조하였습니다. 이를 통하여 핵심이 되는 내용이 어떠한 부분인지 빠르게 확인할 수 있으며, 회독 수를 늘려가면서 중요한 출제포인트 위주로 학습의 범위를 좁혀 효과적인 반복학습을 할 수 있습니다.

2. 다양한 학습장치를 활용하여 이론 완성하기

한 단계 실력 향상을 위한 다양한 학습장치

❶ **용어사전:** 더 알아두면 이해에 도움이 될 만한 용어에 대한 개념 설명을 '용어사전'에 수록하였습니다. 이를 통하여 용어에 대한 이해를 기반으로 시험에 직접 출제되는 내용들을 정확하게 학습할 수 있습니다.

❷ **영철쌤tip:** 학습의 이해를 돕기 위한 선생님의 보충 설명을 수록하였습니다. 이를 통해 강의 내용을 떠올리며 학습할 수 있어 어려운 소방관계법규 이론을 보다 쉽게 이해할 수 있습니다.

❸ **참고:** 이론 중 보충적으로 학습해야 하는 심화 내용은 '참고'에 수록하였습니다. 참고를 학습함으로써 이론을 빈틈 없이, 꼼꼼하게 학습할 수 있습니다.

❹ **핵심정리:** 출제가능성이 높은 조문에 대한 중요내용을 '핵심정리'에 수록하였습니다. 이를 통하여 학습한 내용을 다시 한 번 요약·정리할 수 있으며, 다회독 시 '핵심정리' 위주로 학습함으로써 시험에 나오는 부분만 효율적으로 학습할 수 있습니다.

❺ **문제로 완성하기:** 법조문과 관련 있는 기출문제를 이론학습과 연계하여 풀어볼 수 있도록 '문제로 완성하기'에 수록하였습니다. 필수적인 개념을 확인하는 문제에서부터 최신 기출문제까지 퀄리티 높은 문제들만 엄선하여 수록함으로써 어떠한 유형으로 출제되는지 확인하고 문제에 접근하는 방법을 익히며, 효과적으로 학습한 이론을 점검할 수 있습니다.

해커스소방 **이영철 소방관계법규** 기본서

PART 1

소방기본법

법[시행 2024.7.31.][법률 제20156호, 2024.1.30., 일부개정]
시행령[시행 2024.2.17.][대통령령 제34180호, 2024.2.6., 일부개정]
시행규칙[시행 2024.4.12.][행정안전부령 제463호, 2024.2.27., 일부개정]

CHAPTER 1 총칙

제1조(목적)

이 법은 화재를 예방·경계하거나 진압하고 화재, 재난·재해, 그 밖의 위급한 상황에서의 구조·구급 활동 등을 통하여 국민의 생명·신체 및 재산을 보호함으로써 공공의 안녕 및 질서 유지와 복리증진에 이바지함을 목적으로 한다.

> **시행령 제1조(목적)** 이 영은 소방기본법에서 위임된 사항과 그 시행에 관하여 필요한 사항을 규정함을 목적으로 한다.

> **시행규칙 제1조(목적)** 이 규칙은 소방기본법 및 동법 시행령에서 위임된 사항과 그 시행에 관하여 필요한 사항을 규정함을 목적으로 한다.

제2조(정의)

이 법에서 사용하는 용어의 뜻은 다음과 같다.

1. "소방대상물"이란 건축물, 차량, 선박(선박법 제1조의2 제1항에 따른 선박으로서 항구에 매어둔 선박만 해당한다), 선박건조구조물, 산림, 그 밖의 인공구조물 또는 물건을 말한다.
2. "관계지역"이란 소방대상물이 있는 장소 및 그 이웃 지역으로서 화재의 예방·경계·진압, 구조·구급 등의 활동에 필요한 지역을 말한다.
3. "관계인"이란 소방대상물의 소유자·관리자 또는 점유자를 말한다.
4. "소방본부장"이란 특별시·광역시·특별자치시·도 또는 특별자치도(이하 "시·도"라 한다)에서 화재의 예방·경계·진압·조사 및 구조·구급 등의 업무를 담당하는 부서의 장을 말한다.
5. "소방대"(消防隊)란 화재를 진압하고 화재, 재난·재해, 그 밖의 위급한 상황에서 구조·구급 활동 등을 하기 위하여 다음 각 목의 사람으로 구성된 조직체를 말한다.
   가. 소방공무원
   나. 의무소방원
   다. 의용소방대원
6. "소방대장"이란 소방본부장 또는 소방서장 등 화재, 재난·재해, 그 밖의 위급한 상황이 발생한 현장에서 소방대를 지휘하는 사람을 말한다.

 영철쌤 tip

차량
지하철, 도시철도 등은 차량이 아니다. 즉, 자동차만 의미한다.

한강유람선
소방대상물에 해당된다. 소방은 수난구조대가 있다.

선박구조물
선박제조(선박을 만드는 곳)이다.

인공구조물
굴뚝, 광고탑이다.

 영철쌤 tip

위치	세종시	서울특별시 중구	성북구	119 안전센터
조직	소방청 →	서울소방재난본부 →	성북 소방서 →	돈암119 안전센터 등
직위	소방 청장	서울소방 본부장	소방 서장	센터장

▲ 동작소방서 노량진119안전센터

소방대 구성원
1. 소방공무원(소방관)
2. 의무소방원(국방의 의무)
3. 의용소방대원(지역주민)

제2조의2(국가와 지방자치단체의 책무)

국가와 지방자치단체는 화재, 재난·재해, 그 밖의 위급한 상황으로부터 국민의 생명·신체 및 재산을 보호하기 위하여 필요한 시책을 수립·시행하여야 한다.

제3조(소방기관의 설치 등)

① 시·도의 화재 예방·경계·진압 및 조사, 소방안전교육·홍보와 화재, 재난·재해, 그 밖의 위급한 상황에서의 구조·구급 등의 업무(이하 "소방업무"라 한다)를 수행하는 소방기관의 설치에 필요한 사항은 대통령령으로 정한다.

② 소방업무를 수행하는 소방본부장 또는 소방서장은 그 소재지를 관할하는 특별시장·광역시장·특별자치시장·도지사 또는 특별자치도지사(이하 "시·도지사"라 한다)의 지휘와 감독을 받는다.

③ 제2항에도 불구하고 소방청장은 화재 예방 및 대형 재난 등 필요한 경우 시·도 소방본부 및 소방서장을 지휘·감독할 수 있다.

④ 시·도에서 소방업무를 수행하기 위하여 시·도지사 직속으로 소방본부를 둔다.

제3조의2(소방공무원의 배치)

제3조 제1항의 소방기관 및 같은 조 제4항의 소방본부에는 지방자치단체에 두는 국가공무원의 정원에 관한 법률에도 불구하고 대통령령으로 정하는 바에 따라 소방공무원을 둘 수 있다.

영철쌤 tip

소방은 지방자치단체를 두는 국가직 소방공무원이다

제3조의3(다른 법률과의 관계)

제주특별자치도에는 제주특별자치도 설치 및 국제자유도시 조성을 위한 특별법 제44조에도 불구하고 같은 법 제6조 제1항 단서에 따라 이 법 제3조의2를 우선하여 적용한다.

제4조(119종합상황실의 설치와 운영)

① 소방청장, 소방본부장 및 소방서장은 화재, 재난·재해, 그 밖에 구조·구급이 필요한 상황이 발생하였을 때에 신속한 소방활동(소방업무를 위한 모든 활동을 말한다. 이하 같다)을 위한 정보의 수집·분석과 판단·전파, 상황관리, 현장 지휘 및 조정·통제 등의 업무를 수행하기 위하여 119종합상황실을 설치·운영하여야 한다.

② 제1항에 따라 소방본부에 설치하는 119종합상황실에는 지방자치단체에 두는 국가공무원의 정원에 관한 법률에도 불구하고 대통령령으로 정하는 바에 따라 경찰공무원을 둘 수 있다.

③ 제1항에 따른 119종합상황실의 설치·운영에 필요한 사항은 행정안전부령으로 정한다.

영철쌤 tip

119종합상황실

1. 설치: 소방청, 소방본부, 소방서
2. 업무: 재난상황에 대한 정보수집, 분석, 판단, 전파, 상황관리, 현장지휘, 조정, 통제 등의 업무

시행규칙 제2조(종합상황실의 설치·운영) ① 소방기본법 (이하 "법"이라 한다) 제4조 제2항의 규정에 의한 종합상황실은 소방청과 특별시·광역시 또는 도(이하 "시·도"라 한다)의 소방본부 및 소방서에 각각 설치·운영하여야 한다.

② 소방청장, 소방본부장 또는 소방서장은 신속한 소방활동을 위한 정보를 수집·전파하기 위하여 종합상황실에 소방력 기준에 관한 규칙에 의한 전산·통신요원을 배치하고, 소방청장이 정하는 유·무선통신시설을 갖추어야 한다.

③ 종합상황실은 24시간 운영체제를 유지하여야 한다.

제3조(종합상황실의 실장의 업무 등) ① 종합상황실의 실장[종합상황실에 근무하는 자 중 최고직위에 있는 자(최고직위에 있는 자가 2인 이상인 경우에는 선임자)를 말한다. 이하 같다]은 다음 각 호의 업무를 행하고, 그에 관한 내용을 기록·관리하여야 한다.

1. 화재, 재난·재해 그 밖에 구조·구급이 필요한 상황(이하 "재난상황"이라 한다)의 발생의 신고 접수
2. 접수된 재난상황을 검토하여 가까운 소방서에 인력 및 장비의 동원을 요청하는 등의 사고 수습
3. 하급소방기관에 대한 출동지령 또는 동급 이상의 소방기관 및 유관기관에 대한 지원요청
4. 재난상황의 전파 및 보고
5. 재난상황이 발생한 현장에 대한 지휘 및 피해현황의 파악
6. 재난상황의 수습에 필요한 정보수집 및 제공

② 종합상황실의 실장은 다음 각 호의 어느하나에 해당하는 상황이 발생하는 때에는 그 사실을 지체 없이 서면·팩스 또는 컴퓨터통신 등으로 소방서의 종합상황실의 경우는 소방본부의 종합상황실에, 소방본부의 종합상황실의 경우는 소방청의 종합상황실에 각각 보고해야 한다.

1. 다음 각 목의 1에 해당하는 화재
   가. 사망자가 5인 이상 발생하거나 사상자가 10인 이상 발생한 화재
   나. 이재민이 100인 이상 발생한 화재
   다. 재산피해액이 50억 원 이상 발생한 화재
   라. 관공서·학교·정부미도정공장·문화재·지하철 또는 지하구의 화재
   마. 관광호텔, 지하상가, 시장, 백화점, 층수(건축법 시행령 제119조 제1항 제9호의 규정에 의하여 산정한 층수를 말한다. 이하 이 목에서 같다)가 11층 이상인 건축물, 위험물법에 의한 지정수량의 3천배 이상의 위험물의 제조소·저장소·취급소, 층수가 5층 이상이거나 객실이 30실 이상인 숙박시설, 층수가 5층 이상이거나 병상이 30개 이상인 종합병원·정신병원·한방병원·요양소, 연면적 1만5천제곱미터 이상인 공장 또는 화재의 예방 및 안전관리에 관한 법률 제18조 제1항 각 목에 따른 화재예방강화지구에서 발생한 화재
   바. 철도차량, 항구에 매어둔 총 톤수가 1천톤 이상인 선박, 항공기, 발전소 또는 변전소에서 발생한 화재
   사. 가스 및 화약류의 폭발에 의한 화재
   아. 소방시설설치유지 및 안전관리에 관한 법률 제8조의 규정에 의한 다중이용업소[1]의 화재

2. 긴급구조대응활동 및 현장지휘에 관한 규칙에 의한 통제단장의 현장지휘가 필요한
   재난상황
3. 언론에 보도된 재난상황
4. 그 밖에 소방청장이 정하는 재난상황
③ 종합상황실 근무자의 근무방법 등 종합상황실의 운영에 관하여 필요한 사항은
종합상황실을 설치하는 소방청장, 소방본부장 또는 소방서장이 각각 정한다.

영철쌤 tip

통제단장
1. 중앙통제단장(소방청장)
2. 지역통제단장(소방본부장, 소방서장)

🏠 **핵심정리 종합상황실**

1. **설치 운영권자:** 소방청장, 소방본부장 및 소방서장

2. **설치 목적:** 화재, 재난·재해, 그 밖에 구조·구급이 필요한 상황이 발생하였을 때에 신속한
   소방활동을 위한 정보의 수집·분석과 판단·전파, 상황관리, 현장 지휘 및 조정·통제 등의
   업무를 수행

3. **설치운영에 필요한 사항**
   (1) 설치장소: 소방청과 시·도 소방본부 및 소방서에 각각 설치 및 운영
   (2) 종합상황실에 필요한 장비 및 인력
        ① 전산·통신요원
        ② 유·무선통신시설
        ③ 24시간 운영체제 유지

4. **종합상황실의 실장 업무**
   (1) 종합상황실의 실장: 종합상황실에 근무하는 자 중 최고직위에 있는 자
   (2) 실장의 업무
        ① 재난상황 신고접수
        ② 소방서에 인력 및 장비의 동원을 요청 등 사고수습
        ③ 하급소방기관에 대한 출동지령, 유관기관에 대한 지원요청
        ④ 재난상황의 전파 및 보고(전화 등)
        ⑤ 재난상황이 발생한 현장에 대한 지휘 및 피해현황의 파악
        ⑥ 재난상황의 수습에 필요한 정보수집 및 제공
   (3) 즉시 보고 사항: 서면·모사전송 또는 컴퓨터통신 등으로 상부 보고 화재
        ① 사망 5인 이상
        ② 사상자 10인 이상
        ③ 재산피해액 50억 원 이상
        ④ 이재민 100인 이상
        ⑤ 층수 11층 이상
        ⑥ 지정수량 3천배 이상
        ⑦ 5층 이상이거나 객실 30실 이상
        ⑧ 5층 이상이거나 병상 30개 이상
        ⑨ 연면적 1만5천제곱미터 이상인 공장
        ⑩ 화재예방강화지구
        ⑪ 항구에 매어둔 총 톤수가 1천톤 이상인 선박
        ⑫ 다중이용업소의 화재
        ⑬ 통제단장의 현장지휘
        ⑭ 언론보도

제4조의2(소방정보통신망 구축·운영)

① 소방청장 및 시·도지사는 119종합상황실 등의 효율적 운영을 위하여 소방정보통신망을 구축·운영할 수 있다.

② 소방청장 및 시·도지사는 소방정보통신망의 안정적 운영을 위하여 소방정보통신망의 회선을 이중화할 수 있다. 이 경우 이중화된 각 회선은 서로 다른 사업자로부터 제공받아야 한다.

③ 제1항 및 제2항에 따른 소방정보통신망의 구축 및 운영에 필요한 사항은 행정안전부령으로 정한다.

> **시행규칙 제3조의2(소방정보통신망의 구축·운영)** ① 법 제4조의2 제1항에 따른 소방정보통신망(이하 "소방정보통신망"이라 한다)은 회선 수, 구간별 용도 및 속도 등을 고려하여 설계·구축해야 한다.
> ② 법 제4조의2 제2항 전단에 따라 소방정보통신망의 회선을 이중화한 경우 하나의 회선에 장애가 발생하면 다른 회선으로 즉시 전환되도록 구축·운영해야 한다.
> ③ 소방청장 및 시·도지사는 소방정보통신망이 안정적으로 운영될 수 있도록 연 1회 이상 소방정보통신망을 주기적으로 점검·관리해야 한다.
> ④ 제1항부터 제3항까지에서 규정한 사항 외에 소방정보통신망의 속도, 점검 주기 등에 관한 세부 사항은 소방청장이 정한다.
> [본조신설 2024.2.27.]
> [시행일 2024.4.12.]

제4조의3(소방기술민원센터의 설치·운영)

① 소방청장 또는 소방본부장은 소방시설, 소방공사 및 위험물 안전관리 등과 관련된 법령해석 등의 민원을 종합적으로 접수하여 처리할 수 있는 기구(이하 이 조에서 "소방기술민원센터"라 한다)를 설치·운영할 수 있다.

② 소방기술민원센터의 설치·운영 등에 필요한 사항은 대통령령으로 정한다.

> **시행령 제1조의2(소방기술민원센터의 설치·운영)** ① 소방청장 또는 소방본부장은 소방기본법(이하 "법"이라 한다) 제4조의2 제1항에 따른 소방기술민원센터(이하 "소방기술민원센터"라 한다)를 소방청 또는 소방본부에 각각 설치·운영한다.
> ② 소방기술민원센터는 센터장을 포함하여 18명 이내로 구성한다.
> ③ 소방기술민원센터는 다음 각 호의 업무를 수행한다.
> 1. 소방시설, 소방공사와 위험물 안전관리 등과 관련된 법령해석 등의 민원(이하 "소방기술민원"이라 한다)의 처리
> 2. 소방기술민원과 관련된 질의회신집 및 해설서 발간
> 3. 소방기술민원과 관련된 정보시스템의 운영·관리
> 4. 소방기술민원과 관련된 현장 확인 및 처리
> 5. 그 밖에 소방기술민원과 관련된 업무로서 소방청장 또는 소방본부장이 필요하다고 인정하여 지시하는 업무
> ④ 소방청장 또는 소방본부장은 소방기술민원센터의 업무수행을 위하여 필요하다고 인정하는 경우에는 관계 기관의 장에게 소속 공무원 또는 직원의 파견을 요청할 수 있다.

영철쌤 tip

소방기술민원센터의 설치·운영자
소방청장, 소방본부장

영철쌤 tip

소방기술민원센터의 설치·운영에 필요한 사항

1. 소방청에 설치하는 경우: 소방청장이 정한다.
2. 소방본부에 설치하는 경우: 시·도 규칙으로 정한다.

⑤ 제1항부터 제4항까지에서 규정한 사항 외에 소방기술민원센터의 설치·운영에 필요한 사항은 소방청에 설치하는 경우에는 소방청장이 정하고, 소방본부에 설치하는 경우에는 해당 특별시·광역시·특별자치시·도 또는 특별자치도(이하 "시·도"라 한다)의 규칙으로 정한다.

📖 **핵심정리 소방기술민원센터**

----

1. **설치·운영권자:** 소방청장 또는 소방본부장(소방청이나 소방본부에 설치)

2. **설치 목적:** 법령해석 등의 민원을 종합적으로 접수하여 처리하기 위해 설치

3. **소방기술 민원센터의 구성:** 센터장 포함 18명 이내로 구성

4. **소방기술 민원센터 업무**
   ① 소방시설, 소방공사와 위험물 안전관리 등과 관련된 법령해석 등의 민원(이하 "소방기술민원"이라 한다)의 처리
   ② 소방기술민원과 관련된 질의회신집 및 해설서 발간
   ③ 소방기술민원과 관련된 정보시스템의 운영·관리
   ④ 소방기술민원과 관련된 현장 확인 및 처리

제5조(소방박물관 등의 설립과 운영)

① 소방의 역사와 안전문화를 발전시키고 국민의 안전의식을 높이기 위하여 소방청장은 소방박물관을, 시·도지사는 소방체험관(화재 현장에서의 피난 등을 체험할 수 있는 체험관을 말한다. 이하 이 조에서 같다)을 설립하여 운영할 수 있다.

② 제1항에 따른 소방박물관의 설립과 운영에 필요한 사항은 **행정안전부령**으로 정하고, 소방체험관의 설립과 운영에 필요한 사항은 행정안전부령으로 정하는 기준에 따라 시·도의 조례로 정한다.

 영철쌤 tip

1. 행정안전부령으로 정하는 기준: 체험실의 바닥면적은 100제곱미터 이상 등
2. 체험관: 많은 곳에서 체험하는 것이 필요하므로 시·도에서 관리한다.
3. 설립·운영
   · 소방박물관: 소방청장
   · 소방체험관: 시·도지사

시행규칙 제4조(소방박물관의 설립과 운영) ① 소방청장은 법 제5조 제2항의 규정에 의하여 소방박물관을 설립·운영하는 경우에는 소방박물관에 소방박물관장 1인과 부관장 1인을 두되, 소방박물관장은 소방공무원 중에서 소방청장이 임명한다.
② 소방박물관은 국내·외의 소방의 역사, 소방공무원의 복장 및 소방장비 등의 변천 및 발전에 관한 자료를 수집·보관 및 전시한다.
③ 소방박물관에는 그 운영에 관한 중요한 사항을 심의하기 위하여 7인 이내의 위원으로 구성된 운영위원회를 둔다.
④ 제1항의 규정에 의하여 설립된 소방박물관의 관광업무·조직·운영위원회의 구성 등에 관하여 필요한 사항은 소방청장이 정한다.

제4조의2(소방체험관의 설립 및 운영) ① 법 제5조 제1항에 따라 설립된 소방체험관(이하 "소방체험관"이라 한다)은 다음 각 호의 기능을 수행한다.
1. 재난 및 안전사고 유형에 따른 예방, 대처, 대응 등에 관한 체험교육(이하 "체험교육"이라 한다)의 제공
2. 체험교육 프로그램의 개발 및 국민 안전의식 향상을 위한 홍보·전시
3. 체험교육 인력의 양성 및 유관기관·단체 등과의 협력
4. 그 밖에 체험교육을 위하여 시·도지사가 필요하다고 인정하는 사업의 수행

② 법 제5조 제2항에서 "행정안전부령으로 정하는 기준"이란 별표 1에 따른 기준을 말한다.

별표 1. 소방체험관의 설립 및 운영에 관한 기준

1. 설립 입지 및 규모 기준

　가. 소방체험관은 도로 등 교통시설을 갖추고, 재해 및 재난 위험요소가 없는 등 국민의 접근성과 안전성이 확보된 지역에 설립되어야 한다.

　나. 소방체험관 중 제2호의 소방안전 체험실로 사용되는 부분의 바닥면적의 합이 900제곱미터 이상이 되어야 한다.

2. 소방체험관의 시설 기준

　가. 소방체험관에는 다음 표에 따른 체험실을 모두 갖추어야 한다. 이 경우 체험실별 바닥면적은 100제곱미터 이상이어야 한다.

분야	체험실
생활안전	화재안전 체험실
	시설안전 체험실
교통안전	보행안전 체험실
	자동차안전 체험실
자연재난안전	기후성 재난 체험실
	지질성 재난 체험실
보건안전	응급처치 체험실

　나. 소방체험관의 규모 및 지역 여건 등을 고려하여 다음 표에 따른 체험실을 갖출 수 있다. 이 경우 체험실별 바닥면적은 100제곱미터 이상이어야 한다.

분야	체험실
생활안전	전기안전 체험실, 가스안전 체험실, 작업안전 체험실, 여가활동 체험실, 노인안전 체험실
교통안전	버스안전 체험실, 이륜차안전 체험실, 지하철안전 체험실
자연재난안전	생물권 재난안전 체험실(조류독감, 구제역 등)
사회기반안전	화생방·민방위안전 체험실, 환경안전 체험실, 에너지·정보통신 안전 체험실, 사이버안전 체험실
범죄안전	미아안전 체험실, 유괴안전 체험실, 폭력안전 체험실, 성폭력안전 체험실, 사기범죄 안전 체험실
보건안전	중독안전 체험실(게임·인터넷, 흡연 등), 감염병안전 체험실, 식품안전 체험실, 자살방지 체험실
기타	시·도지사가 필요하다고 인정하는 체험실

　다. 소방체험관에는 사무실, 회의실, 그 밖에 시설물의 관리·운영에 필요한 관리시설이 건물규모에 적합하게 설치되어야 한다.

3. 체험교육 인력의 자격 기준

　가. 체험실별 체험교육을 총괄하는 교수요원은 소방공무원 중 다음의 어느 하나에 해당하는 사람이어야 한다.

1) 소방 관련학과의 석사학위 이상을 취득한 사람
2) 소방기본법 제17조의2에 따른 소방안전교육사, 소방시설 설치 및 관리에 관한 법률 제25조에 따른 소방시설관리사, 국가기술자격법에 따른 소방기술사 또는 소방설비기사 자격을 취득한 사람
3) 간호사 또는 응급의료에 관한 법률 제36조에 따른 응급구조사 자격을 취득한 사람
4) 소방청장이 실시하는 인명구조사시험 또는 화재대응능력시험에 합격한 사람
5) 소방기본법 제16조 또는 제16조의3에 따른 소방활동이나 생활안전활동을 3년 이상 수행한 경력이 있는 사람
6) 5년 이상 근무한 소방공무원 중 시·도지사가 체험실의 교수요원으로 적합하다고 인정하는 사람

나. 체험실별 체험교육을 지원하고 실습을 보조하는 조교는 다음의 어느 하나에 해당하는 사람이어야 한다.
1) 가목에 따른 교수요원의 자격을 갖춘 사람
2) 소방기본법 제16조 및 제16조의3에 따른 소방활동이나 생활안전활동을 1년 이상 수행한 경력이 있는 사람
3) 중앙소방학교 또는 지방소방학교에서 2주 이상의 소방안전교육사 관련 전문 교육과정을 이수한 사람
4) 소방체험관에서 2주 이상의 체험교육에 관한 직무교육을 이수한 의무소방원
5) 그 밖에 1)부터 4)까지의 규정에 준하는 자격 또는 능력을 갖추었다고 시·도지사가 인정하는 사람

4. **소방체험관의 관리인력 배치 기준 등**
가. 소방체험관의 규모 등에 비추어 체험교육 프로그램의 기획·개발, 대외협력 및 성과분석 등을 담당할 적정한 수준의 행정인력을 두어야 한다.
나. 소방체험관의 규모 등에 비추어 건축물과 체험교육 시설·장비 등의 유지관리를 담당할 적정한 수준의 시설관리인력을 두어야 한다.
다. 시·도지사는 소방체험관 이용자에 대한 안전지도 및 질서 유지 등을 담당할 자원봉사자를 모집하여 활용할 수 있다.

5. **체험교육 운영 기준**
가. 체험교육을 실시할 때 체험실에는 1명 이상의 교수요원을 배치하고, 조교는 체험교육대상자 30명당 1명 이상이 배치되도록 하여야 한다. 다만, 소방체험관의 장은 체험교육대상자의 연령 등을 고려하여 조교의 배치기준을 달리 정할 수 있다.
나. 교수요원은 체험교육 실시 전에 소방체험관 이용자에게 주의사항 및 안전관리 협조사항을 미리 알려야 한다.
다. 시·도지사는 설치되어 있는 체험실별로 체험교육 표준운영절차를 마련하여야 한다.
라. 시·도지사는 체험교육대상자의 정신적·신체적 능력을 고려하여 체험교육을 운영하여야 한다.
마. 시·도지사는 체험교육 운영인력에 대하여 체험교육과 관련된 지식·기술 및 소양 등에 관한 교육훈련을 연간 12시간 이상 이수하도록 하여야 한다.
바. 체험교육 운영인력은 소방공무원 복제 규칙 제12조에 따른 기동장을 착용하여야 한다. 다만, 계절이나 야외 체험활동 등을 고려하여 제복의 종류 및 착용방법을 달리 정할 수 있다.

영철쌤 tip
소방설비산업기사는 해당사항 없음

영철쌤 tip
소방지원활동 해당사항 없음

6. 안전관리 기준

가. 시 · 도지사는 소방체험관에서 발생한 사고로 인한 이용자 등의 생명 · 신체나 재산상의 손해를 보상하기 위한 보험 또는 공제에 가입하여야 한다.

나. 교수요원은 체험교육 실시 전에 체험실의 시설 및 장비의 이상 유무를 반드시 확인하는 등 안전점검을 실시하여야 한다.

다. 소방체험관의 장은 소방체험관에서 발생하는 각종 안전사고 등을 총괄하여 관리하는 안전관리자를지 정하여야 한다.

라. 소방체험관의 장은 안전사고 발생 시 신속한 응급처치 및 병원 이송 등의 조치를 하여야 한다.

마. 소방체험관의 장은 소방체험관의 이용자의 안전에 위해(危害)를 끼치거나 끼칠 위험이 있다고 인정되는 이용자에 대하여 출입 금지 또는 행위의 제한, 체험교육의 거절 등의 조치를 하여야 한다.

7. 이용현황 관리 등

가. 소방체험관의 장은 체험교육의 운영결과, 만족도 조사결과 등을 기록하고 이를 3년간 보관하여야 한다.

나. 소방체험관의 장은 체험교육의 효과 및 개선 사항 발굴 등을 위하여 이용자를 대상으로 만족도 조사를 실시하여야 한다. 다만, 이용자가 거부하거나 만족도 조사를 실시할 시간적 여유가 없는 등의 경우에는 만족도 조사를 실시하지 아니할 수 있다.

다. 소방체험관의 장은 체험교육을 이수한 사람에게 교육이수자의 성명, 체험내용, 체험시간 등을 적은 체험교육 이수증을 발급할 수 있다.

📖 **핵심정리 소방박물관 및 소방체험관**

1. 설립 및 운영권자
① 소방청장: 소방박물관
② 시 · 도지사: 소방체험관

2. 소방박물관 설립 및 운영에 필요한 사항
① 소방박물관장 1인과 부관장 1인을 두되, 소방박물관장은 소방공무원 중에서 소방청장이 임명
② 운영위원회 위원은 7인 이내로 구성

3. 소방체험관의 기능
① 재난 및 안전사고 유형에 따른 예방, 대처, 대응 등에 관한 체험교육의 제공
② 체험교육 프로그램의 개발 및 국민 안전의식 향상을 위한 홍보 · 전시
③ 체험교육 인력의 양성 및 유관기관 · 단체 등과의 협력
④ 그 밖에 체험교육을 위하여 시 · 도지사가 필요하다고 인정하는 사업의 수행

제6조(소방업무에 관한 종합계획의 수립·시행 등)

```
┌─────────────────┐   전년도 10.31. 통보   ┌─────────────────┐
│   소방청장      │ ──────────────────→  │   시·도지사     │
│ (종합계획 5년)  │ ←──────────────────  │ (세부계획 매년) │
└─────────────────┘   전년도 12.31. 제출   └─────────────────┘
```

① 소방청장은 화재, 재난·재해, 그 밖의 위급한 상황으로부터 국민의 생명·신체 및 재산을 보호하기 위하여 소방업무에 관한 종합계획(이하 이 조에서 "종합계획"이라 한다)을 5년마다 수립·시행하여야 하고, 이에 필요한 재원을 확보하도록 노력하여야 한다.

② 종합계획에는 다음 각 호의 사항이 포함되어야 한다.
  1. 소방서비스의 질 향상을 위한 정책의 기본방향
  2. 소방업무에 필요한 체계의 구축, 소방기술의 연구·개발 및 보급
  3. 소방업무에 필요한 장비의 구비
  4. 소방전문인력 양성
  5. 소방업무에 필요한 기반조성
  6. 소방업무의 교육 및 홍보(제21조에 따른 소방자동차의 우선 통행 등에 관한 홍보를 포함한다)
  7. 그 밖에 소방업무의 효율적 수행을 위하여 필요한 사항으로서 대통령령으로 정하는 사항

③ 소방청장은 제1항에 따라 수립한 종합계획을 관계 중앙행정기관의 장, 시·도지사에게 통보하여야 한다.

④ 시·도지사는 관할 지역의 특성을 고려하여 종합계획의 시행에 필요한 세부계획(이하 이 조에서 "세부계획"이라 한다)을 매년 수립하여 소방청장에게 제출하여야 하며, 세부계획에 따른 소방업무를 성실히 수행하여야 한다.

⑤ 소방청장은 소방업무의 체계적 수행을 위하여 필요한 경우 제4항에 따라 시·도지사가 제출한 세부계획의 보완 또는 수정을 요청할 수 있다.

⑥ 그 밖에 종합계획 및 세부계획의 수립·시행에 필요한 사항은 대통령령으로 정한다.

> **시행령 제1조의3(소방업무에 관한 종합계획 및 세부계획의 수립·시행)** ① 소방청장은 법 제6조 제1항에 따른 소방업무에 관한 종합계획을 관계 중앙행정기관의 장과의 협의를 거쳐 계획 시행 전년도 10월 31일까지 수립해야 한다.
> ② 법 제6조 제2항 제7호에서 "대통령령으로 정하는 사항"이란 다음 각 호의 사항을 말한다.
> 1. 재난·재해 환경 변화에 따른 소방업무에 필요한 대응 체계 마련
> 2. 장애인, 노인, 임산부, 영유아 및 어린이 등 이동이 어려운 사람을 대상으로 한 소방 활동에 필요한 조치
> ③ 특별시장·광역시장·특별자치시장·도지사 또는 특별자치도지사(이하 "시·도지사"라 한다)는 법 제6조 제4항에 따른 종합계획의 시행에 필요한 세부계획을 계획 시행 전년도 12월 31일까지 수립하여 소방청장에게 제출하여야 한다.

 영철쌤 tip

1. 계획(3원화): 기본계획 → 시행계획 → 세부계획
2. 계획(2원화): 기본계획 → 세부계획

```
┌─────────────────┐   전년도 10.31. 통보   ┌─────────────────┐
│   소방청장       │ ──────────────────→  │   시·도지사      │
│ (종합계획 5년)   │ ←──────────────────  │ (세부계획 매년)  │
└─────────────────┘   전년도 12.31. 제출   └─────────────────┘
```

1. 종합계획 수립 및 시행자: 소방청장(5년마다 수립 시행)

2. 종합계획 및 세부계획의 수립 시기
  ① 소방청장은 종합계획을 관계 중앙행정기관의 장, 시·도지사에게 통보(종합계획은 전년도 10월 31일까지 수립)
  ② 시·도지사는 종합계획의 시행에 필요한 세부계획을 매년 수립하여 소방청장에게 제출(세부계획은 전년도 12월 31일까지 수립)
  ③ 소방청장은 세부계획의 보완 또는 수정 요청 가능

제7조(소방의 날 제정과 운영 등)

① 국민의 안전의식과 화재에 대한 경각심을 높이고 안전문화를 정착시키기 위하여 매년 11월 9일을 소방의 날로 정하여 기념행사를 한다.

② 소방의 날 행사에 관하여 필요한 사항은 소방청장 또는 시·도지사가 따로 정하여 시행할 수 있다.

③ 소방청장은 다음 각 호에 해당하는 사람을 명예직 소방대원으로 위촉할 수 있다.

  1. 의사상자 등 예우 및 지원에 관한 법률 제2조에 따른 의사상자(義死傷者)로서 같은 법 제3조 제3호 또는 제4호에 해당하는 사람

  2. 소방행정 발전에 공로가 있다고 인정되는 사람

> **참고** 의사상자 등 예우 및 지원에 관한 법률 제2조에 따른 의사상자(義死傷者)로서 같은 법 제3조 제3호 또는 제4호에 해당하는 사람
>
> **1. 제3호:** 천재지변, 수난, 화재, 건물, 축대, 제방의 붕괴 등으로 위해에 처한 다른 사람의 생명·신체 또는 재산을 구하다가 사망하거나, 부상을 입는 구조 행위를 한 자
>
> **2. 제4호:** 천재지변, 수난, 화재, 건물, 축대, 제방의 붕괴 등으로 일어날 수 있는 불특정 다수인의 위해를 방지하기 위하여 긴급한 조치를 하다가 사망하거나, 부상을 입는 구조 행위를 한 자

문제로 완성하기

01 소방기본법상 소방대의 구성원으로 옳은 것은? 20. 공채

> ㄱ. 소방안전관리자 ㄴ. 의무소방원
> ㄷ. 자체소방대원 ㄹ. 의용소방대원
> ㅁ. 자위소방대원

① ㄱ, ㄷ ② ㄴ, ㄹ
③ ㄴ, ㅁ ④ ㄷ, ㅁ

02 다음 용어에 대한 정의로 옳은 것을 고르면? 18. 상반기 공채

① 관계인이란, 소방대상물의 소유자, 관리자, 점유자를 말한다.

② 관계지역이란, 소방대상물이 있는 장소만을 말한다.

③ 소방대상물이란, 건축물, 차량, 항해 중인 선박, 선박건조구조물, 산림 등을 말한다.

④ 소방대장이란, 소방본부장 또는 소방서장 등 화재, 재난, 재해 그 밖의 위급한 상황이 발생한 본부에서 소방대를 지휘하는 사람을 말한다.

정답 및 해설

01 소방대의 구성원
소방대에는 소방공무원, 의무소방원(ㄴ), 의용소방대원(ㄹ)이 있다.

02 용어의 정의
② 관계지역이란, 소방대상물이 있는 장소만을 말한다. → 이웃지역도 포함한다.

③ 소방대상물이란, 건축물, 차량, 항해 중인 선박, 선박건조구조물, 산림 등을 말한다. → 항해 중인 선박은 제외한다.

④ 소방대장이란, 소방본부장 또는 소방서장 등 화재, 재난, 재해 그 밖의 위급한 상황이 발생한 본부에서 소방대를 지휘하는 사람을 말한다. → 소방대장이란 소방본부장 또는 소방서장 등 화재, 재난·재해, 그 밖의 위급한 상황이 발생한 현장에서 소방대를 지휘하는 사람을 말한다.

정답 01 ② 02 ①

03 소방기본법상 소방기관의 설치에 대한 내용으로 옳지 않은 것은? 21. 경채

① 시 · 도에서 소방업무를 수행하기 위하여 시 · 도지사 직속으로 소방본부를 둔다.

② 시 · 도의 소방업무를 수행하는 소방기관의 설치에 필요한 사항은 행정안전부령으로 정한다.

③ 소방업무를 수행하는 소방본부장 또는 소방서장은 그 소재지를 관할하는 시 · 도지사의 지휘와 감독을 받는다.

④ 소방청장은 화재 예방 및 대형 재난 등 필요한 경우 시 · 도 소방본부장 및 소방서장을 지휘 · 감독할 수 있다.

04 소방기본법 제3조 소방기관의 설치 등에 대한 내용이다. (   ) 안에 들어갈 말로 옳은 것은? 22. 경채

> 시 · 도의 화재 예방 · 경계 · 진압 및 조사, 소방안전 교육 · 홍보와 화재, 재난 · 재해, 그 밖의 위급한 상황에서의 구조 · 구급 등의 업무를 수행하는 소방기관의 설치에 필요한 사항은 (   )(으)로 정한다.

① 대통령령　　　　　　　　　　　　② 행정안전부령

③ 시 · 도의 조례　　　　　　　　　　④ 소방청훈령

05 소방기본법상 119종합상황실의 설치 및 운영목적에 대한 내용으로 옳지 않은 것은? 21. 공채

① 상황관리

② 대응계획 실행 및 평가

③ 현장 지휘 및 조정 · 통제

④ 정보의 수집 · 분석과 판단 · 전파

06 119종합상황실에 즉시 보고사항이 아닌 것은? 17. 상반기 공채

① 사망 5명 이상 발생한 화재

② 재산피해액 50억 원 이상의 피해가 발생한 화재

③ 이재민 50명 이상 발생한 화재

④ 연면적 1만5천m² 이상인 공장에서 발생한 화재

정답 및 해설

03 소방기관의 설치
시 · 도의 소방업무를 수행하는 소방기관의 설치에 필요한 사항은 대통령령으로 정한다.

04 소방기관의 설치 등
시 · 도의 화재 예방 · 경계 · 진압 및 조사, 소방안전 교육 · 홍보와 화재, 재난 · 재해, 그 밖의 위급한 상황 에서의 구조 · 구급 등의 업무를 수행하는 소방기관의 설치에 필요한 사항은 (대통령령)으로 정한다.

05 119종합상황실
119 종합상황실의 설치 및 운영 목적에는 대응계획 실행 및 평가가 포함되지 않는다.

06 119종합상활실
이재민이 100명 이상 발생한 화재일 때 상부 종합상황실에 지체 없이 보고한다.

정답 **03** ② **04** ① **05** ② **06** ③

07 소방기본법 시행령상 소방기술민원센터의 설치 · 운영기준으로 옳지 않은 것은? 22. 공채

① 소방청장 및 본부장은 각 소방서에 소방기술민원센터를 설치 · 운영한다.

② 소방기술민원센터는 소방기술민원과 관련된 현장 확인 및 처리업무를 수행한다.

③ 소방기술민원센터는 소방기술민원과 관련된 질의회신집 및 해설서 발간의 업무를 수행한다.

④ 소방기술민원센터는 소방시설, 소방공사와 위험물 안전 관리 등과 관련된 법령해석 등의 민원을 처리한다.

08 소방기본법 및 같은 법 시행령상 소방기술민원센터에 대한 내용으로 옳지 않은 것은? 22. 경채

① 소방기술민원센터는 센터장을 포함하여 18명 이내로 구성한다.

② 소방기술민원센터는 소방기술민원과 관련된 업무로서 소방청장 또는 소방본부장이 필요하다고 인정하여 지시하는 업무를 수행한다.

③ 소방기술민원센터장은 소방기술민원센터의 업무수행을 위하여 필요하다고 인정하는 경우에는 관계 기관의 장에게 소속 공무원 또는 직원의 파견을 요청할 수 있다.

④ 소방청장은 소방시설, 소방공사 및 위험물 안전관리 등과 관련된 법령해석 등의 민원을 종합적으로 접수하여 처리할 수 있는 소방기술민원센터를 설치 · 운영할 수 있다.

09 소방기본법상 소방 관련 시설 등의 설립 또는 설치에 관한 법적 근거로 옳은 것은? 21. 경채

① 소방체험관: 대통령령

② 119종합상황실: 대통령령

③ 소방박물관: 행정안전부령

④ 비상소화장치: 시 · 도 조례

10 소방기본법상 소방박물관 등의 설립과 운영에 관한 설명이다. (   ) 안의 내용으로 옳은 것은? 19. 경채

> 소방의 역사와 안전문화를 발전시키고 국민의 안전 의식을 높이기 위하여 (가)은/는 소방박물관을, (나)은/는 소방체험관(화재 현장에서의 피난 등을 체험할 수 있는 체험관을 말한다)을 설립하여 운영할 수 있다.

	(가)	(나)
①	소방청장	시·도지사
②	소방청장	소방본부장
③	시·도지사	소방본부장
④	시·도지사	소방청장

정답 및 해설

07 소방기술민원센터
소방청장 또는 소방본부장은 소방기본법(이하 "법"이라 한다) 제4조의2 제1항에 따른 소방기술민원센터(이하 "소방기술민원센터"라 한다)를 소방청 또는 소방본부에 각각 설치·운영한다.

08 소방기술민원센터
소방청장 또는 소방본부장은 소방기술민원센터의 업무수행을 위하여 필요하다고 인정하는 경우에는 관계 기관의 장에게 소속 공무원 또는 직원의 파견을 요청할 수 있다.

09 소방 관련 시설
① 소방체험관: 대통령령 → 행정안전부령
② 119종합상황실: 대통령령 → 행정안전부령
③ 소방박물관: 행정안전부령
④ 비상소화장치: 시·도 조례 → 행정안전부령

10 소방박물관
소방의 역사와 안전문화를 발전시키고 국민의 안전 의식을 높이기 위하여 (소방청장)은/는 소방박물관을, (시·도지사)은/는 소방체험관(화재 현장에서의 피난 등을 체험할 수 있는 체험관을 말한다)을 설립하여 운영할 수 있다.

정답 07 ① **08** ③ **09** ③ **10** ①

11 소방기본법상 소방박물관 등의 설립과 운영에 관한 내용이다. ( ) 안에 들어갈 내용으로 옳은 것은? 24. 경채

> • 소방의 역사와 안전문화를 발전시키고 국민의 안전의식을 높이기 위하여 (ㄱ)은/는 소방박물관을, (ㄴ)은/는 소방체험관을 설립하여 운영할 수 있다.
> • 소방박물관의 설립과 운영에 필요한 사항은 (ㄷ)(으)로 정하고, 소방체험관의 설립과 운영에 필요한 사항은 (ㄷ)(으)로 정하는 기준에 따라 (ㄹ)(으)로 정한다.

	ㄱ	ㄴ	ㄷ	ㄹ
①	시·도지사	소방청장	행정안전부령	시·도의 조례
②	시·도지사	소방청장	시·도의 조례	행정안전부령
③	소방청장	시·도지사	시·도의 조례	행정안전부령
④	소방청장	시·도지사	행정안전부령	시·도의 조례

12 소방기본법상 소방업무에 관한 종합계획의 수립·시행 등에 대한 설명이다. ( ) 안에 들어갈 내용으로 옳은 것은? 20. 공채

> (가)은 화재, 재난·재해, 그 밖의 위급한 상황으로부터 국민의 생명·신체 및 재산을 보호하기 위하여 소방업무에 관한 종합계획을 (나)마다 수립·시행하여야 하고, 이에 필요한 재원을 확보하도록 노력하여야 한다.

	(가)	(나)
①	소방청장	3년
②	소방청장	5년
③	행정안전부장관	3년
④	행정안전부장관	5년

13 소방업무에 관한 종합계획 및 세부계획의 수립·시행에 대하여 옳지 않은 것은? 17. 상반기 경채

① 소방청장은 소방업무에 관한 종합계획을 관계 중앙행정기관의 장과의 협의를 거쳐 계획 시행 전년도 10월 31일까지 수립하여야 한다.

② 재난·재해 환경 변화에 따른 소방업무에 필요한 대응 체계를 마련하여야 한다.

③ 장애인, 노인, 임산부, 영유아 및 어린이 등 이동이 어려운 사람을 대상으로 한 소방활동에 필요한 조치를 마련하여야 한다.

④ 시·도지사와 시·군·구청장은 종합계획의 시행에 필요한 세부계획을 수립하여 소방청장에게 제출하여야 한다.

소방기본법 및 같은 법 시행령상 소방업무에 관한 종합계획의 수립·시행 등의 내용으로 옳지 않은 것은?

① 소방청장은 수립한 종합계획을 관계 중앙행정기관의 장, 시·도지사에게 통보하여야 한다.

② 시·도지사는 관할 지역의 특성을 고려하여 종합계획의 시행에 필요한 세부계획을 매년 수립하여 행정안전부 장관에게 제출하여야 한다.

③ 종합계획에는 소방업무에 필요한 체계의 구축, 소방기술의 연구·개발 및 보급, 소방전문인력 양성에 대한 사항이 포함되어야 한다.

④ 소방청장은 소방업무에 관한 종합계획을 관계 중앙행정기관의 장과의 협의를 거쳐 계획 시행 전년도 10월 31일까지 수립하여야 한다.

정답 및 해설

11 소방박물관 등의 설립과 운영

1. 소방의 역사와 안전문화를 발전시키고 국민의 안전의식을 높이기 위하여 소방청장은 소방박물관을, 시·도지사는 소방체험관(화재 현장에서의 피난 등을 체험할 수 있는 체험관을 말한다. 이하 이 조에서 같다)을 설립하여 운영할 수 있다.

2. 1.에 따른 소방박물관의 설립과 운영에 필요한 사항은 행정안전부령으로 정하고, 소방체험관의 설립과 운영에 필요한 사항은 행정안전부령으로 정하는 기준에 따라 시·도의 조례로 정한다.

12 소방업무에 관한 종합계획

(소방청장)은 화재, 재난·재해, 그 밖의 위급한 상황으로부터 국민의 생명·신체 및 재산을 보호하기 위하여 소방업무에 관한 종합계획을 (5년)마다 수립·시행하여야 하고, 이에 필요한 재원을 확보하도록 노력하여야 한다.

13 소방업무에 관한 종합계획 및 세부계획

시·도지사와 시·군·구청장은 종합계획의 시행에 필요한 세부계획을 수립하여 소방청장에게 제출하여야 한다. → 시·군·구청장은 해당하지 않는다.

14 소방업무에 관한 종합계획

시·도지사는 관할 지역의 특성을 고려하여 종합계획의 시행에 필요한 세부계획을 매년 수립하여 행정안전부장관에게 제출하여야 한다. → 소방청장에게 제출하여야 한다.

정답 11 ② 12 ② 13 ④ 14 ②

CHAPTER 2 소방장비 및 소방용수시설

영철쌤 tip

소방력
1. 소방력: 인력(전문성을 갖춤)과 장비(현대화)
2. 소방력의 3요소: 인력, 장비, 소방용수(수리)
3. 현대의 소방력: 훈련된 기술인력, 정비된 장비, 충분한 수리, 원활한 통신망

기준
1. 일반적으로 '~ 관한 기준': 행정안전부령
2. 불을 사용하는 설비에 관한 기준: 대통령령

제8조(소방력의 기준 등)

① 소방기관이 소방업무를 수행하는 데에 필요한 인력과 장비 등[이하 "소방력"(消防力)이라 한다]에 관한 기준은 행정안전부령으로 정한다.

② 시·도지사는 제1항에 따른 소방력의 기준에 따라 관할구역의 소방력을 확충하기 위하여 필요한 계획을 수립하여 시행하여야 한다.

③ 소방자동차 등 소방장비의 분류·표준화와 그 관리 등에 필요한 사항은 따로 법률에서 정한다.

제9조(소방장비 등에 대한 국고보조)

① 국가는 소방장비의 구입 등 시·도의 소방업무에 필요한 경비의 일부를 보조한다.

② 제1항에 따른 보조 대상사업의 범위와 기준보조율은 대통령령으로 정한다.

영철쌤 tip

국고보조대상
1. 소방활동장비 등: 소방(자동차, 헬리곱터, 정), 소방전용(통신, 전산설비)
2. 소방관서용 청사건축

> **시행령 제2조(국고보조 대상사업의 범위와 기준보조율)** ① 법 제9조 제2항에 따른 국고보조 대상사업의 범위는 다음 각 호와 같다.
> 1. 다음 각 목의 소방활동장비와 설비의 구입 및 설치
>   가. 소방자동차
>   나. 소방헬리콥터 및 소방정
>   다. 소방전용통신설비 및 전산설비
>   라. 그 밖에 방화복 등 소방활동에 필요한 소방장비
> 2. 소방관서용 청사의 건축(건축법 제2조 제1항 제8호에 따른 건축을 말한다)
> ② 제1항 제1호에 따른 소방활동장비 및 설비의 종류와 규격은 행정안전부령으로 정한다.
> ③ 제1항에 따른 국고보조 대상사업의 기준보조율은 보조금 관리에 관한 법률 시행령에서 정하는 바에 따른다.

영철쌤 tip

규격
1. 차: 마력
2. 정: 톤
3. 헬리곱터: 인승

> **시행규칙 제5조(소방활동장비 및 설비의 규격 및 종류와 기준가격)** ① 국고보조의 대상이 되는 소방활동장비 및 설비의 종류 및 규격은 별표 1의2와 같다.
> ② 영 제2조 제2항의 규정에 의한 국고보조산정을 위한 기준가격은 다음 각 호와 같다.
> 1. 국내조달품: 정부고시가격
> 2. 수입물품: 조달청에서 조사한 해외시장의 시가
> 3. 정부고시가격 또는 조달청에서 조사한 해외시장의 시가가 없는 물품: 2 이상의 공신력 있는 물가조사기관에서 조사한 가격의 평균가격

별표 1의2. 국고보조의 대상이 되는 소방활동장비 및 설비의 종류와 규격

구분			종류		규격
소방활동장비	소방자동차	펌프차	대형		240마력 이상
			중형		170마력 이상 240마력 미만
			소형		120마력 이상 170마력 미만
		물탱크소방차	대형		240마력 이상
			중형		170마력 이상 240마력 미만
		화학소방차	비활성가스를 이용한 소방차		
			고성능		340마력 이상
			내폭		340마력 이상
			일반	대형	240마력 이상
				중형	170마력 이상 240마력 미만
		사다리소방차	고가(사다리의 길이가 33m 이상인 것에 한한다)		330마력 이상
			굴절	27m 이상급	330마력 이상
				18m 이상 27m 미만급	240마력 이상
		조명차	중형		170마력
		배연차	중형		170마력 이상
		구조차	대형		240마력 이상
			중형		170마력 이상 240마력 미만
		구급차	특수		90마력 이상
			일반		85마력 이상 90마력 미만
	소방정		소방정		100톤 이상급, 50톤급
			구조정		30톤급
	소방헬리콥터				5~17인승
소방전용통신설비 및 전산설비	통신설비	유선통신장비	디지털전화교환기		국내 100회선 이상, 내선 1,000회선 이상
			키폰장치		국내 100회선 이상, 내선 200회선 이상
			팩스		일제 개별 동보장치
			영상장비다중화장치		동화상 및 정지화상 E1급 이상
		무선통신기기	극초단파무선기기	고정용	공중전력 50와트 이하
				이동용	공중전력 20와트 이하
				휴대용	공중전력 5와트 이하

통신 설비	무선 통신 기기	초단파 무선기기	고정용	공중전력 50와트 이하
			이동용	공중전력 20와트 이하
			휴대용	공중전력 5와트 이하
		단파 무전기	고정용	공중전력 100와트 이하
			이동용	공중전력 50와트 이하
소방 전용 통신 설비 및 전산 설비	전산 설비	주전산 기기	중앙처리장치	· **클럭속도**: 90메가헤르즈 이상 · **워드길이**: 32비트 이상
			주기억장치	· **용량**: 125메가바이트 이상 · **전송속도**: 초당 22메가바이트 이상 · **캐시메모리**: 1메가바이트 이상
			보조기억장치	용량 5기가바이트 이상
		보조 전산 기기	중앙처리장치	· **성능**: 26밉스 이상 · **클럭속도**: 25메가헤르즈 이상 · **워드길이**: 32비트 이상
			주기억장치	· **용량**: 32메가바이트 이상 · **전송속도**: 초당 22메가바이트 이상 · **캐시메모리**: 128킬로바이트 이상
			보조기억장치	**용량**: 22기가바이트 이상
		서버	중앙처리장치	· **성능**: 80밉스 이상 · **클럭속도** 100메가헤르즈 이상 · **워드길이**: 32비트 이상
			주기억장치	· **용량**: 초당 32메가바이트 이상 · **전송속도**: 초당 22메가바이트 이상 · **캐시메모리**: 128킬로바이트 이상
			보조기억장치	**용량**: 3기가바이트 이상
		단말기	중앙처리장치	**클럭속도**: 100메가헤르즈 이상
			주기억장치	**용량**: 16메가바이트 이상
			보조기억장치	**용량**: 1기가바이트 이상
			모니터	칼라, 15인치 이상
		라우터(네트워크연결장치)		6시리얼포트 이상
		스위칭허브		16이더넷포트 이상
		디에스유, 씨에스유		초당 56킬로바이트 이상
		스캐너		A4사이즈, 칼라 600, 인치당 2400도트 이상
		플로터		A4사이즈, 칼라 300, 인치당 600도트 이상
		빔프로젝트		밝기 400럭스 이상 컴퓨터 데이터 접속 가능
		액정프로젝트		밝기 400럭스 이상 컴퓨터 데이터 접속 가능
		무정전 전원장치		5킬로볼트암페어 이상

> 📖 **핵심정리 소방장비등에 대한 국고보조**
>
> 1. 국가는 소방장비의 구입 등 시·도의 소방업무에 필요한 경비의 일부를 보조
>
> 2. **국고보조 대상사업의 범위와 기준보조율:** 소방자동차, 소방헬리콥터 및 소방정, 소방전용 통신설비 및 전산설비, 그 밖에 방화복 등 소방활동에 필요한 소방장비, 소방관서용 청사의 건축
>
> 3. **국고보조산정을 위한 기준가격**
>   ① 국내조달품: 정부고시가격
>   ② 수입물품: 조달청에서 조사한 해외시장의 시가
>   ③ 정부고시가격 또는 조달청에서 조사한 해외시장의 시가가 없는 물품: 2 이상의 공신력 있는 물가조사기관에서 조사한 가격의 평균가격

제10조(소방용수시설의 설치 및 관리 등)

① 시·도지사는 소방활동에 필요한 소화전(消火栓)·급수탑(給水塔)·저수조(貯水槽)(이하 "소방용수시설"이라 한다)를 설치하고 유지·관리하여야 한다. 다만, 수도법 제45조에 따라 소화전을 설치하는 일반수도사업자는 관할 소방서장과 사전협의를 거친 후 소화전을 설치하여야 하며, 설치 사실을 관할 소방서장에게 통지하고, 그 소화전을 유지·관리하여야 한다.

② 시·도지사는 제21조 제1항에 따른 소방자동차의 진입이 곤란한 지역 등 화재발생 시에 초기 대응이 필요한 지역으로서 대통령령으로 정하는 지역에 소방호스 또는 호스릴 등을 소방용수시설에 연결하여 화재를 진압하는 시설이나 장치(이하 "비상소화장치"라 한다)를 설치하고 유지·관리할 수 있다.

③ 제1항에 따른 소방용수시설과 제2항에 따른 비상소화장치의 설치기준은 행정안전부령으로 정한다.

> **시행령 제2조의2(비상소화장치의 설치대상 지역)** 법 제10조 제2항에서 "대통령령으로 정하는 지역"이란 다음 각 호의 어느 하나에 해당하는 지역을 말한다.
> 1. 화재의 예방 및 안전관리에 관한 법률 제18조 제1항에 따라 지정된 화재예방강화지구
> 2. 시·도지사가 법 제10조 제2항에 따른 비상소화장치의 설치가 필요하다고 인정하는 지역

> **시행규칙 제6조(소방용수시설의 설치기준)** ① 특별시장·광역시장·특별자치시장·도지사 또는 특별자치도지사(이하 "시·도지사"라 한다)는 법 제10조 제1항의 규정에 의하여 설치된 소방용수시설에 대하여 별표 2의 소방용수표지를 보기 쉬운 곳에 설치하여야 한다.
> ② 법 제10조 제1항에 따른 소방용수시설의 설치기준은 별표 3과 같다.
> ③ 법 제10조 제2항에 따른 비상소화장치의 설치기준은 다음 각 호와 같다.

▲ 지상식 소화전

▲ 급수탑

▲ 저수조

▲ 비상소화장치

소방용수시설
1. 설치·유지·관리: 시·도지사
2. 종류: 소화전, 급수탑, 저수조

비상소화장치
1. 설치자: 시·도지사
2. 대상: 화재예방강화지구 및 시·도지사가 필요하다고 인정하는 지역

1. 형식승인 및 제품검사의 기술기준: 의무사항이다.
2. 성능인증 및 제품검사의 기술기준: 의무사항 아니며, 신청에 한한다.
3. 비상소화장치 구성: 비상소화장치함, 소화전, 소방호스, 관창

1. 비상소화장치는 비상소화장치함, 소화전, 소방호스(소화전의 방수구에 연결하여 소화용수를 방수하기 위한 도관으로서 호스와 연결금속구로 구성되어 있는 소방용릴호스 또는 소방용고무내장호스를 말한다), 관창(소방호스용 연결금속구 또는 중간연결금속구 등의 끝에 연결하여 소화용수를 방수하기 위한 나사식 또는 차입식 토출기구를 말한다)을 포함하여 구성할 것
2. 소방호스 및 관창은 소방시설 설치 및 관리에 관한 법률 제37조 제5항에 따라 소방청장이 정하여 고시하는 형식승인 및 제품검사의 기술기준에 적합한 것으로 설치할 것
3. 비상소화장치함은 소방시설 설치 및 관리에 관한 법률 제40조 제4항에 따라 소방청장이 정하여 고시하는 성능인증 및 제품검사의 기술기준에 적합한 것으로 설치할 것
④ 제3항에서 규정한 사항 외에 비상소화장치의 설치기준에 관한 세부 사항은 소방청장이 정한다.

제7조(소방용수시설 및 지리조사) ① 소방본부장 또는 소방서장은 원활한 소방활동을 위하여 다음 각 호의 조사를 월 1회 이상 실시하여야 한다.

1. 법 제10조의 규정에 의하여 설치된 소방용수시설에 대한 조사
2. 소방대상물에 인접한 도로의 폭·교통상황, 도로주변의 토지의 고저·건축물의 개황 그 밖의 소방활동에 필요한 지리에 대한 조사
② 제1항의 조사결과는 전자적 처리가 불가능한 특별한 사유가 없으면 전자적 처리가 가능한 방법으로 작성·관리하여야 한다.
③ 제1항 제1호의 조사는 별지 제2호서식에 의하고, 제1항 제2호의 조사는 별지 제3호서식에 의하되, 그 조사결과를 2년간 보관하여야 한다.

별표 2. 소방용수표지

1. 지하에 설치하는 소화전 또는 저수조의 경우 소방용수표지는 다음 각 목의 기준에 따라 설치한다.
   가. 맨홀 뚜껑은 지름 648밀리미터 이상의 것으로 할 것. 다만, 승하강식 소화전의 경우에는 이를 적용하지 않는다.
   나. 맨홀 뚜껑에는 "소화전·주정차금지" 또는 "저수조·주정차금지"의 표시를 할 것
   다. 맨홀뚜껑 부근에는 노란색 반사도료로 폭 15센티미터의 선을 그 둘레를 따라 칠할 것
2. 지상에 설치하는 소화전, 저수조 및 급수탑의 경우 소방용수표지는 다음 각 목의 기준에 따라 설치한다.
   가. 규격

▲ 맨홀뚜껑

▲ 소화용수표지

나. 안쪽 문자는 흰색, 바깥쪽 문자는 노란색으로, 안쪽 바탕은 붉은색, 바깥쪽 바탕은 파란색으로 하고, 반사재료를 사용해야 한다.

다. 가목의 규격에 따른 소방용수표지를 세우는 것이 매우 어렵거나 부적당한 경우에는 그 규격 등을 다르게 할 수 있다.

별표 3. 소방용수시설의 설치기준

1. 공통기준

가. 주거지역·상업지역 및 공업지역에 설치하는 경우: 소방대상물과의 수평거리[1]를 100미터 이하

나. 가목 외의 지역에 설치하는 경우: 소방대상물과의 수평거리를 140미터 이하

2. 소방용수시설별 설치기준

가. 소화전의 설치기준: 상수도와 연결하여 지하식 또는 지상식의 구조로 하고, 소방용호스와 연결하는 소화전의 연결금속구의 구경은 65밀리미터로 할 것

나. 급수탑의 설치기준: 급수배관의 구경은 100밀리미터 이상으로 하고, 개폐밸브는 지상에서 1.5미터 이상 1.7미터 이하의 위치에 설치하도록 할 것

다. 저수조의 설치기준

(1) 지면으로부터의 낙차가 4.5미터 이하일 것

(2) 흡수부분의 수심이 0.5미터 이상일 것

(3) 소방펌프자동차가 쉽게 접근할 수 있도록 할 것

(4) 흡수에 지장이 없도록 토사 및 쓰레기 등을 제거할 수 있는 설비를 갖출 것

(5) 흡수관의 투입구가 사각형의 경우에는 한 변의 길이가 60센티미터 이상, 원형의 경우에는 지름이 60센티미터 이상일 것

(6) 저수조에 물을 공급하는 방법은 상수도에 연결하여 자동으로 급수되는 구조일 것

📖 **용어사전**

❶ 수평거리: 포획하고 있는 유효반경(반지름). 즉 대각선 거리이다.
- 주거지역(주택), 상업지역(판매), 공업지역(공장): 수평거리를 100미터 이하
- 녹지지역(산림): 수평거리를 140미터 이하

▲ 소화전

▲ 급수탑

▲ 저수조

🏠 **핵심정리** 소방용수시설

1. 종류: 소화전, 급수탑, 저수조

2. 유지 및 관리: 시·도지사(수도법에 의해 설치되는 소화전은 수도업자가 유지 및 관리함)

3. 소방용수시설 설치기준

(1) 소방용수표지

① 지하에 설치하는 소화전 또는 저수조의 경우 소방용수표지는 다음의 기준에 의한다.

㉠ 맨홀뚜껑: 지름 648밀리미터 이상

㉡ 표시사항: "소화전·주정차금지" 또는 "저수조·주정차금지"

㉢ 노란색반사도료로 폭 15센티미터의 선을 그 둘레를 따라 칠할 것

② 급수탑 및 지상에 설치하는 소화전·저수조의 경우 소방용수표지는 다음과 같다.

　* 안쪽 문자는 흰색, 바깥쪽 문자는 노란색으로, 안쪽 바탕은 붉은색, 바깥쪽 바탕은 파란색으로 하고, 반사재료를 사용

(2) 소방용수시설 세부 내용(소화전, 급수탑, 저수조)
   ① 공통기준
       ㉠ 주거·상업 및 공업지역: 수평거리 100미터 이하
       ㉡ ㉠ 외의 지역: 수평거리 140미터 이하
   ② 소방용수시설별 설치기준
       ㉠ 소화전의 설치기준

지하식 또는 지상식

       ㉡ 급수탑의 설치기준

급수관 구경 100 mm

1.5 m~
1.7 m 이하

       ㉢ 저수조의 설치기준

쉽게 접근

투입구
한 변: 60cm 이상
지 름: 60cm 이상

자동 급수

낙차 4.5m 이상

토사 및 쓰레기
제거

유효 수심 0.5m 이상

📖 **핵심정리 지리조사**

1. **조사권자:** 소방본부장 또는 소방서장
2. **조사횟수 및 결과보관:** 월 1회 이상 조사하고 결과는 2년간 보관
3. **조사 항목**
   ① 소방용수시설에 대한 조사
   ② 소방대상물에 인접한 도로의 폭·교통상황, 도로주변의 토지의 고저·건축물의 개황 그 밖의 소방활동에 필요한 지리에 대한 조사

> 📖 **핵심정리 비상소화장치**
>
> 1. **설치자:** 시·도지사
>
> 2. **설치지역:** 소방자동차의 진입이 곤란한 지역 등 화재발생 시에 초기 대응이 필요한 지역
>   ① 화재경계지구
>   ② 시·도지사가 비상소화장치의 설치가 필요하다고 인정하는 지역
>
> 3. **비상소화장치 구성:** 비상소화장치함, 소화전, 소방호스, 관창을 포함하여 구성할 것
>
> 4. **소방호스 및 관창:** 형식승인 및 제품검사의 기술기준에 적합한 것으로 설치할 것
>
> 5. **비상소화장치함:** 성능인증 및 제품검사의 기술기준에 적합한 것으로 설치할 것

제11조(소방업무의 응원)

① 소방본부장이나 소방서장은 소방활동을 할 때에 긴급한 경우에는 이웃한 소방본부장 또는 소방서장에게 소방업무의 응원(應援)을 요청할 수 있다.

② 제1항에 따라 소방업무의 응원 요청을 받은 소방본부장 또는 소방서장은 정당한 사유 없이 그 요청을 거절하여서는 아니 된다.

③ 제1항에 따라 소방업무의 응원을 위하여 파견된 소방대원은 응원을 요청한 소방본부장 또는 소방서장의 지휘에 따라야 한다.

④ 시·도지사는 제1항에 따라 소방업무의 응원을 요청하는 경우를 대비하여 출동 대상지역 및 규모와 필요한 경비의 부담 등에 관하여 필요한 사항을 행정안전부령으로 정하는 바에 따라 이웃하는 시·도지사와 협의하여 미리 규약(規約)으로 정하여야 한다.

> **시행규칙 제8조(소방업무의 상호응원협정)** 법 제11조 제4항에 따라 시·도지사는 이웃하는 다른 시·도지사와 소방업무에 관하여 **상호응원협정**을 체결하고자 하는 때에는 다음 각 호의 사항이 포함되도록 해야 한다.
> 1. 다음 각 목의 소방 활동에 관한 사항
>   가. 화재의 경계·진압활동
>   나. 구조·구급업무의 지원
>   다. 화재조사활동
> 2. 응원출동대상지역 및 규모
> 3. 다음 각 목의 소요경비의 부담에 관한 사항
>   가. 출동대원의 수당·식사 및 의복의 수선
>   나. 소방장비 및 기구의 정비와 연료의 보급
>   다. 그 밖의 경비
> 4. 응원출동의 요청방법
> 5. 응원출동훈련 및 평가

영철쌤 tip

소방업무의 응원
1. 요청자: 소방본부장, 소방서장
2. 요청대상: 소방활동상 긴급한 경우
3. 지휘권: 소방본부장, 소방서장(요청한 측)
4. 비용부담: 시·도지사(요청한 측)

영철쌤 tip

예방과 대비는 요청사항이 아니다.

영철쌤 tip

1. 사상자: 사망자 + 부상자를 말한다.
2. 보상에 관한 사항은 대통령령이다.

 영철쌤 tip

소방력 동원
1. 요청자: 소방청장
2. 요청대상: 시 · 도 소방력 한계, 국가차원 대응
3. 지휘권: 소방본부장, 소방서장(화재, 재난, 재해 발생)
4. 비용부담: 시 · 도지사(화재, 재난, 재해 발생)

제11조의2(소방력의 동원)❶

① 소방청장은 해당 시 · 도의 소방력만으로는 소방활동을 효율적으로 수행하기 어려운 화재, 재난 · 재해, 그 밖의 구조 · 구급이 필요한 상황이 발생하거나 특별히 국가적 차원에서 소방활동을 수행할 필요가 인정될 때에는 각 시 · 도지사에게 행정안전부령으로 정하는 바에 따라 소방력을 동원할 것을 요청할 수 있다.

② 제1항에 따라 동원 요청을 받은 시 · 도지사는 정당한 사유 없이 요청을 거절하여서는 아니 된다.

③ 소방청장은 시 · 도지사에게 제1항에 따라 동원된 소방력을 화재, 재난 · 재해 등이 발생한 지역에 지원 · 파견하여 줄 것을 요청하거나 필요한 경우 직접 소방대를 편성하여 화재진압 및 인명구조 등 소방에 필요한 활동을 하게 할 수 있다.

④ 제1항에 따라 동원된 소방대원이 다른 시 · 도에 파견 · 지원되어 소방활동을 수행할 때에는 특별한 사정이 없으면 화재, 재난 · 재해 등이 발생한 지역을 관할하는 소방본부장 또는 소방서장의 지휘에 따라야 한다. 다만, 소방청장이 직접 소방대를 편성하여 소방활동을 하게 하는 경우에는 소방청장의 지휘에 따라야 한다.

⑤ 제3항 및 제4항에 따른 소방활동을 수행하는 과정에서 발생하는 경비 부담에 관한 사항, 제3항 및 제4항에 따라 소방활동을 수행한 민간소방인력❷이 사망하거나 부상을 입었을 경우의 보상주체 · 보상기준 등에 관한 사항, 그 밖에 동원된 소방력의 운용과 관련하여 필요한 사항은 대통령령으로 정한다.

시행령 제2조의3(소방력의 동원) ① 법 제11조의2 제3항 및 제4항에 따라 동원된 소방력의 소방활동 수행 과정에서 발생하는 경비는 화재, 재난 · 재해 또는 그 밖의 구조 · 구급이 필요한 상황이 발생한 특별시 · 광역시 · 도 또는 특별자치도(이하 "시 · 도"라 한다)에서 부담하는 것을 원칙으로 하되, 구체적인 내용은 해당 시 · 도가 서로 협의하여 정한다.
② 법 제11조의2 제3항 및 제4항에 따라 동원된 민간 소방 인력이 소방활동을 수행하다가 사망하거나 부상을 입은 경우 화재, 재난 · 재해 또는 그 밖의 구조 · 구급이 필요한 상황이 발생한 시 · 도가 해당 시 · 도의 조례로 정하는 바에 따라 보상한다.
③ 제1항 및 제2항에서 규정한 사항 외에 법 제11조의2에 따라 동원된 소방력의 운용과 관련하여 필요한 사항은 소방청장이 정한다.

시행규칙 제8조의2(소방력의 동원 요청) ① 소방청장은 법 제11조의2 제1항에 따라 각 시 · 도지사에게 소방력 동원을 요청하는 경우 동원 요청 사실과 다음 각 호의 사항을 팩스 또는 전화 등의 방법으로 통지하여야 한다. 다만, 긴급을 요하는 경우에는 시 · 도 소방본부 또는 소방서의 종합상황실장에게 직접 요청할 수 있다.
1. 동원을 요청하는 인력 및 장비의 규모
2. 소방력 이송 수단 및 집결장소
3. 소방활동을 수행하게 될 재난의 규모, 원인 등 소방활동에 필요한 정보
② 제1항에서 규정한 사항 외에 그 밖의 시 · 도 소방력 동원에 필요한 사항은 소방청장이 정한다.

1. 소방본부장이나 소방서장은 소방활동을 할 때에 긴급한 경우에는 이웃한 소방본부장 또는 소방서장에게 소방업무의 응원 요청 가능함(정당한 사유없이 거절 못 함)

2. 소방업무의 응원을 위하여 파견된 소방대원은 응원을 요청한 소방본부장 또는 소방서장의 지휘에 따라야 함

3. **상호응원협정(시·도지사 ↔ 시·도지사)**
   ① 다음의 소방활동에 관한 사항
      ㉠ 화재의 경계·진압활동
      ㉡ 구조·구급업무의 지원
      ㉢ 화재조사활동
   ② 응원출동대상지역 및 규모
   ③ 다음의 소요경비의 부담에 관한 사항
      ㉠ 출동대원의 수당·식사 및 의복의 수선
      ㉡ 소방장비 및 기구의 정비와 연료의 보급
      ㉢ 그 밖의 경비
   ④ 응원출동의 요청방법
   ⑤ 응원출동훈련 및 평가

소방청장은 해당 시·도의 소방력만으로는 소방활동을 효율적으로 수행하기 어려운 화재, 재난·재해, 그 밖의 구조·구급이 필요한 상황이 발생하거나 특별히 국가적 차원에서 소방활동을 수행할 필요가 인정될 때에는 각 시·도지사에게 행정안전부령으로 정하는 바에 따라 소방력을 동원할 것을 요청할 수 있다.

01 소방기본법상 소방력의 기준 등에 관한 설명으로 옳은 것은? 　　　　　　　　　　　　　　　19. 경채

① 소방업무를 수행하는 데에 필요한 소방력에 관한 기준은 대통령령으로 정한다.

② 소방청장은 소방력의 기준에 따라 관할구역의 소방력을 확충하기 위하여 필요한 계획을 수립하여 시행하여야 한다.

③ 소방자동차 등 소방장비의 분류·표준화와 그 관리 등에 필요한 사항은 따로 법률에서 정한다.

④ 국가는 소방장비의 구입 등 시·도의 소방업무에 필요한 경비의 일부를 보조하고, 보조 대상사업의 범위와 기준 보조율은 행정안전부령으로 정한다.

02 소방기본법 및 같은 법 시행령상 소방장비 등에 대한 국고보조의 내용으로 옳지 않은 것은? 　　　　　21. 경채

① 보조 대상사업의 범위와 기준보조율은 대통령령으로 정한다.

② 소방활동장비 및 설비의 종류와 규격은 행정안전부령으로 정한다.

③ 국가는 소방장비의 구입 등 시·도의 소방업무에 필요한 경비의 전부를 보조한다.

④ 국고보조 대상사업에 해당하는 소방활동장비로는 소방자동차, 소방헬리콥터 및 소방정 등이 있다.

03 소방기본법 시행령상 소방장비 등 국고보조 대상사업의 범위에 해당하지 않는 것은? 　　　　　　　　20. 경채

① 소방자동차 구입

② 소방용수시설 설치

③ 소방헬리콥터 및 소방정 구입

④ 소방전용통신설비 및 전산설비 설치

04 소방기본법 및 같은 법 시행규칙상 소방용수시설 설치 기준 등에 대한 설명으로 옳지 않은 것은?　19. 공채

① 시·도지사는 소방활동에 필요한 소방용수시설을 설치하고 유지·관리하여야 하고, 수도법 제45조에 따라 소화전을 설치하는 일반수도사업자는 관할 소방서장과 사전협의를 거친 후 소화전을 설치하여야 하며, 설치 사실을 관할 소방서장에게 통지하고, 그 소화전은 소방서장이 유지·관리하여야 한다.

② 정당한 사유 없이 소방용수시설 또는 비상소화장치를 사용하거나 소방용수시설 또는 비상소화장치의 효용을 해치거나 그 정당한 사용을 방해한 사람에 대해서는 5년 이하의 징역 또는 5천만 원 이하의 벌금에 처한다.

③ 소방본부장 또는 소방서장은 원활한 소방활동을 위하여 소방용수시설에 대한 조사, 소방대상물에 인접한 도로의 폭·교통상황, 도로주변의 토지의 고저·건축물의 개황 그 밖의 소방활동에 필요한 지리에 대한 조사를 월 1회 이상 실시하여야 하며, 조사결과는 2년간 보관하여야 한다.

④ 소화전은 상수도와 연결하여 지하식 또는 지상식의 구조로 하고 소방용 호스와 연결하는 소화전의 연결 금속구의 구경은 65밀리미터로 하여야 하며, 급수탑은 급수배관의 구경을 100밀리미터 이상으로 하고 개폐 밸브는 지상에서 1.5미터 이상 1.7미터 이하의 높이에 설치할 수 있다.

05 소방기본법 시행규칙상 소방용수시설 및 비상소화장치의 설치기준으로 옳지 않은 것은?　22. 공채

① 비상소화장치의 설치기준에 관한 세부 사항은 소방청장이 정한다.

② 소방청장은 설치된 소방용수시설에 대하여 소방용수표지를 보기 쉬운 곳에 설치하여야 한다.

③ 소방호스 및 관창은 소방청장이 정하여 고시하는 형식 승인 및 제품검사의 기술기준에 적합한 것으로 설치한다.

④ 비상소화장치함은 소방청장이 정하여 고시하는 성능인증 및 제품검사의 기술기준에 적합한 것으로 설치한다.

정답 및 해설

01 소방력의 기준
① 소방업무를 수행하는 데에 필요한 소방력에 관한 기준은 대통령령으로 정한다. → 행정안전부령으로 정한다.
② 소방청장은 소방력의 기준에 따라 관할구역의 소방력을 확충하기 위하여 필요한 계획을 수립하여 시행하여야 한다. → 시·도지사가 계획을 수립하여 시행하여야 한다.
④ 국가는 소방장비의 구입 등 시·도의 소방업무에 필요한 경비의 일부를 보조하고, 보조 대상사업의 범위와 기준 보조율은 행정안전부령으로 정한다. → 보조 대상사업의 범위와 기준 보조율은 대통령령으로 정한다.

02 소방장비 등에 대한 국고보조
국가는 소방장비의 구입 등 시·도의 소방업무에 필요한 경비의 일부를 보조한다.

03 국고보조 대상사업
소방용수시설의 설치에 대해서는 국고보조를 하지 않는다.

04 소방용수시설 설치 기준
수도법에 따라 소화전을 설치하는 일반수도사업자는 추후에 유지·관리까지 실시하여야 한다.

05 소방용수시설 및 비상소화장치
시·도지사는 설치된 소방용수시설에 대하여 소방용수표지를 보기 쉬운 곳에 설치하여야 한다.

정답 01 ③ 02 ③ 03 ② 04 ① 05 ②

06 소방기본법 및 같은 법 시행령상 비상소화장치 설치 대상 지역을 있는 대로 모두 고른 것은? 22. 경채

> ㄱ. 위험물의 저장 및 처리 시설이 밀집한 지역
> ㄴ. 석유화학제품을 생산하는 공장이 있는 지역
> ㄷ. 소방시설·소방용수시설 또는 소방출동로가 없는 지역
> ㄹ. 시·도지사가 비상소화장치의 설치가 필요하다고 인정하는 지역

① ㄱ, ㄴ   ② ㄷ, ㄹ

③ ㄱ, ㄴ, ㄷ   ④ ㄱ, ㄴ, ㄷ, ㄹ

07 소방기본법 시행규칙상 급수탑 및 지상에 설치하는 소화전·저수조의 소방용수표지 기준으로 옳은 것은? (단, 안쪽 문자, 내측바탕, 외측바탕 순이다) 18. 하반기 공채

① 흰색, 붉은색, 파란색   ② 붉은색, 흰색, 파란색

③ 파란색, 흰색, 붉은색   ④ 흰색, 파란색, 붉은색

08 소방기본법 시행규칙상 소방용수시설의 설치기준으로 옳은 것은? 21. 공채

① 소방용호스와 연결하는 소화전의 연결금속구의 구경은 40밀리미터로 할 것

② 공업지역인 경우 소방대상물과 수평거리를 100미터 이하가 되도록 할 것

③ 저수조에 물을 공급하는 방법은 상수도에 연결하여 수동으로 급수되는 구조일 것

④ 급수탑의 개폐밸브는 지상에서 0.8미터 이상 1.5미터 이하의 위치에 설치하도록 할 것

09 소방기본법 시행규칙상 저수조의 설치기준으로 옳지 않은 것은? 18. 하반기 공채

① 지면으로부터의 낙차가 10미터 이하일 것

② 흡수부분의 수심이 0.5미터 이상일 것

③ 흡수관의 투입구가 사각형의 경우에는 한 변의 길이가 60센티미터 이상, 원형의 경우에는 지름이 60센티미터 이상일 것

④ 저수조에 물을 공급하는 방법은 상수도에 연결하여 자동으로 급수되는 구조일 것

10 소방기본법상 소방업무의 응원에 대한 내용으로 옳지 않은 것은? 21. 경채

① 소방업무의 응원을 위하여 파견된 소방대원은 응원을 요청한 소방본부장 또는 소방서장의 지휘에 따라야 한다.

② 소방업무의 응원 요청을 받은 소방본부장 또는 소방서장은 정당한 사유 없이 그 요청을 거절하여서는 아니 된다.

③ 소방본부장이나 소방서장은 소방활동을 할 때에 긴급한 경우에는 이웃한 소방본부장 또는 소방서장에게 소방업무의 응원(應援)을 요청할 수 있다.

④ 소방청장은 소방업무의 응원을 요청하는 경우를 대비하여 출동 대상지역 및 규모와 필요한 경비의 부담 등에 관하여 필요한 사항을 행정안전부령으로 정하는 바에 따라 시·도지사와 협의하여 미리 규약(規約)으로 정하여야 한다.

정답 및 해설

06 비상소화장치
모든 지역이 비상소화장치를 설치해야 하는 설치 대상이다.

07 소화용수표지 기준
안쪽 문자는 흰색, 바깥쪽 문자는 노란색으로, 안쪽 바탕은 붉은색, 바깥쪽 바탕은 파란색으로 하고, 반사재료를 사용해야 한다.

08 소방용수시설의 설치기준
① 소방호스와 연결하는 소화전의 연결금속구의 구경은 65밀리미터로 할 것
③ 저수조에 물을 공급하는 방법은 상수도에 연결하여 자동으로 급수되는 구조일 것
④ 급수탑의 개폐밸브는 지상에서 1.5미터 이상 1.7미터 이하의 위치에 설치하도록 할 것

09 저수조의 설치기준
저수조의 지면으로부터의 낙차는 4.5미터 이하가 되게 할 것

10 소방업무의 응원
시·도지사는 소방업무의 응원을 요청하는 경우를 대비하여 출동 대상지역 및 규모와 필요한 경비의 부담 등에 관하여 필요한 사항을 행정안전부령으로 정하는 바에 따라 시·도지사와 협의하여 미리 규약(規約)으로 정하여야 한다.

정답 06 ④ 07 ① 08 ② 09 ① 10 ④

11 소방기본법상 소방력의 동원에 대한 설명이다. (　　) 안에 들어갈 용어로 옳은 것은?

(가)은/는 해당 시·도의 소방력만으로는 소방활동을 효율적으로 수행하기 어려운 화재, 재난·재해, 그 밖의 구조·구급이 필요한 상황이 발생하거나 특별히 국가적 차원에서 소방활동을 수행할 필요가 인정될 때 에는 각 (나) 에게 행정안전부령으로 정하는 바에따라 소방력을 동원할 것을 요청할 수 있다.

	(가)	(나)
①	소방청장	시·도지사
②	소방청장	소방본부장
③	시·도지사	시·도지사
④	시·도지사	소방본부장

12 소방기본법 시행규칙상 국고보조의 대상이 되는 소방활동장비의 종류와 규격으로 옳지 않은 것은?

① 구조정: 90마력 이상

② 배연차(중형): 170마력 이상

③ 구급차(특수): 90마력 이상

④ 소방헬리콥터: 5~17인승

13 소방기본법 시행규칙상 지하에 설치하는 소화전 또는 저수조의 경우 소방용수표지는 다음 기준에 따라 설치하여야 한다. (　　) 안에 들어갈 내용으로 옳은 것은?

• 맨홀 뚜껑은 지름 (ㄱ)밀리미터 이상의 것으로 할 것. 다만, 승하강식 소화전의 경우에는 이를 적용하지 않는다.

• 맨홀 뚜껑 부근에는 (ㄴ) 반사도료로 폭 (ㄷ)센티미터의 선을 그 둘레를 따라 칠할 것

	ㄱ	ㄴ	ㄷ
①	648	노란색	15
②	678	붉은색	15
③	648	붉은색	25
④	678	노란색	25

14 소방기본법 시행규칙상 소방용수시설 및 지리조사에 관한 내용으로 옳지 않은 것은? 23. 경채

① 소방본부장 또는 소방서장은 원활한 소방활동을 위하여 소방용수시설 및 지리조사를 월 1회 이상 실시하여야 한다.

② 지리조사는 소방대상물에 인접한 도로의 폭·교통상황, 도로주변의 토지의 고저·건축물의 개황을 제외한 소방활동에 필요한 사항이다.

③ 조사결과는 전자적 처리가 불가능한 특별한 사유가 없으면 전자적 처리가 가능한 방법으로 작성·관리하여야 한다.

④ 소방용수시설 및 지리조사는 소방용수조사부 및 지리조사부 서식에 의하되, 그 조사결과를 2년간 보관하여야 한다.

정답 및 해설

11 소방력의 동원
(소방청장)은/는 해당 시·도의 소방력만으로는 소방활동을 효율적으로 수행하기 어려운 화재, 재난·재해, 그 밖의 구조·구급이 필요한 상황이 발생하거나 특별히 국가적 차원에서 소방활동을 수행할 필요가 인정될 때에는 각 (시·도지사)에게 행정안전부령으로 정하는 바에 따라 소방력을 동원할 것을 요청할 수 있다.

12 소방활동장비
구조정: 30톤급

13 소방용수표지
지하에 설치하는 소화전 또는 저수조의 경우 소방용수표지는 다음의 기준에 따라 설치한다.
· 맨홀 뚜껑은 지름 (648)밀리미터 이상의 것으로 할 것. 다만, 승하강식 소화전의 경우에는 이를 적용하지 않는다.
· 맨홀 뚜껑에는 "소화전·주정차금지" 또는 "저수조·주정차금지"의 표시를 할 것
· 맨홀 뚜껑 부근에는 (노란색) 반사도료로 폭 (15)센티미터의 선을 그 둘레를 따라 칠할 것

14 소방용수시설 및 지리조사
지리조사는 소방대상물에 인접한 도로의 폭·교통상황, 도로주변의 토지의 고저·건축물의 개황, 그 밖의 소방활동에 필요한 사항이다.

정답 11 ① 12 ① 13 ① 14 ②

CHAPTER 3 화재의 예방과 경계(警戒)

영철쌤 tip

'화재의 예방과 경계'는 화재의 예방 및 안전 관리에 관한 법률로 이관되었다.

제12조 삭제 <2021. 11. 30.>

제13조 삭제 <2021. 11. 30.>

제14조 삭제 <2021. 11. 30.>

제15조 삭제 <2021. 11. 30.>

CHAPTER 4 소방활동 등

제16조(소방활동)

① 소방청장, 소방본부장 또는 소방서장은 화재, 재난·재해, 그 밖의 위급한 상황이 발생하였을 때에는 소방대를 현장에 신속하게 출동시켜 화재진압과 인명구조·구급 등 소방에 필요한 활동(이하 이 조에서 "소방활동"이라 한다)을 하게 하여야 한다.

② 누구든지 정당한 사유 없이 제1항에 따라 출동한 소방대의 소방활동을 방해하여서는 아니 된다.

제16조의2(소방지원활동)

① 소방청장·소방본부장 또는 소방서장은 공공의 안녕질서 유지 또는 복리증진을 위하여 필요한 경우 소방활동 외에 다음 각 호의 활동(이하 "소방지원활동"이라 한다)을 하게 할 수 있다.

1. 산불에 대한 예방·진압 등 지원활동
2. 자연재해에 따른 급수·배수 및 제설 등 지원활동
3. 집회·공연 등 각종 행사 시 사고에 대비한 근접대기 등 지원활동
4. 화재, 재난·재해로 인한 피해복구 지원활동
5. 삭제
6. 그 밖에 행정안전부령으로 정하는 활동

② 소방지원활동은 제16조의 소방활동 수행에 지장을 주지 아니하는 범위에서 할 수 있다.

③ 유관기관·단체 등의 요청에 따른 소방지원활동에 드는 비용은 지원요청을 한 유관기관·단체 등에게 부담하게 할 수 있다. 다만, 부담금액 및 부담방법에 관하여는 지원요청을 한 유관기관·단체 등과 협의하여 결정한다.

시행규칙 제8조의4(소방지원활동) 법 제16조의2 제1항 제6호에서 "그 밖에 행정안전부령으로 정하는 활동"이란 다음 각 호의 어느 하나에 해당하는 활동을 말한다.
1. 군·경찰 등 유관기관에서 실시하는 훈련지원 활동
2. 소방시설 오작동 신고에 따른 조치활동
3. 방송제작 또는 촬영 관련 지원활동

 영철쌤 tip

누구든지 정당한 사유 없이 출동한 소방대의 소방활동을 방해
5년 이하의 징역 또는 5천만 원 이하의 벌금

 영철쌤 tip

소방지원활동은 서비스 개념이므로 방해금지 조항에 대한 벌칙이 없다.
1. 소방활동: 화재, 재난·재해, 그 밖의 위급한 상황이 발생하였을 때 화재진압과 인명구조·구급 등 소방에 필요한 활동을 말한다.
2. 소방지원활동: 산불, 자연재해, 집해 등 근접대기, 피해복구, 행정안전부령으로 정하는 활동(훈련지원, 오작동사고, 방송촬용지원 등)을 말한다.

제16조의3(생활안전활동)

① 소방청장·소방본부장 또는 소방서장은 신고가 접수된 생활안전 및 위험제거 활동(화재, 재난·재해, 그 밖의 위급한 상황에 해당하는 것은 제외한다)에 대응하기 위하여 소방대를 출동시켜 다음 각 호의 활동(이하 "생활안전활동"이라 한다)을 하게 하여야 한다.

1. 붕괴, 낙하 등이 우려되는 고드름, 나무, 위험 구조물 등의 제거활동
2. 위해동물, 벌 등의 포획 및 퇴치 활동
3. 끼임, 고립 등에 따른 위험제거 및 구출 활동
4. 단전사고 시 비상전원 또는 조명의 공급
5. 그 밖에 방치하면 급박해질 우려가 있는 위험을 예방하기 위한 활동

② 누구든지 정당한 사유 없이 제1항에 따라 출동하는 소방대의 생활안전활동을 방해하여서는 아니 된다.

③ 삭제

> **시행규칙 제8조의5(소방지원활동 등의 기록관리)** ① 소방대원은 법 제16조의2 제1항에 따른 소방지원활동 및 법 제16조의3 제1항에 따른 생활안전활동(이하 "소방지원활동등"이라 한다)을 한 경우 별지 제3호의2서식의 소방지원활동등 기록지에 해당 활동상황을 상세히 기록하고, 소속 소방관서에 3년간 보관해야 한다.
> ② 소방본부장은 소방지원활동등의 상황을 종합하여 연 2회 소방청장에게 보고해야 한다.
> [본조신설 2024.2.27.]
> [시행일 2024.4.12.]

제16조의4(소방자동차의 보험 가입 등)

① 시·도지사는 소방자동차의 공무상 운행 중 교통사고가 발생한 경우 그 운전자의 법률상 분쟁에 소요되는 비용을 지원할 수 있는 보험에 가입하여야 한다.

② 국가는 제1항에 따른 보험 가입비용의 일부를 지원할 수 있다.

제16조의5(소방활동에 대한 면책)❶

소방공무원이 제16조 제1항에 따른 소방활동으로 인하여 타인을 사상(死傷)❷에 이르게 한 경우 그 소방활동이 불가피하고 소방공무원에게 고의 또는 중대한 과실이 없는 때에는 그 정상을 참작하여 사상에 대한 형사책임을 감경하거나 면제할 수 있다.

제16조의6(소송지원)

소방청장, 소방본부장 또는 소방서장은 소방공무원이 제16조 제1항에 따른 소방활동, 제16조의2 제1항에 따른 소방지원활동, 제16조의3 제1항에 따른 **생활안전활동**으로 인하여 민·형사상 책임과 관련된 소송을 수행할 경우 변호인 선임 등 소송수행에 필요한 지원을 할 수 있다.

 영철쌤 tip

비용과 관련된 내용은 시·도지사이지만 소송지원의 비용은 소방청장, 소방본부장, 소방서장이 지원할 수 있다.

> 📖 **핵심정리** **소방활동 등**

활동	권한	활동내용
소방활동	청·본·서	화재, 재난·재해, 그 밖의 위급한 상황이 발생하였을 때에는 소방대를 현장에 신속하게 출동시켜 화재진압과 인명구조·구급 등 소방에 필요한 활동
소방지원활동	청·본·서	· 산불에 대한 예방·진압 등 지원활동 · 자연재해에 따른 급수·배수 및 제설 등 지원활동 · 집회·공연 등 각종 행사 시 사고에 대비한 근접대기 등 지원활동 · 화재, 재난·재해로 인한 피해복구 지원활동 · 군·경찰 등 유관기관에서 실시하는 훈련지원활동 · 소방시설 오작동 신고에 따른 조치활동 · 방송제작 또는 촬영 관련 지원활동
생활안전활동	청·본·서	· 붕괴, 낙하 등이 우려되는 고드름, 나무, 위험 구조물 등의 제거활동 · 위해동물, 벌 등의 포획 및 퇴치 활동 · 끼임, 고립 등에 따른 위험제거 및 구출 활동 · 단전사고 시 비상전원 또는 조명의 공급 · 그 밖에 방치하면 급박해질 우려가 있는 위험을 예방하기 위한 활동
소송지원	청·본·서	소방활동, 소방지원활동, 생활안전활동 소송수행에 필요한 지원
소방자동차보험가입	시·도	국가는 보험 가입비용의 일부를 지원

제17조(소방교육·훈련)

① 소방청장, 소방본부장 또는 소방서장은 소방업무를 전문적이고 효과적으로 수행하기 위하여 소방대원에게 필요한 교육·훈련을 실시하여야 한다.

② 소방청장, 소방본부장 또는 소방서장은 화재를 예방하고 화재 발생 시 인명과 재산피해를 최소화하기 위하여 다음 각 호에 해당하는 사람을 대상으로 행정안전부령으로 정하는 바에 따라 소방안전에 관한 교육과 훈련을 실시할 수 있다. 이 경우 소방청장, 소방본부장 또는 소방서장은 해당 어린이집·유치원·학교의 장과 교육일정 등에 관하여 협의하여야 한다.

1. 영유아보육법 제2조에 따른 어린이집의 영유아
2. 유아교육법 제2조에 따른 유치원의 유아

 영철쌤 tip

학교
1. **고등교육법**: 대학, 전문대학, 산업대학, 기술대학을 말한다.
2. 초·중등교육법에 해당하는 학교의 학생만 소방안전교육을 한다. 즉 고등교육법은 해당사항이 아니다.

소방교육·훈련
1. 실시자: 소방청장, 소방본부장, 소방서장
2. 종류: 화재진압훈련, 인명구조훈련, 인명대피훈련, 응급처치훈련, 현장지휘훈련

3. 초·중등교육법 제2조에 따른 학교의 학생

4. 장애인복지법 제58조에 따른 장애인복지시설에 거주하거나 해당 시설을 이용하는 장애인

③ 소방청장, 소방본부장 또는 소방서장은 국민의 안전의식을 높이기 위하여 화재 발생 시 피난 및 행동 방법 등을 홍보하여야 한다.

④ 제1항에 따른 교육·훈련의 종류 및 대상자, 그 밖에 교육·훈련의 실시에 필요한 사항은 행정안전부령으로 정한다.

> **시행규칙 제9조(소방교육·훈련의 종류 등)** ① 법 제17조 제1항에 따라 소방대원에게 실시할 교육·훈련의 종류, 해당 교육·훈련을 받아야 할 대상자 및 교육·훈련기간 등은 별표 3의2와 같다.
>
> ② 법 제17조 제2항에 따른 소방안전에 관한 교육과 훈련(이하 "소방안전교육훈련"이라 한다)에 필요한 시설, 장비, 강사자격 및 교육방법 등의 기준은 별표 3의3과 같다.
>
> ③ 소방청장, 소방본부장 또는 소방서장은 소방안전교육훈련을 실시하려는 경우 매년 12월 31일까지 다음 해의 소방안전교육훈련 운영계획을 수립하여야 한다.
>
> ④ 소방청장은 제3항에 따른 소방안전교육훈련 운영계획의 작성에 필요한 지침을 정하여 소방본부장과 소방서장에게 매년 10월 31일까지 통보하여야 한다.

별표 3의2. 소방대원에게 실시할 교육·훈련의 종류 등

1. 교육·훈련의 종류 및 교육·훈련을 받아야 할 대상자

종류	교육·훈련을 받아야 할 대상자
가. 화재진압훈련	1) 화재진압업무를 담당하는 소방공무원 2) 의무소방대설치법 시행령 제20조 제1항 제1호에 따른 임무를 수행하는 의무소방원 3) 의용소방대 설치 및 운영에 관한 법률 제3조에 따라 임명된 의용소방대원
나. 인명구조훈련	1) 구조업무를 담당하는 소방공무원 2) 의무소방대설치법 시행령 제20조 제1항 제1호에 따른 임무를 수행하는 의무소방원 3) 의용소방대 설치 및 운영에 관한 법률 제3조에 따라 임명된 의용소방대원
다. 응급처치훈련	1) 구급업무를 담당하는 소방공무원 2) 의무소방대설치법 제3조에 따라 임용된 의무소방원 3) 의용소방대 설치 및 운영에 관한 법률 제3조에 따라 임명된 의용소방대원
라. 인명대피훈련	1) 소방공무원 2) 의무소방대설치법 제3조에 따라 임용된 의무소방원 3) 의용소방대 설치 및 운영에 관한 법률 제3조에 따라 임명된 의용소방대원
마. 현장지휘훈련	소방공무원 중 다음의 계급에 있는 사람 1) 소방정 2) 소방령 3) 소방경 4) 소방위

2. 교육 · 훈련 횟수 및 기간

횟수	기간
2년마다 1회	2주 이상

3. 제1호 및 제2호에서 규정한 사항 외에 소방대원의 교육 · 훈련에 필요한 사항은 소방청장이 정한다.

별표 3의3. 소방안전교육훈련의 시설, 장비, 강사자격 및 교육방법 등의 기준

1. 시설 및 장비 기준

　가. 소방안전교육훈련에 필요한 장소 및 차량의 기준은 다음과 같다.

　　1) 소방안전교실: 화재안전 및 생활안전 등을 체험할 수 있는 100제곱미터 이상의 실내시설

　　2) 이동안전체험차량: 어린이 30명(성인은 15명)을 동시에 수용할 수 있는 실내공간을 갖춘 자동차

　나. 소방안전교실 및 이동안전체험차량에 갖추어야 할 안전교육장비의 종류는 다음과 같다.

구분	종류
화재안전 교육용	안전체험복, 안전체험용 안전모, 소화기, 물소화기, 연기소화기, 옥내소화전 모형장비, 화재모형 타켓, 가상화재 연출장비, 연기발생기, 유도등, 유도표지, 완강기, 소방시설(자동화재탐지설비, 옥내소화전 등) 계통 모형도, 화재대피용 마스크, 공기호흡기, 119신고 실습전화기
생활안전 교육용	구명조끼, 구명환, 공기 튜브, 안전벨트, 개인로프, 가스안전 실습 모형도, 전기안전 실습 모형도
교육 기자재	유 · 무선 마이크, 노트북 컴퓨터, 빔 프로젝터, 이동형 앰프, LCD 모니터, 디지털 캠코더
기타	그 밖에 소방안전교육훈련에 필요하다고 인정하는 장비

2. **강사 및 보조강사의 자격 기준 등**

　가. 강사는 다음의 어느 하나에 해당하는 사람이어야 한다.

　　1) 소방 관련학과의 석사학위 이상을 취득한 사람

　　2) 소방기본법 제17조의2에 따른 소방안전교육사, 소방시설 설치 및 관리에 관한 법률 제25조에 따른 소방시설관리사, 국가기술자격법에 따른 소방기술사 또는 소방설비기사 자격을 취득한 사람

　　3) 응급구조사, 인명구조사, 화재대응능력 등 소방청장이 정하는 소방활동 관련 자격을 취득한 사람

　　4) 소방공무원으로서 5년 이상 근무한 경력이 있는 사람

　나. 보조강사는 다음의 어느 하나에 해당하는 사람이어야 한다.

　　1) 가목에 따른 강사의 자격을 갖춘 사람

　　2) 소방공무원으로서 3년 이상 근무한 경력이 있는 사람

　　3) 그 밖에 보조강사의 능력이 있다고 소방청장, 소방본부장 또는 소방서장이 인정하는 사람

　다. 소방청장, 소방본부장 또는 소방서장은 강사 및 보조강사로 활동하는 사람에 대하여 소방안전교육훈련과 관련된 지식 · 기술 및 소양 등에 관한 교육 등을 받게 할 수 있다.

3. 교육의 방법

가. 소방안전교육훈련의 교육시간은 소방안전교육훈련대상자의 연령 등을 고려하여 소방청장, 소방본부장 또는 소방서장이 정한다.

나. 소방안전교육훈련은 이론교육과 실습(체험)교육을 병행하여 실시하되, 실습(체험)교육이 전체 교육시간의 100분의 30 이상이 되어야 한다.

다. 소방청장, 소방본부장 또는 소방서장은 나목에도 불구하고 소방안전교육훈련대상자의 연령 등을 고려하여 실습(체험)교육 시간의 비율을 달리할 수 있다.

라. 실습(체험)교육 인원은 특별한 경우가 아니면 강사 1명당 30명을 넘지 않아야 한다.

마. 소방청장, 소방본부장 또는 소방서장은 소방안전교육훈련 실시 전에 소방안전교육훈련대상자에게 주의사항 및 안전관리 협조사항을 미리 알려야 한다.

바. 소방청장, 소방본부장 또는 소방서장은 소방안전교육훈련대상자의 정신적 · 신체적 능력을 고려하여 소방안전교육훈련을 실시하여야 한다.

4. 안전관리 기준

가. 소방청장, 소방본부장 또는 소방서장은 소방안전교육훈련 중 발생한 사고로 인한 교육훈련대상자 등의 생명 · 신체나 재산상의 손해를 보상하기 위한 보험 또는 공제에 가입하여야 한다.

나. 소방청장, 소방본부장 또는 소방서장은 소방안전교육훈련 실시 전에 시설 및 장비의 이상 유무를 반드시 확인하는 등 안전점검을 실시하여야 한다.

다. 소방청장, 소방본부장 또는 소방서장은 사고가 발생한 경우 신속한 응급처치 및 병원 이송 등의 조치를 하여야 한다.

5. 교육현황 관리 등

가. 소방청장, 소방본부장 또는 소방서장은 소방안전교육훈련의 실시결과, 만족도 조사결과 등을 기록하고 이를 3년간 보관하여야 한다.

나. 소방청장, 소방본부장 또는 소방서장은 소방안전교육훈련의 효과 및 개선사항 발굴 등을 위하여 이용자를 대상으로 만족도 조사를 실시하여야 한다. 다만, 이용자가 거부하거나 만족도 조사를 실시할 시간적 여유가 없는 등의 경우에는 만족도 조사를 실시하지 아니할 수 있다.

다. 소방청장, 소방본부장 또는 소방서장은 소방안전교육훈련을 이수한 사람에게 교육이수자의 성명, 교육내용, 교육시간 등을 기재한 소방안전교육훈련 이수증을 발급할 수 있다.

📖 **핵심정리 소방교육·훈련**

1. **소방대원 교육·훈련 실시:** 소방청장, 소방본부장 또는 소방서장

2. **소방안전에 관한 교육과 훈련을 실시(일반인 대상):** 소방청장, 소방본부장 또는 소방서장
   ① 어린이집의 영유아
   ② 유치원의 유아
   ③ 학교의 학생
   ④ 장애인 복지시설에 거주하거나 해당시설 이용하는 장애인

3. **소방대원에게 실시할 교육·훈련의 종류 등**
   ① 교육·훈련의 종류 및 교육·훈련을 받아야 할 대상자

종류	교육·훈련을 받아야 할 대상자
화재진압훈련	㉠ 화재진압업무를 담당하는 소방공무원, ㉡ 의무소방원 ㉢ 의용소방대원
인명구조훈련	㉠ 구조업무를 담당하는 소방공무원, ㉡ 의무소방원 ㉢ 의용소방대원
응급처치훈련	㉠ 구급업무를 담당하는 소방공무원, ㉡ 의무소방원 ㉢ 의용소방대원
인명대피훈련	㉠ 소방공무원, ㉡ 의무소방원, ㉢ 의용소방대원
현장지휘훈련	㉠ 소방정, ㉡ 소방령, ㉢ 소방경, ㉣ 소방위

   ② 교육·훈련 횟수 및 기간

횟수	기간
2년마다 1회	2주 이상

   ③ 규정한 사항 외에 소방대원의 교육·훈련에 필요한 사항은 소방청장이 정한다.

4. 소방청장, 소방본부장 또는 소방서장은 국민의 안전의식을 높이기 위하여 화재 발생 시 피난 및 행동 방법 등을 홍보

제17조의2(소방안전교육사)

① 소방청장은 제17조 제2항에 따른 소방안전교육을 위하여 소방청장이 실시하는 시험에 합격한 사람에게 소방안전교육사 자격을 부여한다.

② 소방안전교육사는 소방안전교육의 기획·진행·분석·평가 및 교수업무를 수행한다.

③ 제1항에 따른 소방안전교육사 시험의 응시자격, 시험방법, 시험과목, 시험위원, 그 밖에 소방안전교육사 시험의 실시에 필요한 사항은 대통령령으로 정한다.

④ 제1항에 따른 소방안전교육사 시험에 응시하려는 사람은 대통령령으로 정하는 바에 따라 수수료를 내야 한다.

영철쌤 tip

소방안전교육사
1. 실시자: 소방청장
2. 필요한 사항: 대통령령
3. 수수료는 행정안전부령을 정하지만, 소방안전교육사의 수수료는 대통령령이 정한다.

시행령 제7조의2(소방안전교육사 시험의 응시자격) 법 제17조의2 제3항에 따른 소방안전교육사시험의 응시자격은 별표 2의2와 같다.

별표 2의2. 소방안전교육사 시험의 응시자격

1. 소방공무원으로서 다음 각 목의 어느 하나에 해당하는 사람

   가. 소방공무원으로 3년 이상 근무한 경력이 있는 사람

   나. 중앙소방학교 또는 지방소방학교에서 2주 이상의 소방안전교육사 관련 전문교육과정을 이수한 사람

2. 초·중등교육법 제21조에 따라 교원의 자격을 취득한 사람

3. 유아교육법 제22조에 따라 교원의 자격을 취득한 사람

4. 영유아보육법 제21조에 따라 어린이집의 원장 또는 보육교사의 자격을 취득한 사람(보육교사 자격을 취득한 사람은 보육교사 자격을 취득한 후 3년 이상의 보육업무 경력이 있는 사람만 해당한다)

5. 다음 각 목의 어느 하나에 해당하는 기관에서 교육학과, 응급구조학과, 의학과, 간호학과 또는 소방안전 관련 학과 등 소방청장이 고시하는 학과에 개설된 교과목 중 소방안전교육과 관련하여 소방청장이 정하여 고시하는 교과목을 총 6학점 이상 이수한 사람

   가. 고등교육법 제2조 제1호부터 제6호까지의 규정의 어느 하나에 해당하는 학교

   나. 학점인정 등에 관한 법률 제3조에 따라 학습과정의 평가인정을 받은 교육훈련기관

6. 국가기술자격법 제2조 제3호에 따른 국가기술자격의 직무분야 중 안전관리 분야(국가기술자격의 직무분야 및 국가기술자격의 종목 중 중직무분야의 안전관리를 말한다. 이하 같다)의 기술사 자격을 취득한 사람

7. 소방시설 설치 및 관리에 관한 법률 제25조에 따른 소방시설관리사 자격을 취득한 사람

8. 국가기술자격법 제2조 제3호에 따른 국가기술자격의 직무분야 중 안전관리 분야의 기사 자격을 취득한 후 안전관리 분야에 1년 이상 종사한 사람

9. 국가기술자격법 제2조 제3호에 따른 국가기술자격의 직무분야 중 안전관리 분야의 산업기사 자격을 취득한 후 안전관리 분야에 3년 이상 종사한 사람

10. 의료법 제7조에 따라 간호사 면허를 취득한 후 간호업무 분야에 1년 이상 종사한 사람

11. 응급의료에 관한 법률 제36조 제2항에 따라 1급 응급구조사 자격을 취득한 후 응급의료 업무 분야에 1년 이상 종사한 사람

12. 응급의료에 관한 법률 제36조 제3항에 따라 2급 응급구조사 자격을 취득한 후 응급의료 업무 분야에 3년 이상 종사한 사람

13. 화재의 예방 및 안전관리에 관한 법률 시행령 별표 4 제1호 나목 각 호의 어느 하나에 해당하는 사람

14. 화재의 예방 및 안전관리에 관한 법률 시행령 별표 4 제2호 나목 각 호의 어느 하나에 해당하는 자격을 갖춘 후 소방안전관리대상물의 소방안전관리에 관한 실무경력이 1년 이상 있는 사람

15. 화재의 예방 및 안전관리에 관한 법률 시행령 별표 4 제3호 나목 각 호의 어느 하나에 해당하는 자격을 갖춘 후 소방안전관리대상물의 소방안전관리에 관한 실무경력이 3년 이상 있는 사람

16. 의용소방대 설치 및 운영에 관한 법률 제3조에 따라 의용소방대원으로 임명된 후 5년 이상 의용소방대 활동을 한 경력이 있는 사람

17. 국가기술자격법 제2조 제3호에 따른 국가기술자격의 직무분야 중 위험물 중 직무
분야의 기능장 자격을 취득한 사람

제7조의3(시험방법) ① 소방안전교육사시험은 제1차 시험 및 제2차 시험으로 구분하
여 시행한다.

② 제1차 시험은 선택형을, 제2차 시험은 논술형을 원칙으로 한다. 다만, 제2차 시험
에는 주관식 단답형 또는 기입형을 포함할 수 있다.

③ 제1차 시험에 합격한 사람에 대해서는 다음 회의 시험에 한정하여 제1차 시험을
면제한다.

제7조의4(시험과목) ① 소방안전교육사시험의 제1차 시험 및 제2차 시험 과목은 다
음 각 호와 같다.

1. 제1차 시험: 소방학개론, 구급·응급처치론, 재난관리론 및 교육학개론 중 응시자
가 선택하는 3과목

2. 제2차 시험: 국민안전교육 실무

② 제1항에 따른 시험 과목별 출제범위는 행정안전부령으로 정한다.

제7조의5(시험위원 등) ① 소방청장은 소방안전교육사시험 응시자격심사, 출제 및
채점을 위하여 다음 각 호의 어느 하나에 해당하는 사람을 응시자격심사위원 및 시
험위원으로 임명 또는 위촉하여야 한다.

1. 소방 관련 학과, 교육학과 또는 응급구조학과 박사학위 취득자

2. 고등교육법 제2조 제1호부터 제6호까지의 규정 중 어느 하나에 해당하는 학교에
서 소방 관련 학과, 교육학과 또는 응급구조학과에서 조교수 이상으로 2년 이상 재
직한 자

3. 소방위 이상의 소방공무원

4. 소방안전교육사 자격을 취득한 자

② 제1항에 따른 응시자격심사위원 및 시험위원의 수는 다음 각 호와 같다.

1. 응시자격심사위원: 3인

2. 시험위원 중 출제위원: 시험과목별 3인

3. 시험위원 중 채점위원: 5명

4. 삭제

③ 제1항에 따라 응시자격심사위원 및 시험위원으로 임명 또는 위촉된 자는 소방청
장이 정하는 시험문제 등의 작성 시 유의사항 및 서약서 등에 따른 준수사항을 성
실히 이행해야 한다.

④ 제1항에 따라 임명 또는 위촉된 응시자격심사위원 및 시험위원과 시험감독업무
에 종사하는 자에 대하여는 예산의 범위에서 수당 및 여비를 지급할 수 있다.

제7조의6(시험의 시행 및 공고) ① 소방안전교육사시험은 2년마다 1회 시행함을 원칙
으로 하되, 소방청장이 필요하다고 인정하는 때에는 그 횟수를 증감할 수 있다.

② 소방청장은 소방안전교육사시험을 시행하려는 때에는 응시자격·시험과목·일
시·장소 및 응시절차 등에 관하여 필요한 사항을 모든 응시 희망자가 알 수 있도록
소방안전교육사시험의 시행일 90일 전까지 소방청의 인터넷 홈페이지 등에 공고해
야 한다.

제7조의7(응시원서 제출 등) ① 소방안전교육사시험에 응시하려는 자는 행정안전부
령으로 정하는 소방안전교육사시험응시원서를 소방청장에게 제출(정보통신망에
의한 제출을 포함)하여야 한다.

② 소방안전교육사시험에 응시하려는 자는 행정안전부령으로 정하는 제7조의2에 따른 응시자격에 관한 증명서류를 소방청장이 정하는 기간 내에 제출해야 한다.

③ 소방안전교육사시험에 응시하려는 자는 행정안전부령으로 정하는 응시수수료를 납부해야 한다.

④ 제3항에 따라 납부한 응시수수료는 다음 각 호의 어느 하나에 해당하는 경우에는 해당 금액을 반환하여야 한다.

1. 응시수수료를 과오납한 경우: 과오납한 응시수수료 전액
2. 시험 시행기관의 귀책사유로 시험에 응시하지 못한 경우: 납입한 응시수수료 전액
3. 시험시행일 20일 전까지 접수를 철회하는 경우: 납입한 응시수수료 전액
4. 시험시행일 10일 전까지 접수를 철회하는 경우: 납입한 응시수수료의 100분의 50

제7조의8(시험의 합격자 결정 등) ① 제1차 시험은 매과목 100점을 만점으로 하여 매과목 40점 이상, 전과목 평균 60점 이상 득점한 자를 합격자로 한다.

② 제2차 시험은 100점을 만점으로 하되, 시험위원의 채점점수 중 최고점수와 최저점수를 제외한 점수의 평균이 60점 이상인 사람을 합격자로 한다.

③ 소방청장은 제1항 및 제2항에 따라 소방안전교육사시험 합격자를 결정한 때에는 이를 소방청의 인터넷 홈페이지 등에 공고해야 한다.

④ 소방청장은 제3항에 따른 시험합격자 공고일부터 1개월 이내에 행정안전부령으로 정하는 소방안전교육사증을 시험합격자에게 발급하며, 이를 소방안전교육사증 교부대장에 기재하고 관리하여야 한다.

시행규칙 제9조의2(시험 과목별 출제범위) 영 제7조의4 제2항에 따른 소방안전교육사 시험 과목별 출제범위는 별표 3의4와 같다.

별표 3의4. 소방안전교육사 시험 과목별 출제범위

구분	시험 과목	출제범위	비고
제1차 시험 ※ 4과목 중 3과목 선택	소방학개론	소방조직, 연소이론, 화재이론, 소화이론, 소방시설(소방시설의 종류, 작동원리 및 사용법 등을 말하며, 소방시설의 구체적인 설치 기준은 제외한다)	선택형 (객관식)
	구급·응급처치론	응급환자 관리, 임상응급의학, 인공호흡 및 심폐소생술 (기도폐쇄 포함), 화상환자 및 특수환자 응급처치	
	재난관리론	재난의 정의·종류, 재난유형론, 재난단계별 대응이론	
	교육학개론	교육의 이해, 교육심리, 교육사회, 교육과정, 교육방법 및 교육공학, 교육평가	
제2차 시험	국민안전교육 실무	· 재난 및 안전사고의 이해 · 안전교육의 개념과 기본원리 · 안전교육 지도의 실제	논술형 (주관식)

제9조의3(응시원서 등) ① 영 제7조의7 제1항에 따른 소방안전교육사시험 응시원서는 별지 제4호서식과 같다.

② 영 제7조의7 제2항에 따라 응시자가 제출하여야 하는 증명서류는 다음 각 호의 서류 중 응시자에게 해당되는 것으로 한다.

1. 자격증 사본. 다만, 영 별표 2의2 제6호, 제8호 및 제9호에 해당하는 사람이 응시하는 경우 해당 자격증 사본은 제외한다.
2. 교육과정 이수증명서 또는 수료증
3. 교과목 이수증명서 또는 성적증명서
4. 별지 제5호서식에 따른 경력(재직)증명서. 다만, 발행 기관에 별도의 경력(재직)증명서 서식이 있는 경우는 그에 따를 수 있다.
5. 화재의 예방 및 안전관리에 관한 법률 시행규칙 제18조에 따른 소방안전관리자 자격증 사본

③ 소방청장은 제2항 제1호 단서에 따라 응시자가 제출하지 아니한 영 별표 2의2 제6호, 제8호 및 제9호에 해당하는 국가기술자격증에 대해서는 전자정부법 제36조 제1항에 따른 행정정보의 공동이용을 통하여 확인하여야 한다. 다만, 응시자가 확인에 동의하지 아니하는 경우에는 해당 국가기술자격증 사본을 제출하도록 하여야 한다.

제9조의4 (응시수수료) ① 영 제7조의7 제3항에 따른 응시수수료(이하 "수수료"라 한다)는 제1차 시험의 경우 3만 원, 제2차 시험의 경우 2만5천 원으로 한다.

② 수수료는 수입인지 또는 정보통신망을 이용한 전자화폐·전자결제 등의 방법으로 납부해야 한다.

③ 삭제

제17조의3(소방안전교육사의 결격사유)❶

다음 각 호의 어느 하나에 해당하는 사람은 소방안전교육사가 될 수 없다.

1. 피성년후견인❷
2. 금고 이상의 실형을 선고받고 그 집행이 끝나거나(집행이 끝난 것으로 보는 경우를 포함한다) 집행이 면제된 날부터 2년이 지나지 아니한 사람
3. 금고 이상의 형의 집행유예를 선고받고 그 유예기간 중에 있는 사람
4. 법원의 판결 또는 다른 법률에 따라 자격이 정지되거나 상실된 사람

제17조의4(부정행위자에 대한 조치)

① 소방청장은 제17조의2에 따른 소방안전교육사 시험에서 부정행위를 한 사람에 대하여는 해당 시험을 정지시키거나 무효로 처리한다.

② 제1항에 따라 시험이 정지되거나 무효로 처리된 사람은 그 처분이 있은 날부터 2년간 소방안전교육사 시험에 응시하지 못한다.

📖 용어사전

❶ 결격사유: 어떠한 자격을 상실하게 되는 사유를 말한다

❷ 피성년후견인: 법원에서 성년후견개시의 심판을 받은 사람을 말한다.

 영철쌤 tip

소방안전교육사 결격사유
1. 피성년후견인
2. 2년이 지나지 않음(금고 이상의 실형선고)
3. 유예기간 중(집행유해 선고)
4. 자격(정지, 상실)

제17조의5(소방안전교육사의 배치)

① 제17조의2 제1항에 따른 소방안전교육사를 소방청, 소방본부 또는 소방서, 그 밖에 대통령령으로 정하는 대상에 배치할 수 있다.

② 제1항에 따른 소방안전교육사의 배치대상 및 배치기준, 그 밖에 필요한 사항은 대통령령으로 정한다.

영철쌤 tip

한국소방안전원
재난법인으로서 소방기술자 교육, 소방안전관리자 교육 및 시험, 위험물안전관리자 교육 등을 하는 곳이다.

한국소방산업기술원
재난법인으로서 소방용품 조사, 연구, 검사, 험물탱크안전성능 업무 등을 하는 곳이다.

시행령 제7조의10(소방안전교육사의 배치대상) 법 제17조의5 제1항에서 "그 밖에 대통령령으로 정하는 대상"이란 다음 각 호의 어느 하나에 해당하는 기관이나 단체를 말한다.

1. 법 제40조에 따라 설립된 한국소방안전원(이하 "안전원"이라 한다)
2. 소방산업의 진흥에 관한 법률 제14조에 따른 한국소방산업기술원

제7조의11(소방안전교육사의 배치대상별 배치기준) 법 제17조의4 제2항에 따른 소방안전교육사의 배치대상별 배치기준은 별표 2의3과 같다.

별표 2의3. 소방안전교육사의 배치대상별 배치기준

배치대상	배치기준(단위: 명)	비고
1. 소방청	2 이상	
2. 소방본부	2 이상	
3. 소방서	1 이상	
4. 한국소방안전원	본회: 2 이상, 시·도지부: 1 이상	
5. 한국소방산업기술원	2 이상	

📖 **핵심정리** 소방안전교육사

1. **자격 부여:** 소방청장이 실시하는 시험에 합격한 사람

2. **업무:** 소방안전교육의 기획·진행·분석·평가 및 교수업무 수행

3. **결격사유**
   ① 피성년후견인
   ② 금고 이상의 실형을 선고받고 그 집행이 끝나거나(집행이 끝난 것으로 보는 경우를 포함한다) 집행이 면제된 날부터 2년이 지나지 아니한 사람
   ③ 금고 이상의 형의 집행유예를 선고받고 그 유예기간 중에 있는 사람
   ④ 법원의 판결 또는 다른 법률에 따라 자격이 정지되거나 상실된 사람

4. **응시자격**

자격	필요 경력
1. 안전관리분야 기사 2. 간호사 면허 취득자 3. 1급 응급구조사 자격 취득자 4. 1급 소방안전관리자	1년

1. 소방공무원(2주 교육) 2. 보육교사 자격 취득자 3. 안전관리분야 산업기사 4. 2급 응급구조사 자격 취득자 5. 2급 소방안전관리자	3년
의용소방대원	5년
1. 교원 자격 취득자 2. 어린이집 원장 3. 안전관리분야 기술사 4. 소방시설관리사 5. 특급소방안전관리자	경력 필요 ×

5. 시험 과목
   ① 제1차 시험: 소방학개론, 구급·응급처치론, 재난관리론 및 교육학개론 중 응시자가 선택하는 3과목
   ② 제2차 시험: 국민안전교육 실무

6. 배치대상 및 배치기준

배치대상	배치기준(단위: 명)
소방청, 소방본부, 소방산업기술원, 한국소방안전원(본회)	2 이상
소방서, 한국소방안전원(시·도지부)	1 이상

제17조의6(한국119청소년단)

① 청소년에게 소방안전에 관한 올바른 이해와 안전의식을 함양시키기 위하여 한국119청소년단을 설립한다.
② 한국119청소년단은 법인으로 하고, 그 주된 사무소의 소재지에 설립등기●를 함으로써 성립한다.
③ 국가나 지방자치단체는 한국119청소년단에 그 조직 및 활동에 필요한 시설·장비를 지원할 수 있으며, 운영경비와 시설비 및 국내외 행사에 필요한 경비를 보조할 수 있다.
④ 개인·법인 또는 단체는 한국119청소년단의 시설 및 운영 등을 지원하기 위하여 금전이나 그 밖의 재산을 기부할 수 있다.
⑤ 이 법에 따른 한국119청소년단이 아닌 자는 한국119청소년단 또는 이와 유사한 명칭을 사용할 수 없다.
⑥ 한국119청소년단의 정관 또는 사업의 범위·지도·감독 및 지원에 필요한 사항은 행정안전부령으로 정한다.
⑦ 한국119청소년단에 관하여 이 법에서 규정한 것을 제외하고는 민법 중 사단법인●에 관한 규정을 준용한다.

용어사전

● 설립등기: 법인을 설립하기 위하여 하는 등기를 말한다.

 영철쌤 tip

단
1. 단원: 청소년
2. 단체: 자금이 있어야 운영한다(국가, 지방자치단체, 기부 등).

용어사전

● 사단법인: 일정한 목적을 위하여 결합한 사람의 단체를 실체로 하는 법인을 말한다.

시행규칙 제9조의6(한국119청소년단의 사업 범위 등) ① 법 제17조의6에 따른 한국 119청소년단의 사업 범위는 다음 각 호와 같다.
1. 한국119청소년단 단원의 선발 · 육성과 활동 지원
2. 한국119청소년단의 활동 · 체험 프로그램 개발 및 운영
3. 한국119청소년단의 활동과 관련된 학문 · 기술의 연구 · 교육 및 홍보
4. 한국119청소년단 단원의 교육 · 지도를 위한 전문인력 양성
5. 관련 기관 · 단체와의 자문 및 협력사업
6. 그 밖에 한국119청소년단의 설립목적에 부합하는 사업
② 소방청장은 한국119청소년단의 설립목적 달성 및 원활한 사업 추진 등을 위하여 필요한 지원과 지도 · 감독을 할 수 있다.
③ 제1항 및 제2항에서 규정한 사항 외에 한국119청소년단의 구성 및 운영 등에 필요한 사항은 한국119청소년단 정관으로 정한다.

제18조(소방신호)

화재예방, 소방활동 또는 소방훈련을 위하여 사용되는 소방신호의 종류와 방법은 행정 안전부령으로 정한다.

 영철쌤 tip

소방신호
1. 청각(타종, 사이렌), 시각(통풍대, 게시판, 기)
2. 즉, 소방대가 무선통신 등 방법으로 신호가 어려울 것을 대비하여 소방신호의 종류와 방법을 미리 규정하였다.

소방신호
1. 목적: 화재예방, 소방훈련, 소방활동
2. 종류: 경계신호(예방, 위험), 발화신호(화재), 해제신호(소화활동마침), 훈련신호(훈련, 비상소집)

시행규칙 제10조(소방신호의 종류 및 방법) ① 법 제18조의 규정에 의한 소방신호의 종류는 다음 각 호와 같다.
1. 경계신호: 화재예방상 필요하다고 인정되거나 화재의 예방 및 안전관리에 관한 법률 제20조의 규정에 의한 화재위험경보 시 발령
2. 발화신호: 화재가 발생한 때 발령
3. 해제신호: 소화활동이 필요 없다고 인정되는 때 발령
4. 훈련신호: 훈련상 필요하다고 인정되는 때 발령
② 제1항의 규정에 의한 소방신호의 종류별 소방신호의 방법은 별표 4와 같다.

별표 4. 소방신호의 방법

신호방법 종별	타종신호	싸이렌신호	그밖의 신호
경계신호	1타와 연2타를 반복	5초 간격을 두고, 30초씩 3회	"통풍대" "게시판" 화재경보발령중
발화신호	난타	5초 간격을 두고, 5초씩 3회	
해제신호	상당한 간격을 두고, 1타씩 반복	1분간 1회	
훈련신호	연3타 반복	10초 간격을 두고, 1분씩 3회	
비고 1. 소방신호의 방법은 그 전부 또는 일부를 함께 사용할 수 있다. 2. 게시판을 철거하거나 통풍대 또는 기를 내리는 것으로 소방 활동이 해제되었음을 알린다. 3. 소방대의 비상소집을 하는 경우에는 훈련신호를 사용할 수 있다.			"기"

제19조(화재 등의 통지)

① 화재 현장 또는 구조·구급이 필요한 사고 현장을 발견한 사람은 그 현장의 상황을 소방본부, 소방서 또는 관계 행정기관에 지체 없이 알려야 한다.

② 다음 각 호의 어느 하나에 해당하는 지역 또는 장소에서 화재로 오인할 만한 우려가 있는 불을 피우거나 연막(煙幕) 소독을 하려는 자는 시·도의 조례로 정하는 바에 따라 관할 소방본부장 또는 소방서장에게 신고하여야 한다.

1. 시장지역
2. 공장·창고가 밀집한 지역
3. 목조건물이 밀집한 지역
4. 위험물의 저장 및 처리시설이 밀집한 지역
5. 석유화학제품을 생산하는 공장이 있는 지역
6. 그 밖에 시·도의 조례로 정하는 지역 또는 장소

영철쌤 tip

화재오인우려 행위 시
1. 조치: 사전신고
2. 신고처: 소방본부장, 소방서장
3. 신고대상: 시장, 공장, 창고, 위험물, 석유화학제품, 시·도조례로 정하는 곳

화재 등의 통지
1. 허위신고: 500만 원 이하의 과태료
2. 미통보 시: 20만 원 이하의 과태료(시·도 조례)

제20조(관계인의 소방활동 등)

① 관계인은 소방대상물에 화재, 재난·재해, 그 밖의 위급한 상황이 발생한 경우에는 소방대가 현장에 도착할 때까지 경보를 울리거나 대피를 유도하는 등의 방법으로 사람을 구출하는 조치 또는 불을 끄거나 불이 번지지 아니하도록 필요한 조치를 하여야 한다.

② 관계인은 소방대상물에 화재, 재난·재해, 그 밖의 위급한 상황이 발생한 경우에는 이를 소방본부, 소방서 또는 관계 행정기관에 지체 없이 알려야 한다.

영철쌤 tip

관계인
소유자, 관리자, 점유자

관계인의 소방활동
경보 및 대피, 사람구출, 소화

제20조의2(자체소방대의 설치·운영 등)

① 관계인은 화재를 진압하거나 구조·구급 활동을 하기 위하여 상설 조직체(위험물안전관리법 제19조 및 그 밖의 다른 법령에 따라 설치된 자체소방대를 포함하며, 이하 이 조에서 "자체소방대"라 한다)를 설치·운영할 수 있다.

② 자체소방대는 소방대가 현장에 도착한 경우 소방대장의 지휘·통제에 따라야 한다.

③ 소방청장, 소방본부장 또는 소방서장은 자체소방대의 역량 향상을 위하여 필요한 교육·훈련 등을 지원할 수 있다.

④ 제3항에 따른 교육·훈련 등의 지원에 필요한 사항은 행정안전부령으로 정한다.

> 시행규칙 제11조(자체소방대의 교육·훈련 등의 지원) 법 제20조의2 제3항에 따라 소방청장, 소방본부장 또는 소방서장은 같은 조 제1항에 따른 자체소방대(이하 "자체소방대"라 한다)의 역량 향상을 위하여 다음 각 호에 해당하는 교육·훈련 등을 지원할 수 있다.
> 1. 소방공무원 교육훈련규정 제2조에 따른 교육훈련기관에서의 자체소방대 교육훈련과정
> 2. 자체소방대에서 수립하는 교육·훈련 계획의 지도·자문

3. 소방공무원임용령 제2조 제3호에 따른 소방기관(이하 이 조에서 "소방기관"이라 한다)과 자체소방대와의 합동 소방훈련
4. 소방기관에서 실시하는 자체소방대의 현장실습
5. 그 밖에 소방청장이 자체소방대의 역량 향상을 위하여 필요하다고 인정하는 교육·훈련

제21조(소방자동차의 우선 통행 등)

① 모든 차와 사람은 소방자동차(지휘를 위한 자동차와 구조·구급차를 포함한다. 이하 같다)가 화재진압 및 구조·구급 활동을 위하여 출동을 할 때에는 이를 방해하여서는 아니 된다.

② 소방자동차가 화재진압 및 구조·구급 활동을 위하여 출동하거나 훈련을 위하여 필요할 때에는 사이렌을 사용할 수 있다.

③ 모든 차와 사람은 소방자동차가 화재진압 및 구조·구급 활동을 위하여 제2항에 따라 사이렌을 사용하여 출동하는 경우에는 다음 각 호의 행위를 하여서는 아니 된다.

1. 소방자동차에 진로를 양보하지 아니하는 행위
2. 소방자동차 앞에 끼어들거나 소방자동차를 가로막는 행위
3. 그 밖에 소방자동차의 출동에 지장을 주는 행위

④ 제3항의 경우를 제외하고 소방자동차의 우선 통행에 관하여는 도로교통법에서 정하는 바에 따른다.

제21조의2(소방자동차 전용구역 등)

① 건축법 제2조 제2항 제2호에 따른 공동주택 중 대통령령으로 정하는 공동주택의 건축주는 제16조 제1항에 따른 소방활동의 원활한 수행을 위하여 공동주택에 소방자동차 전용구역(이하 "전용구역"이라 한다)을 설치하여야 한다.

② 누구든지 전용구역에 차를 주차하거나 전용구역에의 진입을 가로막는 등의 방해행위를 하여서는 아니 된다.

③ 전용구역의 설치 기준·방법, 제2항에 따른 방해행위의 기준, 그 밖의 필요한 사항은 대통령령으로 정한다.

 영철쌤 tip

소방자동차 전용구역
1. 설치자: 건축주
2. 대상: 아파트(100세대 이상), 기숙사(3층 이상)

시행령 제7조의12(소방자동차 전용구역 설치 대상) 법 제21조의2 제1항에서 "대통령령으로 정하는 공동주택"이란 다음 각 호의 주택을 말한다. 다만, 하나의 대지에 하나의 동(棟)으로 구성되고 도로교통법 제32조 또는 제33조에 따라 정차 또는 주차가 금지된 편도 2차선 이상의 도로에 직접 접하여 소방자동차가 도로에서 직접 소방활동이 가능한 공동주택은 제외한다.
1. 건축법 시행령 별표 1 제2호 가목의 아파트 중 세대수가 100세대 이상인 아파트
2. 건축법 시행령 별표 1 제2호 라목의 기숙사 중 3층 이상의 기숙사

제7조의13(소방자동차 전용구역의 설치 기준·방법) ① 제7조의12 각 호 외의 부분 본문에 따른 공동주택의 건축주는 소방자동차가 접근하기 쉽고 소방활동이 원활하게 수행될 수 있도록 각 동별 전면 또는 후면에 소방자동차 전용구역(이하 "전용구역"이라 한다)을 1개소 이상 설치해야 한다. 다만, 하나의 전용구역에서 여러 동에 접근하여 소방활동이 가능한 경우로서 소방청장이 정하는 경우에는 각 동별로 설치하지 않을 수 있다.

② 전용구역의 설치 방법은 별표 2의5와 같다.

별표 2의5. 전용구역의 설치방법

(단위: mm)

1. 전용구역 노면표지의 외곽선은 빗금무늬로 표시하되, 빗금은 두께를 30센티미터로 하여 50센티미터 간격으로 표시한다.
2. 전용구역 노면표지 도료의 색채는 황색을 기본으로 하되, 문자(P, 소방차 전용)는 백색으로 표시한다.

제7조의14(전용구역 방해행위의 기준) 법 제21조의2 제2항에 따른 방해행위의 기준은 다음 각 호와 같다.

1. 전용구역에 물건 등을 쌓거나 주차하는 행위
2. 전용구역의 앞면, 뒷면 또는 양 측면에 물건 등을 쌓거나 주차하는 행위. 다만, 주차장법 제19조에 따른 부설주차장의 주차구획 내에 주차하는 경우는 제외한다.
3. 전용구역 진입로에 물건 등을 쌓거나 주차하여 전용구역으로의 진입을 가로막는 행위
4. 전용구역 노면표지를 지우거나 훼손하는 행위
5. 그 밖의 방법으로 소방자동차가 전용구역에 주차하는 것을 방해하거나 전용구역으로 진입하는 것을 방해하는 행위

제7조의15(운행기록장치 장착 소방자동차의 범위) 법 제21조의3 제1항에서 "대통령령으로 정하는 소방자동차"란 소방장비관리법 시행령 제6조 및 별표 1 제1호 가목에 따른 다음 각 호의 소방자동차를 말한다.

1. 소방펌프차
2. 소방물탱크차
3. 소방화학차
4. 소방고가차(消防高架車)

영철쌤 tip

전용구역의 설치 방법
1. 외곽선 빗금무늬: 빗금두께 30센티미터, 빗금간격 50센티미터
2. 색채: 황색, 백색: 문자 P, 소방차전용

5. 무인방수차

6. 구조차

7. 그 밖에 소방청장이 소방자동차의 안전한 운행 및 교통사고 예방을 위하여 운행
   기록장치 장착이 필요하다고 인정하여 정하는 소방자동차

📖 **핵심정리** **소방자동차 전용구역**

- -

1. **전용구역 설치:** 건축주

2. **설치대상:** 아파트 중 세대수가 100세대 이상인 아파트, 기숙사 중 3층 이상의 기숙사

3. **방해행위**

   ① 전용구역에 물건 등을 쌓거나 주차하는 행위

   ② 전용구역의 앞면, 뒷면 또는 양 측면에 물건 등을 쌓거나 주차하는 행위. 다만, 주차장법
   제19조에 따른 부설주차장의 주차구획 내에 주차하는 경우는 제외한다.

   ③ 전용구역 진입로에 물건 등을 쌓거나 주차하여 전용구역으로의 진입을 가로막는 행위

   ④ 전용구역 노면표지를 지우거나 훼손하는 행위

   ⑤ 그 밖의 방법으로 소방자동차가 전용구역에 주차하는 것을 방해하거나 전용구역으로 진
   입하는 것을 방해하는 행위

· 외곽선: 빗금무늬, 빗금의 두께: 30cm, 빗금의 간격: 50cm

· 전용구역 노면표지 도료의 색: 황색

· 문자(P, 소방차 전용): 백색

👤 **영철쌤 tip**

소방자동차 교통안전 분석 시스템 구축·운영
1. 운행기록장치: 소방청장, 소방본부장
2. 소방자동차 교통안전 분석시스템: 소방청장

제21조의3(소방자동차 교통안전 분석 시스템 구축·운영)

① 소방청장 또는 소방본부장은 대통령령으로 정하는 소방자동차에 행정안전부령으로
정하는 기준에 적합한 운행기록장치(이하 이 조에서 "운행기록장치"라 한다)를 장
착하고 운용하여야 한다.

② 소방청장은 소방자동차의 안전한 운행 및 교통사고 예방을 위하여 운행기록장치 데이터의 수집·저장·통합·분석 등의 업무를 전자적으로 처리하기 위한 시스템(이하 이 조에서 "소방자동차 교통안전 분석 시스템"이라 한다)을 구축·운영할 수 있다.

③ 소방청장, 소방본부장 및 소방서장은 소방자동차 교통안전 분석 시스템으로 처리된 자료(이하 이 조에서 "전산자료"라 한다)를 이용하여 소방자동차의 장비운용자 등에게 어떠한 불리한 제재나 처벌을 하여서는 아니 된다.

④ 소방자동차 교통안전 분석 시스템의 구축·운영, 운행기록장치 데이터 및 전산자료의 보관·활용 등에 필요한 사항은 행정안전부령으로 정한다.

시행규칙 제12조(소방자동차 운행기록장치의 기준) 법 제21조의3 제1항에서 "행정안전부령으로 정하는 기준에 적합한 운행기록장치"란 교통안전법 시행규칙 별표 4에서 정하는 장치 및 기능을 갖춘 전자식 운행기록장치(이하 "운행기록장치"라 한다)를 말한다.

교통안전법 시행규칙 별표 4. 운행기록장치가 갖추어야 하는 장치 및 기능의 기준
1. 장치 및 기능

장치	기능
가. 위치추적장치	1) 성능이 1Hz 이상일 것 2) GPS를 통한 위치추적이 가능할 것
나. 기억장치	1) 1초 단위의 데이터를 6개월 이상 기록·저장할 수 있을 것 2) 외부에서 입력하는 데이터를 저장할 수 있을 것
다. 이동식 저장장치 유선인터페이스 또는 근거리 무선통신장치	기억장치에 기록·저장된 운행정보를 추출하여 이동식 저장장치에 저장하거나 근거리 무선통신으로 전송할 수 있을 것
라. 운행상태 확인 장치(운행상태를 확인할 수 있는 애플리케이션을 포함한다)	1) 사용자가 운행상태를 확인할 수 있을 것 2) 사용자 정보 등 필요한 정보를 입력할 수 있을 것
마. 운행기록 보안장치	1) 운행기록장치 내부 데이터가 인위적으로 변경되거나 삭제되지 않도록 할 것 2) 운행기록장치의 분해 여부를 확인할 수 있을 것
바. 그 밖의 장치(운행기록장치에서 가목부터 마목까지의 장치를 제외한 장치를 말한다)	1) 차량속도의 검출이 가능할 것 2) 기기 및 통신상태의 오류 검출이 가능할 것

2. 제1호에 따른 운행기록장치의 세부장치와 기능에 대한 세부기준 등은 국토교통부장관이 정하여 고시한다.

제13조(운행기록장치 데이터의 보관) 소방청장, 소방본부장 및 소방서장은 소방자동차 운행기록장치에 기록된 데이터(이하 "운행기록장치 데이터"라 한다)를 6개월 동안 저장·관리해야 한다.

제13조의2(운행기록장치 데이터 등의 제출) ① 소방청장은 소방자동차의 안전한 운행 및 교통사고 예방을 위하여 소방본부장 또는 소방서장에게 운행기록장치 데이터 및 그 분석 결과 등 관련 자료의 제출을 요청할 수 있다.

② 소방본부장은 관할 구역 안의 소방서장에게 운행기록장치 데이터 등 관련 자료의 제출을 요청할 수 있다.

③ 소방본부장 또는 소방서장은 제1항 또는 제2항에 따라 자료의 제출을 요청받은 경우에는 소방청장 또는 소방본부장에게 해당 자료를 제출해야 한다. 이 경우 소방서장이 제1항에 따라 소방청장에게 자료를 제출하는 경우에는 소방본부장을 거쳐야 한다.

제13조의3(운행기록장치 데이터의 분석·활용) ① 소방청장 및 소방본부장은 운행기록장치 데이터 중 과속, 급감속, 급출발 등의 운행기록을 점검·분석해야 한다.

② 소방청장, 소방본부장 및 소방서장은 제1항에 따른 분석 결과를 소방자동차의 안전한 소방활동 수행에 필요한 교통안전정책의 수립, 교육·훈련 등에 활용할 수 있다.

제13조의4(운행기록장치 데이터 보관 등에 관한 세부 사항) 제13조, 제13조의2 및 제13조의3에서 규정한 사항 외에 운행기록장치 데이터의 보관, 제출 및 활용 등에 필요한 세부 사항은 소방청장이 정한다.

제22조(소방대의 긴급통행)

소방대는 화재, 재난·재해, 그 밖의 위급한 상황이 발생한 현장에 신속하게 출동하기 위하여 긴급할 때에는 일반적인 통행에 쓰이지 아니하는 도로[1]·빈터[2] 또는 물 위[3]로 통행할 수 있다.

제23조(소방활동구역의 설정)

① 소방대장은 화재, 재난·재해, 그 밖의 위급한 상황이 발생한 현장에 소방활동구역을 정하여 소방활동에 필요한 사람으로서 대통령령으로 정하는 사람 외에는 그 구역에 출입하는 것을 제한할 수 있다.

② 경찰공무원은 소방대가 제1항에 따른 소방활동구역에 있지 아니하거나 소방대장의 요청이 있을 때에는 제1항에 따른 조치를 할 수 있다.

시행령 제8조(소방 활동구역의 출입자) 법 제23조 제1항에서 "대통령령이 정하는 자"라 함은 다음 각 호의 자를 말한다.

1. 소방 활동구역 안에 있는 소방대상물의 소유자·관리자 또는 점유자
2. 전기·가스·수도·통신·교통의 업무에 종사하는 자로서 원활한 소방 활동을 위하여 필요한 사람
3. 의사·간호사 그 밖의 구조·구급업무에 종사하는 사람
4. 취재인력 등 보도업무에 종사하는 사람
5. 수사업무에 종사하는 사람
6. 그 밖에 소방대장이 소방 활동을 위하여 출입을 허가한 사람

제24조(소방활동 종사 명령)

① 소방본부장, 소방서장 또는 소방대장은 화재, 재난·재해, 그 밖의 위급한 상황이 발생한 현장에서 소방활동을 위하여 필요할 때에는 그 관할구역에 사는 사람 또는 그 현장에 있는 사람으로 하여금 사람을 구출하는 일 또는 불을 끄거나 불이 번지지 아니하도록 하는 일을 하게 할 수 있다. 이 경우 소방본부장, 소방서장 또는 소방대장은 소방활동에 필요한 보호장구를 지급하는 등 안전을 위한 조치를 하여야 한다.

② 삭제

③ 제1항에 따른 명령에 따라 소방활동에 종사한 사람은 시·도지사로부터 소방활동의 비용을 지급받을 수 있다. 다만, 다음 각 호의 어느 하나에 해당하는 사람의 경우에는 그러하지 아니하다.

1. 소방대상물에 화재, 재난·재해, 그 밖의 위급한 상황이 발생한 경우 그 관계인
2. 고의 또는 과실로 화재 또는 구조·구급 활동이 필요한 상황을 발생시킨 사람
3. 화재 또는 구조·구급 현장에서 물건을 가져간 사람

제25조(강제처분 등)

① 소방본부장, 소방서장 또는 소방대장은 사람을 구출하거나 불이 번지는 것을 막기 위하여 필요할 때에는 화재가 발생하거나 불이 번질 우려가 있는 소방대상물 및 토지를 일시적으로 사용하거나 그 사용의 제한 또는 소방활동에 필요한 처분을 할 수 있다.

② 소방본부장, 소방서장 또는 소방대장은 사람을 구출하거나 불이 번지는 것을 막기 위하여 긴급하다고 인정할 때에는 제1항에 따른 소방대상물 또는 토지 외의 소방대상물과 토지에 대하여 제1항에 따른 처분을 할 수 있다.

③ 소방본부장, 소방서장 또는 소방대장은 소방활동을 위하여 긴급하게 출동할 때에는 소방자동차의 통행과 소방활동에 방해가 되는 주차 또는 정차된 차량 및 물건 등을 제거하거나 이동시킬 수 있다.

④ 소방본부장, 소방서장 또는 소방대장은 제3항에 따른 소방활동에 방해가 되는 주차 또는 정차된 차량의 제거나 이동을 위하여 관할 지방자치단체 등 관련 기관에 견인차량과 인력 등에 대한 지원을 요청할 수 있고, 요청을 받은 관련 기관의 장은 정당한 사유가 없으면 이에 협조하여야 한다.

⑤ 시·도지사는 제4항에 따라 견인차량과 인력 등을 지원한 자에게 시·도의 조례로 정하는 바에 따라 비용을 지급할 수 있다.

영철쌤 tip

비용지급 제외
1. 관계인
2. 고의 또는 과실 발생시킨 사람
3. 물건을 가져간 사람

영철쌤 tip

강제처분자
소방본부장, 소방서장, 소방대장

강제처분대상
1. 소방활동구역 내의 소방대상물, 토지
2. 출동 중의 소방대상물, 토지, 주·정차 차량

제26조(피난 명령)

① 소방본부장, 소방서장 또는 소방대장은 화재, 재난·재해, 그 밖의 위급한 상황이 발생하여 사람의 생명을 위험하게 할 것으로 인정할 때에는 일정한 구역을 지정하여 그 구역에 있는 사람에게 그 구역 밖으로 피난할 것을 명할 수 있다.

② 소방본부장, 소방서장 또는 소방대장은 제1항에 따른 명령을 할 때 필요하면 관할 경찰서장 또는 자치경찰단장에게 협조를 요청할 수 있다.

제27조(위험시설 등에 대한 긴급조치)

① 소방본부장, 소방서장 또는 소방대장은 화재 진압 등 소방활동을 위하여 필요할 때에는 소방용수 외에 댐❶·저수지❷ 또는 수영장❸ 등의 물을 사용하거나 수도(水道)의 개폐장치 등을 조작할 수 있다.

② 소방본부장, 소방서장 또는 소방대장은 화재 발생을 막거나 폭발 등으로 화재가 확대되는 것을 막기 위하여 가스·전기 또는 유류 등의 시설에 대하여 위험물질의 공급을 차단하는 등 필요한 조치를 할 수 있다.

③ 삭제

제27조의2(방해행위의 제지 등)

소방대원은 제16조 제1항에 따른 소방활동 또는 제16조의3 제1항에 따른 생활안전활동을 방해하는 행위를 하는 사람에게 필요한 경고를 하고, 그 행위로 인하여 사람의 생명·신체에 위해를 끼치거나 재산에 중대한 손해를 끼칠 우려가 있는 긴급한 경우에는 그 행위를 제지할 수 있다.

제28조(소방용수시설 또는 비상소화장치의 사용금지 등)

누구든지 다음 각 호의 어느 하나에 해당하는 행위를 하여서는 아니 된다.

1. 정당한 사유 없이 소방용수시설 또는 비상소화장치를 사용하는 행위
2. 정당한 사유 없이 손상·파괴, 철거 또는 그 밖의 방법으로 소방용수시설 또는 비상소화장치의 효용(效用)을 해치는 행위
3. 소방용수시설 또는 비상소화장치의 정당한 사용을 방해하는 행위

활동	권한	활동내용
소방활동 종사명령	본·서·대	관할구역에 사는 사람 또는 그 현장에 있는 사람으로 하여금 사람을 구출하는 일 또는 불을 끄거나 불이 번지지 아니하도록 하는 일을 하게 명령
강제처분	본·서·대	• 사람을 구출하거나 불이 번지는 것을 막기 위하여 필요할 때에는 화재가 발생하거나 불이 번질 우려가 있는 소방대상물 및 토지를 일시적으로 사용하거나 그 사용의 제한 또는 소방활동에 필요한 처분 • 사람을 구출하거나 불이 번지는 것을 막기 위하여 긴급하다고 인정할 때에는 제1항(필요할 때~)에 따른 소방대상물 또는 토지 외의 소방대상물과 토지에 대하여 제1항(필요할 때~)에 따른 처분 • 소방활동을 위하여 긴급하게 출동할 때에는 소방자동차의 통행과 소방활동에 방해가 되는 주차 또는 정차된 차량 및 물건 등을 제거하거나 이동시킬 수 있음
위험시설 긴급조치	본·서·대	• 화재 진압 등 소방활동을 위하여 필요할 때에는 소방용수 외에 댐·저수지 또는 수영장 등의 물을 사용하거나 수도의 개폐장치 등을 조작 • 화재 발생을 막거나 폭발 등으로 화재가 확대되는 것을 막기 위하여 가스·전기 또는 유류 등의 시설에 대하여 위험물질의 공급을 차단하는 등 필요한 조치
소방용수시설 및 비상소화장치 사용금지	누구나	–

01 소방기본법 및 같은 법 시행규칙상 소방지원활동으로 옳지 않은 것은?　　　　18. 하반기 공채

① 집회 · 공연 등 각종 행사 시 사고에 대비한 근접대기 등 지원활동

② 소방시설 오작동 신고에 따른 조치활동

③ 방송제작 또는 촬영 관련 지원활동

④ 위해동물, 벌 등의 포획 및 퇴치활동

02 소방기본법상 소방지원활동으로 옳지 않은 것은?　　　　20. 경채

① 붕괴, 낙하 등이 우려되는 고드름 등의 제거활동

② 화재, 재난 · 재해로 인한 피해복구 지원활동

③ 자연재해에 따른 급수 · 배수 및 제설 등 지원활동

④ 집회 · 공연 등 각종 행사 시 사고에 대비한 근접대기 등 지원활동

03 소방기본법상 소방대의 생활안전활동으로 옳지 않은 것은?

20. 공채

① 단전사고 시 비상전원 또는 조명 공급

② 소방시설 오작동 신고에 따른 조치 활동

③ 위해동물, 벌 등의 포획 및 퇴치 활동

④ 끼임, 고립 등에 따른 위험제거 및 구출 활동

04 소방기본법 제16조의3에서 규정한 소방대의 생활안전활동으로 옳지 않은 것은?

22. 경채

① 위해동물, 벌 등의 포획 및 퇴치 활동

② 단전사고 시 비상전원 또는 조명의 공급

③ 자연재해에 따른 급수·배수 및 제설 등 지원활동

④ 붕괴, 낙하 등이 우려되는 고드름, 나무, 위험 구조물 등의 제거활동

정답 및 해설

01 소방지원활동
위해동물, 벌 등의 포획 및 퇴치활동은 생활안전활동에 해당한다.

02 소방지원활동
붕괴, 낙하 등이 우려되는 고드름 등의 제거활동은 생활안전활동에 해당한다.

03 생활안전활동
소방시설 오작동 신고에 따른 조치 활동은 소방지원활동에 해당한다.

04 생활안전활동
자연재해에 따른 급수·배수 및 제설 등 지원활동은 소방지원활동에 해당한다.

정답 01 ④ 02 ① 03 ② 04 ③

05 소방기본법 및 같은 법 시행규칙상 소방지원활동으로 옳지 않은 것은? 24. 공채 · 경채

① 소방시설 오작동 신고에 따른 조치활동

② 낙하 등이 우려되는 고드름 등의 제거활동

③ 자연재해에 따른 제설 등 지원활동

④ 공연 등 각종 행사 시 사고에 대비한 근접대기 등 지원활동

06 소방기본법 제17조 제2항에 따르면 소방청장, 소방본부장 또는 소방서장은 화재를 예방하고 화재 발생 시 인명과 재산피해를 최소화하기 위하여 행정안전부령으로 정하는 바에 따라 소방안전에 관한 교육과 훈련을 실시할 수 있다. 그 대상으로 옳지 않은 것은? 22. 경채

① 장애인복지법 제2조에 따른 장애인

② 유아교육법 제2조에 따른 유치원의 유아

③ 초 · 중등교육법 제2조에 따른 학교의 학생

④ 영유아보육법 제2조에 따른 어린이집의 영유아

07 소방기본법 시행규칙상 현장지휘훈련을 받아야 할 소방공무원의 계급으로 옳은 것은? 24. 공채 · 경채

① 소방장 ② 소방위

③ 소방준감 ④ 소방총감

08 소방기본법 시행령상 소방안전교육사시험 응시자격에 대한 설명으로 옳은 것은?

> ㄱ. 영유아보육법 제21조에 따라 보육교사 자격을 취득한 후 2년 이상의 보육업무 경력이 있는 사람
>
> ㄴ. 국가기술자격법 제2조 제3호에 따른 국가기술자격의 직무분야 중 안전관리 분야의 산업기사 자격을 취득한 후 안전관리 분야에 3년 이상 종사한 사람
>
> ㄷ. 의료법 제7조에 따라 간호조무사 자격을 취득한 후 간호업무 분야에 2년 이상 종사한 사람
>
> ㄹ. 응급의료에 관한 법률 제36조 제3항에 따라 2급 응급구조사 자격을 취득한 후 응급의료 업무 분야에 3년 이상 종사한 사람
>
> ㅁ. 소방공무원법 제2조에 따른 소방공무원으로 2년 이상 근무한 경력이 있는 사람
>
> ㅂ. 의용소방대 설치 및 운영에 관한 법률 제3조에 따라 의용소방대원으로 임명된 후 5년 이상 의용소방대 활동을 한 경력이 있는 사람

① ㄱ, ㄷ, ㅁ   ② ㄴ, ㄹ, ㅂ

③ ㄷ, ㄹ, ㅁ   ④ ㄹ, ㅁ, ㅂ

정답 및 해설

05 소방지원활동
낙하 등이 우려되는 고드름 등의 제거활동: 생활안전활동에 해당된다.

06 소방안전에 관한 교육과 훈련
장애인복지법 제58조에 따른 장애인복지시설에 거주하거나 해당 시설을 이용하는 장애인

07 현장지휘훈련
소방공무원 중 다음의 계급에 있는 사람
1. 소방정
2. 소방령
3. 소방경
4. 소방위

08 소방안전교육사시험 응시자격
ㄱ. 영유아보육법 제21조에 따라 보육교사 자격을 취득한 후 2년 이상의 보육업무 경력이 있는 사람 → 3년 이상
ㄷ. 의료법 제7조에 따라 간호조무사 자격을 취득한 후 간호업무 분야에 2년 이상 종사한 사람 → 간호사 1년 이상
ㅁ. 소방공무원법 제2조에 따른 소방공무원으로 2년 이상 근무한 경력이 있는 사람 → 3년 이상

정답 05 ② **06** ① **07** ② **08** ②

09 다음 중 소방안전교육사에 대한 내용으로 옳지 않은 것은? 18. 상반기 경채

① 안전교육사는 기획 · 진행 · 분석 · 평가 및 교수업무를 수행한다.

② 금고 이상의 실형 받고 2년 지나지 않은 자는 결격사유에 해당한다.

③ 2급 응급구조사는 2년 경력이면 안전교육사가 될 수 있다.

④ 1차 시험 과목은 소방학개론, 구급 · 응급처치론, 재난관리론, 교육학개론 중 3과목으로 하며, 2차 시험은 국민안전교육 실무이다.

10 소방기본법 및 같은 법 시행령상 소방안전교육사와 관련된 규정의 내용으로 옳지 않은 것은? 20. 경채

① 소방안전교육사는 소방안전교육의 기획 · 진행 · 분석 · 평가 및 교수업무를 수행한다.

② 금고 이상의 형의 집행유예를 선고받고 그 유예기간 중에 있는 사람은 소방안전교육사가 될 수 없다.

③ 초등학교 등 교육기관에는 소방안전교육사를 1명 이상 배치하여야 한다.

④ 유아교육법에 따라 교원의 자격을 취득한 사람은 소방안전교육사 시험에 응시할 수 있다.

11 소방기본법 시행령상 소방안전교육사의 배치대상별 배치기준에 관한 설명이다. (　) 안의 내용으로 옳은 것은? 19. 경채

> 소방안전교육사의 배치대상별 배치기준에 따르면 소방청 (가)명 이상, 소방본부 (나)명 이상, 소방서 (다)명 이상이다.

	(가)	(나)	(다)
①	1	1	1
②	1	2	2
③	2	1	2
④	2	2	1

12 다음 중 소방신호가 올바르게 짝지어진 것은? 18. 상반기 공채

① 경계신호: 타종은 1타와 연 2타 반복, 사이렌은 5초 간격을 두고 30초씩 3회

② 발화신호: 타종은 난타와 사이렌은 5초 간격을 두고 30초씩 3회

③ 해제신호: 타종은 상당한 간격을 두고 1타씩 반복, 사이렌은 3분간 1회

④ 훈련신호: 타종은 연 2타 반복, 사이렌은 10초 간격을 두고 1분씩 3회

정답 및 해설

09 소방안전교육사
2급 응급구조사는 3년 경력이면 안전교육사가 될 수 있다.

10 소방안전교육사
교육기관에는 소방안전교육사를 배치하지 않는다.

11 소방안전교육사
소방안전교육사의 배치대상별 배치기준에 따르면 소방청 (2)명 이상, 소방본부 (2)명 이상, 소방서 (1)명 이상이다.

12 소방신호
② 발화신호: 타종은 난타와 사이렌은 5초 간격을 두고 5초씩 3회
③ 해제신호: 타종은 상당한 간격을 두고 1타씩 반복, 사이렌은 1분간 1회
④ 훈련신호: 타종은 연 3타 반복, 사이렌은 10초 간격을 두고 1분씩 3회

정답 09 ③ **10** ③ **11** ④ **12** ①

13 다음 중 소방신호의 종류와 방법으로 옳지 않은 것은? (단, 사이렌의 경우이다) 16. 공채

① 해제신호: 1분간 1회

② 훈련신호: 1분씩 3회

③ 경계신호: 5초 간격을 두고 30초씩 3회

④ 발화신호: 5초 간격을 두고 5초씩 3회

14 소방기본법 시행규칙상 소방신호의 종류 및 방법에 관한 내용으로 옳은 것은? 24. 경채

① 해제신호의 타종신호 방법은 난타이다.

② 훈련신호의 타종신호 방법은 연3타 반복이다.

③ 발화신호의 싸이렌신호 방법은 5초 간격을 두고 30초씩 3회이다.

④ 경계신호의 싸이렌신호 방법은 10초 간격을 두고 30초씩 3회이다.

15 다음 중 화재로 오인할 만한 우려가 있는 불을 피우거나 연막소독을 하려는 자가 신고를 하여야 하는 지역에 해당하지 않는 지역은? 18. 상반기 경채

① 소방시설 · 소방용수시설 또는 소방출동로가 없는 지역

② 시 · 도의 조례가 정하는 지역 또는 장소

③ 목조건물이 밀집한 지역

④ 석유화학제품을 생산하는 공장이 있는 지역

16 소방기본법상 화재로 오인할 만한 우려가 있는 불을 피우거나 연막(煙幕) 소독을 하려는 자가 시·도의 조례로 정하는 바에 따라 관할 소방본부장 또는 소방서장에게 신고해야 하는 지역으로 옳지 않은 것은? (단, 각 시·도에서 별도로 정하는 지역은 제외한다)

24. 공채·경채

① 공장·창고가 밀집한 지역

② 노후·불량 건축물이 밀집한 지역

③ 위험물의 저장 및 처리시설이 밀집한 지역

④ 석유화학제품을 생산하는 공장이 있는 지역

정답 및 해설

13 소방신호

훈련신호의 사이렌은 10초 간격을 두고 1분씩 3회 울린다.

14 소방신호

신호 방법 종별	타종신호	싸이렌신호	그 밖의 신호
경계신호	1타와 연 2타를 반복	5초 간격을 두고, 30초씩 3회	"통풍대" "게시판" 화재경보발령중
발화신호	난타	5초 간격을 두고, 5초씩 3회	
해제신호	상당한 간격을 두고, 1타씩 반복	1분간 1회	"기"
훈련신호	연 3타 반복	10초 간격을 두고, 1분씩 3회	

비고
1. 소방신호의 방법은 그 전부 또는 일부를 함께 사용할 수 있다.
2. 게시판을 철거하거나 통풍대 또는 기를 내리는 것으로 소방활동이 해제되었음을 알린다.
3. 소방대의 비상소집을 하는 경우에는 훈련신호를 사용할 수 있다.

15 신고

소방시설·소방용수시설 또는 소방출동로가 없는 지역은 미리 신고하는 지역에 해당하지 않는다.

16 화재 등의 통지

노후·불량 건축물이 밀집한 지역은 해당사항 없다.

정답 **13** ② **14** ② **15** ① **16** ②

17 소방기본법상 소방자동차가 화재진압을 위하여 출동하는 경우 소방자동차의 우선 통행에 관한 내용으로 옳지 않은 것은?

20. 경채

① 모든 차와 사람은 소방자동차가 화재진압을 위하여 출동을 할 때에는 이를 방해하여서는 아니 된다.

② 소방자동차가 화재진압을 위하여 출동하거나 훈련을 위하여 필요할 때에는 사이렌을 사용할 수 있다.

③ 모든 차와 사람은 소방자동차가 화재진압을 위하여 사이렌을 사용하여 출동하는 경우에는 소방자동차에 진로를 양보하지 아니하는 행위를 하여서는 아니 된다.

④ 모든 차와 사람은 소방자동차가 화재진압을 위하여 사이렌을 사용하여 출동하는 경우 소방자동차의 우선 통행에 관하여는 교통안전법에서 정하는 바에 따른다.

18 소방기본법 및 같은 법 시행령상 소방자동차 전용구역 등에 대한 내용으로 옳지 않은 것은?

22. 공채

① 소방자동차 전용구역의 설치 기준·방법, 방해행위의 기준, 그 밖에 필요한 사항은 대통령령으로 정한다.

② 전용구역에 주차하거나 전용구역에의 진입을 가로막는 등의 방해행위를 한 자에게는 200만 원 이하의 과태료를 부과한다.

③ 건축법 시행령 별표 1 제2호 가목의 아파트 중 세대수가 100세대 이상인 아파트의 건축주는 소방활동의 원활한 수행을 위하여 공동주택에 소방자동차 전용구역을 설치하여야 한다.

④ 건축법 시행령 별표 1 제2호 라목의 기숙사 중 3층인 기숙사가 하나의 대지에 하나의 동(棟)으로 구성되고, 도로교통법 제32조 또는 제33조에 따라 정차 또는 주차가 금지된 편도 2차선 이상의 도로에 직접 접하여 소방자동차가 도로에서 직접 소방활동이 가능한 경우 소방자동차 전용구역 설치대상에서 제외한다.

19 소방기본법 시행령상 소방자동차 전용구역에 대한 내용으로 옳은 것은? 21. 경채

① 건축법 시행령상의 모든 아파트는 소방자동차 전용구역 설치 대상이다.

② 주차장법 제19조에 따른 부설주차장의 주차구획 내에 주차하는 것은 전용구역 방해행위에 해당한다.

③ 전용구역 노면표지 도료의 색채는 황색을 기본으로 하되, 문자(P, 소방차 전용)는 백색으로 표시한다.

④ 소방자동차 전용구역 설치 대상인 공동주택의 건축주는 각 동별 전면과 후면에 소방자동차 전용구역을 각 1개소 이상 예외 없이 설치하여야 한다.

20 소방기본법 시행령상 규정하는 소방자동차 전용구역 방해행위 기준으로 옳지 않은 것은? 18. 하반기 경채

① 전용구역에 물건 등을 쌓거나 주차하는 행위

② 주차장법 제19조에 따른 부설주차장의 주차구획 내에 주차하는 행위

③ 전용구역 진입로에 물건 등을 쌓거나 주차하여 전용구역으로의 진입을 가로막는 행위

④ 전용구역 노면표지를 지우거나 훼손하는 행위

정답 및 해설

17 소방자동차
모든 차와 사람은 소방자동차가 화재진압을 위하여 사이렌을 사용하여 출동하는 경우 소방자동차의 우선 통행에 관하여는 도로교통법에서 정하는 바에 따른다.

18 소방자동차 전용구역
전용구역에 주차하거나 전용구역에의 진입을 가로막는 등의 방해행위를 한 자에게는 100만 원 이하의 과태료를 부과한다.

19 소방자동차 전용구역
① 건축법 시행령상의 모든 아파트는 소방자동차 전용구역 설치 대상이다. → 100세대 이상인 아파트에만 설치한다.
② 주차장법 제19조에 따른 부설주차장의 주차구획 내에 주차하는 것은 전용구역 방해행위에 해당한다. → 부설주차장은 제외한다.

④ 소방자동차 전용구역 설치 대상인 공동주택의 건축주는 각 동별 전면과 후면에 소방자동차 전용구역을 각 1개소 이상 예외 없이 설치하여야 한다. → 예외기준이 존재한다(다만, 하나의 전용구역에서 여러 동에 접근하여 소방활동이 가능한 경우로서 소방청장이 정하는 경우에는 각 동별로 설치하지 않을 수 있다).

20 소방자동차 전용구역 방해행위
부설주차장 주차구획 내에 주차하는 행위는 제외한다.

정답 17 ④ **18** ② **19** ③ **20** ②

21 소방기본법상 소방활동 종사 명령에 대한 설명으로 옳지 않은 것은? 21. 공채

① 소방본부장 또는 소방서장은 화재 현장에서 소방활동 종사 명령을 할 수 있다.

② 소방활동 종사 명령은 관할구역에 사는 사람 또는 그 현장에 있는 사람을 대상으로 할 수 있다.

③ 소방활동에 종사한 사람은 소방본부장 또는 소방서장으로부터 소방활동의 비용을 지급받을 수 있다.

④ 소방본부장 또는 소방서장은 소방활동에 필요한 보호 장구를 지급하는 등 안전을 위한 조치를 하여야 한다.

22 소방기본법상 소방활동 종사 명령에 따라 소방활동에 종사한 사람은 시 · 도지사로부터 소방활동 비용을 지급받을 수 있다. 소방활동 비용을 지급받을 수 있는 사람으로 옳은 것은? 21. 경채

① 과실로 화재를 발생시킨 사람

② 화재 현장에서 물건을 가져간 사람

③ 소방대상물에 화재가 발생한 경우 그 관계인

④ 화재 현장에서 불이 번지지 아니하도록 하는 일을 명령 받은 사람

23 소방기본법 시행령상 소방활동구역의 출입자로 옳지 않은 것은?　　　　　19. 경채

① 소방활동구역 안에 있는 소방대상물의 관계인

② 구조·구급업무에 종사하는 사람

③ 수사업무에 종사하는 사람

④ 시·도지사가 출입을 허가한 사람

24 소방기본법상 소방활동에 필요한 처분(강제처분 등)을 할 수 있는 처분권자로 옳은 것은?　　　　　23. 경채, 19. 공채

ㄱ. 소방서장	ㄴ. 소방본부장
ㄷ. 소방대장	ㄹ. 소방청장
ㅁ. 시·도지사	

① ㄱ, ㄴ, ㄷ

② ㄱ, ㄴ, ㄹ

③ ㄱ, ㄷ, ㅁ

④ ㄱ, ㄹ, ㅁ

정답 및 해설

21 소방활동 종사 명령
소방활동에 종사한 사람의 비용지급은 시·도지사가 실시한다.

22 소방활동 비용
소방활동 종사명령을 받아서 종사를 하면 비용지급이 가능하다.

23 소방활동구역
소방대장이 출입을 허가한 사람이 소방활동구역에 출입이 가능하다.

24 소방활동에 필요한 처분
강제처분은 소방본부장, 소방서장, 소방대장이 실시한다.

정답 21 ③ **22** ④ **23** ④ **24** ①

25 소방기본법상 강제처분과 위험시설 등에 대한 긴급조치에 관한 내용으로 옳지 않은 것은?　20. 경채

① 소방본부장, 소방서장 또는 소방대장은 사람을 구출하거나 불이 번지는 것을 막기 위하여 필요할 때에는 화재가 발생하거나 불이 번질 우려가 있는 소방대상물 및 토지를 일시적으로 사용하거나 그 사용의 제한 또는 소방활동에 필요한 처분을 할 수 있다.

② 소방본부장, 소방서장 또는 소방대장은 화재 진압 등 소방활동을 위하여 필요할 때에는 소방용수 외에 댐·저수지 또는 수영장 등의 물을 사용하거나 수도(水道)의 개폐장치 등을 조작할 수 있다.

③ 시·도지사는 소방활동에 방해가 되는 주차 또는 정차된 차량의 제거나 이동을 위하여 견인차량과 인력 등을 지원한 자에게 시·도의 조례로 정하는 바에 따라 비용을 지급할 수 있다.

④ 시·도지사는 화재 발생을 막거나 폭발 등으로 화재가 확대되는 것을 막기 위하여 가스·전기 또는 유류 등의 시설에 대하여 위험물질의 공급을 차단하는 등 필요한 조치를 할 수 있다.

26 소방기본법상 소방대장의 권한으로 옳지 않은 것은?　22. 경채

① 소방활동에 필요한 소화전(消火栓)·급수탑(給水塔)·저수조(貯水槽)를 설치하고 유지·관리하여야 한다.

② 소방활동을 위하여 긴급하게 출동할 때에는 소방자동차의 통행과 소방활동에 방해가 되는 주차 또는 정차된 차량 및 물건 등을 제거하거나 이동시킬 수 있다.

③ 화재 발생을 막거나 폭발 등으로 화재가 확대되는 것을 막기 위하여 가스·전기 또는 유류 등의 시설에 대하여 위험물질의 공급을 차단하는 등 필요한 조치를 할 수 있다.

④ 화재, 재난·재해, 그 밖의 위급한 상황이 발생한 현장에서 소방활동을 위하여 필요할 때에는 그 관할구역에 사는 사람 또는 그 현장에 있는 사람으로 하여금 사람을 구출하는 일 또는 불을 끄거나 불이 번지지 아니하도록 하는 일을 하게 할 수 있다.

27 소방기본법 시행령상 소방자동차 전용구역의 설치 방법에 관한 내용이다. ( ) 안에 들어갈 내용으로 옳은 것은?

23. 경채

> · 전용구역 노면표지의 외곽선은 빗금무늬로 표시하되, 빗금은 두께를 (ㄱ)센티미터로 하여 (ㄴ)센티미터 간격으로 표시한다.
> · 전용구역 노면표지 도료의 색채는 (ㄷ)을 기본으로 하되, 문자(P, 소방차 전용)는 백색으로 표시한다.

	ㄱ	ㄴ	ㄷ
①	20	40	황색
②	20	40	적색
③	30	50	황색
④	30	50	적색

28 소방기본법 시행령상 소방자동차 전용구역 방해 행위의 기준에 관한 내용으로 옳지 않은 것은?

23. 경채

① 전용구역의 앞면, 뒷면 또는 양 측면에 물건 등을 쌓거나 주차하는 행위

② 주차장법 제19조에 따른 부설주차장의 주차구획 내에 주차하는 행위

③ 전용구역 진입로에 물건 등을 쌓거나 주차하여 전용구역으로의 진입을 가로막는 행위

④ 전용구역 노면표지를 지우거나 훼손하는 행위

정답 및 해설

25 긴급조치
소방본부장, 소방서장 또는 소방대장은 화재 발생을 막거나 폭발 등으로 화재가 확대되는 것을 막기 위하여 가스·전기 또는 유류 등의 시설에 대하여 위험물질의 공급을 차단하는 등 필요한 조치를 할 수 있다.

26 소방대장의 권한
소방활동에 필요한 소화전(消火栓)·급수탑(給水塔)·저수조(貯水槽)를 설치하고 유지·관리하여야 한다. → 시·도지사가 유지 및 관리한다.

27 소방자동차 전용구역
· 전용구역 노면표지의 외곽선은 빗금무늬로 표시하되, 빗금은 두께를 (30)센티미터로 하여 (50)센티미터 간격으로 표시한다.
· 전용구역 노면표지 도료의 색채는 (황색)을 기본으로 하되, 문자(P, 소방차 전용)는 백색으로 표시한다.

28 소방자동차 전용구역 방해 행위
주차장법 제19조에 따른 부설주차장의 주차구획 내에 주차하는 경우는 제외한다.

정답 25 ④ **26** ① **27** ③ **28** ②

CHAPTER 5 화재의 조사

 영철쌤 tip

'화재의 조사'는 소방의 화재조사에 관한 법률로 이관되었다.

제29조 삭제 <2021. 6. 8.>

제30조 삭제 <2021. 6. 8.>

제31조 삭제 <2021. 6. 8.>

제32조 삭제 <2021. 6. 8.>

제33조 삭제 <2021. 6. 8.>

CHAPTER 6 구조 및 구급

제34조(구조대 및 구급대의 편성과 운영)

구조대 및 구급대의 편성과 운영에 관하여는 별도의 법률로 정한다.

제35조 삭제

제36조 삭제

 영철쌤 tip

'구조 및 구급'은 119구조·구급에 관한 법률로 이관되었다.

CHAPTER 7 의용소방대

'의용소방대'는 의용소방대 설치 및 운영에
관한 법률로 이관되었다.

제37조(의용소방대의 설치 및 운영)

의용소방대의 설치 및 운영에 관하여는 별도의 법률로 정한다.

제38조 삭제

제39조 삭제

제39조의2 삭제

CHAPTER 7-2 소방산업의 육성·진흥 및 지원 등

제39조의3(국가의 책무)[1]

국가는 소방산업(소방용[2] 기계·기구의 제조, 연구·개발 및 판매 등에 관한 일련의 산업을 말한다. 이하 같다)의 육성·진흥을 위하여 필요한 계획의 수립 등 행정상·재정상의 지원시책을 마련하여야 한다.

제39조의4 삭제

제39조의5(소방산업과 관련된 기술개발 등의 지원)

① 국가는 소방산업과 관련된 기술(이하 "소방기술"이라 한다)의 개발을 촉진하기 위하여 기술개발을 실시하는 자에게 그 기술개발에 드는 자금의 전부나 일부를 출연[3]하거나 보조할 수 있다.

② 국가는 우수소방제품의 전시·홍보를 위하여 대외무역법 제4조 제2항에 따른 무역전시장 등을 설치한 자에게 다음 각 호에서 정한 범위에서 재정적인 지원을 할 수 있다.

1. 소방산업전시회 운영에 따른 경비의 일부
2. 소방산업전시회 관련 국외 홍보비
3. 소방산업전시회 기간 중 국외의 구매자 초청 경비

📖 **용어사전**

❶ 책무: 책임과 의무
❷ 소방용: 소방시설에 사용되는 것

영철쌤 tip

소방산업
국가가 주도하고 연구기관에 지원한다.

📖 **용어사전**

❸ 출연: 금품을 내어 도와줌(증여, 기부 등)

영철쌤 tip

국가가 우수소방제품의 전시·홍보하는 이유
소방제품을 판매하기 위해서이다.

제39조의6(소방기술의 연구·개발사업 수행)

① 국가는 국민의 생명과 재산을 보호하기 위하여 다음 각 호의 어느 하나에 해당하는 기관이나 단체로 하여금 소방기술의 연구·개발사업을 수행하게 할 수 있다.
1. 국·공립 연구기관
2. 과학기술분야 정부출연연구기관 등의 설립·운영 및 육성에 관한 법률에 따라 설립된 연구기관
3. 특정연구기관 육성법 제2조에 따른 특정연구기관
4. 고등교육법에 따른 대학·산업대학·전문대학 및 기술대학
5. 민법이나 다른 법률에 따라 설립된 소방기술 분야의 법인인 연구기관 또는 법인 부설 연구소
6. 기초연구진흥 및 기술개발지원에 관한 법률 제14조의2 제1항에 따라 인정받은 기업부설연구소
7. 소방산업의 진흥에 관한 법률 제14조에 따른 한국소방산업기술원
8. 그 밖에 대통령령으로 정하는 소방에 관한 기술개발 및 연구를 수행하는 기관·협회

② 국가가 제1항에 따른 기관이나 단체로 하여금 소방기술의 연구·개발사업을 수행하게 하는 경우에는 필요한 경비를 지원하여야 한다.

영철쌤 tip

국제화사업
1. 국제경쟁력과 국제적 통용성을 높이는 것
2. 시책마련: 국가
3. 사업추진: 소방청장

제39조의7(소방기술 및 소방산업의 국제화사업)

① 국가는 소방기술 및 소방산업의 국제경쟁력과 국제적 통용성을 높이는 데에 필요한 기반 조성을 촉진하기 위한 시책을 마련하여야 한다.

② 소방청장은 소방기술 및 소방산업의 국제경쟁력과 국제적 통용성을 높이기 위하여 다음 각 호의 사업을 추진하여야 한다.
1. 소방기술 및 소방산업의 국제 협력을 위한 조사·연구
2. 소방기술 및 소방산업에 관한 국제 전시회, 국제 학술회의 개최 등 국제 교류
3. 소방기술 및 소방산업의 국외시장 개척
4. 그 밖에 소방기술 및 소방산업의 국제경쟁력과 국제적 통용성을 높이기 위하여 필요하다고 인정하는 사업

01 다음 중 소방산업의 육성·진흥 및 지원 등에서 틀린 것은?

17. 상반기 경채

① 국가는 소방산업의 육성·진흥을 위하여 필요한 계획의 수립 등 행정상·재정상의 지원시책을 마련하여야 한다.

② 국가는 소방산업과 관련된 기술의 개발을 촉진하기 위하여 기술개발을 실시하는 자에게 그 기술개발에 드는 자금의 전부를 출연하거나 보조할 수 있다.

③ 국가는 우수소방제품의 전시·홍보를 위하여 무역전시장 등을 설치한 자에게 정한 범위에서 재정적인 지원을 할 수 있다.

④ 국가는 국민의 생명과 재산을 보호하기 위하여 기관이나 단체로 하여금 소방기술의 연구·개발사업을 수행하게 할 수 있다.

정답 및 해설

01 소방산업의 육성·진흥 및 지원

국가는 소방산업과 관련된 기술의 개발을 촉진하기 위하여 기술개발을 실시하는 자에게 그 기술개발에 드는 자금의 전부나 일부를 출연하거나 보조할 수 있다.

정답 **01** ②

CHAPTER 8 한국소방안전원

제40조(한국소방안전원의 설립 등)

① 소방기술과 안전관리기술의 향상 및 홍보, 그 밖의 교육·훈련 등 행정기관이 위탁하는 업무의 수행과 소방 관계 종사자의 기술 향상을 위하여 한국소방안전원(이하 "안전원"이라 한다)을 소방청장의 인가를 받아 설립한다.

② 제1항에 따라 설립되는 안전원은 법인으로 한다.

③ 안전원에 관하여 이 법에 규정된 것을 제외하고는 민법 중 재단법인에 관한 규정을 준용한다.

제40조의2(교육계획의 수립 및 평가 등)

① 안전원의 장(이하 "안전원장"이라 한다)은 소방기술과 안전관리의 기술향상을 위하여 매년 교육 수요조사를 실시하여 교육계획을 수립하고 소방청장의 승인을 받아야 한다.

② 안전원장은 소방청장에게 해당 연도 교육결과를 평가·분석하여 보고하여야 하며, 소방청장은 교육평가 결과를 제1항의 교육계획에 반영하게 할 수 있다.

③ 안전원장은 제2항의 교육결과를 객관적이고 정밀하게 분석하기 위하여 필요한 경우 교육 관련 전문가로 구성된 위원회를 운영할 수 있다.

④ 제3항에 따른 위원회의 구성·운영에 필요한 사항은 대통령령으로 정한다.

> **시행령 제9조(교육평가심의위원회의 구성·운영)** ① 안전원의 장(이하 "안전원장"이라 한다)은 법 제40조의2 제3항에 따라 다음 각 호의 사항을 심의하기 위하여 교육평가심의위원회(이하 "평가위원회"라 한다)를 둔다.
> 1. 교육평가 및 운영에 관한 사항
> 2. 교육결과 분석 및 개선에 관한 사항
> 3. 다음 연도의 교육계획에 관한 사항
> ② 평가위원회는 위원장 1명을 포함하여 9명 이하의 위원으로 성별을 고려하여 구성한다.
> ③ 평가위원회의 위원장은 위원 중에서 호선(互選)한다.
> ④ 평가위원회의 위원은 다음 각 호의 어느 하나에 해당하는 사람 중에서 안전원장이 임명 또는 위촉한다.
> 1. 소방안전교육 업무 담당 소방공무원 중 소방청장이 추천하는 사람
> 2. 소방안전교육 전문가
> 3. 소방안전교육 수료자
> 4. 소방안전에 관한 학식과 경험이 풍부한 사람

⑤ 평가위원회에 참석한 위원에게는 예산의 범위에서 수당을 지급할 수 있다. 다만, 공무원인 위원이 소관 업무와 직접 관련되어 참석하는 경우에는 수당을 지급하지 아니한다.

⑥ 제1항부터 제5항까지에서 규정한 사항 외에 평가위원회의 운영 등에 필요한 사항은 안전원장이 정한다.

제41조(안전원의 업무)

안전원은 다음 각 호의 업무를 수행한다.

1. 소방기술과 안전관리에 관한 교육 및 조사·연구
2. 소방기술과 안전관리에 관한 각종 간행물 발간
3. 화재 예방과 안전관리의식 고취를 위한 대국민 홍보
4. 소방업무에 관하여 행정기관이 위탁하는 업무
5. 소방안전에 관한 국제협력
6. 그 밖에 회원에 대한 기술지원 등 정관으로 정하는 사항

 영철쌤 tip

안전원 업무
1. 교육 및 조사·연구
2. 각종 간행물 발간
3. 대국민 홍보
4. 행정기관 위탁 업무
5. 국제협력
6. 회원에 대한 기술지원

제42조(회원의 관리)

안전원은 소방기술과 안전관리 역량의 향상을 위하여 다음 각 호의 사람을 회원으로 관리할 수 있다.

1. 소방시설 설치 및 관리에 관한 법률, 소방시설공사업법 또는 위험물안전관리법에 따라 등록을 하거나 허가를 받은 사람으로서 회원이 되려는 사람
2. 화재의 예방 및 안전관리에 관한 법률, 소방시설공사업법 또는 위험물안전관리법에 따라 소방안전관리자, 소방기술자 또는 위험물안전관리자로 선임되거나 채용된 사람으로서 회원이 되려는 사람
3. 그 밖에 소방 분야에 관심이 있거나 학식과 경험이 풍부한 사람으로서 회원이 되려는 사람

 영철쌤 tip

사업
등록에 해당한다.

위험물제조소 등(제조소, 저장소, 취급소)
허가를 받아야 한다.

제43조(안전원의 정관)[1]

① 안전원의 정관에는 다음 각 호의 사항이 포함되어야 한다.

1. 목적
2. 명칭
3. 주된 사무소의 소재지
4. 사업에 관한 사항
5. 이사회에 관한 사항
6. 회원과 임원 및 직원에 관한 사항
7. 재정 및 회계에 관한 사항
8. 정관의 변경에 관한 사항

② 안전원은 정관을 변경하려면 소방청장의 인가를 받아야 한다.

용어사전

❶ 정관
1. 회사, 공익 법인(公益法人), 각종 협동조합 등의 목적과 조직에 대한 업무 집행에 관한 자주적이고 근본적인 규칙 또는 그것을 기재한 문서이다.
2. 법인을 설립할 때 정관에 의거해서 규정들을 만든다.

제44조(안전원의 운영 경비)

안전원의 운영 및 사업에 소요되는 경비는 다음 각 호의 재원으로 충당한다.

1. 제41조 제1호 및 제4호의 업무 수행에 따른 수입금
2. 제42조에 따른 회원의 회비
3. 자산운영수익금
4. 그 밖의 부대수입

제44조의2(안전원의 임원)

① 안전원에 임원으로 원장 1명을 포함한 9명 이내의 이사와 1명의 감사를 둔다.
② 제1항에 따른 원장과 감사는 소방청장이 임명한다.

제44조의3(유사명칭의 사용금지)

이 법에 따른 안전원이 아닌 자는 한국소방안전원 또는 이와 유사한 명칭을 사용하지 못한다.

제45조 삭제

제46조 삭제

제47조 삭제

문제로 완성하기

01 소방기본법 제41조에서 정한 한국소방안전원의 업무로 옳지 않은 것은? 22. 경채

① 소방안전에 관한 국제협력

② 소방기술과 안전관리에 관한 교육 및 조사·연구

③ 화재 예방과 안전관리의식 고취를 위한 대국민 홍보

④ 소방장비의 품질 확보, 품질 인증 및 신기술·신제품에 관한 인증 업무

02 소방기본법상 한국소방안전원이 수행하는 업무에 대한 내용으로 옳지 않은 것은? 21. 공채

① 소방기술과 안전관리에 관한 인허가 업무

② 소방기술과 안전관리에 관한 각종 간행물 발간

③ 소방기술과 안전관리에 관한 교육 및 조사·연구

④ 화재 예방과 안전관리의식 고취를 위한 대국민 홍보

정답 및 해설

01 한국소방안전원
소방장비의 품질 확보, 품질 인증 및 신기술·신제품에 관한 인증 업무는 소방안전원 업무가 아니다.

02 한국소방안전원
인허가 업무는 소방안전원의 업무가 아니다.

정답 **01** ④ **02** ①

03 다음 중 한국소방안전원 정관의 기재사항이 아닌 것은? 16. 공채

① 목적, 명칭

② 대표자 성명

③ 주된 사무소의 소재지

④ 이사회에 관한 사항

04 다음 중 한국소방안전원의 내용에 대하여 옳지 않은 것은? 17. 상반기 경채

① 소방안전원은 법인으로 한다.

② 소방안전관리자 또는 소방기술자로 선임된 사람도 회원이 될 수 있다.

③ 한국소방안전원의 운영과 경비는 국가 보조금으로 충당하여야 한다.

④ 한국소방안전원이 정관을 변경하려면 소방청장의 인가를 받아야 한다.

05 소방기본법상 한국소방안전원의 업무에 관한 내용으로 옳지 않은 것은? 24. 경채

① 소방안전에 관한 국제협력

② 소방기술과 안전관리에 관한 각종 간행물 발간

③ 화재 예방과 안전관리의식 고취를 위한 대국민 홍보

④ 소방기술과 소방산업의 국외시장 개척에 관한 사업추진

정답 및 해설

03 한국소방안전원 정관
대표자 성명은 정관에 포함되지 않는다.

04 한국소방안전원
한국소방안전원의 운영과 경비는 업무 수행에 따른 수입금, 회원의 회비, 자산운영수익금, 그 밖의 부대수입으로 운영된다.

05 한국소방안전원
소방기술과 소방산업의 국외시장 개척에 관한 사업추진은 안전원업무에 해당사항 없다.

정답 03 ② **04** ③ **05** ④

CHAPTER 9 보칙

제48조(감독)

① 소방청장은 안전원의 업무를 감독한다.

② 소방청장은 안전원에 대하여 업무·회계 및 재산에 관하여 필요한 사항을 보고하게 하거나, 소속 공무원으로 하여금 안전원의 장부·서류 및 그 밖의 물건을 검사하게 할 수 있다.

③ 소방청장은 제2항에 따른 보고 또는 검사의 결과 필요하다고 인정되면 **시정명령 등** 필요한 조치를 할 수 있다.

> **시행령 제10조(감독 등)** ① 소방청장은 법 제48조 제1항에 따라 안전원의 다음 각 호의 업무를 감독하여야 한다.
> 1. 이사회의 중요의결 사항
> 2. 회원의 가입·탈퇴 및 회비에 관한 사항
> 3. 사업계획 및 예산에 관한 사항
> 4. 기구 및 조직에 관한 사항
> 5. 그 밖에 소방청장이 위탁한 업무의 수행 또는 정관에서 정하고 있는 업무의 수행에 관한 사항
> ② 안전원의 사업계획 및 예산에 관하여는 소방청장의 승인을 얻어야 한다.
> ③ 소방청장은 안전원의 업무감독을 위하여 필요한 자료의 제출을 명하거나 소방시설 설치 및 관리에 관한 법률 제50조, 소방시설공사업법 제33조 및 위험물안전관리법 제30조의 규정에 의하여 위탁된 업무와 관련된 규정의 개선을 명할 수 있다. 이 경우 협회는 정당한 사유가 없는 한 이에 따라야 한다.

제49조(권한의 위임)

소방청장은 이 법에 따른 권한의 일부를 대통령령으로 정하는 바에 따라 시·도지사, 소방본부장 또는 소방서장에게 위임할 수 있다.

영철쌤 tip

보칙
제1조부터 제47조까지 보충하는 규칙이다.

영철쌤 tip

소방행정공무원의 권한
1. 기관에 알리고 출입해서 조사, 검사, 감독을 한다.
2. 조사, 검사, 감독을 하면서 필요하면 자료제출요구, 보고요구, 질문을 할 수 있다.

행정기관 위반사항이 있는 경우
1. 경고(시정명령)
2. 정지 또는 중지
3. 취소
4. 중대한 사항이면 사전에 청문을 한다.

영철쌤 tip

안전원의 사업계획 및 예산
소방청장 승인

영철쌤 tip

위임과 위탁
1. 위임: A행정기관이 B행정기관에게 위임
2. 위탁: 행정기관이 단체에게 위탁

제49조의2(손실보상)

① 소방청장 또는 시·도지사는 다음 각 호의 어느 하나에 해당하는 자에게 제3항의 손실보상심의위원회의 심사·의결에 따라 정당한 보상을 하여야 한다.
1. 제16조의3 제1항(생활안전활동)에 따른 조치로 인하여 손실을 입은 자
2. 제24조 제1항 전단에 따른 소방활동 종사로 인하여 사망하거나 부상을 입은 자
3. 제25조 제2항 또는 제3항(강제처분 제2항 또는 제3항)에 따른 처분으로 인하여 손실을 입은 자. 다만, 같은 조 제3항에 해당하는 경우로서 법령을 위반하여 소방자동차의 통행과 소방활동에 방해가 된 경우는 제외한다.
4. 제27조 제1항 또는 제2항(위험물시설에 대한 긴급조치)에 따른 조치로 인하여 손실을 입은 자
5. 그 밖에 소방기관 또는 소방대의 적법한 소방업무 또는 소방활동으로 인하여 손실을 입은 자

② 제1항에 따라 손실보상을 청구할 수 있는 권리는 손실이 있음을 안 날부터 3년, 손실이 발생한 날부터 5년간 행사하지 아니하면 시효의 완성으로 소멸한다.

③ 소방청장 또는 시·도지사는 제1항에 따른 손실보상청구사건을 심사·의결하기 위하여 필요한 경우 손실보상심의위원회를 구성·운영할 수 있다

④ 소방청장 또는 시·도지사는 손실보상심의위원회의 구성 목적을 달성하였다고 인정하는 경우에는 손실보상심의위원회를 해산할 수 있다

⑤ 제1항에 따른 손실보상의 기준, 보상금액, 지급절차 및 방법, 제3항에 따른 손실보상심의위원회의 구성 및 운영, 그 밖에 필요한 사항은 대통령령으로 정한다.

시행령 제11조(손실보상의 기준 및 보상금액) ① 법 제49조의2 제1항에 따라 같은 항 각 호(제2호는 제외한다)의 어느 하나에 해당하는 자에게 물건의 멸실·훼손으로 인한 손실보상을 하는 때에는 다음 각 호의 기준에 따른 금액으로 보상한다. 이 경우 영업자가 손실을 입은 물건의 수리나 교환으로 인하여 영업을 계속할 수 없는 때에는 영업을 계속할 수 없는 기간의 영업이익액에 상당하는 금액을 더하여 보상한다.
1. 손실을 입은 물건을 수리할 수 있는 때: 수리비에 상당하는 금액
2. 손실을 입은 물건을 수리할 수 없는 때: 손실을 입은 당시의 해당 물건의 교환가액
② 물건의 멸실·훼손으로 인한 손실 외의 재산상 손실에 대해서는 직무집행과 상당한 인과관계가 있는 범위에서 보상한다.
③ 법 제49조의2 제1항 제2호에 따른 사상자의 보상금액 등의 기준은 별표 2의4와 같다.

별표 2의4. 소방활동 종사 사상자의 보상금액 등의 기준
1. 사망자의 보상금액 기준
   의사상자 등 예우 및 지원에 관한 법률 시행령 제12조 제1항에 따라 보건복지부장관이 결정하여 고시하는 보상금에 따른다.
2. 부상등급의 기준
   의사상자 등 예우 및 지원에 관한 법률 시행령 제2조 및 별표 1에 따른 부상범위 및 등급에 따른다.
3. 부상등급별 보상금액 기준
   의사상자 등 예우 및 지원에 관한 법률 시행령 제12조 제2항 및 별표 2에 따른 의상자의 부상등급별 보상금에 따른다.

4. 보상금 지급순위의 기준

　의사상자 등 예우 및 지원에 관한 법률 제10조의 규정을 준용한다.

5. 보상금의 환수 기준

　의사상자 등 예우 및 지원에 관한 법률 제19조의 규정을 준용한다.

제12조(손실보상의 지급절차 및 방법) ① 법 제49조의2 제1항에 따라 소방기관 또는 소방대의 적법한 소방업무 또는 소방활동으로 인하여 발생한 손실을 보상받으려는 자는 행정안전부령으로 정하는 보상금 지급 청구서에 손실내용과 손실금액을 증명할 수 있는 서류를 첨부하여 소방청장 또는 시·도지사(이하 "소방청장등"이라 한다)에게 제출하여야 한다. 이 경우 소방청장등은 손실보상금의 산정을 위하여 필요하면 손실보상을 청구한 자에게 증빙·보완 자료의 제출을 요구할 수 있다.

② 소방청장등은 제13조에 따른 손실보상심의위원회의 심사·의결을 거쳐 특별한 사유가 없으면 보상금 지급 청구서를 받은 날부터 60일 이내에 보상금 지급 여부 및 보상금액을 결정하여야 한다.

③ 소방청장등은 다음 각 호의 어느 하나에 해당하는 경우에는 그 청구를 각하(却下)하는 결정을 하여야 한다.

1. 청구인이 같은 청구 원인으로 보상금 청구를 하여 보상금 지급 여부 결정을 받은 경우. 다만, 기각 결정을 받은 청구인이 손실을 증명할 수 있는 새로운 증거가 발견되었음을 소명(疎明)하는 경우는 제외한다.

2. 손실보상 청구가 요건과 절차를 갖추지 못한 경우. 다만, 그 잘못된 부분을 시정할 수 있는 경우는 제외한다.

④ 소방청장등은 제2항 또는 제3항에 따른 결정일부터 10일 이내에 행정안전부령으로 정하는 바에 따라 결정 내용을 청구인에게 통지하고, 보상금을 지급하기로 결정한 경우에는 특별한 사유가 없으면 통지한 날부터 30일 이내에 보상금을 지급하여야 한다.

⑤ 소방청장등은 보상금을 지급받을 자가 지정하는 예금계좌(우체국예금·보험에 관한 법률에 따른 체신관서 또는 은행법에 따른 은행의 계좌를 말한다)에 입금하는 방법으로 보상금을 지급한다. 다만, 보상금을 지급받을 자가 체신관서 또는 은행이 없는 지역에 거주하는 등 부득이한 사유가 있는 경우에는 그 보상금을 지급받을 자의 신청에 따라 현금으로 지급할 수 있다.

⑥ 보상금은 일시불로 지급하되, 예산 부족 등의 사유로 일시불로 지급할 수 없는 특별한 사정이 있는 경우에는 청구인의 동의를 받아 분할하여 지급할 수 있다.

⑦ 제1항부터 제6항까지에서 규정한 사항 외에 보상금의 청구 및 지급에 필요한 사항은 소방청장이 정한다.

시행규칙 제14조(보상금 지급 청구서 등의 서식) ① 영 제12조 제1항에 따른 보상금 지급 청구서는 별지 제8호서식에 따른다.

② 영 제12조 제4항에 따라 결정 내용을 청구인에게 통지하는 경우에는 다음 각 호의 서식에 따른다.

1. 보상금을 지급하기로 결정한 경우: 별지 제9호서식의 보상금 지급 결정 통지서

2. 보상금을 지급하지 아니하기로 결정하거나 보상금 지급 청구를 각하한 경우: 별지 제10호서식의 보상금 지급 청구 (기각·각하) 통지서

 영철쌤 tip

청구 → 보상금 결정(60일 이내) → 청구인에게 통지(10일 이내)→ 보상금 지급(30일 이내)

시행령 제13조(손실보상심의위원회의 설치 및 구성) ① 소방청장등은 법 제49조의2 제3항에 따라 손실보상청구 사건을 심사·의결하기 위하여 필요한 경우 각각 손실보상심의위원회(이하 "보상위원회"라 한다)를 구성·운영할 수 있다.

② 보상위원회는 위원장 1명을 포함하여 5명 이상 7명 이하의 위원으로 구성한다. 다만, 청구금액이 100만 원 이하인 사건에 대해서는 제3항 제1호에 해당하는 위원 3명으로만 구성할 수 있다.

③ 보상위원회의 위원은 다음 각 호의 어느 하나에 해당하는 사람 중에서 소방청장등이 위촉하거나 임명한다. 이 경우 제2항 본문에 따라 보상위원회를 구성할 때에는 위원의 과반수는 성별을 고려하여 소방공무원이 아닌 사람으로 하여야 한다.
1. 소속 소방공무원
2. 판사·검사 또는 변호사로 5년 이상 근무한 사람
3. 고등교육법 제2조에 따른 학교에서 법학 또는 행정학을 가르치는 부교수 이상으로 5년 이상 재직한 사람
4. 보험업법 제186조에 따른 손해사정사
5. 소방안전 또는 의학 분야에 관한 학식과 경험이 풍부한 사람

④ 제3항에 따라 위촉되는 위원의 임기는 2년으로 하며, 다만, 법 제49조의2 제4항에 따라 보상위원회가 해산되는 경우에는 그 해산되는 때에 임기가 만료되는 것으로 한다.

⑤ 보상위원회의 사무를 처리하기 위하여 보상위원회에 간사❶ 1명을 두되, 간사는 소속 소방공무원 중에서 소방청장등이 지명한다.

제14조(보상위원회의 위원장) ① 보상위원회의 위원장(이하 "보상위원장"이라 한다)은 제13조 제3항 제1호에 따른 위원 중에서 소방청장등이 지명한다.

② 보상위원장은 보상위원회를 대표하며, 보상위원회의 업무를 총괄한다.

③ 보상위원장이 부득이한 사유로 직무를 수행할 수 없는 때에는 보상위원장이 미리 지명한 위원이 그 직무를 대행한다.

제15조(보상위원회의 운영) ① 보상위원장은 보상위원회의 회의를 소집하고, 그 의장이 된다.

② 보상위원회의 회의는 재적위원 과반수의 출석으로 개의(開議)하고, 출석위원 과반수의 찬성으로 의결한다.

③ 보상위원회는 심의를 위하여 필요한 경우에는 관계 공무원이나 관계 기관에 사실조사나 자료의 제출 등을 요구할 수 있으며, 관계 전문가에게 필요한 정보의 제공이나 의견의 진술 등을 요청할 수 있다.

제16조(보상위원회 위원의 제척❷·기피·회피) ① 보상위원회의 위원이 다음 각 호의 어느 하나에 해당하는 경우에는 보상위원회의 심의·의결에서 제척(除斥)된다.
1. 위원 또는 그 배우자나 배우자였던 사람이 심의 안건의 청구인인 경우
2. 위원이 심의 안건의 청구인과 친족이거나 친족이었던 경우
3. 위원이 심의 안건에 대하여 증언, 진술, 자문, 용역 또는 감정을 한 경우
4. 위원이나 위원이 속한 법인(법무조합 및 공증인가합동법률사무소를 포함한다)이 심의 안건 청구인의 대리인이거나 대리인이었던 경우
5. 위원이 해당 심의 안건의 청구인인 법인의 임원인 경우

② 청구인은 보상위원회의 위원에게 공정한 심의·의결을 기대하기 어려운 사정이 있는 때에는 보상위원회에 기피 신청을 할 수 있고, 보상위원회는 의결로 이를 결정한다. 이 경우 기피 신청의 대상인 위원은 그 의결에 참여하지 못한다.

③ 보상위원회의 위원이 제1항 각 호에 따른 제척 사유에 해당하는 경우에는 스스로 해당 안건의 심의·의결에서 회피(回避)하여야 한다.

제17조(보상위원회 위원의 해촉 및 해임) 소방청장등은 보상위원회의 위원이 다음 각 호의 어느 하나에 해당하는 경우에는 해당 위원을 해촉(解囑)하거나 해임할 수 있다.

1. 심신장애로 인하여 직무를 수행할 수 없게 된 경우
2. 직무태만, 품위손상이나 그 밖의 사유로 위원으로 적합하지 아니하다고 인정되는 경우
3. 제16조 제1항 각 호(제적에 해당하는 자)의 어느 하나에 해당하는 데에도 불구하고 회피하지 아니한 경우
4. 제17조의2를 위반하여 직무상 알게 된 비밀을 누설한 경우

제17조의2(보상위원회의 비밀 누설 금지) 보상위원회의 회의에 참석한 사람은 직무상 알게 된 비밀을 누설해서는 아니 된다.

제18조(보상위원회의 운영 등에 필요한 사항) 제13조부터 제17조까지 및 제17조의2에서 규정한 사항 외에 보상위원회의 운영 등에 필요한 사항은 소방청장등이 정한다.

제18조의2(고유식별정보의 처리) 소방청장(해당 권한이 위임·위탁된 경우에는 그 권한을 위임·위탁받은 자를 포함한다), 시·도지사는 다음 각 호의 사무를 수행하기 위하여 불가피한 경우 개인정보 보호법 시행령 제19조 제1호 또는 제4호에 따른 주민등록번호 또는 외국인등록번호가 포함된 자료를 처리할 수 있다.

1. 법 제17조의2에 따른 소방안전교육사 자격시험 운영·관리에 관한 사무
2. 법 제17조의3에 따른 소방안전교육사의 결격사유 확인에 관한 사무
3. 법 제49조의2에 따른 손실보상에 관한 사무

제19조(과태료 부과기준) 법 제56조 제1항부터 제3항까지의 규정에 따른 과태료의 부과기준은 별표 3과 같다.

제49조의3(벌칙 적용에서 공무원 의제)[1]

제41조 제4호에 따라 위탁받은 업무에 종사하는 안전원의 임직원은 형법 제129조부터 제132조까지를 적용할 때에는 공무원으로 본다.

핵심정리 손실보상	
심사 의결 사항	· 생활안전활동 조치로 인한 손실입은 자 · 소방활동 종사로 인해 사망하거나 부상입은 자 · 강제처분 제2항(긴급한 경우), 제3항(정차된 차량 제거)에 의해 손실을 입은 자(다만, 법령을 위반하여 소방자동차의 통행과 소방활동에 방해가 된 경우는 제외) · 위험시설 등에 대한 긴급조치로 인해 손실을 입은자 · 그 밖에 소방업무 또는 소방활동으로 인하여 손실을 입은 자
손실보상 청구 권리	· 손실보상을 청구할 수 있는 권리는 손실이 있음을 안 날부터 3년 · 손실이 발생한 날부터 5년간 행사하지 아니하면 시효의 완성으로 소멸
지급절차 및 방법	· 보상 받으려는 자는 서류 첨부하여 소방청장 또는 시·도지사에게 제출 · 소방청장 등은 특별한 사유가 없으면 보상금 지급 청구서 받은 날부터 60일 이내 지급 여부 및 보상금액 결정 · 소방청장 등은 결정일로부터 10일 이내에 결정 내용을 청구인에게 통지 · 특별한 사유가 없으면 통지한 날부터 30일 이내에 보상금을 지급

영철쌤 tip

해촉 및 해임 공통사항
1. 심신장애
2. 직무태만
3. 제적에 해당하는 자가 회피하지 아니한 경우
4. 개인사정
*보상위원회는 '4. 직무상 알게 된 비밀을 누설' 조심할 것

📖 용어사전
❶ 의제: 본질은 같지 않지만 법률에서 다룰 때는 동일한 것으로 처리하여 동일한 효과를 주는 일
📋 민간인 신분으로 공무수행을 행하면 공무원으로 본다.

영철쌤 tip

형법 제129조부터 제132조까지
뇌물죄 적용

CHAPTER 9 보칙 **097**

소방기본법

1

해커스소방 이영철 소방관계법규 기본서

01 소방기본법상 소방청장 또는 시·도지사가 손실보상심의위원회의 심사·의결에 따라 정당한 손실보상을 하여야 하는 대상으로 옳지 않은 것은?

① 생활안전활동에 따른 조치로 인하여 손실을 입은 자

② 화재가 확대되는 것을 막기 위하여 가스·전기 또는 유류 등의 시설에 대하여 위험물질의 공급을 차단하는 등의 조치로 인하여 손실을 입은 자

③ 소방활동 종사명령으로 인하여 사망하거나 부상을 입은 자

④ 소방활동에 방해가 되는 불법 주차 차량을 제거하거나 이동시키는 처분으로 인하여 손실을 입은 자

02 소방기본법 및 같은 법 시행령상 손실보상에 관한 내용 중 소방청장 또는 시·도지사가 '손실보상심의위원회'의 심사·의결에 따라 정당한 보상을 하여야 하는 대상으로 옳지 않은 것은?

① 생활안전활동에 따른 조치로 인하여 손실을 입은 자

② 소방활동 종사 명령에 따른 소방활동 종사로 인하여 사망하거나 부상을 입은 자

③ 위험물 또는 물건의 보관기간 경과 후 매각이나 폐기로 손실을 입은 자

④ 소방기관 또는 소방대의 적법한 소방업무 또는 소방 활동으로 인하여 손실을 입은 자

03 소방기본법 및 같은 법 시행령상 손실보상에 관한 설명 중 (   ) 안에 들어갈 숫자로 옳은 것은?

> • 손실보상을 청구할 수 있는 권리는 손실이 있음을 안 날부터 (가)년, 손실이 발생한 날부터 (나)년간 행사하지 아니하면 시효의 완성으로 소멸한다.
> • 소방청장등은 손실보상심의위원 회의 심사·의결을 거쳐 특별한 사유가 없으면 보상금 지급 청구서를 받은 날부터 (다)일 이내에 보상금 지급 여부 및 보상 금액을 결정하여야 한다.
> • 소방청장등은 결정일부터 (라)일 이내에 행정안전부령으로 정하는 바에 따라 결정 내용을 청구인에게 통지하고, 보상금을 지급하기로 결정한 경우에는 특별한 사유가 없으면 통지한 날부터 (마)일 이내에 보상금을 지급하여야 한다.

	(가)	(나)	(다)	(라)	(마)
①	3	5	60	10	30
②	5	3	60	12	20
③	3	5	50	12	30
④	5	3	50	10	20

04 소방기본법 시행령상 손실보상에 대한 내용으로 옳지 않은 것은?

① 손실보상심의위원회 위원의 임기는 2년으로 하며, 한 차례만 연임할 수 있다.

② 손실보상심의위원회는 위원장 1명을 포함하여 7명 이상 9명 이하의 위원으로 구성한다.

③ 소방청장등은 보상금을 지급하기로 결정한 경우에는 특별한 사유가 없으면 통지한 날부터 30일 이내에 보상금을 지급하여야 한다.

④ 소방청장등은 손실보상심의위원회의 심사·의결을 거쳐 특별한 사유가 없으면 보상금 지급 청구서를 받은 날부터 60일 이내에 보상금 지급 여부 및 보상금액을 결정하여야 한다.

정답 및 해설

01 손실보상심의위원회
불법 주차 차량 제거 처분에 의한 손실은 손실보상 대상이 아니다.

02 손실보상심의위원회
위험물 또는 물건의 보관기간 경과 후 매각이나 폐기로 손실을 입은 자는 심사 의결사항에 해당되지 않는다.

03 손실보상
· 손실보상을 청구할 수 있는 권리는 손실이 있음을 안 날부터 (3)년, 손실이 발생한 날부터 (5)년간 행사하지 아니하면 시효의 완성으로 소멸한다.
· 소방청장등은 손실보상심의위원 회의 심사·의결을 거쳐 특별한 사유가 없으면 보상금 지급 청구서를 받은 날부터 (60)일 이내에 보상금 지급 여부 및 보상 금액을 결정하여야 한다.
· 소방청장등은 결정일부터 (10)일 이내에 행정안전부령으로 정하는 바에 따라 결정 내용을 청구인에게 통지하고, 보상금을 지급하기로 결정한 경우에는 특별한 사유가 없으면 통지한 날부터 (30)일 이내에 보상금을 지급하여야 한다.

04 손실보상
손실보상심의위원회는 위원장 1명을 포함하여 5명 이상 7명 이하의 위원으로 구성한다.

정답 01 ④ **02** ③ **03** ① **04** ②

CHAPTER 10 벌칙

 영철쌤 tip

무기징역
↓   ↑ 법을 어겨 적용되는 일종의
징역 또는 금고   형벌(전과기록 남음)
↓   ↓ 질서벌(전과기록 남지 않음)
벌금
↓
과태료

1. 징역: 교도소에서 일정기간 가두어 두고 노동을 시키는 형벌
2. 금고: 교도소에서 감금만 하고 노역은 시키지 않는 형벌
3. 벌금: 일정금액을 국가에 납부하게 하는 형벌
4. 과태료: 형벌이 아닌 질서벌로서 법령위반에 대하여 과해지는 금전벌

 영철쌤 tip

제16조 제2항
출동한 소방대의 소방활동을 방해

📖 용어사전

❶ 위력(威力): 위엄 있는 강하고 큰 힘

 영철쌤 tip

징역(5년 이하), 벌금(5천만 원 이하)
1. 소방활동 방해(위력, 폭행, 협박, 장비파손 등)
2. 소방자동차 출동 방해
3. 우선통행 방해
4. 종사명령 방해
5. 소방용수시설 및 비상소화장치 방해

 영철쌤 tip

제25조 제1항
현장에서 강제처분

 영철쌤 tip

제25조 제2항 및 제3항
출동 중에 강제처분

제50조(벌칙)

다음 각 호의 어느 하나에 해당하는 사람은 5년 이하의 징역 또는 5천만 원 이하의 벌금에 처한다.

1. 제16조 제2항을 위반하여 다음 각 목의 어느 하나에 해당하는 행위를 한 사람
   가. 위력(威力)❶을 사용하여 출동한 소방대의 화재진압·인명구조 또는 구급활동을 방해하는 행위
   나. 소방대가 화재진압·인명구조 또는 구급활동을 위하여 현장에 출동하거나 현장에 출입하는 것을 고의로 방해하는 행위
   다. 출동한 소방대원에게 폭행 또는 협박을 행사하여 화재진압·인명구조 또는 구급활동을 방해하는 행위
   라. 출동한 소방대의 소방장비를 파손하거나 그 효용을 해하여 화재진압·인명구조 또는 구급활동을 방해하는 행위
2. 제21조 제1항을 위반하여 소방자동차의 출동을 방해한 사람
3. 제24조 제1항에 따른 사람을 구출하는 일 또는 불을 끄거나 불이 번지지 아니하도록 하는 일을 방해한 사람
4. 제28조를 위반하여 정당한 사유 없이 소방용수시설 또는 비상소화장치를 사용하거나 소방용수시설 또는 비상소화장치의 효용을 해치거나 그 정당한 사용을 방해한 사람

제51조(벌칙)

제25조 제1항에 따른 처분을 방해한 자 또는 정당한 사유 없이 그 처분에 따르지 아니한 자는 3년 이하의 징역 또는 3천만 원 이하의 벌금에 처한다.

제52조(벌칙)

다음 각 호의 어느 하나에 해당하는 자는 300만 원 이하의 벌금에 처한다.

1. 제25조 제2항 및 제3항에 따른 처분을 방해한 자 또는 정당한 사유 없이 그 처분에 따르지 아니한 자
2. 제30조 제3항을 위반하여 관계인의 정당한 업무를 방해하거나 화재조사를 수행하면서 알게 된 비밀을 다른 사람에게 누설한 사람

제53조(벌칙)

삭제

제54조(벌칙)

다음 각 호의 어느 하나에 해당하는 자는 100만 원 이하의 벌금에 처한다.

1. 삭제

1의2. 제16조의3 제2항(소방대의 생활안전활동을 방해 금지)을 위반하여 정당한 사유 없이 소방대의 생활안전활동을 방해한 자

2. 제20조 제1항(관계인의 소방활동)을 위반하여 정당한 사유 없이 소방대가 현장에 도착할 때까지 사람을 구출하는 조치 또는 불을 끄거나 불이 번지지 아니하도록 하는 조치를 하지 아니한 사람

3. 제26조 제1항(소방본부장, 소방서장, 소방대장의 피난명령)에 따른 피난 명령을 위반한 사람

4. 제27조 제1항을 위반하여 정당한 사유 없이 물의 사용이나 수도의 개폐장치의 사용 또는 조작을 하지 못하게 하거나 방해한 자

5. 제27조 제2항에 따른 조치를 정당한 사유 없이 방해한 자

제55조(양벌규정)

법인의 대표자나 법인 또는 개인의 대리인, 사용인, 그 밖의 종업원이 그 법인 또는 개인의 업무에 관하여 제50조부터 제54조까지의 어느 하나에 해당하는 위반행위를 하면 그 행위자를 벌하는 외에 그 법인 또는 개인에게도 해당 조문의 벌금형을 과(科)한다. 다만, 법인 또는 개인이 그 위반행위를 방지하기 위하여 해당 업무에 관하여 상당한 주의와 감독을 게을리하지 아니한 경우에는 그러하지 아니하다.

영철쌤 tip

양벌규정

1. 대상: 벌칙 중 벌금 이상(과태료는 대상이 아님)

2. 위반행위자를 벌하는 외에 행위자가 속한 개인 또는 법인에게도 해당 조문의 벌금형을 과함

제56조(과태료)

① 다음 각 호의 어느 하나에 해당하는 자에게는 500만 원 이하의 과태료를 부과한다.

1. 제19조 제1항을 위반하여 화재 또는 구조·구급이 필요한 상황을 거짓으로 알린 사람

   예 화재가 발생하지 않았는데 알린 사람

2. 정당한 사유 없이 제20조 제2항을 위반하여 화재, 재난·재해, 그 밖의 위급한 상황을 소방본부, 소방서 또는 관계 행정기관에 알리지 아니한 관계인

   예 화재가 발생했는데 알리지 않은 사람

② 다음 각 호의 어느 하나에 해당하는 자에게는 200만 원 이하의 과태료를 부과한다.

1. 삭제

2. 삭제

영철쌤 tip

과태료와 과징금

1. 과태료

   · 일반적인 부과·징수 기준: 소방본부장, 소방서장, 시·도지사

   · 대통령령으로 정한다.

2. 과징금

   · 부령으로 정한다.

   · 행정법상의 의무를 위반하는 경우에 이를 제재하기 위한 금적적인 벌. 행정상 의무위반을 하여 부당한 이익을 챙겼을 때 혹은 챙기려고 한 경우 이익을 박탈하고 더 큰 불이익을 주어 징수하는 금전적인 벌이다.

2의2. 제17조의6 제5항을 위반하여 한국119청소년단 또는 이와 유사한 명칭을 사용한 자

3. 삭제

3의2. 제21조 제3항을 위반하여 소방자동차의 출동에 지장을 준 자

4. 제23조 제1항을 위반하여 소방활동구역을 출입한 사람

5. 삭제

6. 제44조의3을 위반하여 한국소방안전원 또는 이와 유사한 명칭을 사용한 자

③ 제21조의2 제2항을 위반하여 전용구역에 차를 주차하거나 전용구역에의 진입을 가로막는 등의 방해행위를 한 자에게는 100만 원 이하의 과태료를 부과한다.

④ 제1항부터 제3항까지에 따른 과태료는 대통령령으로 정하는 바에 따라 관할 시·도지사, 소방본부장 또는 소방서장이 부과·징수한다.

제57조(과태료)

① 제19조 제2항(화재 오인 우려 행위)에 따른 신고를 하지 아니하여 소방자동차를 출동하게 한 자에게는 20만 원 이하의 과태료를 부과한다.

② 제1항에 따른 과태료는 조례로 정하는 바에 따라 관할 소방본부장 또는 소방서장이 부과·징수한다.

시행령 제19조(과태료 부과) 법 제56조 제1항부터 제3항까지의 규정에 따른 과태료의 부과기준은 별표 3과 같다.

별표 3. 과태료의 부과기준
1. 일반기준
　가. 위반행위의 횟수에 따른 과태료의 가중된 부과기준은 최근 1년간 같은 위반행위로 과태료 부과처분을 받은 경우에 적용한다. 이 경우 기간의 계산은 위반행위에 대하여 과태료 부과처분을 받은 날과 그 처분 후 다시 같은 위반행위를 하여 적발된 날을 기준으로 한다.
　나. 가목에 따라 가중된 부과처분을 하는 경우 가중처분의 적용 차수는 그 위반행위 전 부과처분 차수(가목에 따른 기간 내에 과태료 부과처분이 둘 이상 있었던 경우에는 높은 차수를 말한다)의 다음 차수로 한다.
　다. 부과권자는 다음의 어느 하나에 해당하는 경우에는 제2호의 개별기준에 따른 과태료의 2분의 1 범위에서 그 금액을 줄여 부과할 수 있다. 다만, 과태료를 체납하고 있는 위반행위자에 대해서는 그렇지 않다.
　　1) 위반행위가 사소한 부주의나 오류로 인한 것으로 인정되는 경우
　　2) 위반행위자가 법 위반상태를 시정하거나 해소하기 위하여 노력한 사실이 인정되는 경우
　　3) 위반행위자가 화재 등 재난으로 재산에 현저한 손실을 입거나 사업 여건의 악화로 그 사업이 중대한 위기에 처하는 등 사정이 있는 경우
　　4) 그 밖에 위반행위의 정도, 위반행위의 동기와 그 결과 등을 고려하여 감경할 필요가 있다고 인정되는 경우

2. 개별기준

위반행위	근거 법조문	과태료 금액(만 원)		
		1회	2회	3회 이상
가. 법 제17조의6 제5항을 위반하여 한국119청소년단 또는 이와 유사한 명칭을 사용한 경우	법 제56조 제2항 제2호의2	100	150	200
나. 법 제19조 제1항을 위반하여 화재 또는 구조·구급이 필요한 상황을 거짓으로 알린 경우	법 제56조 제1항 제1호	200	400	500
다. 정당한 사유 없이 법 제20조 제2항을 위반하여 화재, 재난·재해, 그 밖의 위급한 상황을 소방본부, 소방서 또는 관계 행정기관에 알리지 않은 경우	법 제56조 제1항 제2호	500		
라. 법 제21조 제3항을 위반하여 소방자동차의 출동에 지장을 준 경우	법 제56조 제2항 제3호의2	100		
마. 법 제21조의2 제2항을 위반하여 전용구역에 차를 주차하거나 전용구역에의 진입을 가로막는 등의 방해행위를 한 경우	법 제56조 제3항	50	100	100
바. 법 제23조 제1항을 위반하여 소방활동구역을 출입한 경우	법 제56조 제2항 제4호	100		
사. 법 제44조의3을 위반하여 한국소방안전원 또는 이와 유사한 명칭을 사용한 경우	법 제56조 제2항 제6호	200		

시행규칙 제15조(과태료의 징수절차) 영 제19조 제4항의 규정에 의한 과태료의 징수 절차에 관하여는 국고금관리법 시행규칙을 준용한다. 이 경우 납입고지서에는 이 의방법 및 이의기간 등을 함께 기재하여야 한다.

01 소방기본법의 벌칙에서 출동한 소방대원에게 폭행 또는 협박을 행사하여 화재진압·인명구조 또는 구급활동을 방해하는 행위를 한 자의 벌칙은?   17. 하반기 공채

① 5년 이하의 징역 또는 7천만 원 이하의 벌금

② 5년 이하의 징역 또는 5천만 원 이하의 벌금

③ 3년 이하의 징역 또는 3천만 원 이하의 벌금

④ 1년 이하의 징역 또는 1천만 원 이하의 벌금

02 소방기본법상 5년 이하의 징역 또는 5천만 원 이하의 벌금에 해당하는 위반사항이 아닌 것은?   16. 경채

① 정당한 사유 없이 소방용수시설 또는 비상소화장치를 사용하거나 소방용수시설 또는 비상소화장치의 효용을 해치거나 그 정당한 사용을 방해한 사람

② 화재현장에서 사람을 구출하는 일 또는 불을 끄거나 불이 번지지 아니하도록 하는 일을 방해한 사람

③ 불이 번질 우려가 있는 소방대상물 및 토지를 일시적으로 사용하거나 그 사용의 제한 또는 소방활동에 필요한 처분을 방해한 자

④ 화재진압을 위하여 출동하는 소방자동차의 출동을 방해한 사람

03 소방기본법 제53조 및 제54조의 벌칙 기준으로 옳지 않은 것은?   22. 경채

① 정당한 사유 없이 물의 사용이나 수도의 개폐장치의 사용 또는 조작을 하지 못하게 하거나 방해한 자: 100만 원 이하의 벌금

② 정당한 사유 없이 소방대가 현장에 도착할 때까지 사람을 구출하는 조치 또는 불을 끄거나 불이 번지지 아니하도록하는 조치를 하지 아니한 사람: 100만 원 이하의 벌금

③ 불장난, 모닥불, 흡연, 화기(火氣) 취급, 풍등 등 소형열기구 날리기, 그 밖에 화재예방상 위험하다고 인정되는 행위의 금지 또는 제한에 대한 명령에 따르지 아니하거나 이를 방해한 자: 300만 원 이하의 벌금

④ 화재, 재난·재해, 그 밖의 위급한 상황이 발생하여 사람의 생명을 위험하게 할 것으로 인정할 때에는 일정한 구역을 지정하여 그 구역에 있는 사람에게 그 구역 밖으로 피난할 것에 대한 명령을 위반한 사람: 200만 원 이하의 벌금

04 소방기본법상 벌칙 중 벌금의 상한이 나머지 셋과 다른 것은?

23. 공채·경채

① 정당한 사유 없이 소방대의 생활안전활동을 방해한 자

② 화재진압 및 구조·구급 활동을 위하여 출동하는 소방자동차의 출동을 방해한 사람

③ 정당한 사유 없이 화재진압 등 소방활동을 위하여 필요할 때 물의 사용이나 수도의 개폐장치의 사용 또는 조작을 하지 못하게 하거나 방해한 자

④ 정당한 사유 없이 소방대가 현장에 도착할 때까지 사람을 구출하는 조치 또는 불을 끄거나 불이 번지지 아니하도록 하는 조치를 하지 아니한 관계인

05 소방기본법 및 같은 법 시행령상 과태료 부과기준으로 옳은 것은?

24. 공채·경채

① 정당한 사유 없이 관계인의 소방활동 등에 따른 법을 위반하여 화재, 재난·재해, 그 밖의 위급한 상황을 소방본부, 소방서 또는 관계 행정기관에 알리지 아니한 관계인에게는 200만 원 이하의 과태료를 부과한다.

② 소방자동차 전용구역에 차를 주차하거나 전용구역에의 진입을 가로막는 등의 방해행위를 한 자에게는 100만 원 이하의 과태료를 부과한다.

③ 위반행위의 횟수에 따른 과태료의 가중된 부과기준은 최근 2년간 같은 위반행위로 과태료 부과처분을 받은 경우에 적용한다.

④ 위반행위자가 법 위반상태를 시정하거나 해소하기 위하여 노력한 사실이 인정되는 경우, 부과권자는 개별기준에 따른 과태료의 3분의 1 범위에서 그 금액을 줄여 부과할 수 있다.

정답 및 해설

01 벌칙
소방활동 방해자에 대해서는 5년 이하의 징역 또는 5천만 원 이하의 벌금에 해당한다.

02 벌금
강제처분 방해자에 대해서는 3년 이하의 징역 또는 3천만 원 이하의 벌금에 처한다.

03 벌칙
④는 100만 원 이하의 벌금에 처한다.

04 벌금
②는 5년 이하의 징역 또는 5천만 원 이하의 벌금이다.
①, ③, ④ 나머지는 100만 원 이하의 벌금이다.

05 과태료 부과기준
① 500만 원 이하
③ 위반행위의 횟수에 따른 과태료의 가중된 부과기준은 최근 1년간 같은 위반행위로 과태료 부과처분을 받은 경우에 적용한다.
④ 부과권자는 다음의 어느 하나에 해당하는 경우에는 제2호의 개별기준에 따른 과태료의 2분의 1 범위에서 그 금액을 줄여 부과할 수 있다. 다만, 과태료를 체납하고 있는 위반행위자에 대해서는 그렇지 않다.
   1) 위반행위가 사소한 부주의나 오류로 인한 것으로 인정되는 경우
   2) 위반행위자가 법 위반상태를 시정하거나 해소하기 위하여 노력한 사실이 인정되는 경우
   3) 위반행위자가 화재 등 재난으로 재산에 현저한 손실을 입거나 사업여건의 악화로 그 사업이 중대한 위기에 처하는 등 사정이 있는 경우
   4) 그 밖에 위반행위의 정도, 위반행위의 동기와 그 결과 등을 고려하여 감경할 필요가 있다고 인정되는 경우

정답 **01** ② **02** ③ **03** ④ **04** ② **05** ②

해커스소방 **이영철 소방관계법규** 기본서

PART 2

소방의 화재조사에 관한 법률

법[시행 2022.6.9.] [법률 제18204호, 2021.6.8., 제정]
시행령[시행 2022.12.1.] [대통령령 제33005호, 2022.11.29., 타법개정]
시행규칙[시행 2022.6.15.] [행정안전부령 제336호, 2022.6.15., 제정]

해커스소방 학원·인강 fire.Hackers.com

CHAPTER 1 목적

 영철쌤 tip

화재조사의 목적
유사화재를 방지하고자 한다.
예 숭례문(남대문) 화재발생으로 인한 유사
화재인 동대문화재가 발생하면 어떻게 대
처해야 하는지를 알 수 있다.

제1조(목적)

이 법은 화재예방 및 소방정책에 활용하기 위하여 화재원인, 화재성장 및 확산, 피해현황 등에 관한 과학적·전문적인 조사에 필요한 사항을 규정함을 목적으로 한다.

> **시행령 제1조(목적)** 이 영은 소방의 화재조사에 관한 법률에서 위임된 사항과 그 시행에 필요한 사항을 규정함을 목적으로 한다.

> **시행규칙 제1조(목적)** 이 규칙은 소방의 화재조사에 관한 법률 및 같은 법 시행령에서 위임된 사항과 그 시행에 필요한 사항을 규정함을 목적으로 한다.

제2조(정의)

 영철쌤 tip

1. 사람의 의도에 반하거나(내 의사와 관계 없이): 전혀 모르는 상태에서 화재
2. 과실(실수, 부주의): 실화(예 소각장에서 담배)
3. 고의에 의해 발생: 방화 → 소화설비작동

① 이 법에서 사용하는 용어의 뜻은 다음과 같다.

1. "화재"란 사람의 의도에 반하거나 고의 또는 과실에 의하여 발생하는 연소 현상으로서 소화할 필요가 있는 현상 또는 사람의 의도에 반하여 발생하거나 확대된 화학적 폭발현상을 말한다.
2. "화재조사"란 소방청장, 소방본부장 또는 소방서장이 화재원인, 피해상황, 대응활동 등을 파악하기 위하여 자료의 수집, 관계인등에 대한 질문, 현장 확인, 감식, 감정 및 실험 등을 하는 일련의 행위를 말한다.
3. "화재조사관"이란 화재조사에 전문성을 인정받아 화재조사를 수행하는 소방공무원을 말한다.

 영철쌤 tip

화재조사권자
소방청장, 소방본부장, 소방서장(소방관서장)

4. "관계인등"이란 화재가 발생한 소방대상물의 소유자·관리자 또는 점유자(이하 "관계인"이라 한다) 및 다음 각 목의 사람을 말한다.

   가. 화재 현장을 발견하고 신고한 사람

   나. 화재 현장을 목격한 사람

   다. 소화활동을 행하거나 인명구조활동(유도대피 포함)에 관계된 사람

   라. 화재를 발생시키거나 화재발생과 관계된 사람

 영철쌤 tip

관계인등
1. 관계인
2. 화재현장 발견, 신고한 사람
3. 화재현장 목격한 사람
4. 소화활동, 인명구조활동(유도대피 포함)에 관계된 사람
5. 화재발생 관계된 사람

② 이 법에서 사용하는 용어의 뜻은 제1항에서 규정하는 것을 제외하고는 소방기본법, 화재예방, 소방시설 설치·유지 및 안전관리에 관한 법률에서 정하는 바에 따른다.

제3조(국가 등의 책무)

① 국가와 지방자치단체는 화재조사에 필요한 기술의 연구·개발 및 화재조사의 정확도를 향상시키기 위한 시책을 강구하고 추진하여야 한다.

② 관계인등은 화재조사가 적절하게 이루어질 수 있도록 협력하여야 한다.

제4조(다른 법률과의 관계)

화재조사에 관하여 다른 법률에 특별한 규정이 있는 경우를 제외하고는 이 법에서 정하는 바에 따른다.

01 소방의 화재조사에 관한 법률상 화재의 정의에 관한 설명으로 옳지 않은 것은?

23. 경채

① 사람의 의도에 반하여 발생하거나 확대된 물리적 폭발현상

② 고의에 의하여 발생한 연소 현상으로서 소화할 필요가 있는 현상

③ 과실에 의하여 발생한 연소 현상으로서 소화할 필요가 있는 현상

④ 사람의 의도에 반하여 발생한 연소 현상으로서 소화할 필요가 있는 현상

정답 및 해설

01 화재의 정기
사람의 의도에 반하여 발생하거나 확대된 화학적 폭발현상이다.

정답 01 ①

CHAPTER 2 화재조사의 실시 등

제5조(화재조사의 실시)

① 소방청장, 소방본부장 또는 소방서장(이하 "소방관서장"이라 한다)은 화재발생 사실을 알게 된 때에는 지체 없이 화재조사를 하여야 한다. 이 경우 수사기관의 범죄수사에 지장을 주어서는 아니 된다.

② 소방관서장은 제1항에 따라 화재조사를 하는 경우 다음 각 호의 사항에 대하여 조사하여야 한다.

   1. 화재원인에 관한 사항
   2. 화재로 인한 인명·재산피해상황
   3. 대응활동에 관한 사항
      예 소방대의 대응활동(화재진압,구조,구급 등), 관계기관의 대응활동
   4. 소방시설 등의 설치·관리 및 작동 여부에 관한 사항
   5. 화재발생건축물과 구조물, 화재유형별 화재위험성 등에 관한 사항
      예 화재 위험성, 화재위험 유발요인, 화재확산 요인 등
   6. 그 밖에 대통령령으로 정하는 사항

③ 제1항 및 제2항에 따른 화재조사의 대상 및 절차 등에 필요한 사항은 **대통령령**으로 정한다.

> **시행령 제2조(화재조사의 대상)** 소방의 화재조사에 관한 법률(이하 "법"이라 한다) 제5조에 따라 소방청장, 소방본부장 또는 소방서장(이하 "소방관서장"이라 한다)이 화재조사를 실시해야 할 대상은 다음 각 호와 같다.
> 1. 소방기본법에 따른 소방대상물에서 발생한 화재
> 2. 그 밖에 소방관서장이 화재조사가 필요하다고 인정하는 화재
>
> **제3조(화재조사의 내용·절차)** ① 법 제5조 제2항 제6호에서 "대통령령으로 정하는 사항"이란 화재예방, 소방시설 설치·유지 및 안전관리에 관한 법률 제4조 제2항 제4호에 따른 화재안전조사의 실시 결과에 관한 사항을 말한다.
> ② 화재조사는 다음 각 호의 절차에 따라 실시한다.
> 1. 현장출동 중 조사: 화재발생 접수, 출동 중 화재상황 파악 등
> 2. 화재현장 조사: 화재의 발화(發火)원인, 연소상황 및 피해상황 조사 등
> 3. 정밀조사: 감식·감정, 화재원인 판정 등
> 4. 화재조사 결과 보고
> ③ 소방관서장은 화재조사를 하는 경우 산림보호법 제42조에 따른 산불 조사 등 다른 법률에 따른 화재 관련 조사가 원활히 수행될 수 있도록 협조해야 한다.

 영철쌤 tip

1. 화재조사권자: 소방관서장
2. 화재조사 시기: 화재발생 사실을 알게 될 때부터(화재인지시간)

 영철쌤 tip

소방시설 등
소방시설(옥내소화전설비, 자동화재탐지설비 등) + 건축시설(방화문, 방화샷다 등)

제6조(화재조사전담부서의 설치·운영 등)

① 소방관서장은 전문성에 기반하는 화재조사를 위하여 화재조사전담부서(이하 "전담부서"라 한다)를 설치·운영하여야 한다.

② 전담부서는 다음 각 호의 업무를 수행한다.

1. 화재조사의 실시 및 조사결과 분석·관리

2. 화재조사 관련 기술개발과 화재조사관의 역량증진

3. 화재조사에 필요한 시설·장비의 관리·운영

4. 그 밖의 화재조사에 관하여 필요한 업무

③ 소방관서장은 화재조사관으로 하여금 화재조사 업무를 수행하게 하여야 한다.

④ 화재조사관은 소방청장이 실시하는 화재조사에 관한 시험에 합격한 소방공무원 등 화재조사에 관한 전문적인 자격을 가진 소방공무원으로 한다.

⑤ 전담부서의 구성·운영, 화재조사관의 구체적인 자격기준 및 교육훈련 등에 필요한 사항은 대통령령으로 정한다.

시행령 제4조(화재조사전담부서의 구성·운영) ① 소방관서장은 법 제6조 제1항에 따른 화재조사전담부서(이하 "전담부서"라 한다)에 화재조사관을 2명 이상 배치해야 한다.

② 전담부서에는 화재조사를 위한 감식·감정 장비 등 행정안전부령으로 정하는 장비와 시설을 갖추어 두어야 한다.

③ 제1항 및 제2항에서 규정한 사항 외에 전담부서의 구성·운영에 필요한 사항은 행정안전부령으로 정한다.

시행규칙 제2조(화재조사 결과의 보고) ① 소방의 화재조사에 관한 법률(이하 "법"이라 한다) 제6조 제1항에 따른 화재조사전담부서(이하 "전담부서"라 한다)가 화재조사를 완료한 경우에는 화재조사 결과를 소방청장, 소방본부장 또는 소방서장(이하 "소방관서장"이라 한다)에게 보고해야 한다.

제3조(전담부서의 장비·시설) 소방의 화재조사에 관한 법률 시행령(이하 "영"이라 한다) 제4조 제2항에서 "화재조사를 위한 감식·감정 장비 등 행정안전부령으로 정하는 장비와 시설"이란 별표의 장비와 시설을 말한다.

별표. 전담부서에 갖추어야 할 장비와 시설

구분	기자재명 및 시설규모
발굴용구 (8종)	공구세트, 전동 드릴, 전동 그라인더(절삭·연마기), 전동 드라이버, 이동용 진공청소기, 휴대용 열풍기, 에어컴프레서(공기압축기), 전동 절단기
기록용 기기 (13종)	디지털카메라(DSLR)세트, 비디오카메라세트, TV, 적외선거리측정기, 디지털온도·습도측정시스템, 디지털풍향풍속기록계, 정밀저울, 버니어 캘리퍼스(아들자가 달려 두께나 지름을 재는 기구), 웨어러블캠, 3D스캐너, 3D카메라(AR), 3D캐드시스템, 드론
감식기기 (16종)	절연저항계, 멀티테스터기, 클램프미터, 정전기측정장치, 누설전류계, 검전기, 복합가스측정기, 가스(유증)검지기, 확대경, 산업용실체현미경, 적외선열상카메라, 접지저항계, 휴대용디지털현미경, 디지털탄화심도계, 슈미트해머(콘크리트 반발 경도 측정기구), 내시경현미경

감정용기기 (21종)	가스크로마토그래피, 고속카메라세트, 화재시뮬레이션시스템, X선 촬영기, 금속현미경, 시편(試片)절단기, 시편성형기, 시편연마기, 접점저항계, 직류전압전류계, 교류전압전류계, 오실로스코프(변화가 심한 전기현상의 파형을 눈으로 관찰하는 장치), 주사전자현미경, 인화점측정기, 발화점측정기, 미량융점측정기, 온도기록계, 폭발압력측정기세트, 전압조정기(직류, 교류), 적외선 분광광도계, 전기단락흔실험장치[1차 용융흔(鎔融痕), 2차 용융흔(鎔融痕), 3차 용융흔(鎔融痕) 측정 가능]
조명기기 (5종)	이동용 발전기, 이동용 조명기, 휴대용 랜턴, 헤드랜턴, 전원공급장치(500A 이상)
안전장비 (8종)	보호용 작업복, 보호용 장갑, 안전화, 안전모(무전송수신기 내장), 마스크(방진마스크, 방독마스크), 보안경, 안전고리, 화재조사 조끼
증거 수집 장비 (6종)	증거물수집기구세트(핀셋류, 가위류 등), 증거물보관세트(상자, 봉투, 밀폐용기, 증거수집용 캔 등), 증거물 표지세트(번호, 스티커, 삼각형 표지 등), 증거물 태그 세트(대, 중, 소), 증거물보관장치, 디지털증거물저장장치
화재조사 차량 (2종)	화재조사 전용차량, 화재조사 첨단 분석차량(비파괴 검사기, 산업용 실체현미경 등 탑재)
보조장비 (6종)	노트북컴퓨터, 전선 릴, 이동용 에어컴프레서, 접이식 사다리, 화재조사 전용 의복(활동복, 방한복), 화재조사용 가방
화재조사 분석실	화재조사 분석실의 구성장비를 유효하게 보존·사용할 수 있고, 환기 시설 및 수도·배관시설이 있는 30제곱미터(㎡) 이상의 실(室)
화재조사 분석실 구성장비 (10종)	증거물보관함, 시료보관함, 실험작업대, 바이스(가공물 고정을 위한 기구), 개수대, 초음파세척기, 실험용 기구류(비커, 피펫, 유리병 등), 건조기, 항온항습기, 오토 데시케이터(물질 건조, 흡습성 시료 보존을 위한 유리 보존기)

비고
1. 위 표에서 화재조사 차량은 탑승공간과 장비 적재공간이 구분되어 주요 장비의 적재·활용이 가능하고, 차량 내부에 기초 조사사무용 테이블을 설치할 수 있는 차량을 말한다.
2. 위 표에서 화재조사 전용 의복은 화재진압대원, 구조대원 및 구급대원의 의복과 구별이 가능하고, 화재조사 활동에 적합한 기능을 가진 것을 말한다.
3. 위 표에서 화재조사용 가방은 일상적인 외부 충격으로부터 가방 내부의 장비 및 물품이 손상되지 않을 정도의 강도를 갖춘 재질로 제작되고, 휴대가 간편한 가방을 말한다.
4. 위 표에서 화재조사 분석실의 면적은 청사 공간의 효율적 활용을 위하여 불가피한 경우 최소기준 면적의 절반 이상에 해당하는 면적으로 조정할 수 있다.

시행령 제5조(화재조사관의 자격기준 등) ① 법 제6조 제3항에 따라 화재조사 업무를 수행하는 화재조사관은 다음 각 호의 어느 하나에 해당하는 소방공무원으로 한다.
1. 소방청장이 실시하는 화재조사에 관한 시험에 합격한 소방공무원
2. 국가기술자격법에 따른 국가기술자격의 직무분야 중 화재감식평가 분야의 기사 또는 산업기사 자격을 취득한 소방공무원
② 제1항 제1호의 화재조사에 관한 시험의 방법, 과목, 그 밖에 시험 시행에 필요한 사항은 행정안전부령으로 정한다.

 영철쌤 tip

화재감식평가는 산업기사 또는 기사만 있다. 기술사는 없다.

시행규칙 제4조(화재조사에 관한 시험) ① 소방청장이 영 제5조 제1항 제1호의 화재조사에 관한 시험(이하 "자격시험"이라 한다)을 실시하는 경우에는 시험의 과목·일시·장소 및 응시 자격·절차 등을 시험 실시 30일 전까지 소방청의 인터넷 홈페이지에 공고해야 한다.

② 자격시험에 응시할 수 있는 사람은 소방공무원 중 다음 각 호의 어느 하나에 해당하는 사람으로 한다.

1. 영 제6조 제1항 제1호의 화재조사관 양성을 위한 전문교육을 이수한 사람

2. 국립과학수사연구원 또는 소방청장이 인정하는 외국의 화재조사 관련 기관에서 8주 이상 화재조사에 관한 전문교육을 이수한 사람

③ 자격시험은 1차 시험과 2차 시험으로 구분하여 실시하며, 1차 시험에 합격한 사람만이 2차 시험에 응시할 수 있다.

④ 소방청장은 영 제5조 제1항 각 호의 소방공무원에게 별지 제1호서식의 화재조사관 자격증을 발급해야 한다.

⑤ 소방청장은 자격시험에서 부정한 행위를 한 사람에 대해서는 그 시험을 정지 또는 무효로 하거나 합격을 취소한다.

시행령 제6조(화재조사에 관한 교육훈련) ① 소방관서장은 다음 각 호의 구분에 따라 화재조사관에 대한 교육훈련을 실시한다.

1. 화재조사관 양성을 위한 전문교육

2. 화재조사관의 전문능력 향상을 위한 전문교육

3. 전담부서에 배치된 화재조사관을 위한 의무 보수교육

② 소방관서장은 필요한 경우 제1항에 따른 교육훈련을 다른 소방관서나 화재조사 관련 전문기관에 위탁하여 실시할 수 있다.

③ 제1항 및 제2항에서 규정한 사항 외에 화재조사에 관한 교육훈련에 필요한 사항은 행정안전부령으로 정한다.

시행규칙 제5조(화재조사에 관한 교육훈련) ① 영 제6조 제1항 제1호의 화재조사관 양성을 위한 전문교육의 내용은 다음 각 호와 같다.

1. 화재조사 이론과 실습

2. 화재조사 시설 및 장비의 사용에 관한 사항

3. 주요·특이 화재조사, 감식·감정에 관한 사항

4. 화재조사 관련 정책 및 법령에 관한 사항

5. 그 밖에 소방청장이 화재조사 관련 전문능력의 배양을 위해 필요하다고 인정하는 사항

② 전담부서에 배치된 화재조사관은 영 제6조 제1항 제3호의 의무 보수교육을 2년마다 받아야 한다. 다만, 전담부서에 배치된 후 처음 받는 의무 보수교육은 배치 후 1년 이내에 받아야 한다.

③ 소방관서장은 제2항에 따라 의무 보수교육을 이수하지 않은 사람에게 보수교육을 이수할 때까지 화재조사 업무를 수행하게 해서는 안 된다.

④ 제1항부터 제3항까지에서 규정한 사항 외에 화재조사에 관한 교육훈련에 필요한 사항은 소방청장이 정한다.

핵심정리 화재조사 전담부서

1. **설치목적:** 전문성에 기반하는 화재조사를 위하여

2. **설치·운영권자:** 소방관서장

3. **구성·운영**
   ① 화재조사전담부서에 화재조사관을 2명 이상 배치
   ② 감식·감정장비 등 행정안전부령으로 정하는 장비와 시설을 갖출 것
   ③ 구성·운영에 필요한 사항은 행정안전부령으로 정한다.

4. **화재조사관 자격기준**
   ① 화재조사에 관한 시험에 합격한 소방공무원
   ② 화재감식평가 기사 또는 산업기사 자격을 취득한 소방공무원

제7조(화재합동조사단의 구성·운영)

① 소방관서장은 사상자가 많거나 사회적 이목을 끄는 화재 등 대통령령으로 정하는 대형화재 등이 발생한 경우 종합적이고 정밀한 화재조사를 위하여 유관기관 및 관계 전문가를 포함한 화재합동조사단을 구성·운영할 수 있다.

② 제1항에 따른 화재합동조사단의 구성과 운영 등에 필요한 사항은 대통령령으로 정한다.

> **시행령 제7조(화재합동조사단의 구성·운영)** ① 법 제7조 제1항에서 "사상자가 많거나 사회적 이목을 끄는 화재 등 대통령령으로 정하는 대형화재"란 다음 각 호의 화재를 말한다.
> 1. 사망자가 5명 이상 발생한 화재
> 2. 화재로 인한 사회적·경제적 영향이 광범위하다고 소방관서장이 인정하는 화재
> ② 법 제7조 제1항에 따른 화재합동조사단(이하 "화재합동조사단"이라 한다)의 단원은 다음 각 호의 어느 하나에 해당하는 사람 중에서 소방관서장이 임명하거나 위촉한다.
> 1. 화재조사관
> 2. 화재조사 업무에 관한 경력이 3년 이상인 소방공무원
> 3. 고등교육법 제2조에 따른 학교 또는 이에 준하는 교육기관에서 화재조사, 소방 또는 안전관리 등 관련 분야 조교수 이상의 직에 3년 이상 재직한 사람
> 4. 국가기술자격법에 따른 국가기술자격의 직무분야 중 안전관리 분야에서 산업기사 이상의 자격을 취득한 사람
> 5. 그 밖에 건축·안전 분야 또는 화재조사에 관한 학식과 경험이 풍부한 사람
> ③ 화재합동조사단의 단장은 단원 중에서 소방관서장이 지명하거나 위촉하는 사람이 된다.
> ④ 소방관서장은 화재합동조사단 운영을 위하여 관계 행정기관 또는 기관·단체의 장에게 소속 공무원 또는 소속 임직원의 파견을 요청할 수 있다.

영철쌤 tip

화재조사전담부서
소방청, 소방본부, 소방서에 상시 설치한다.

화재합동조사단
대형화재 등 필요한 경우 설치한다. 민·관 협력해서 구성·운영한다.

영철쌤 tip

임명과 위촉
1. 임명: 소방공무원
2. 위촉: 민간인력전문가

화재조사관
화재전담부서에서 근무하는 사람

화재조사 업무에 관한 경력이 3년 이상인 소방공무원
지금은 다른 부서에 있지만 과거에 화재전담부서에서 근무한 사람

⑤ 화재합동조사단은 화재조사를 완료하면 소방관서장에게 다음 각 호의 사항이 포함된 화재조사 결과를 보고해야 한다.

1. 화재합동조사단 운영 개요
2. 화재조사 개요
3. 화재조사에 관한 법 제5조 제2항 각 호의 사항
4. 다수의 인명피해가 발생한 경우 그 원인
5. 현행 제도의 문제점 및 개선 방안
6. 그 밖에 소방관서장이 필요하다고 인정하는 사항

⑥ 소방관서장은 화재합동조사단의 단장 또는 단원에게 예산의 범위에서 수당·여비와 그 밖에 필요한 경비를 지급할 수 있다. 다만, 공무원이 소관 업무와 직접적으로 관련되어 참여하는 경우에는 지급하지 않는다.

⑦ 제1항부터 제6항까지에서 규정한 사항 외에 화재합동조사단의 구성·운영에 필요한 사항은 소방청장이 정한다.

🏠 **핵심정리 화재합동조사단**

1. **목적:** 대형화재 등이 발생한 경우 종합적이고 정밀한 화재조사를 하기 위하여
2. **구성·운영자:** 소방관서장
3. **대통령령으로 정하는 대형화재**
   ① 사망자가 5명 이상 발생한 화재
   ② 화재로 인한 사회적·경제적 영향이 광범위하다고 소방관서장이 인정하는 화재
4. **단원의 자격**
   ① 화재조사관
   ② 화재조사 업무에 관한 경력이 3년 이상인 소방공무원
   ③ 화재조사, 소방 또는 안전관리 등 관련 분야 조교수 이상의 직에 3년 이상 재직한 사람
   ④ 안전관리 분야에서 산업기사 이상의 자격을 취득한 사람
   ⑤ 건축·안전 분야 또는 화재조사에 관한 학식과 경험이 풍부한 사람

제8조(화재현장 보존 등)

① 소방관서장은 화재조사를 위하여 필요한 범위에서 화재현장 보존조치를 하거나 화재현장과 그 인근 지역을 **통제구역**으로 설정할 수 있다. 다만, 방화(放火) 또는 실화(失火)의 혐의로 수사의 대상이 된 경우에는 관할 경찰서장 또는 해양경찰서장(이하 "경찰서장"이라 한다)이 통제구역을 설정한다.

② 누구든지 소방관서장 또는 경찰서장의 **허가 없이** 제1항에 따라 설정된 통제구역에 출입하여서는 아니 된다.

③ 제1항에 따라 화재현장 보존조치를 하거나 통제구역을 설정한 경우 누구든지 소방관서장 또는 경찰서장의 **허가 없이** 화재현장에 있는 물건 등을 이동시키거나 변경·훼손하여서는 아니 된다. 다만, 공공의 이익에 중대한 영향을 미친다고 판단되거나 인명구조 등 긴급한 사유가 있는 경우에는 그러하지 아니하다.

④ 화재현장 보존조치, 통제구역의 설정 및 출입 등에 필요한 사항은 대통령령으로 정한다.

영철쌤 tip

통제구역
소방관서장(소방청장, 소방본부장, 소방서장), 경찰서장(관할경찰서장, 해양경찰서장)

영철쌤 tip

과태료 200만 원
일반적으로 출입, 신고, 보고

시행령 제8조(화재현장 보존조치 통지 등) 소방관서장이나 관할 경찰서장 또는 해양경찰서장(이하 "경찰서장"이라 한다)은 법 제8조 제1항에 따라 화재현장 보존조치를 하거나 통제구역을 설정하는 경우 다음 각 호의 사항을 화재가 발생한 소방대상물의 소유자·관리자 또는 점유자(이하 "관계인"이라 한다)에게 알리고 해당 사항이 포함된 표지를 설치해야 한다.

1. 화재현장 보존조치나 통제구역 설정의 이유 및 주체
2. 화재현장 보존조치나 통제구역 설정의 범위
3. 화재현장 보존조치나 통제구역 설정의 기간

제9조(화재현장 보존조치 등의 해제) 소방관서장이나 경찰서장은 다음 각 호의 경우에는 법 제8조 제1항에 따른 화재현장 보존조치나 통제구역의 설정을 지체 없이 해제해야 한다.

1. 화재조사가 완료된 경우
2. 화재현장 보존조치나 통제구역의 설정이 해당 화재조사와 관련이 없다고 인정되는 경우

📖 **핵심정리 화재현장 보존조치**

1. **통제구역 설정권자:** 소방관서장. 단. 방화·실화는 경찰서장
2. **화재현장 보존조치 통지:** 소방관서장, 경찰서장은 화재가 발생한 소방대상물의 관계인에게 알리고 표지를 설치
3. **표지내용:** 설정의 이유 및 주체, 설정범위, 설정기간
4. **화재현장 보존조치, 통제구역의 설정 해제**
   ① 화재조사가 완료된 경우
   ② 화재조사와 관련이 없다고 인정되는 경우

제9조(출입·조사 등)

① 소방관서장은 화재조사를 위하여 필요한 경우에 관계인에게 보고 또는 자료 제출을 명하거나 화재조사관으로 하여금 해당 장소에 출입하여 화재조사를 하게 하거나 관계인등에게 질문하게 할 수 있다.

② 제1항에 따라 화재조사를 하는 화재조사관은 그 권한을 표시하는 증표를 지니고 이를 관계인등에게 보여주어야 한다.

③ 제1항에 따라 화재조사를 하는 화재조사관은 관계인의 정당한 업무를 방해하거나 화재조사를 수행하면서 알게 된 비밀을 다른 용도로 사용하거나 다른 사람에게 누설하여서는 아니 된다.

시행규칙 제6조(화재조사관 증표) 법 제9조 제2항에 따른 화재조사관의 권한을 표시하는 증표는 별지 제1호서식의 화재조사관 자격증으로 한다.

 영철쌤 tip

강제조사권(출입·조사 등)
소방관서장은 화재조사를 하기 위하여 필요한 경우
1. 관계인에게 ① 보고 및 자료제출 명령권
2. 화재조사관 ② 출입 조사권(화재조사),
   ③ 관계인에게 질문권

 영철쌤 tip

질문에 대한 묵비권은 벌칙대상이 아니다.

제10조(관계인등의 출석 등)

① 소방관서장은 화재조사가 필요한 경우 관계인등을 소방관서에 출석하게 하여 질문할 수 있다.

② 제1항에 따른 관계인등의 출석 및 질문 등에 필요한 사항은 대통령령으로 정한다.

> **시행령 제10조(관계인등에 대한 출석요구 및 질문 등)** ① 소방관서장은 법 제10조 제1항에 따라 관계인등의 출석을 요구하려면 출석일 3일 전까지 다음 각 호의 사항을 관계인등에게 알려야 한다.
> 1. 출석 일시와 장소
> 2. 출석 요구 사유
> 3. 그 밖에 화재조사와 관련하여 필요한 사항
> ② 관계인등은 제1항에 따라 지정된 출석 일시에 출석하는 경우 업무 또는 생활에 지장이 있을 때에는 소방관서장에게 출석 일시를 변경하여 줄 것을 신청할 수 있다. 이 경우 소방관서장은 화재조사의 목적을 달성할 수 있는 범위에서 출석 일시를 변경할 수 있다.
> ③ 소방관서장은 법 제10조 제1항에 따라 출석한 관계인등에게 수당과 여비를 지급할 수 있다.

제11조(화재조사 증거물 수집 등)

① 소방관서장은 화재조사를 위하여 필요한 경우 증거물을 수집하여 검사·시험·분석 등을 할 수 있다. 다만, 범죄수사와 관련된 증거물인 경우에는 수사기관의 장과 협의하여 수집할 수 있다.

② 소방관서장은 수사기관의 장이 방화 또는 실화의 혐의가 있어서 이미 피의자를 체포하였거나 증거물을 압수하였을 때에 화재조사를 위하여 필요한 경우에는 범죄수사에 지장을 주지 아니하는 범위에서 그 피의자 또는 압수된 증거물에 대한 조사를 할 수 있다. 이 경우 수사기관의 장은 소방관서장의 신속한 화재조사를 위하여 특별한 사유가 없으면 조사에 협조하여야 한다.

③ 제1항에 따른 증거물 수집의 범위, 방법 및 절차 등에 필요한 사항은 대통령령으로 정한다.

> **시행령 제11조(화재조사 증거물 수집 등)** ① 소방관서장은 법 제11조에 따라 화재조사를 위하여 필요한 최소한의 범위에서 화재조사관에게 증거물을 수집하여 검사·시험·분석 등을 하게 할 수 있다.
> ② 소방관서장은 제1항에 따라 증거물을 수집한 경우 이를 관계인에게 알려야 한다.
> ③ 소방관서장은 제1항에 따라 수집한 증거물이 다음 각 호의 어느 하나에 해당하는 경우에는 증거물을 지체 없이 반환해야 한다.
> 1. 화재와 관련이 없다고 인정되는 경우
> 2. 화재조사가 완료되는 등 증거물을 보관할 필요가 없게 된 경우
> ④ 제1항부터 제3항까지에서 규정한 사항 외에 증거물의 수집·관리에 필요한 사항은 행정안전부령으로 정한다.

시행규칙 제7조(화재조사 증거물의 수집·관리) ① 영 제11조 제1항에 따라 화재조사 증거물을 수집하는 경우 증거물의 수집과정을 사진 촬영 또는 영상 녹화의 방법으로 기록해야 한다.

② 제1항에 따른 사진 또는 영상 파일은 법 제19조에 따른 국가화재정보시스템에 전송하여 보관한다.

③ 제1항 및 제2항에서 규정한 사항 외에 화재조사 증거물의 수집·관리에 필요한 사항은 소방청장이 정한다.

제12조(소방공무원과 경찰공무원의 협력 등)

① 소방공무원과 경찰공무원(제주특별자치도의 자치경찰공무원을 포함한다)은 다음 각 호의 사항에 대하여 서로 협력하여야 한다.

1. 화재현장의 출입·보존 및 통제에 관한 사항
2. 화재조사에 필요한 증거물의 수집 및 보존에 관한 사항
3. 관계인등에 대한 진술 확보에 관한 사항
4. 그 밖에 화재조사에 필요한 사항

② 소방관서장은 방화 또는 실화의 혐의가 있다고 인정되면 지체 없이 경찰서장에게 그 사실을 알리고 필요한 증거를 수집·보존하는 등 그 범죄수사에 협력하여야 한다.

제13조(관계 기관 등의 협조)

① 소방관서장, 중앙행정기관의 장, 지방자치단체의 장, 보험회사, 그 밖의 관련 기관·단체의 장은 화재조사에 필요한 사항에 대하여 서로 협력하여야 한다.

② 소방관서장은 화재원인 규명 및 피해액 산출 등을 위하여 필요한 경우에는 금융감독원, 관계 보험회사 등에 개인정보 보호법 제2조 제1호에 따른 개인정보를 포함한 보험가입 정보 등을 요청할 수 있다. 이 경우 정보 제공을 요청받은 기관은 정당한 사유가 없으면 이를 거부할 수 없다.

 영철쌤 tip

1. 소방관서장: 소방청장, 소방본부장, 소방서장
2. 중앙행정기관의 장: 부·처·청
   예 환경부, 법제처, 소방청 등
3. 지방자치단체의 장
   · 시·도지사: 광역자치단체
     예 서울특별시, 경기도 등
   · 시장·군수·구청장: 기초자치단체
     예 의정부시, 양평군, 동작구 등

01 소방의 화재조사에 관한 법률 시행령상 화재조사 절차로 옳지 않은 것은?　　　　24. 경채

① 현장출동 중 조사　　　　　　　　　　② 화재현장 조사

③ 사전조사　　　　　　　　　　　　　　④ 정밀조사

02 소방의 화재조사에 관한 법률 시행령상 화재조사전담부서에 배치해야 하는 화재조사관의 최소 기준인원으로 옳은 것은?

24. 경채

① 1명　　　　　　　　　　　　　　　　② 2명

③ 3명　　　　　　　　　　　　　　　　④ 4명

03 소방의 화재조사에 관한 법률 및 같은 법 시행규칙상 화재조사전담부서에서 갖추어야 할 장비와 시설 중 감식기기(16종)에 해당하지 않는 것은?

23. 경채

① 금속현미경　　　　　　　　　　　　② 절연저항계

③ 내시경현미경　　　　　　　　　　　④ 휴대용디지털현미경

정답 및 해설

01 화재조사 절차

화재조사 절차에 사전조사는 해당사항 없다.

02 화재조사전담부서의 구성·운영

1. 소방관서장은 법 제6조 제1항에 따른 화재조사전담부서(이하 "전담부서"라 한다)에 화재조사관을 2명 이상 배치해야 한다.
2. 전담부서에는 화재조사를 위한 감식·감정 장비 등 행정안전부령으로 정하는 장비와 시설을 갖추어 두어야 한다.
3. 1, 2.에서 규정한 사항 외에 전담부서의 구성·운영에 필요한 사항은 행정안전부령으로 정한다.

03 감식기기

금속현미경은 감정용 기기(21종)에 해당된다.

정답 **01** ③　**02** ②　**03** ①

CHAPTER 3 화재조사 결과의 공표 등

제14조(화재조사 결과의 공표)

① 소방관서장은 국민이 유사한 화재로부터 피해를 입지 않도록 하기 위한 경우 등 필요한 경우 화재조사 결과를 공표할 수 있다. 다만, 수사가 진행 중이거나 수사의 필요성이 인정되는 경우에는 관계 수사기관의 장과 공표 여부에 관하여 사전에 협의하여야 한다.

② 제1항에 따른 공표의 범위·방법 및 절차 등에 관하여 필요한 사항은 행정안전부령으로 정한다.

시행규칙 제8조(화재조사 결과의 공표) ① 소방관서장은 법 제14조 제1항에 따라 다음 각 호의 경우에는 화재조사 결과를 공표할 수 있다.
1. 국민이 유사한 화재로부터 피해를 입지 않도록 하기 위해 필요한 경우
2. 사회적 관심이 집중되어 국민의 알 권리 충족 등 공공의 이익을 위해 필요한 경우
② 소방관서장은 제1항에 따라 화재조사의 결과를 공표할 때에는 다음 각 호의 사항을 포함시켜야 한다.
1. 화재원인에 관한 사항
2. 화재로 인한 인명·재산피해에 관한 사항
3. 화재발생 건축물과 구조물에 관한 사항
4. 그 밖에 화재예방을 위해 공표할 필요가 있다고 소방관서장이 인정하는 사항
③ 제1항에 따른 화재조사 결과의 공표는 소방관서의 인터넷 홈페이지에 게재하거나, 신문 등의 진흥에 관한 법률에 따른 신문 또는 방송법에 따른 방송을 이용하는 등 일반인이 쉽게 알 수 있는 방법으로 한다.

 영철쌤 tip

화재조사 결과의 공표
인터넷 홈페이지, 신문, 방송

제15조(화재조사 결과의 통보)

소방관서장은 화재조사 결과를 중앙행정기관의 장, 지방자치단체의 장, 그 밖의 관련 기관·단체의 장 또는 관계인 등에게 통보하여 유사한 화재가 발생하지 않도록 필요한 조치를 취할 것을 요청할 수 있다.

제16조(화재증명원의 발급)

① 소방관서장은 화재와 관련된 이해관계인 또는 화재발생 내용 입증이 필요한 사람이 화재를 증명하는 서류(이하 이 조에서 "화재증명원"이라 한다) 발급을 신청하는 때에는 화재증명원을 발급하여야 한다.

② 화재증명원의 발급신청 절차·방법·서식 및 기재사항, 온라인 발급 등에 필요한 사항은 행정안전부령으로 정한다.

시행규칙 제9조(화재증명원의 신청 및 발급) ① 법 제16조 제1항에 따른 화재증명원
(이하 "화재증명원"이라 한다)의 발급을 신청하려는 자는 별지 제2호서식의 화재증
명원 발급신청서를 소방관서장에게 제출해야 한다. 이 경우 신청인은 본인의 신분
이 확인될 수 있는 신분증명서 또는 법인 등기사항증명서(법인인 경우만 해당한다)
를 제시해야 한다.
② 제1항에 따라 신청을 받은 소방관서장은 신청인이 화재와 관련된 이해관계인 또
는 화재발생 내용 입증이 필요한 사람인 경우에는 별지 제3호서식의 화재증명원을
신청인에게 발급해야 한다. 이 경우 별지 제4호서식의 화재증명원 발급대장에 그
사실을 기록하고 이를 보관·관리해야 한다.

CHAPTER 4 화재조사 기반구축

제17조(감정기관의 지정·운영 등)

① 소방청장은 과학적이고 전문적인 화재조사를 위하여 대통령령으로 정하는 시설과 전문인력 등 지정기준을 갖춘 기관을 화재감정기관(이하 "감정기관"이라 한다)으로 지정·운영하여야 한다.

② 소방청장은 제1항에 따라 지정된 감정기관에서의 과학적 조사·분석 등에 소요되는 비용의 전부 또는 일부를 지원할 수 있다.

③ 소방청장은 감정기관으로 지정받은 자가 다음 각 호의 어느 하나에 해당하는 경우에는 지정을 취소할 수 있다. 다만, 제1호에 해당하는 경우에는 지정을 취소하여야 한다.

1. 거짓이나 그 밖의 부정한 방법으로 지정을 받은 경우
2. 제1항에 따른 지정기준에 적합하지 아니하게 된 경우
3. 고의 또는 중대한 과실로 감정 결과를 사실과 다르게 작성한 경우
4. 그 밖에 대통령령으로 정하는 사항을 위반한 경우

④ 소방청장은 제3항에 따라 감정기관의 지정을 취소하려면 청문을 하여야 한다.

⑤ 감정기관의 지정기준, 지정 절차, 지정 취소 및 운영 등에 필요한 사항은 대통령령으로 정한다.

> **시행령 제12조(화재감정기관의 지정기준)** ① 법 제17조 제1항에서 "대통령령으로 정하는 시설과 전문인력 등 지정기준"이란 다음 각 호의 기준을 말한다.
> 1. 화재조사를 수행할 수 있는 다음 각 목의 시설을 모두 갖출 것
>   가. 증거물, 화재조사 장비 등을 안전하게 보호할 수 있는 설비를 갖춘 시설
>   나. 증거물 등을 장기간 보존·보관할 수 있는 시설
>   다. 증거물의 감식·감정을 수행하는 과정 등을 촬영하고 이를 디지털파일의 형태로 처리·보관할 수 있는 시설
> 2. 화재조사에 필요한 다음 각 목의 구분에 따른 전문인력을 각각 보유할 것
>   가. 주된 기술인력: 다음의 어느 하나에 해당하는 사람을 2명 이상 보유할 것
>   1) 국가기술자격법에 따른 국가기술자격의 직무분야 중 화재감식평가 분야의 기사 자격 취득 후 화재조사 관련 분야에서 5년 이상 근무한 사람
>   2) 화재조사관 자격 취득 후 화재조사 관련 분야에서 5년 이상 근무한 사람
>   3) 이공계 분야의 박사학위 취득 후 화재조사 관련 분야에서 2년 이상 근무한 사람
>   나. 보조 기술인력: 다음의 어느 하나에 해당하는 사람을 3명 이상 보유할 것
>   1) 국가기술자격법에 따른 국가기술자격의 직무분야 중 화재감식평가 분야의 기사 또는 산업기사 자격을 취득한 사람
>   2) 화재조사관 자격을 취득한 사람
>   3) 소방청장이 인정하는 화재조사 관련 국제자격증 소지자
>   4) 이공계 분야의 석사 이상 학위 취득 후 화재조사 관련 분야에서 1년 이상 근무한 사람

 영철쌤 tip

소방청장
화재감정기관[시설, 전문인력 등(전문인력, 장비)] 지정·운영

 영철쌤 tip

소방공무원의 행정처분
취소, 정지, 경고, 시정명령

일반적인 취소
1. 거짓, 부정
2. 결격사유
3. 빌려줌

사전에 청문
1. 이유: 권익보호
2. 대상: 취소, 정지

영철쌤 tip

화재조사 전문인력
1. 주된 기술인력(2명 이상)
   · 화재감식평가 기사 자격 취득＋5년 이상 근무한 사람
   · 화재조사관 자격 취득＋5년 이상 근무한 사람
   · 박사학위 취득＋2년 이상 근무한 사람
2. 주된 보조인력(3명 이상)
   · 화재감식평가 기사 또는 산업기사 자격 취득
   · 화재조사 관련 국제자격증 소지자
   · 석사 이상 학위 취득 후＋1년 이상 근무한 사람

3. 화재조사를 수행할 수 있는 감식·감정 장비, 증거물 수집 장비 등을 갖출 것

② 법 제17조 제1항에 따라 지정된 화재감정기관(이하 "화재감정기관"이라 한다)이 갖추어야 할 시설과 전문인력 등에 관한 세부적인 기준은 소방청장이 정하여 고시한다.

제13조(화재감정기관 지정 절차 및 취소 등) ① 화재감정기관으로 지정받으려는 자는 행정안전부령으로 정하는 화재감정기관 지정신청서에 다음 각 호의 서류를 첨부하여 소방청장에게 제출해야 한다. 이 경우 소방청장은 제출된 서류에 보완이 필요하다고 판단되면 보완에 필요한 기간을 정하여 보완을 요구할 수 있다.

1. 시설 현황에 관한 서류
2. 조직 및 인력 현황에 관한 서류(인력 현황의 경우에는 자격 및 경력을 증명하는 서류를 포함한다)
3. 화재조사 관련 장비 현황에 관한 서류
4. 법인의 정관 또는 단체의 규약(법인 또는 단체인 경우만 해당한다)

② 소방청장은 제1항에 따라 화재감정기관의 지정을 신청한 자가 제12조에 따른 지정기준을 충족하는 경우 화재감정기관으로 지정하고, 행정안전부령으로 정하는 화재감정기관 지정서를 발급해야 한다.

③ 법 제17조 제3항 제4호에서 "대통령령으로 정하는 사항을 위반한 경우"란 다음 각 호의 어느 하나에 해당하는 경우를 말한다.

1. 의뢰받은 감정을 정당한 사유 없이 거부하거나 1개월 이상 수행하지 않은 경우
2. 거짓이나 그 밖의 부정한 방법으로 감정 비용을 청구한 경우

④ 법 제17조 제3항에 따라 지정이 취소된 화재감정기관은 지정이 취소된 날부터 10일 이내에 화재감정기관 지정서를 반환해야 한다.

⑤ 제1항부터 제4항까지에서 규정한 사항 외에 화재감정기관의 지정 및 지정 취소 등에 필요한 사항은 행정안전부령으로 정한다.

시행규칙 제10조(화재감정기관의 지정 신청 및 지정서 발급) ① 영 제13조 제1항 각 호 외의 부분 전단에서 "행정안전부령으로 정하는 화재감정기관 지정신청서"란 별지 제5호서식의 화재감정기관 지정신청서를 말한다.

② 제1항에 따른 화재감정기관 지정신청서를 받은 소방청장은 전자정부법 제36조 제1항에 따른 행정정보의 공동이용을 통하여 법인 등기사항증명서(법인인 경우만 해당한다)와 사업자등록증을 확인해야 한다. 다만, 신청인이 사업자등록증의 확인에 동의하지 않는 경우에는 그 사본을 첨부하도록 해야 한다.

③ 소방청장은 영 제13조 제1항 각 호 외의 부분 후단에 따라 화재감정기관 지정신청서 또는 첨부서류에 보완이 필요하다고 판단되면 10일 이내의 기간을 정하여 보완을 요구할 수 있다.

④ 영 제13조 제2항에서 "행정안전부령으로 정하는 화재감정기관 지정서"란 별지 제6호서식의 화재감정기관 지정서를 말한다.

⑤ 제4항에 따른 화재감정기관 지정서를 발급한 소방청장은 별지 제7호서식의 화재감정기관 지정대장에 그 사실을 기록하고 이를 보관·관리해야 한다.

⑥ 소방청장이 법 제17조 제1항에 따라 화재감정기관을 지정한 경우에는 그 사실을 소방청의 인터넷 홈페이지에 게재해야 한다.

영철쌤 tip

별지 제O호 서식
행정안전부령

보완기간
1. 미흡한 경우 기준: 10일 이내
2. 단, 15일 이내: 능력평가공시 보완
3. 4일 이내: 허가 동의

제11조(감정의뢰 등) ① 소방관서장이 법 제17조 제1항에 따라 지정된 화재감정기관(이하 "화재감정기관"이라 한다)에 감정을 의뢰할 때에는 별지 제8호서식의 감정의뢰서에 증거물 등 감정대상물을 첨부하여 제출해야 한다.

② 화재감정기관의 장은 제1항에 따라 제출된 감정의뢰서 등에 흠결이 있을 경우 보완을 요청할 수 있다.

제12조(감정 결과의 통보) ① 화재감정기관의 장은 감정이 완료되면 감정 결과를 감정을 의뢰한 소방관서장에게 지체 없이 통보해야 한다.

② 제1항에 따른 통보는 별지 제9호서식의 감정 결과 통보서에 따른다.

③ 화재감정기관의 장은 제1항에 따라 감정 결과를 통보할 때 감정을 의뢰받았던 증거물 등 감정대상물을 반환해야 한다. 다만, 훼손 등의 사유로 증거물 등 감정대상물을 반환할 수 없는 경우에는 감정 결과만 통보할 수 있다.

④ 화재감정기관의 장은 소방청장이 정하는 기간 동안 제1항에 따른 감정 결과 및 감정 관련 자료(데이터 파일을 포함한다)를 보존해야 한다.

제18조(벌칙 적용에서 공무원 의제)[1]

제17조에 따라 지정된 감정기관의 임직원은 형법 제127조 및 제129조부터 제132조까지의 규정에 따른 벌칙을 적용할 때에는 공무원으로 본다.

제19조(국가화재정보시스템의 구축·운영)

① 소방청장은 화재조사 결과, 화재원인, 피해상황 등에 관한 화재정보를 종합적으로 수집·관리하여 화재예방과 소방활동에 활용할 수 있는 국가화재정보시스템을 구축·운영하여야 한다.

② 제1항에 따른 화재정보의 수집·관리 및 활용 등에 필요한 사항은 대통령령으로 정한다.

> **시행령 제14조(국가화재정보시스템의 운영)** ① 소방청장은 법 제19조 제1항에 따른 국가화재정보시스템(이하 "국가화재정보시스템"이라 한다)을 활용하여 다음 각 호의 화재정보를 수집·관리해야 한다.
> 1. 화재원인
> 2. 화재피해상황
> 3. 대응활동에 관한 사항
> 4. 소방시설 등의 설치·관리 및 작동 여부에 관한 사항
> 5. 화재발생건축물과 구조물, 화재유형별 화재위험성 등에 관한 사항
> 6. 화재예방 관계 법령 등의 이행 및 위반 등에 관한 사항
> 7. 법 제13조 제2항에 따른 관계인의 보험가입 정보 등에 관한 사항
> 8. 그 밖에 화재예방과 소방활동에 활용할 수 있는 정보
> ② 소방관서장은 국가화재정보시스템을 활용하여 제1항 각 호의 화재정보를 기록·유지 및 보관해야 한다.

 영철쌤 tip

1. 형법 제127조
   공무원 또는 공무원이었던 자가 법령에 의한 직무상 비밀을 누설한 때에는 2년 이하의 징역이나 금고 또는 5년 이하의 자격정지에 처한다.
2. 형법 제129조부터 제132조까지: 뇌물죄 적용

📖 **용어사전**

❶ 의제: 본질은 같지 않지만 법률에서 다룰 때는 동일한 것으로 처리하여 동일한 효과를 주는 일

예 민간인 신분으로 공무수행을 행하면 공무원으로 본다.

 영철쌤 tip

화재조사의 목적
화재조사 결과 → 화재예방과 소방활동에 활용

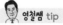 **영철쌤 tip**

화재조사 방법(범위)과 비슷하다.

③ 제1항 및 제2항에서 규정한 사항 외에 국가화재정보시스템의 운영 및 활용 등에 필요한 사항은 소방청장이 정한다.

제16조(민감정보 및 고유식별정보의 처리) ① 소방관서장은 다음 각 호의 사무를 수행하기 위하여 불가피한 경우 개인정보 보호법 제23조 제1항에 따른 건강에 관한 정보가 포함된 자료를 처리할 수 있다.

1. 법 제5조 제2항 제2호에 따른 인명피해상황 조사에 관한 사무
2. 국가화재정보시스템의 운영에 관한 사무

② 소방관서장은 법 제16조에 따른 화재증명원의 발급에 관한 사무를 수행하기 위하여 불가피한 경우 개인정보 보호법 시행령 제19조 각 호의 주민등록번호, 여권번호, 운전면허의 면허번호 또는 외국인등록번호가 포함된 자료를 처리할 수 있다.

제20조(연구개발사업의 지원)

① 소방청장은 화재조사 기법에 필요한 연구·실험·조사·기술개발 등(이하 이 조에서 "연구개발사업"이라 한다)을 지원하는 시책을 수립할 수 있다.

② 소방청장은 연구개발사업을 효율적으로 추진하기 위하여 다음 각 호의 어느 하나에 해당하는 기관 또는 단체 등에게 연구개발사업을 수행하게 하거나 공동으로 수행할 수 있다.

1. 국·공립 연구기관
2. 특정연구기관 육성법 제2조에 따른 특정연구기관
3. 과학기술분야 정부출연연구기관 등의 설립·운영 및 육성에 관한 법률에 따라 설립된 과학기술분야 정부출연연구기관
4. 고등교육법 제2조에 따른 대학·산업대학·전문대학·기술대학
5. 민법이나 다른 법률에 따라 설립된 법인으로서 화재조사 관련 연구기관 또는 법인 부설 연구소
6. 기초연구진흥 및 기술개발지원에 관한 법률 제14조의2 제1항에 따라 인정받은 기업부설연구소 또는 기업의 연구개발전담부서
7. 그 밖에 대통령령으로 정하는 화재조사와 관련한 연구·조사·기술개발 등을 수행하는 기관 또는 단체

③ 소방청장은 제2항 각 호의 기관 또는 단체 등에 대하여 연구개발사업을 실시하는 데 필요한 경비의 전부 또는 일부를 출연하거나 보조할 수 있다.

④ 연구개발사업의 추진에 필요한 사항은 행정안전부령으로 정한다.

시행령 제15조(연구개발사업의 지원 등) 법 제20조 제2항 제7호에서 "대통령령으로 정하는 화재조사와 관련한 연구·조사·기술개발 등을 수행하는 기관 또는 단체"란 화재감정기관을 말한다.

영철쌤 tip

연구개발사업 수행자
연구기관이 한다.

문제로 완성하기

01 소방의 화재조사에 관한 법률 시행령상 화재감정기관의 지정기준에서 전문인력 중 주된 기술인력 기준으로 옳지 않은 것은?   24. 공채·경채

① 국가기술자격의 직무분야 중 화재감식평가 분야의 기사 자격 취득 후 화재조사 관련 분야에서 5년 이상 근무한 사람

② 화재조사관 자격 취득 후 화재조사 관련 분야에서 5년 이상 근무한 사람

③ 이공계 분야의 박사학위 취득 후 화재조사 관련 분야에서 2년 이상 근무한 사람

④ 소방청장이 인정하는 화재조사 관련 국제자격증을 소지한 사람

02 소방의 화재조사에 관한 법률 및 같은 법 시행령상 화재정보를 수집·관리할 때 활용하는 국가화재정보시스템의 운영에 관한 설명으로 옳은 것은?   24. 공채·경채

① 시·도지사는 화재예방과 소방활동에 활용할 수 있는 국가화재정보시스템을 구축해 운영하여야 한다.

② 국가화재정보시스템을 활용하여 수집·관리해야 하는 화재정보는 화재원인, 화재피해상황, 화재유형별 화재위험성에 관한 사항 등이다.

③ 화재정보의 수집·관리 및 활용 등에 필요한 사항은 행정안전부령으로 정한다.

④ 국가화재정보시스템의 운영 및 활용 등에 필요한 사항은 시·도의 조례로 정한다.

정답 및 해설

01 주된 기술인력 기준
소방청장이 인정하는 화재조사 관련 국제자격증 소지자는 보조 기술인력에 해당된다.

02 국가화재정보시스템의 운영
① 소방청장이 화재예방과 소방활동에 활용할 수 있는 국가화재정보시스템을 구축해 운영하여야 한다.
③ 화재정보의 수집·관리 및 활용 등에 필요한 사항은 대통령령으로 정한다.
④ 국가화재정보시스템의 운영 및 활용 등에 필요한 사항은 소방청장이 정한다.

정답 01 ④ **02** ②

CHAPTER 5 벌칙

화재조사법에는 징역, 금고 없다.

1. 제2호, 제3호: 타 법과 공통이다. 즉 300만 원 이하 벌금이다.
2. 제1호, 제4호: 화재조사법에만 있다.

제21조(벌칙)

다음 각 호의 어느 하나에 해당하는 사람은 300만 원 이하의 벌금에 처한다.

1. 제8조 제3항을 위반하여 허가 없이 화재현장에 있는 물건 등을 이동시키거나 변경·훼손한 사람
2. 정당한 사유 없이 제9조 제1항에 따른 화재조사관의 출입 또는 조사를 거부·방해 또는 기피한 사람
3. 제9조 제3항을 위반하여 관계인의 정당한 업무를 방해하거나 화재조사를 수행하면서 알게 된 비밀을 다른 용도로 사용하거나 다른 사람에게 누설한 사람
4. 정당한 사유 없이 제11조 제1항에 따른 증거물 수집을 거부·방해 또는 기피한 사람

제22조(양벌규정)

법인의 대표자나 법인 또는 개인의 대리인, 사용인, 그 밖의 종업원이 그 법인 또는 개인의 업무에 관하여 제21조에 해당하는 위반행위를 하면 그 행위자를 벌하는 외에 그 법인 또는 개인에게도 해당 조문의 벌금형을 과(科)한다. 다만, 법인 또는 개인이 그 위반행위를 방지하기 위하여 해당 업무에 관하여 상당한 주의와 감독을 게을리 하지 아니한 경우에는 그러하지 아니하다.

과태료
1. 출입, 보고 또는 자료제출, 질문에 대하여 거짓
2. 과태료는 대통령령이다.

제23조(과태료)

① 다음 각 호의 어느 하나에 해당하는 사람에게는 200만 원 이하의 과태료를 부과한다.
   1. 제8조 제2항을 위반하여 허가 없이 통제구역에 출입한 사람
   2. 제9조 제1항에 따른 명령을 위반하여 보고 또는 자료 제출을 하지 아니하거나 거짓으로 보고 또는 자료를 제출한 사람
   3. 정당한 사유 없이 제10조 제1항에 따른 출석을 거부하거나 질문에 대하여 거짓으로 진술한 사람
② 제1항에 따른 과태료는 대통령령으로 정하는 바에 따라 소방관서장 또는 경찰서장이 부과·징수한다.

시행령 제17조(과태료의 부과·징수) ① 법 제23조 제1항에 따른 과태료는 소방관서장이 부과·징수한다. 다만, 법 제8조 제2항을 위반하여 경찰서장이 설정한 통제구역을 허가 없이 출입한 사람에 대한 과태료는 경찰서장이 부과·징수한다.

② 제1항에 따른 과태료의 부과기준은 별표와 같다.

별표. 과태료의 부과기준

1. 일반기준

　가. 위반행위의 횟수에 따른 과태료의 가중된 부과기준은 최근 1년간 같은 위반행위로 과태료 부과처분을 받은 경우에 적용한다. 이 경우 기간의 계산은 위반행위에 대하여 과태료 부과처분을 받은 날과 그 처분 후 다시 같은 위반행위를 하여 적발된 날을 기준으로 한다.

　나. 가목에 따라 가중된 부과처분을 하는 경우 가중처분의 적용 차수는 그 위반행위 전 부과처분 차수(가목에 따른 기간 내에 과태료 부과처분이 둘 이상 있었던 경우에는 높은 차수를 말한다)의 다음 차수로 한다.

　다. 과태료 부과권자는 다음 어느 하나에 해당하는 경우에는 제2호의 개별기준에 따른 과태료의 2분의 1 범위에서 그 금액을 줄여 부과할 수 있다. 다만, 줄여 부과할 사유가 여러 개 있는 경우라도 감경의 범위는 2분의 1을 넘을 수 없다.

　　1) 위반행위자가 화재 등 재난으로 재산에 현저한 손실이 발생한 경우 또는 사업의 부도·경매 또는 소송 계속 등 사업여건이 악화된 경우로서 과태료 부과권자가 감경하는 것이 타당하다고 인정하는 경우. 다만, 최근 1년 이내에 소방관계 법령(소방의 화재조사에 관한 법률, 소방기본법, 화재예방, 소방시설 설치·유지 및 안전관리에 관한 법률, 소방시설공사업법, 위험물안전관리법, 다중이용업소의 안전관리에 관한 특별법 및 그 하위법령을 말한다)을 2회 이상 위반한 자는 제외한다.

　　2) 위반행위자가 위반행위로 인한 결과를 시정하거나 해소한 경우

2. 개별기준

영철쌤 tip

최근 1년간 2회 이상 위반자는 감경대상에서 제외된다.

위반행위	근거 법조문	과태료 금액(단위: 만 원)		
		1회	2회	3회
가. 법 제8조 제2항을 위반하여 허가 없이 통제구역에 출입한 경우	법 제23조 제1항 제1호	100	150	200
나. 법 제9조 제1항에 따른 명령을 위반하여 보고 또는 자료 제출을 하지 않거나 거짓으로 보고 또는 자료 제출을 한 경우	법 제23조 제1항 제2호	100	150	200
다. 정당한 사유 없이 법 제10조 제1항에 따른 출석을 거부하거나 질문에 대하여 거짓으로 진술한 경우	법 제23조 제1항 제3호	100	150	200

01 소방의 화재조사에 관한 법률상 벌칙에 관한 내용이다. ( ) 안에 들어갈 내용으로 옳은 것은?　　　　23. 경채

소방관서장은 화재조사를 위하여 필요한 경우에 관계인에게 보고 또는 자료 제출을 명하거나 화재조사관으로 하여 금 해당 장소에 출입하여 화재조사를 하게 하거나 관계인등에게 질문하게 할 수 있다. 이에 따른 명령을 위반하여 보고 또는 자료 제출을 하지 아니하거나 거짓으로 보고 또는 자료를 제출한 사람은 (ㄱ)만 원 이하의 (ㄴ)을/를 부과한다.

ㄱ	ㄴ
① 200	벌금
② 200	과태료
③ 300	벌금
④ 300	과태료

정답 및 해설

01 벌칙

소방관서장은 화재조사를 위하여 필요한 경우에 관계인에게 보고 또는 자료 제출을 명하거나 화재조사관으로 하여금 해당 장소에 출입하여 화 재조사를 하게 하거나 관계인등에게 질문하게 할 수 있다. 이에 따른 명 령을 위반하여 보고 또는 자료 제출을 하지 아니하거나 거짓으로 보고 또 는 자료를 제출한 사람은 (200)만 원 이하의 (과태료)를 부과한다.

정답 01 ②

MEMO

해커스소방 **이영철 소방관계법규** 기본서

PART 3

화재의 예방 및 안전관리에 관한 법률

법[시행 2024.5.17][법률 제19590호, 2023.8.8., 타법개정]
시행령[시행 2023.1.3.][대통령령 제33199호, 2023.1.3., 일부개정]
시행규칙[시행 2022.12.1.][행정안전부령 제361호, 2022.12.1., 제정]

해커스소방 학원·인강 **fire.Hackers.com**

CHAPTER 1 총칙

제1조(목적)

이 법은 화재의 예방과 안전관리에 필요한 사항을 규정함으로써 화재로부터 국민의 생명·신체 및 재산을 보호하고 공공의 안전과 복리 증진에 이바지함을 목적으로 한다.

> **시행령 제1조(목적)** 이 영은 화재의 예방 및 안전관리에 관한 법률에서 위임된 사항과 그 시행에 필요한 사항을 규정함을 목적으로 한다.

> **시행규칙 제1조(목적)** 이 규칙은 화재의 예방 및 안전관리에 관한 법률 및 같은 법 시행령에서 위임된 사항과 그 시행에 필요한 사항을 규정함을 목적으로 한다.

제2조(정의)

① 이 법에서 사용하는 용어의 뜻은 다음과 같다.
1. "예방❶"이란 화재의 위험으로부터 사람의 생명·신체 및 재산을 보호하기 위하여 화재발생을 사전에 제거하거나 방지하기 위한 모든 활동을 말한다.
2. "안전관리❷"란 화재로 인한 피해를 최소화하기 위한 예방, 대비❸, 대응❹ 등의 활동을 말한다.
3. "화재안전조사❺"란 소방청장, 소방본부장 또는 소방서장(이하 "소방관서장❻"이라 한다)이 소방대상물, 관계지역 또는 관계인에 대하여 소방시설등(소방시설 설치 및 관리에 관한 법률 제2조 제1항 제2호에 따른 소방시설등을 말한다. 이하 같다)이 소방 관계 법령에 적합하게 설치·관리되고 있는지, 소방대상물에 화재의 발생 위험이 있는지 등을 확인하기 위하여 실시하는 현장조사·문서열람·보고요구 등을 하는 활동을 말한다.
4. "화재예방강화지구❼"란 특별시장·광역시장·특별자치시장·도지사 또는 특별자치도지사(이하 "시·도지사"라 한다)가 화재발생 우려가 크거나 화재가 발생할 경우 피해가 클 것으로 예상되는 지역에 대하여 화재의 예방 및 안전관리를 강화하기 위해 지정·관리하는 지역을 말한다.
5. "화재예방안전진단❽"이란 화재가 발생할 경우 사회·경제적으로 피해 규모가 클 것으로 예상되는 소방대상물에 대하여 화재위험요인을 조사하고 그 위험성을 평가하여 개선대책을 수립하는 것을 말한다.
② 이 법에서 사용하는 용어의 뜻은 제1항에서 규정하는 것을 제외하고는 소방기본법, 소방시설 설치 및 관리에 관한 법률, 소방시설공사업법, 위험물안전관리법 및 건축법에서 정하는 바에 따른다.

 영철쌤 tip

1. 소방공무원이 현장조사하면서 소방점검(작동점검, 정밀점검)을 했는지 문서열람하고 관계인에게 조사에 필요한 보고를 받을 수 있다.
2. 시·도: 소방기관이다.
3. 조사에서 진단한 후 → 평가 → 개선대책을 수립

📖 용어사전

❶ **예방**: 화재발생을 사전에 제거, 방지하는 것을 말한다.
❷ **안전관리**: 예방, 대비, 대응 등의 활동을 말한다.
❸ **대비**: 앞으로 일어날지도 모르는 어떠한 일에 대응하기 위하여 미리 준비하는 것을 말한다.
❹ **대응**: 어떤 일이나 사태에 맞추어 태도나 행동을 취하는 것을 말한다.
❺ **화재안전조사**: 현장조사·문서열람·보고요구 등을 말한다.
❻ **소방관서장**: 소방청장, 소방본부장, 소방서장을 말한다
❼ **화재예방강화지구**: 시·도지사가 화재의 예방 및 안전관리를 강화하기 위해 지정·관리하는 지역을 말한다.
❽ **화재예방안전진단**: 화재위험요인을 조사하고 그 위험성을 평가하여 개선대책을 수립하는 것을 말한다.

제3조(국가와 지방자치단체 등의 책무)

① 국가는 화재로부터 국민의 생명과 재산을 보호할 수 있도록 화재의 예방 및 안전 관리에 관한 정책(이하 "화재예방정책"이라 한다)을 수립·시행하여야 한다.

② 지방자치단체는 국가의 화재예방정책에 맞추어 지역의 실정에 부합하는 화재예방정책을 수립·시행하여야 한다.

③ 관계인은 국가와 지방자치단체의 화재예방정책에 적극적으로 협조하여야 한다.

 영철쌤 tip

1. 국가: 중앙정부(부, 처, 청)
2. 지방자치단체: 지방정부(시·도지사, 시장, 군수, 구청장)

문제로 완성하기

01 화재의 예방 및 안전관리에 관한 법률상 용어의 정의로 옳지 않은 것은?　　　24. 경채

① "예방"이란 화재의 위험으로부터 사람의 생명·신체 및 재산을 보호하기 위하여 화재발생을 사전에 제거하거나 방지하기 위한 모든 활동을 말한다.

② "안전관리"란 화재로 인한 피해를 최소화하기 위한 예방, 대비, 대응 등의 활동을 말한다.

③ "화재예방안전진단"이란 화재가 발생할 경우 사회·경제적으로 피해 규모가 클 것으로 예상되는 소방대상물에 대하여 화재위험요인을 조사하고 그 위험성을 평가하여 개선대책을 수립하는 것을 말한다.

④ "화재안전조사"란 소방청장, 소방본부장 또는 소방서장이 화재원인, 피해상황, 대응활동 등을 파악하기 위하여 자료의 수집, 관계인등에 대한 질문, 현장 확인, 감식, 감정 및 실험 등을 하는 일련의 행위를 말한다.

정답 및 해설

01 용어의 정의

1. "화재안전조사"란 소방청장, 소방본부장 또는 소방서장(이하 "소방관서장"이라 한다)이 소방대상물, 관계지역 또는 관계인에 대하여 소방시설등(소방시설 설치 및 관리에 관한 법률 제2조 제1항 제2호에 따른 소방시설등을 말한다. 이하 같다)이 소방 관계 법령에 적합하게 설치·관리되고 있는지, 소방대상물에 화재의 발생 위험이 있는지 등을 확인하기 위하여 실시하는 현장조사·문서열람·보고요구 등을 하는 활동을 말한다.

2. "화재조사"란 소방청장, 소방본부장 또는 소방서장이 화재원인, 피해상황, 대응활동 등을 파악하기 위하여 자료의 수집, 관계인등에 대한 질문, 현장 확인, 감식, 감정 및 실험 등을 하는 일련의 행위를 말한다.

정답 **01** ④

제4조(화재의 예방 및 안전관리 기본계획 등의 수립·시행)

① 소방청장은 화재예방정책을 체계적·효율적으로 추진하고 이에 필요한 기반 확충을 위하여 화재의 예방 및 안전관리에 관한 기본계획(이하 "기본계획"이라 한다)을 5년마다 수립·시행하여야 한다.

② 기본계획은 대통령령으로 정하는 바에 따라 소방청장이 관계 중앙행정기관의 장과 협의하여 수립한다.

③ 기본계획에는 다음 각 호의 사항이 포함되어야 한다.

    1. 화재예방정책의 기본목표 및 추진방향

    2. 화재의 예방과 안전관리를 위한 법령·제도의 마련 등 기반 조성

    3. 화재의 예방과 안전관리를 위한 대국민 교육·홍보

    4. 화재의 예방과 안전관리 관련 기술의 개발·보급

    5. 화재의 예방과 안전관리 관련 전문인력의 육성·지원 및 관리

    6. 화재의 예방과 안전관리 관련 산업의 국제경쟁력 향상

    7. 그 밖에 대통령령으로 정하는 화재의 예방과 안전관리에 필요한 사항

④ 소방청장은 기본계획을 시행하기 위하여 매년 시행계획을 수립·시행하여야 한다.

⑤ 소방청장은 제1항 및 제4항에 따라 수립된 기본계획과 시행계획을 관계 중앙행정기관의 장과 시·도지사에게 통보하여야 한다.

⑥ 제5항에 따라 기본계획과 시행계획을 통보받은 관계 중앙행정기관의 장과 시·도지사는 소관 사무의 특성을 반영한 세부시행계획을 수립·시행하고 그 결과를 소방청장에게 통보하여야 한다.

⑦ 소방청장은 기본계획 및 시행계획을 수립하기 위하여 필요한 경우에는 관계 중앙행정기관의 장 또는 시·도지사에게 관련 자료의 제출을 요청할 수 있다. 이 경우 자료 제출을 요청받은 관계 중앙행정기관의 장 또는 시·도지사는 특별한 사유가 없으면 이에 따라야 한다.

⑧ 제1항부터 제7항까지에서 규정한 사항 외에 기본계획, 시행계획 및 세부시행계획의 수립·시행에 필요한 사항은 대통령령으로 정한다.

> **시행령 제2조(화재의 예방 및 안전관리 기본계획의 협의 및 수립)** 소방청장은 화재의 예방 및 안전관리에 관한 법률(이하 "법"이라 한다) 제4조 제1항에 따른 화재의 예방 및 안전관리에 관한 기본계획(이하 "기본계획"이라 한다)을 계획 시행 전년도 8월 31일까지 관계 중앙행정기관의 장과 협의한 후 계획 시행 전년도 9월 30일까지 수립해야 한다.

기본계획 수립·시행	소방청장(5년)

↓

시행계획 수립·시행	소방청장(매년)

↓

세부시행계획 수립·시행	관계중앙행정기관의 장 및 시·도지사(매년)

제3조(기본계획의 내용) 법 제4조 제3항 제7호에서 "대통령령으로 정하는 화재의 예방과 안전관리에 필요한 사항"이란 다음 각 호의 사항을 말한다.

1. 화재발생 현황
2. 소방대상물의 환경 및 화재위험특성 변화 추세 등 화재예방정책의 여건 변화에 관한 사항
3. 소방시설의 설치·관리 및 화재안전기준의 개선에 관한 사항
4. 계절별·시기별·소방대상물별 화재예방대책의 추진 및 평가 등에 관한 사항
5. 그 밖에 화재의 예방 및 안전관리와 관련하여 소방청장이 필요하다고 인정하는 사항

제4조(시행계획의 수립·시행) ① 소방청장은 법 제4조 제4항에 따라 기본계획을 시행하기 위한 계획(이하 "시행계획"이라 한다)을 계획 시행 전년도 10월 31일까지 수립해야 한다.

② 시행계획에는 다음 각 호의 사항이 포함되어야 한다.

1. 기본계획의 시행을 위하여 필요한 사항
2. 그 밖에 화재의 예방 및 안전관리와 관련하여 소방청장이 필요하다고 인정하는 사항

제5조(세부시행계획의 수립·시행) ① 소방청장은 법 제4조 제5항에 따라 관계 중앙행정기관의 장과 특별시장·광역시장·특별자치시장·도지사 또는 특별자치도지사(이하 "시·도지사"라 한다)에게 기본계획 및 시행계획을 각각 계획 시행 전년도 10월 31일까지 통보해야 한다.

② 제1항에 따라 통보를 받은 관계 중앙행정기관의 장 및 시·도지사는 법 제4조 제6항에 따른 세부시행계획(이하 "세부시행계획"이라 한다)을 수립하여 계획 시행 전년도 12월 31일까지 소방청장에게 통보해야 한다.

③ 세부시행계획에는 다음 각 호의 사항이 포함되어야 한다.

1. 기본계획 및 시행계획에 대한 관계 중앙행정기관 또는 특별시·광역시·특별자치시·도·특별자치도(이하 "시·도"라 한다)의 세부 집행계획
2. 직전 세부시행계획의 시행 결과
3. 그 밖에 화재안전과 관련하여 관계 중앙행정기관의 장 또는 시·도지사가 필요하다고 결정한 사항

제5조(실태조사)

① 소방청장은 기본계획 및 시행계획의 수립·시행에 필요한 기초자료를 확보하기 위하여 다음 각 호의 사항에 대하여 실태조사를 할 수 있다. 이 경우 관계 중앙행정기관의 장의 요청이 있는 때에는 합동으로 실태조사를 할 수 있다.

1. 소방대상물의 용도별·규모별 현황
2. 소방대상물의 화재의 예방 및 안전관리 현황
3. 소방대상물의 소방시설등 설치·관리 현황
4. 그 밖에 기본계획 및 시행계획의 수립·시행을 위하여 필요한 사항

영철쌤 tip

실태조사
1. 실제의 상태·사정 등을 살펴 알아보는 것을 말한다.
2. 조사자: 소방청장
3. 실태조사: 통계조사, 문헌조사, 현장조사
4. 조사통보: 조사 시작 7일 전까지

② 소방청장은 소방대상물의 현황 등 관련 정보를 보유·운용하고 있는 관계 중앙행정기관의 장, 지방자치단체의 장, 공공기관의 운영에 관한 법률 제4조에 따른 공공기관(이하 "공공기관"이라 한다)의 장 또는 관계인 등에게 제1항에 따른 실태조사에 필요한 자료의 제출을 요청할 수 있다. 이 경우 자료 제출을 요청받은 자는 특별한 사유가 없으면 이에 따라야 한다.

③ 제1항에 따른 실태조사의 방법 및 절차 등에 필요한 사항은 행정안전부령으로 정한다.

시행규칙 제2조(실태조사의 방법 및 절차 등) ① 화재의 예방 및 안전관리에 관한 법률(이하 "법"이라 한다) 제5조 제1항에 따른 실태조사는 통계조사, 문헌조사 또는 현장조사의 방법으로 하며, 정보통신망 또는 전자적인 방식을 사용할 수 있다.

② 소방청장은 제1항에 따른 실태조사를 실시하려는 경우 실태조사 시작 7일 전까지 조사 일시, 조사 사유 및 조사 내용 등을 포함한 조사계획을 조사대상자에게 서면 또는 전자우편❶ 등의 방법으로 미리 알려야 한다.

③ 관계 공무원 및 제4항에 따라 실태조사를 의뢰받은 관계 전문가 등이 실태조사를 위하여 소방대상물에 출입할 때에는 그 권한 또는 자격을 표시하는 증표를 지니고 이를 관계인에게 내보여야 한다.

④ 소방청장은 실태조사를 전문연구기관·단체나 관계 전문가에게 의뢰하여 실시할 수 있다.

⑤ 소방청장은 실태조사의 결과를 인터넷 홈페이지 등에 공표할 수 있다.

⑥ 제1항부터 제5항까지에서 규정한 사항 외에 실태조사 방법 및 절차 등에 관하여 필요한 사항은 소방청장이 정한다.

제6조(통계의 작성 및 관리)

① 소방청장은 화재의 예방 및 안전관리에 관한 통계를 매년 작성·관리하여야 한다.

② 소방청장은 제1항의 통계자료를 작성·관리하기 위하여 관계 중앙행정기관❷의 장, 지방자치단체❸의 장, 공공기관❹의 장 또는 관계인 등에게 필요한 자료와 정보의 제공을 요청할 수 있다. 이 경우 자료와 정보의 제공을 요청받은 자는 특별한 사정이 없으면 이에 따라야 한다.

③ 소방청장은 제1항에 따른 통계자료의 작성·관리에 관한 업무의 전부 또는 일부를 행정안전부령으로 정하는 바에 따라 전문성이 있는 기관을 지정하여 수행하게 할 수 있다.

④ 제1항에 따른 통계의 작성·관리 등에 필요한 사항은 대통령령으로 정한다.

시행령 제6조(통계의 작성·관리) ① 법 제6조 제1항에 따른 통계의 작성·관리 항목은 다음 각 호와 같다.
1. 소방대상물의 현황 및 안전관리에 관한 사항
2. 소방시설등❺의 설치 및 관리에 관한 사항
3. 다중이용업소의 안전관리에 관한 특별법 제2조 제1항 제1호에 따른 다중이용업❻ 현황 및 안전관리에 관한 사항

 영철쌤 tip

실태조사방법은 서식화되어 있으므로 행정안전부령이다.

📖 용어사전

❶ 전자우편: 이메일을 의미한다.

📖 용어사전

❷ 관계중앙행정기관: 재난부서가 있는 중앙행정기관(부, 처, 청)을 말한다.
❸ 지방자치단체: 시·도, 시, 군, 구
❹ 공공기관: 국가공기업(가스안전공사, 전기안전공사), 준정부기관(국민연금관리공단, 건강보험관리공단), 지방공사, 지방공단

 영철쌤 tip

통계작성 및 관리
1. 작성 및 관리자: 소방청장
2. 주기: 매년

📖 용어사전

❺ 소방시설등: 소방시설과 비상구(非常口), 그 밖에 소방 관련시설을 말한다.
❻ 다중이용업: 영화관, 노래방, pc방 등

❶ 제조소등: 제조소·저장소 및 취급소를 말한다.
  1. 제조소: 위험물을 제조할 목적
  2. 저장소: 위험물을 저장
  3. 취급소: 위험물을 제조외의 목적으로 취급(예 주유소)

❷ 소방시설업: 소방시설설계업, 소방시설공사업, 소방공사감리업, 방염처리업을 말한다.
  1. 소방시설설계업: 소방시설공사에 기본이 되는 공사계획, 설계도면, 설계 설명서, 기술계산서 및 이와 관련된 서류(이하 "설계도서"라 한다)를 작성(이하 "설계"라 한다)하는 영업
  2. 소방시설공사업: 설계도서에 따라 소방시설을 신설, 증설, 개설, 이전 및 정비(이하 "시공"이라 한다)하는 영업
  3. 소방공사감리업: 소방시설공사에 관한 발주자의 권한을 대행하여 소방시설공사가 설계도서와 관계 법령에 따라 적법하게 시공되는지를 확인하고, 품질·시공 관리에 대한 기술지도를 (이하 "감리"라 한다) 영업
  4. 방염처리업: 방염대상물품에 대하여 방염처리(이하 "방염"이라 한다)하는 영업

4. 위험물안전관리법 제2조 제1항 제6호에 따른 제조소등(이하 "제조소등❶"이라 한다) 현황
5. 화재발생 이력 및 화재안전조사 등 화재예방 활동에 관한 사항
6. 법 제5조에 따른 실태조사 결과
7. 화재예방강화지구의 현황 및 안전관리에 관한 사항
8. 법 제23조에 따른 어린이, 노인, 장애인 등 화재의 예방 및 안전관리에 취약한 자에 대한 지역별·성별·연령별 지원 현황
9. 법 제24조 제1항에 따른 소방안전관리자 자격증 발급 및 선임 관련 지역별·성별·연령별 현황
10. 화재예방안전진단 대상의 현황 및 그 실시 결과
11. 소방시설업❷자, 소방기술자 및 소방시설 설치 및 관리에 관한 법률 제29조에 따른 소방시설관리업 등록을 한 자의 지역별·성별·연령별 현황
12. 그 밖에 화재의 예방 및 안전관리에 관한 자료로서 소방청장이 작성·관리가 필요하다고 인정하는 사항
② 소방청장은 법 제6조 제1항에 따라 통계를 체계적으로 작성·관리하고 분석하기 위하여 전산시스템을 구축·운영할 수 있다.
③ 소방청장은 제2항에 따른 전산시스템을 구축·운영하는 경우 빅데이터(대용량의 정형 또는 비정형의 데이터 세트를 말한다. 이하 같다)를 활용하여 화재발생 동향 분석 및 전망 등을 할 수 있다.
④ 제3항에 따른 빅데이터를 활용하기 위한 방법·절차 등에 관하여 필요한 사항은 소방청장이 정한다.

시행규칙 제3조(통계의 작성·관리) 소방청장은 법 제6조 제3항에 따라 다음 각 호의 기관으로 하여금 통계자료의 작성·관리에 관한 업무를 수행하게 할 수 있다.
  1. 소방기본법 제40조 제1항에 따라 설립된 한국소방안전원(이하 "안전원"이라 한다)
  2. 정부출연연구기관 등의 설립·운영 및 육성에 관한 법률 제8조에 따라 설립된 정부출연연구기관
  3. 통계법 제15조에 따라 지정된 통계작성지정기관

📖 핵심정리 **화재의 예방 및 안전관리 기본계획**

기본계획	시행계획	세부시행계획
· 소방청장 5년마다 수립 및 시행(중앙행정기관장과 협의 및 수립) · 전년도 8월 31일까지 협의 · 전년도 9월 30일까지 수립	· 소방청장 매년 수립 및 시행 · 전년도 10월 31일까지 수립·시행 · 기본계획과 시행계획을 중앙행정기관의 장과 시·도지사에게 10월 31일까지 통보	· 관계중앙행정기관의 장과 시·도지사는 세부시행계획 매년 수립·시행 · 전년도 12월 31일까지 수립·시행 · 전년도 12월 31일까지 소방청장에게 세부시행계획 통보

01 화재의 예방 및 안전관리 기본계획 등의 수립·시행에 대한 내용으로 옳지 않은 것은? 　　　22. 경채

① 국가는 화재예방정책을 체계적·효율적으로 추진하고 이에 필요한 기반 확충을 위하여 화재의 예방 및 안전관리에 관한 기본계획을 10년마다 수립·시행하여야 한다.

② 소방청장은 기본계획을 시행하기 위하여 매년 시행계획을 수립·시행하여야 한다.

③ 기본계획, 시행계획 및 세부시행계획 등의 수립·시행에 관하여 필요한 사항은 대통령령으로 정한다.

④ 소방청장은 기본계획 및 시행계획을 수립하기 위하여 필요한 경우에는 관계 중앙행정기관의 장 또는 시·도 지사에게 관련 자료의 제출을 요청할 수 있다.

02 화재의 예방 및 안전관리에 관한 기본계획 등의 수립 및 시행에 관한 내용으로 옳은 것은? 　　　19. 공채

① 기본계획에는 화재의 예방과 안전관리 관련 산업의 국제경쟁력 향상에 관한 사항이 포함되어야 한다.

② 소방본부장은 기본계획을 시행하기 위하여 5년마다 시행계획을 수립·시행하여야 한다.

③ 기본계획은 행정안전부령으로 정하는 바에 따라 소방본부장이 관계 중앙행정기관의 장과 협의하여 수립한다.

④ 국가는 화재안전 기반 확충을 위하여 화재안전정책에 관한 기본계획을 10년마다 수립·시행하여야 한다.

정답 및 해설

01 화재의 예방 및 안전관리 기본계획

국가는 화재예방정책을 체계적·효율적으로 추진하고 이에 필요한 기반 확충을 위하여 화재의 예방 및 안전관리에 관한 기본계획을 10년마다 수립·시행하여야 한다. → 소방청장이 5년마다 수립한다.

02 화재의 예방 및 안전관리에 관한 기본계획

② 소방본부장은 기본계획을 시행하기 위하여 5년마다 시행계획을 수립·시행하여야 한다. → 소방청장이 매년 수립 및 시행한다.

③ 기본계획은 행정안전부령으로 정하는 바에 따라 소방본부장이 관계 중앙행정기관의 장과 협의하여 수립한다. → 기본계획은 대통령령으로 정하는 바에 따라 소방청장이 관계중앙행정기관의 장과 협의하여 수립한다.

④ 국가는 기본계획을 10년마다 수립·시행하여야 한다. → 소방청장은 기본계획을 5년마다 수립·시행하여야 한다.

정답 01 ① **02** ①

CHAPTER 3 화재안전조사

관계인 알린다
[(대상을 공개한다. → 인터넷 홈페이지.
단, 긴급할 경우, 목적달성이 어려운 경우
(돈과 관련 있는 아파트 철근 누락 등)].

↓

화재조사관 출입
(증표 제시, 근무시간 또는 공개시간)

↓

조사, 검사, 감독 업무지시
(자료제출, 보고, 질문)

↓

실시결과
(위법: 조치명령, 준법: 우수하면 포상)

정기적으로 1년에 1회 이상 화재안전조사를
실시한다.

화재안전조사
1. 조사자: 소방관서장(소방청장, 소방본부
   장, 소방서장)
2. 화재안전조사 항목: 대통령령
3. 조사대상: 자체점검, 화재예방강화지구
   등, 화재예방안전진단, 국가적 행상 등, 화
   재가 자주 발생, 재난예측정보·기상예보
   등, 긴급한 상황 등

제7조(화재안전조사)

① 소방관서장은 다음 각 호의 어느 하나에 해당하는 경우 화재안전조사를 실시할 수 있다. 다만, 개인의 주거(실제 주거용도로 사용되는 경우에 한정한다)에 대한 화재안전조사는 관계인의 승낙이 있거나 화재발생의 우려가 뚜렷하여 긴급한 필요가 있는 때에 한정한다.

1. 소방시설 설치 및 관리에 관한 법률 제22조에 따른 자체점검이 불성실하거나 불완전하다고 인정되는 경우
2. 화재예방강화지구 등 법령에서 화재안전조사를 하도록 규정되어 있는 경우
3. 화재예방안전진단이 불성실하거나 불완전하다고 인정되는 경우
4. 국가적 행사 등 주요 행사가 개최되는 장소 및 그 주변의 관계 지역에 대하여 소방안전관리 실태를 조사할 필요가 있는 경우
5. 화재가 자주 발생하였거나 발생할 우려가 뚜렷한 곳에 대한 조사가 필요한 경우
6. 재난예측정보, 기상예보 등을 분석한 결과 소방대상물에 화재의 발생 위험이 크다고 판단되는 경우
7. 제1호부터 제6호까지에서 규정한 경우 외에 화재, 그 밖의 긴급한 상황이 발생할 경우 인명 또는 재산 피해의 우려가 현저하다고 판단되는 경우

② 화재안전조사의 항목은 대통령령으로 정한다. 이 경우 화재안전조사의 항목에는 화재의 예방조치 상황, 소방시설등의 관리 상황 및 소방대상물의 화재 등의 발생 위험과 관련된 사항이 포함되어야 한다.

③ 소방관서장은 화재안전조사를 실시하는 경우 다른 목적을 위하여 조사권을 남용하여서는 아니 된다.

> **시행령 제7조(화재안전조사의 항목)** 소방청장, 소방본부장 또는 소방서장(이하 "소방관서장"이라 한다)은 법 제7조 제1항에 따라 다음 각 호의 항목에 대하여 화재안전조사를 실시한다.
>
> 1. 법 제17조에 따른 화재의 예방조치 등에 관한 사항
> 2. 법 제24조, 제25조, 제27조 및 제29조에 따른 소방안전관리 업무 수행에 관한 사항
> 3. 법 제36조에 따른 피난계획의 수립 및 시행에 관한 사항
> 4. 법 제37조에 따른 소화·통보·피난 등의 훈련 및 소방안전관리에 필요한 교육(이하 "소방훈련·교육"이라 한다)에 관한 사항
> 5. 소방기본법 제21조의2에 따른 소방자동차 전용구역의 설치에 관한 사항
> 6. 소방시설공사업법 제12조에 따른 시공, 같은 법 제16조에 따른 감리 및 같은 법 제18조에 따른 감리원의 배치에 관한 사항
> 7. 소방시설 설치 및 관리에 관한 법률 제12조에 따른 소방시설의 설치 및 관리에 관한 사항

8. 소방시설 설치 및 관리에 관한 법률 제15조에 따른 건설현장 임시소방시설의 설치 및 관리에 관한 사항

9. 소방시설 설치 및 관리에 관한 법률 제16조에 따른 피난시설[1], 방화구획(防火區劃)[2] 및 방화시설의 관리에 관한 사항

10. 소방시설 설치 및 관리에 관한 법률 제20조에 따른 방염(防炎)[3]에 관한 사항

11. 소방시설 설치 및 관리에 관한 법률 제22조에 따른 소방시설등의 자체점검에 관한 사항

12. 다중이용업소의 안전관리에 관한 특별법 제8조, 제9조, 제9조의2, 제10조, 제10조의2 및 제11조부터 제13조까지의 규정에 따른 안전관리에 관한 사항

13. 위험물안전관리법 제5조, 제6조, 제14조, 제15조 및 제18조에 따른 위험물 안전관리에 관한 사항

14. 초고층 및 지하연계 복합건축물 재난관리에 관한 특별법 제9조, 제11조, 제12조, 제14조, 제16조 및 제22조에 따른 초고층 및 지하연계 복합건축물의 안전관리에 관한 사항

15. 그 밖에 소방대상물에 화재의 발생 위험이 있는지 등을 확인하기 위해 소방관서장이 화재안전조사가 필요하다고 인정하는 사항

제8조(화재안전조사의 방법·절차 등)

① 소방관서장은 화재안전조사를 조사의 목적에 따라 제7조 제2항에 따른 화재안전조사의 항목 전체에 대하여 종합적으로 실시하거나 특정 항목에 한정하여 실시할 수 있다.

② 소방관서장은 화재안전조사를 실시하려는 경우 사전에 관계인에게 조사대상, 조사기간 및 조사사유 등을 우편, 전화, 전자메일 또는 문자전송 등을 통하여 통지하고 이를 대통령령으로 정하는 바에 따라 인터넷 홈페이지나 제16조 제3항의 전산시스템 등을 통하여 공개하여야 한다. 다만, 다음 각 호의 어느 하나에 해당하는 경우에는 그러하지 아니하다.

1. 화재가 발생할 우려가 뚜렷하여 긴급하게 조사할 필요가 있는 경우

2. 제1호 외에 화재안전조사의 실시를 사전에 통지하거나 공개하면 조사목적을 달성할 수 없다고 인정되는 경우

③ 화재안전조사는 관계인의 승낙 없이 소방대상물의 공개시간 또는 근무시간 이외에는 할 수 없다. 다만, 제2항 제1호에 해당하는 경우에는 그러하지 아니하다.

④ 제2항에 따른 통지를 받은 관계인은 천재지변이나 그 밖에 대통령령으로 정하는 사유로 화재안전조사를 받기 곤란한 경우에는 화재안전조사를 통지한 소방관서장에게 대통령령으로 정하는 바에 따라 화재안전조사를 연기하여 줄 것을 신청할 수 있다. 이 경우 소방관서장은 연기신청 승인 여부를 결정하고 그 결과를 조사 시작 전까지 관계인에게 알려 주어야 한다.

⑤ 제1항부터 제4항까지에서 규정한 사항 외에 화재안전조사의 방법 및 절차 등에 필요한 사항은 대통령령으로 정한다.

📖 용어사전

❶ 피난시설: 복도, 계단 및 옥상광장 등을 말한다.

❷ 방화구획: 화재발생 시 화재가 건축물 전체에 번지지 않도록 구획하는 것을 말한다(예 내화구조의 바닥·벽 등, 방화문, 방화샷터 등).

❸ 방염: 불에 타지 않게 막는 것을 말한다(예 방염커튼, 방염블라인드 등). 바닥·벽 등, 방화문,방화샷터 등).

 영철쌤 tip

소방관서장은 조사목적에 따라 항목전제 조사, 특정항목 조사가 있다.

시행령 제8조(화재안전조사의 방법·절차 등) ① 소방관서장은 화재안전조사의 목적에 따라 다음 각 호의 어느 하나에 해당하는 방법으로 화재안전조사를 실시할 수 있다.
1. 종합조사: 제7조의 화재안전조사 항목 전부를 확인하는 조사
2. 부분조사: 제7조의 화재안전조사 항목 중 일부를 확인하는 조사
② 소방관서장은 화재안전조사를 실시하려는 경우 사전에 법 제8조 제2항 각 호 외의 부분 본문에 따라 조사대상, 조사기간 및 조사사유 등 조사계획을 소방청, 소방본부 또는 소방서(이하 "소방관서"라 한다)의 인터넷 홈페이지나 법 제16조 제3항에 따른 전산시스템을 통해 7일 이상 공개해야 한다.
③ 소방관서장은 법 제8조 제2항 각 호 외의 부분 단서에 따라 사전 통지 없이 화재안전조사를 실시하는 경우에는 화재안전조사를 실시하기 전에 관계인에게 조사사유 및 조사범위 등을 현장에서 설명해야 한다.
④ 소방관서장은 화재안전조사를 위하여 소속 공무원으로 하여금 관계인에게 보고 또는 자료의 제출을 요구하거나 소방대상물의 위치·구조·설비 또는 관리 상황에 대한 조사·질문을 하게 할 수 있다.
⑤ 소방관서장은 화재안전조사를 효율적으로 실시하기 위하여 필요한 경우 다음 각 호의 기관의 장과 합동으로 조사반을 편성하여 화재안전조사를 할 수 있다.
1. 관계 중앙행정기관 또는 지방자치단체
2. 소방기본법 제40조에 따른 한국소방안전원(이하 "안전원"이라 한다)
3. 소방산업의 진흥에 관한 법률 제14조에 따른 한국소방산업기술원(이하 "기술원"이라 한다)
4. 화재로 인한 재해보상과 보험가입에 관한 법률 제11조에 따른 한국화재보험협회(이하 "화재보험협회"라 한다)
5. 고압가스 안전관리법 제28조에 따른 한국가스안전공사(이하 "가스안전공사"라 한다)
6. 전기안전관리법 제30조에 따른 한국전기안전공사(이하 "전기안전공사"라 한다)
7. 그 밖에 소방청장이 정하여 고시하는 소방 관련 법인 또는 단체
⑥ 제1항부터 제5항까지에서 규정한 사항 외에 화재안전조사 계획의 수립 등 화재안전조사에 필요한 사항은 소방청장이 정한다.

제9조(화재안전조사의 연기) ① 법 제8조 제4항 전단에서 "대통령령으로 정하는 사유"란 다음 각 호의 어느 하나에 해당하는 사유를 말한다.
1. 재난 및 안전관리 기본법 제3조 제1호에 해당하는 재난이 발생한 경우
2. 관계인의 질병, 사고, 장기출장의 경우
3. 권한 있는 기관에 자체점검기록부, 교육·훈련일지 등 화재안전조사에 필요한 장부·서류 등이 압수되거나 영치(領置)❶되어 있는 경우
4. 소방대상물의 증축·용도변경 또는 대수선❷ 등의 공사로 화재안전조사를 실시하기 어려운 경우
② 법 제8조 제4항 전단에 따라 화재안전조사의 연기를 신청하려는 관계인은 행정안전부령으로 정하는 바에 따라 연기신청서에 연기의 사유 및 기간 등을 적어 소방관서장에게 제출해야 한다.
③ 소방관서장은 법 제8조 제4항 후단에 따라 화재안전조사의 연기를 승인한 경우라도 연기기간이 끝나기 전에 연기사유가 없어졌거나 긴급히 조사를 해야 할 사유가 발생하였을 때는 관계인에게 미리 알리고 화재안전조사를 할 수 있다.

시행규칙 제4조(화재안전조사의 연기신청 등) ① 화재의 예방 및 안전관리에 관한 법률 시행령(이하 "영"이라 한다) 제9조 제2항에 따라 화재안전조사의 연기를 신청하려는 관계인은 화재안전조사 시작 3일 전까지 별지 제1호서식의 화재안전조사 연기신청서(전자문서를 포함한다)에 화재안전조사를 받기 곤란함을 증명할 수 있는 서류(전자문서를 포함한다)를 첨부하여 소방청장, 소방본부장 또는 소방서장(이하 "소방관서장"이라 한다)에게 제출해야 한다.

② 제1항에 따른 신청서를 제출받은 소방관서장은 3일 이내에 연기신청의 승인 여부를 결정하여 별지 제2호서식의 화재안전조사 연기신청 결과 통지서를 연기신청을 한 자에게 통지해야 하며 연기기간이 종료되면 지체 없이 화재안전조사를 시작해야 한다.

제9조(화재안전조사단 편성·운영)

① 소방관서장은 화재안전조사를 효율적으로 수행하기 위하여 대통령령으로 정하는 바에 따라 소방청에는 중앙화재안전조사단을, 소방본부 및 소방서에는 지방화재안전조사단을 편성하여 운영할 수 있다.

② 소방관서장은 제1항에 따른 중앙화재안전조사단 및 지방화재안전조사단의 업무수행을 위하여 필요한 경우에는 관계 기관의 장에게 그 소속 공무원 또는 직원의 파견을 요청할 수 있다. 이 경우 공무원 또는 직원의 파견 요청을 받은 관계 기관의 장은 특별한 사유가 없으면 이에 협조하여야 한다.

시행령 제10조(화재안전조사단 편성·운영) ① 법 제9조 제1항에 따른 중앙화재안전조사단 및 지방화재안전조사단(이하 "조사단"이라 한다)은 각각 단장을 포함하여 50명 이내의 단원으로 성별을 고려하여 구성한다.

② 조사단의 단원은 다음 각 호의 어느 하나에 해당하는 사람 중에서 소방관서장이 임명하거나 위촉하고, 단장은 단원 중에서 소방관서장이 임명하거나 위촉한다.

1. 소방공무원
2. 소방업무와 관련된 단체 또는 연구기관 등의 임직원
3. 소방 관련 분야에서 전문적인 지식이나 경험이 풍부한 사람

 영철쌤 tip

화재안전조사단

구분	중앙화재안전진단	지방화재안전진단
설치	소방청	소방본부, 소방서
구성	단장 포함 50명 이내 단원	단장 포함 50명 이내 단원
합동조사단단원	소방공무원, 관련단체 또는 연구기관 등 임직원, 전문적인 지식이나 경험 풍부한 사람	소방공무원, 관련단체 또는 연구기관 등 임직원, 전문적인 지식이나 경험 풍부한 사람

제10조(화재안전조사위원회 구성·운영)

① 소방관서장은 화재안전조사의 대상을 객관적이고 공정하게 선정하기 위하여 필요한 경우 화재안전조사위원회를 구성하여 화재안전조사의 대상을 선정할 수 있다.

② 화재안전조사위원회의 구성·운영 등에 필요한 사항은 대통령령으로 정한다.

> **시행령 제11조(화재안전조사위원회의 구성·운영 등)** ① 법 제10조 제1항에 따른 화재안전조사위원회(이하 "위원회"라 한다)는 위원장 1명을 포함하여 7명 이내의 위원으로 성별을 고려하여 구성한다.
> ② 위원회의 위원장은 소방관서장이 된다.
> ③ 위원회의 위원은 다음 각 호의 어느 하나에 해당하는 사람 중에서 소방관서장이 임명하거나 위촉한다.
> 1. 과장급 직위 이상의 소방공무원
> 2. 소방기술사
> 3. 소방시설관리사
> 4. 소방 관련 분야의 석사 이상 학위를 취득한 사람
> 5. 소방 관련 법인 또는 단체에서 소방 관련 업무에 5년 이상 종사한 사람
> 6. 소방공무원 교육훈련규정 제3조 제2항에 따른 소방공무원 교육훈련기관, 고등교육법 제2조의 학교 또는 연구소에서 소방과 관련한 교육 또는 연구에 5년 이상 종사한 사람
> ④ 위촉위원의 임기는 2년으로 하며, 한 차례만 연임할 수 있다.
> ⑤ 소방관서장은 위원회의 위원이 다음 각 호의 어느 하나에 해당하는 경우에는 해당 위원을 해임하거나 해촉(解囑)할 수 있다.
> 1. 심신장애로 직무를 수행할 수 없게 된 경우
> 2. 직무와 관련된 비위사실이 있는 경우
> 3. 직무태만, 품위손상이나 그 밖의 사유로 위원으로 적합하지 않다고 인정되는 경우
> 4. 제12조 제1항 각 호의 어느 하나에 해당함에도 불구하고 회피하지 않은 경우
> 5. 위원 스스로 직무를 수행하기 어렵다는 의사를 밝히는 경우
> ⑥ 위원회에 출석한 위원에게는 예산의 범위에서 수당, 여비, 그 밖에 필요한 경비를 지급할 수 있다. 다만, 공무원인 위원이 소관 업무와 직접 관련하여 위원회에 출석하는 경우에는 그렇지 않다.

제12조(위원의 제척[1]·기피·회피) ① 위원회의 위원이 다음 각 호의 어느 하나에 해당하는 경우에는 위원회의 심의·의결에서 제척(除斥)된다.

1. 위원, 그 배우자나 배우자였던 사람 또는 위원의 친족이거나 친족이었던 사람이 다음 각 목의 어느 하나에 해당하는 경우
   가. 해당 소방대상물의 관계인이거나 그 관계인과 공동권리자 또는 공동의무자인 경우
   나. 해당 소방대상물의 설계, 공사, 감리 또는 자체점검 등을 수행한 경우
   다. 해당 소방대상물에 대하여 제7조 각 호의 업무를 수행한 경우 등 소방대상물과 직접적인 이해관계가 있는 경우
2. 위원이 해당 소방대상물에 관하여 자문, 연구, 용역(하도급을 포함한다), 감정 또는 조사를 한 경우
3. 위원이 임원 또는 직원으로 재직하고 있거나 최근 3년 내에 재직하였던 기업 등이 해당 소방대상물에 관하여 자문, 연구, 용역(하도급을 포함한다), 감정 또는 조사를 한 경우

② 당사자는 제1항에 따른 제척사유가 있거나 위원에게 공정한 심의·의결을 기대하기 어려운 사정이 있는 경우에는 위원회에 기피 신청을 할 수 있고, 위원회는 의결로 기피 여부를 결정한다. 이 경우 기피 신청의 대상인 위원은 그 의결에 참여하지 못한다.

③ 위원이 제1항 또는 제2항의 사유에 해당하는 경우에는 스스로 해당 안건의 심의·의결에서 회피(回避)해야 한다.

제13조(위원회 운영 세칙) 제11조 및 제12조에서 규정한 사항 외에 위원회의 구성 및 운영에 필요한 사항은 소방청장이 정한다.

 영철쌤 tip

화재안전조사위원회
1. 구성: 위원장 1명을 포함한 7명 이내의 위원(성별 고려)
2. 위원장: 소방관서장
3. 설치: 소방관서
4. 위원: 소방기술사, 소방시설관리사, 석사 이상, 소방공무원(과장급 이상), 경력 5년 이상
5. 임기: 2년(한차례만 연임)

📖 **핵심정리** 화재안전조사단 및 화재안전조사위원회

구분	화재안전조사단	화재안전조사위원회
편성 및 운영권자	소방관서장	소방관서장
편성 및 운영 목적	화재안전조사 효율적 수행	화재안전조사 대상 객관적이고 공정하게 선정
구성	· 중앙화재안전조사단(청), 지방화재안전조사단(본, 서) · 단장 포함 50명 이내 단원 성별 고려 구성하며 단장은 단원 중 위촉 · 단원 　- 소방공무원 　- 소방업무와 관련된 단체 또는 연구기관 등의 임직원 　- 소방 관련 분야에서 전문적인 지식이나 경험이 풍부한 사람	· 화재안전조사위원회: 위원장 1명 포함 7명 이내 위원 성별고려 구성 · 위원장: 소방관서장 · 위원 　- 과장급 직위 이상의 소방공무원 　- 소방기술사 　- 소방시설관리사 　- 소방 관련 분야의 석사 이상 학위를 취득한 사람 　- 소방 관련 법인 또는 단체에서 소방 관련 업무에 5년 이상 종사한 사람 　- 소방공무원 교육훈련규정 제3조 제2항에 따른 소방공무원 교육훈련기관, 고등교육법 제2조의 학교 또는 연구소에서 소방과 관련한 교육 또는 연구에 5년 이상 종사한 사람
비고		**위촉위원 임기:** 2년, 한차례 연임

📖 용어사전

❶ 서면: 일정한 내용을 글로 적은 것
❷ 통지: 특정인에게 특정 사실을 알리는 행위
❸ 교부: 무엇을 내어줌
❹ 개수: 고쳐서 바로잡는 것

제11조(화재안전조사 전문가 참여)

① 소방관서장은 필요한 경우에는 소방기술사, 소방시설관리사, 그 밖에 화재안전 분야
에 전문지식을 갖춘 사람을 화재안전조사에 참여하게 할 수 있다.

② 제1항에 따라 조사에 참여하는 외부 전문가에게는 예산의 범위에서 수당, 여비, 그
밖에 필요한 경비를 지급할 수 있다.

제12조(증표의 제시 및 비밀유지 의무 등)

① 화재안전조사 업무를 수행하는 관계 공무원 및 관계 전문가는 그 권한 또는 자격
을 표시하는 증표를 지니고 이를 관계인에게 내보여야 한다.

② 화재안전조사 업무를 수행하는 관계 공무원 및 관계 전문가는 관계인의 정당한 업
무를 방해하여서는 아니 되며, 조사업무를 수행하면서 취득한 자료나 알게 된 비
밀을 다른 사람 또는 기관에 제공 또는 누설하거나 목적 외의 용도로 사용하여서
는 아니 된다.

제13조(화재안전조사 결과 통보)

소방관서장은 화재안전조사를 마친 때에는 그 조사 결과를 관계인에게 서면❶으로 통지❷
하여야 한다. 다만, 화재안전조사의 현장에서 관계인에게 조사의 결과를 설명하고 화
재안전조사 결과서의 부본을 교부❸한 경우에는 그러하지 아니하다.

제14조(화재안전조사 결과에 따른 조치명령)

① 소방관서장은 화재안전조사 결과에 따른 소방대상물의 위치·구조·설비 또는 관
리의 상황이 화재예방을 위하여 보완될 필요가 있거나 화재가 발생하면 인명 또는 재
산의 피해가 클 것으로 예상되는 때에는 행정안전부령으로 정하는 바에 따라 관계
인에게 그 소방대상물의 개수(改修)❹·이전·제거, 사용의 금지 또는 제한, 사용폐
쇄, 공사의 정지 또는 중지, 그 밖에 필요한 조치를 명할 수 있다.

② 소방관서장은 화재안전조사 결과 소방대상물이 법령을 위반하여 건축 또는 설비되
었거나 소방시설등, 피난시설·방화구획, 방화시설 등이 법령에 적합하게 설치 또
는 관리되고 있지 아니한 경우에는 관계인에게 제1항에 따른 조치를 명하거나 관
계 행정기관의 장에게 필요한 조치를 하여 줄 것을 요청할 수 있다.

> **시행규칙 제5조(화재안전조사에 따른 조치명령 등의 절차)** ① 소방관서장은 법 제14
> 조에 따라 소방대상물의 개수(改修)·이전·제거, 사용의 금지 또는 제한, 사용폐쇄,
> 공사의 정지 또는 중지, 그 밖에 필요한 조치를 명할 때에는 별지 제3호서식의 화재
> 안전조사 조치명령서를 해당 소방대상물의 관계인에게 발급하고, 별지 제4호서식
> 의 화재안전조사 조치명령 대장에 이를 기록하여 관리해야 한다.
> ② 소방관서장은 법 제14조에 따른 명령으로 인하여 손실을 입은 자가 있는 경우에는
> 별지 제5호서식의 화재안전조사 조치명령 손실확인서를 작성하여 관련 사진 및 그 밖
> 의 증명자료와 함께 보관해야 한다.

제15조(손실보상)

소방청장 또는 시·도지사는 제14조 제1항에 따른 명령으로 인하여 손실을 입은 자가 있는 경우에는 대통령령으로 정하는 바에 따라 보상하여야 한다.

> **시행령 제14조(손실보상)** ① 법 제15조에 따라 소방청장 또는 시·도지사가 손실을 보상하는 경우에는 시가(時價)로 보상해야 한다.
>
> ② 제1항에 따른 손실보상에 관하여는 소방청장 또는 시·도지사와 손실을 입은 자가 협의해야 한다.
>
> ③ 소방청장 또는 시·도지사는 제2항에 따른 보상금액에 관한 협의가 성립되지 않은 경우에는 그 보상금액을 지급하거나 공탁하고 이를 상대방에게 알려야 한다.
>
> ④ 제3항에 따른 보상금의 지급 또는 공탁의 통지에 불복하는 자는 지급 또는 공탁의 통지를 받은 날부터 30일 이내에 공익사업을 위한 토지 등의 취득 및 보상에 관한 법률 제49조에 따른 중앙토지수용위원회 또는 관할 지방토지수용위원회에 재결(裁決)을 신청할 수 있다.

> **시행규칙 제6조(손실보상 청구자가 제출해야 하는 서류 등)** ① 법 제14조에 따른 명령으로 인하여 손실을 입은 자가 손실보상을 청구하려는 경우에는 별지 제6호서식의 손실보상 청구서(전자문서를 포함한다)에 다음 각 호의 서류(전자문서를 포함한다)를 첨부하여 소방청장, 특별시장·광역시장·특별자치시장·도지사 또는 특별자치도지사(이하 "시·도지사"라 한다)에게 제출해야 한다. 이 경우 담당 공무원은 전자정부법 제36조 제1항에 따른 행정정보의 공동이용을 통하여 건축물대장(소방대상물의 관계인임을 증명할 수 있는 서류가 건축물대장인 경우만 해당한다)을 확인해야 한다.
>
> 1. 소방대상물의 관계인임을 증명할 수 있는 서류(건축물대장은 제외한다)
> 2. 손실을 증명할 수 있는 사진 및 그 밖의 증빙자료
>
> ② 소방청장 또는 시·도지사는 영 제14조 제2항에 따라 손실보상에 관하여 협의가 이루어진 경우에는 손실보상을 청구한 자와 연명으로 별지 제7호서식의 손실보상 합의서를 작성하고 이를 보관해야 한다.

제16조(화재안전조사 결과 공개)

① 소방관서장은 화재안전조사를 실시한 경우 다음 각 호의 전부 또는 일부를 인터넷 홈페이지나 제3항의 전산시스템 등을 통하여 공개할 수 있다.

1. 소방대상물의 위치, 연면적, 용도 등 현황
2. 소방시설등의 설치 및 관리 현황
3. 피난시설, 방화구획 및 방화시설의 설치 및 관리 현황
4. 그 밖에 대통령령으로 정하는 사항

② 제1항에 따라 화재안전조사 결과를 공개하는 경우 공개 절차, 공개 기간 및 공개 방법 등에 필요한 사항은 대통령령으로 정한다.

③ 소방청장은 제1항에 따른 화재안전조사 결과를 체계적으로 관리하고 활용하기 위하여 전산시스템을 구축·운영하여야 한다.

 영철쌤 tip

일반적으로 위원회, 손실보상 관련 필요사항은 대통령령으로 정한다.

용어사전

❶ 시가: 현재의 물건 값
❷ 공탁: 돈이나 물건을 주고 보관해 달라고 부탁함
❸ 재결: 옳고 그름을 가려서 결정함. 즉 옳고 그름을 다시 결정해달라는 의미임

 영철쌤 tip

손실보상
1. 보상자: 소방청장, 시·도지사
2. 보상: 시가 보상
3. 보상관련 필요사항: 대통령령

용어사전

❹ 연면적: 하나의 건축물의 각 층 바닥면적의 합계를 말한다.

❶ 관계 중앙행정기관: 국가 행정 사무를 담당하기 위하여 설치된 재난부서가 있는 행정기관을 말한다(부, 처, 청).

❷ 지방자치단체: 하나의 국가로부터 자치권을 부여받아 일정한 지역의 지방사무를 처리하는 지방자치를 추구하는 단체를 말한다(시·도, 시, 군, 구).

❸ 공공기관: 국가공기업, 준정부기관, 지방공사, 지방공단 등을 말한다.

❹ 제조소등: 제조소, 저장소, 취급소를 말한다.

④ 소방청장은 건축, 전기 및 가스 등 화재안전과 관련된 정보를 소방활동 등에 활용하기 위하여 제3항에 따른 전산시스템과 관계 중앙행정기관❶, 지방자치단체❷ 및 공공기관❸ 등에서 구축·운용하고 있는 전산시스템을 연계하여 구축할 수 있다.

시행령 제15조(화재안전조사 결과 공개) ① 법 제16조 제1항 제4호에서 "대통령령으로 정하는 사항"이란 다음 각 호의 사항을 말한다.

1. 제조소등❹ 설치 현황
2. 소방안전관리자 선임 현황
3. 화재예방안전진단 실시 결과

② 소방관서장은 법 제16조 제1항에 따라 화재안전조사 결과를 공개하는 경우 30일 이상 해당 소방관서 인터넷 홈페이지나 같은 조 제3항에 따른 전산시스템을 통해 공개해야 한다.

③ 소방관서장은 제2항에 따라 화재안전조사 결과를 공개하려는 경우 공개 기간, 공개 내용 및 공개 방법을 해당 소방대상물의 관계인에게 미리 알려야 한다.

④ 소방대상물의 관계인은 제3항에 따른 공개 내용 등을 통보받은 날부터 10일 이내에 소방관서장에게 이의신청을 할 수 있다.

⑤ 소방관서장은 제4항에 따라 이의신청을 받은 날부터 10일 이내에 심사·결정하여 그 결과를 지체 없이 신청인에게 알려야 한다.

⑥ 화재안전조사 결과의 공개가 제3자의 법익을 침해하는 경우에는 제3자와 관련된 사실을 제외하고 공개해야 한다.

📖 핵심정리 화재안전조사

1. 화재안전조사(소방관서장이 실시) 2. 실시사유 　① 자체점검/화재예방안전진단 불성실 또는 불완전 　② 화재예방강화지구 등 화재안전조사 법으로 규정 　③ 국가행사 장소 및 주변 지역 소방안전관리 실태 조사 필요한 경우 　④ 화재 자주 발생하거나 발생 우려 뚜렷한 경우 　⑤ 재난정보, 기상계보 분석 결과 위험 크다고 판단하는 경우 　※ 개인 주거는 승낙 필요하고 긴급한 경우 한정 　※ 관계인의 허락 없이 근무시간 이외에 못함 　※ 긴급한 경우 통지하지 않아도 됨	조사대상, 조사기간 및 조사사유를 우편, 전화, 메일 또는 전산시스템에 공개 [7일 이상 공개] ←——→ 연기신청(3일 전) 　① 재난발생 　② 관계인 질병, 사고, 출장 　③ 서류 압수 또는 영치 　④ 증축 용도변경 또는 대수선으로 실시 어려운 경우	1. 조사 항목 　화재 예방조치, 소방안전관리 업무 수행, 피난계획의 수립 및 시행, 소방훈련 및 교육, 소방차 전용구역 설치, 감리 및 감리원 배치, 소방시설 설치 및 관리 등 2. 종합조사나 부분조사 실시

1. **결과의 통보:** 소방관서장은 그 조사결과를 관계인에게 서면으로 통지
2. **결과 조치명령:** 소방관서장

01 화재안전조사의 방법·절차 등에 대한 설명으로 옳지 않은 것은?　　　22. 공채

① 소방관서장은 화재안전조사를 마친 때에는 그 조사결과를 관계인이게 서면 또는 구두로 통지하여야 한다.

② 소방관서장은 화재안전조사를 실시하려는 경우 사전에 관계인에게 조사대상, 조사기간 및 조사사유 등을 우편, 전화, 전자메일 또는 문자전송 등을 통하여 통지하고 이를 대통령령으로 정하는 바에 따라 인터넷 홈페이지나 전산시스템 등을 통하여 공개하여야 한다.

③ 화재안전조사의 연기를 승인한 경우라도 연기기간이 끝나기 전에 연기사유가 없어졌거나 긴급히 조사를 하여야 할 사유가 발생하였을 때에는 관계인에게 통보하고 화재안전조사를 할 수 있다.

④ 화재안전조사의 연기를 신청하려는 관계인은 화재안전조사 시작 3일 전까지 화재안전조사 연기신청서에 화재안전조사를 받기가 곤란함을 증명할 수 있는 서류를 첨부하여 소방청장, 소방본부장 또는 소방서장(이하 "소방관서장"이라 한다)에게 제출하여야 한다.

02 화재안전조사단의 편성·운영 등에 관한 설명으로 옳지 않은 것은?　　　22. 경채

① 중앙화재안전조사단 및 지방화재안전조사단(이하 "조사단"이라 한다)은 단장을 포함하여 25명 이내의 단원으로 성별을 고려하여 구성한다.

② 중앙화재안전조사단 및 지방화재안전조사단의 업무 수행을 위하여 필요한 경우에는 관계 기관의 장에게 그 소속 공무원 또는 직원의 파견을 요청할 수 있다.

③ 단장은 단원 중에서 소방관서장이 임명 또는 위촉한다.

④ 소방관서장은 화재안전조사를 효율적으로 수행하기 위하여 대통령령으로 정하는 바에 따라 소방청에는 중앙화재안전조사단을, 소방본부 및 소방서에는 지방화재안전조사단을 편성하여 운영할 수 있다.

정답 및 해설

01 화재안전조사
소방관서장은 화재안전조사를 마친 때에는 그 조사결과를 관계인이게 서면 또는 구두로 통지하여야 한다. → 서면으로만 통지한다.

02 화재안전조사단
중앙화재안전조사단 및 지방화재안전조사단(이하 "조사단"이라 한다)은 단장을 포함하여 25명 이내의 단원으로 성별을 고려하여 구성한다. → 50명 이내의 단원으로 성별을 고려하여 구성한다.

정답 01 ① **02** ①

03 화재안전조사위원회에 대한 내용이다. (   ) 안에 들어갈 말로 옳은 것은? 22. 경채

> (   )은 화재안전조사의 대상을 객관적이고 공정하게 선정하기 위하여 필요한 경우 화재안전조사위원회를 구성하여 화재안전조사의 대상을 선정할 수 있다.

① 소방청장

② 소방관서장

③ 소방본부장

④ 소방서장

04 화재안전조사에 관한 설명으로 옳지 않은 것은? 18. 하반기 경채

① 개인의 주거에 대한 소방특별조사는 관계인의 승낙이 있거나 화재발생의 우려가 뚜렷하여 긴급한 필요가 있는 때에 한정한다.

② 소방관서장은 화재안전조사를 실시하려는 경우 사전에 관계인에게 조사대상, 조사기간 및 조사사유 등을 우편, 전화, 전자메일 또는 문자전송 등을 통하여 통지하여야 한다.

③ 소방관서장은 화재안전조사의 대상을 주관적이고 공정하게 선정하기 위하여 필요한 경우 화재안전조사위원회를 구성하여 화재안전조사의 대상을 선정할 수 있다.

④ 화재안전조사위원회는 위원장 1명을 포함한 7명 이내의 위원으로 성별을 고려하여 구성한다.

05 화재의 예방 및 안전관리에 관한 법률 및 같은 법 시행령상 화재안전조사 결과에 따른 조치명령, 손실보상의 내용으로 옳지 않은 것은? 23. 경채

① 화재안전조사 결과에 따른 소방대상물의 조치명령권자는 소방관서장이다.

② 화재안전조사 결과에 따른 조치명령으로 소방청장 또는 시·도지사가 손실을 보상하는 경우에는 시가(時價)의 2배로 보상해야 한다.

③ 소방청장 또는 시·도지사는 보상금액에 관한 협의가 성립되지 않은 경우에는 그 보상금액을 지급하거나 공탁하고 이를 상대방에게 알려야 한다.

④ 소방관서장은 화재안전조사 결과에 따른 소방 대상물의 위치·구조·설비 또는 관리의 상황이 화재예방을 위하여 보완될 필요가 있거나 화재가 발생하면 인명 또는 재산의 피해가 클 것으로 예상되는 때에는 행정안전부령으로 정하는 바에 따라 관계인에게 그 소방대상물의 개수(改修)·이전·제거, 사용의 금지 또는 제한, 사용폐쇄, 공사의 정지 또는 중지, 그 밖에 필요한 조치를 명할 수 있다

정답 및 해설

03 화재안전조사위원회
(소방관서장)은 화재안전조사의 대상을 객관적이고 공정하게 선정하기 위하여 필요한 경우 화재안전조사위원회를 구성하여 화재안전조사의 대상을 선정할 수 있다.

04 화재안전조사
소방관서장은 화재안전조사의 대상을 주관적이고 공정하게 선정하기 위하여 필요한 경우 화재안전조사위원회를 구성하여 화재안전조사의 대상을 선정할 수 있다. → 객관적이고 공정하게 선정하기 위해 필요한 경우에 구성한다.

05 화재안전조사
화재안전조사 결과에 따른 조치명령으로 소방청장 또는 시·도지사가 손실을 보상하는 경우에는 시가(時價)로 보상해야 한다.

정답 03 ② **04** ③ **05** ②

제17조(화재의 예방조치 등)

① 누구든지 화재예방강화지구 및 이에 준하는 대통령령으로 정하는 장소에서는 다음 각 호의 어느 하나에 해당하는 행위를 하여서는 아니 된다. 다만, 행정안전부령으로 정하는 바에 따라 안전조치를 한 경우에는 그러하지 아니한다.

  1. 모닥불, 흡연 등 화기의 취급
  2. 풍등 등 소형열기구 날리기
  3. 용접·용단 등 불꽃을 발생시키는 행위
  4. 그 밖에 대통령령으로 정하는 화재 발생 위험이 있는 행위

② 소방관서장은 화재 발생 위험이 크거나 소화 활동에 지장을 줄 수 있다고 인정되는 행위나 물건에 대하여 행위 당사자나 그 물건의 소유자, 관리자 또는 점유자에게 다음 각 호의 명령을 할 수 있다. 다만, 제2호 및 제3호에 해당하는 물건의 소유자, 관리자 또는 점유자를 알 수 없는 경우 소속 공무원으로 하여금 그 물건을 옮기거나 보관하는 등 필요한 조치를 하게 할 수 있다.

  1. 제1항 각 호의 어느 하나에 해당하는 행위의 금지 또는 제한
  2. 목재, 플라스틱 등 가연성이 큰 물건의 제거, 이격, 적재 금지 등
  3. 소방차량의 통행이나 소화 활동에 지장을 줄 수 있는 물건의 이동

③ 제2항 단서에 따라 옮긴 물건 등에 대한 보관기간 및 보관기간 경과 후 처리 등에 필요한 사항은 대통령령으로 정한다.

④ 보일러, 난로, 건조설비, 가스·전기시설, 그 밖에 화재 발생 우려가 있는 대통령령으로 정하는 설비 또는 기구 등의 위치·구조 및 관리와 화재 예방을 위하여 불을 사용할 때 지켜야 하는 사항은 대통령령으로 정한다.

⑤ 화재가 발생하는 경우 불길이 빠르게 번지는 고무류·플라스틱류·석탄 및 목탄 등 대통령령으로 정하는 특수가연물(特殊可燃物)❶의 저장 및 취급 기준은 대통령령으로 정한다.

시행령 제16조(화재의 예방조치 등)
① 법 제17조 제1항 각 호 외의 부분 본문에서 "대통령령으로 정하는 장소"란 다음 각 호의 장소를 말한다.

  1. 제조소등
  2. 고압가스 안전관리법 제3조 제1호에 따른 저장소
  3. 액화석유가스의 안전관리 및 사업법 제2조 제1호에 따른 액화석유가스의 저장소·판매소
  4. 수소경제 육성 및 수소 안전관리에 관한 법률 제2조 제7호에 따른 수소연료공급시설 및 같은 조 제9호에 따른 수소연료사용시설
  5. 총포·도검·화약류 등의 안전관리에 관한 법률 제2조 제3항에 따른 화약류를 저장하는 장소

영철쌤 tip

안전한 장소 옮긴다. → 공고기간(14일) → 공고기간 종료 → 종료 다음날로부터 보관(7일) → 매각 또는 처분 → 관계자 보상요구(협의보상)

📖 용어사전

❶ **특수가연물(特殊可燃物):** 일반가연물에 비해 쉽게 불이 붙고 확산속도가 매우 빠른 가연물이다. 즉, 화재 시 그 확대가 빠른 물품을 말한다.

영철쌤 tip

화재예방강화지구
1. 화기의 취급
2. 소형열기구 날리기
3. 용접·용단 등
4. 화재발생위험 행위(대통령령으로 정하는 장소): 위험물제조소등, 고압가스 저장소, 액화석유가스 저장소·판매소, 수소연료, 화약류

② 법 제17조 제1항 제4호에서 "대통령령으로 정하는 화재 발생 위험이 있는 행위"란 위험물안전관리법 제2조 제1항 제1호에 따른 위험물을 방치하는 행위를 말한다.

제17조(옮긴 물건 등의 보관기간 및 보관기간 경과 후 처리) ① 소방관서장은 법 제17조 제2항 각 호 외의 부분 단서에 따라 옮긴 물건 등(이하 "옮긴물건등"이라 한다)을 보관하는 경우에는 그날부터 14일 동안 해당 소방관서의 인터넷 홈페이지에 그 사실을 공고❶해야 한다.

② 옮긴물건등의 보관기간은 제1항에 따른 공고기간의 종료일 다음 날부터 7일까지로 한다.

③ 소방관서장은 제2항에 따른 보관기간이 종료된 때에는 보관하고 있는 옮긴물건등을 매각❷해야 한다. 다만, 보관하고 있는 옮긴물건등이 부패·파손 또는 이와 유사한 사유로 정해진 용도로 계속 사용할 수 없는 경우에는 폐기할 수 있다.

④ 소방관서장은 보관하던 옮긴물건등을 제3항 본문에 따라 매각한 경우에는 지체 없이 국가재정법에 따라 세입조치를 해야 한다.

⑤ 소방관서장은 제3항에 따라 매각되거나 폐기된 옮긴물건등의 소유자가 보상을 요구하는 경우에는 보상금액에 대하여 소유자와의 협의를 거쳐 이를 보상해야 한다.

⑥ 제5항의 손실보상의 방법 및 절차 등에 관하여는 제14조를 준용한다.

제18조(불을 사용하는 설비의 관리기준 등) ① 법 제17조 제4항에서 "대통령령으로 정하는 설비 또는 기구 등"이란 다음 각 호의 설비 또는 기구를 말한다.

1. 보일러
2. 난로
3. 건조설비
4. 가스·전기시설
5. 불꽃을 사용하는 용접·용단 기구
6. 노(爐)❸·화덕설비❹
7. 음식조리를 위하여 설치하는 설비

② 제1항 각 호에 따른 설비 또는 기구의 위치·구조 및 관리와 화재 예방을 위하여 불을 사용할 때 지켜야 하는 사항은 별표 1과 같다.

③ 제1항 및 제2항에서 규정한 사항 외에 화재 발생 우려가 있는 설비 또는 기구의 종류, 해당 설비 또는 기구의 위치·구조 및 관리와 화재 예방을 위하여 불을 사용할 때 지켜야 하는 사항은 시·도의 조례로 정한다.

별표 1. 보일러 등의 설비 또는 기구 등의 위치·구조 및 관리와 화재예방을 위하여 불을 사용할 때 지켜야 하는 사항

1. 보일러

가. 가연성 벽·바닥 또는 천장과 접촉하는 증기기관 또는 연통의 부분은 규조토 등 난연성 또는 불연성 단열재로 덮어씌워야 한다.

나. 경유·등유 등 액체연료를 사용할 때에는 다음 사항을 지켜야 한다.

1) 연료탱크는 보일러 본체로부터 수평거리 1미터 이상의 간격을 두어 설치할 것
2) 연료탱크에는 화재 등 긴급상황이 발생하는 경우 연료를 차단할 수 있는 개폐밸브를 연료탱크로부터 0.5미터 이내에 설치할 것
3) 연료탱크 또는 보일러 등에 연료를 공급하는 배관에는 여과장치를 설치할 것
4) 사용이 허용된 연료 외의 것을 사용하지 않을 것

영철쌤 tip

물건 등 보관기관·보관기관 경과 후 처리

대상	· 목재, 플라스틱 등 · 소방차량의 통행이나 소화활동 지장
절차	물건 옮김 → 14일 기간 공고(소방관서 인터넷 홈페이지) → 보관기간(공고기간 종료일 다음날부터 7일) → 매각, 폐기

5) 연료탱크가 넘어지지 않도록 받침대를 설치하고, 연료탱크 및 연료탱크 받침대는 건축법 시행령 제2조 제10호에 따른 불연재료(이하 "불연재료"라 한다)로 할 것

다. 기체연료를 사용할 때에는 다음 사항을 지켜야 한다.
1) 보일러를 설치하는 장소에는 환기구를 설치하는 등 가연성 가스가 머무르지 않도록 할 것
2) 연료를 공급하는 배관은 금속관으로 할 것
3) 화재 등 긴급 시 연료를 차단할 수 있는 개폐밸브를 연료용기 등으로부터 0.5미터 이내에 설치할 것
4) 보일러가 설치된 장소에는 가스누설경보기를 설치할 것

라. 화목(火木) 등 고체연료를 사용할 때에는 다음 사항을 지켜야 한다.
1) 고체연료는 보일러 본체와 수평거리 2미터 이상 간격을 두어 보관하거나 불연재료로 된 별도의 구획된 공간에 보관할 것
2) 연통은 천장으로부터 0.6미터 떨어지고, 연통의 배출구는 건물 밖으로 0.6미터 이상 나오도록 설치할 것
3) 연통의 배출구는 보일러 본체보다 2미터 이상 높게 설치할 것
4) 연통이 관통하는 벽면, 지붕 등은 불연재료로 처리할 것
5) 연통재질은 불연재료로 사용하고 연결부에 청소구를 설치할 것

마. 보일러 본체와 벽·천장 사이의 거리는 0.6미터 이상이어야 한다.
바. 보일러를 실내에 설치하는 경우에는 콘크리트바닥 또는 금속 외의 불연재료로 된 바닥 위에 설치해야 한다.

2. 난로
가. 연통은 천장으로부터 0.6미터 이상 떨어지고, 연통의 배출구는 건물 밖으로 0.6미터 이상 나오게 설치해야 한다.
나. 가연성 벽·바닥 또는 천장과 접촉하는 연통의 부분은 규조토 등 난연성 또는 불연성의 단열재로 덮어씌워야 한다.
다. 이동식난로는 다음의 장소에서 사용해서는 안 된다. 다만, 난로가 쓰러지지 않도록 받침대를 두어 고정시키거나 쓰러지는 경우 즉시 소화되고 연료의 누출을 차단할 수 있는 장치가 부착된 경우에는 그렇지 않다.
1) 다중이용업소의 안전관리에 관한 특별법 제2조 제1항 제4호에 따른 다중이용업소
2) 학원의 설립·운영 및 과외교습에 관한 법률 제2조 제1호에 따른 학원

3) 학원의 설립·운영 및 과외교습에 관한 법률 시행령 제2조 제1항 제4호에 따른 독서실

4) 공중위생관리법 제2조 제1항 제2호에 따른 숙박업, 같은 항 제3호에 따른 목욕장업 및 같은 항 제6호에 따른 세탁업의 영업장

5) 의료법 제3조 제2항 제1호에 따른 의원·치과의원·한의원, 같은 항 제2호에 따른 조산원 및 같은 항 제3호에 따른 병원·치과병원·한방병원·요양병원·정신병원·종합병원

6) 식품위생법 시행령 제21조 제8호에 따른 식품접객업의 영업장

7) 영화 및 비디오물의 진흥에 관한 법률 제2조 제10호에 따른 영화상영관

8) 공연법 제2조 제4호에 따른 공연장

9) 박물관 및 미술관 진흥법 제2조 제1호에 따른 박물관 및 같은 조 제2호에 따른 미술관

10) 유통산업발전법 제2조 제7호에 따른 상점가

11) 건축법 제20조에 따른 가설건축물

12) 역·터미널

3. 건조설비

가. 건조설비와 벽·천장 사이의 거리는 0.5미터 이상이어야 한다.

나. 건조물품이 열원과 직접 접촉하지 않도록 해야 한다.

다. 실내에 설치하는 경우에 벽·천장 및 바닥은 불연재료로 해야 한다.

4. 가스·전기시설

가. 가스시설의 경우 고압가스 안전관리법, 도시가스사업법 및 액화석유가스의 안전관리 및 사업법에서 정하는 바에 따른다.

나. 전기시설의 경우 전기사업법 및 전기안전관리법에서 정하는 바에 따른다.

5. 불꽃을 사용하는 용접❶·용단❷ 기구

용접 또는 용단 작업장에서는 다음 각 목의 사항을 지켜야 한다. 다만, 산업안전보건법 제38조의 적용을 받는 사업장에는 적용하지 않는다.

가. 용접 또는 용단 작업장 주변 반경❸ 5미터 이내에 소화기를 갖추어 둘 것

나. 용접 또는 용단 작업장 주변 반경 10미터 이내에는 가연물을 쌓아두거나 놓아두지 말 것. 다만, 가연물의 제거가 곤란하여 방화포 등으로 방호조치를 한 경우는 제외한다.

6. 노·화덕설비

가. 실내에 설치하는 경우에는 흙바닥 또는 금속 외의 불연재료로 된 바닥에 설치해야 한다.

나. 노 또는 화덕을 설치하는 장소의 벽·천장은 불연재료로 된 것이어야 한다.

다. 노 또는 화덕의 주위에는 녹는 물질이 확산되지 않도록 높이 0.1미터 이상의 턱을 설치해야 한다.

라. 시간당 열량이 30만킬로칼로리 이상인 노를 설치하는 경우에는 다음의 사항을 지켜야 한다.

1) 건축법 제2조 제1항 제7호에 따른 주요구조부(이하 "주요구조부"라 한다)는 불연재료 이상으로 할 것

2) 창문과 출입구는 건축법 시행령 제64조에 따른 60분+ 방화문 또는 60분 방화문으로 설치할 것

3) 노 주위에는 1미터 이상 공간을 확보할 것

7. 음식조리를 위하여 설치하는 설비

식품위생법 시행령 제21조 제8호에 따른 식품접객업 중 일반음식점 주방에서 조리를 위하여 불을 사용하는 설비를 설치하는 경우에는 다음 각 목의 사항을 지켜야 한다.

가. 주방설비에 부속된 배출덕트(공기 배출통로)는 0.5밀리미터 이상의 아연도금강판 또는 이와 같거나 그 이상의 내식성 불연재료로 설치할 것

나. 주방시설에는 동물 또는 식물의 기름을 제거할 수 있는 필터 등을 설치할 것

다. 열을 발생하는 조리기구는 반자 또는 선반으로부터 0.6미터 이상 떨어지게 할 것

라. 열을 발생하는 조리기구로부터 0.15미터 이내의 거리에 있는 가연성 주요구조부는 단열성이 있는 불연재료로 덮어 씌울 것

비고

1. "보일러"란 사업장 또는 영업장 등에서 사용하는 것을 말하며, 주택에서 사용하는 가정용 보일러는 제외한다.

2. "건조설비"란 산업용 건조설비를 말하며, 주택에서 사용하는 건조설비는 제외한다.

3. "노·화덕설비"란 제조업·가공업에서 사용되는 것을 말하며, 주택에서 조리용도로 사용되는 화덕은 제외한다.

4. 보일러, 난로, 건조설비, 불꽃을 사용하는 용접·용단기구 및 노·화덕설비가 설치된 장소에는 소화기 1개 이상을 갖추어 두어야 한다.

제19조(화재의 확대가 빠른 특수가연물) ① 법 제17조 제5항에서 "고무류·플라스틱류·석탄 및 목탄 등 대통령령으로 정하는 특수가연물(特殊可燃物)"이란 별표 2에서 정하는 품명별 수량 이상의 가연물을 말한다.

② 법 제17조 제5항에 따른 특수가연물의 저장 및 취급 기준은 별표 3과 같다.

별표 2. 특수가연물

품명	수량
면화류	200킬로그램 이상
나무껍질 및 대팻밥	400킬로그램 이상
넝마 및 종이부스러기	1,000킬로그램 이상
사류(絲類)	1,000킬로그램 이상
볏짚류	1,000킬로그램 이상

가연성 고체류		3,000킬로그램 이상
석탄·목탄류		10,000킬로그램 이상
가연성 액체류		2세제곱미터 이상
목재가공품 및 나무부스러기		10세제곱미터 이상
고무류·플라스틱류	발포시킨 것	20세제곱미터 이상
	그 밖의 것	3,000킬로그램 이상

비고

1. "면화류"란 불연성 또는 난연성이 아닌 면상(綿狀) 또는 팽이모양의 섬유와 마사(麻絲) 원료를 말한다.
2. 넝마 및 종이부스러기는 불연성 또는 난연성이 아닌 것(동물 또는 식물의 기름이 깊이 스며들어 있는 옷감·종이 및 이들의 제품을 포함한다)으로 한정한다.
3. "사류"란 불연성 또는 난연성이 아닌 실(실부스러기와 솜털을 포함한다)과 누에고치를 말한다.
4. "볏짚류"란 마른 볏짚·북데기와 이들의 제품 및 건초를 말한다. 다만, 축산용도로 사용하는 것은 제외한다.
5. "가연성 고체류"란 고체로서 다음 각 목에 해당하는 것을 말한다.
    가. 인화점이 섭씨 40도 이상 100도 미만인 것
    나. 인화점이 섭씨 100도 이상 200도 미만이고, 연소열량이 1그램당 8킬로칼로리 이상인 것
    다. 인화점이 섭씨 200도 이상이고 연소열량이 1그램당 8킬로칼로리 이상인 것으로서 녹는점(융점)이 100도 미만인 것
    라. 1기압과 섭씨 20도 초과 40도 이하에서 액상인 것으로서 인화점이 섭씨 70도 이상 섭씨 200도 미만이거나 나목 또는 다목에 해당하는 것
6. 석탄·목탄류에는 코크스, 석탄가루를 물에 갠 것, 마세크탄(조개탄), 연탄, 석유코크스, 활성탄 및 이와 유사한 것을 포함한다.
7. "가연성 액체류"란 다음 각 목의 것을 말한다.
    가. 1기압과 섭씨 20도 이하에서 액상인 것으로서 가연성 액체량이 40중량퍼센트 이하이면서 인화점이 섭씨 40도 이상 섭씨 70도 미만이고 연소점이 섭씨 60도 이상인 것
    나. 1기압과 섭씨 20도에서 액상인 것으로서 가연성 액체량이 40중량퍼센트 이하이고 인화점이 섭씨 70도 이상 섭씨 250도 미만인 것
    다. 동물의 기름과 살코기 또는 식물의 씨나 과일의 살에서 추출한 것으로서 다음의 어느 하나에 해당하는 것
        1) 1기압과 섭씨 20도에서 액상이고 인화점이 250도 미만인 것으로서 위험물안전관리법 제20조 제1항에 따른 용기기준과 수납·저장기준에 적합하고 용기외부에 물품명·수량 및 "화기엄금" 등의 표시를 한 것
        2) 1기압과 섭씨 20도에서 액상이고 인화점이 섭씨 250도 이상인 것
8. "고무류·플라스틱류"란 불연성 또는 난연성이 아닌 고체의 합성수지제품, 합성수지반제품, 원료합성수지 및 합성수지 부스러기(불연성 또는 난연성이 아닌 고무제품, 고무반제품, 원료고무 및 고무 부스러기를 포함한다)를 말한다. 다만, 합성수지의 섬유·옷감·종이 및 실과 이들의 넝마와 부스러기는 제외한다.

 영철쌤 tip

인화점이 섭씨 40도 미만
제2류 위험물(가연성고체) 중 인화성 고체에 해당된다.

별표 3. 특수가연물의 저장 및 취급 기준

1. 특수가연물의 저장·취급 기준

특수가연물은 다음 각 목의 기준에 따라 쌓아 저장해야 한다. 다만, 석탄·목탄류를 발전용(發電用)으로 저장하는 경우는 제외한다.

가. 품명별로 구분하여 쌓을 것

나. 다음의 기준에 맞게 쌓을 것

구분	살수설비를 설치하거나 방사능력 범위에 해당 특수가연물이 포함되도록 대형수동식소화기를 설치하는 경우	그 밖의 경우
높이	15미터 이하	10미터 이하
쌓는 부분의 바닥면적	200제곱미터(석탄·목탄류의 경우에는 300제곱미터) 이하	50제곱미터(석탄·목탄류의 경우에는 200제곱미터) 이하

다. 실외에 쌓아 저장하는 경우 쌓는 부분이 대지경계선, 도로 및 인접 건축물과 최소 6미터 이상 간격을 둘 것. 다만, 쌓는 높이보다 0.9미터 이상 높은 건축법 시행령 제2조 제7호에 따른 내화구조(이하 "내화구조"라 한다) 벽체를 설치한 경우는 그렇지 않다.

라. 실내에 쌓아 저장하는 경우 주요구조부는 내화구조이면서 불연재료여야 하고, 다른 종류의 특수가연물과 같은 공간에 보관하지 않을 것. 다만, 내화구조의 벽으로 분리하는 경우는 그렇지 않다.

마. 쌓는 부분 바닥면적의 사이는 실내의 경우 1.2미터 또는 쌓는 높이의 1/2 중 큰 값 이상으로 간격을 두어야 하며, 실외의 경우 3미터 또는 쌓는 높이 중 큰 값 이상으로 간격을 둘 것

2. 특수가연물 표지

가. 특수가연물을 저장 또는 취급하는 장소에는 품명, 최대저장수량, 단위부피당 질량 또는 단위체적당 질량, 관리책임자 성명·직책, 연락처 및 화기취급의 금지표시가 포함된 특수가연물 표지를 설치해야 한다.

나. 특수가연물 표지의 규격은 다음과 같다.

특수가연물	
화기엄금	
품명	합성수지류
최대저장수량(배수)	000톤(00배)
단위부피당 질량 (단위체적당 질량)	000kg/m³
관리책임자(직책)	홍길동 팀장
연락처	02-000-0000

1) 특수가연물 표지는 한 변의 길이가 0.3미터 이상, 다른 한 변의 길이가 0.6미터 이상인 직사각형으로 할 것

2) 특수가연물 표지의 바탕은 흰색으로, 문자는 검은색으로 할 것. 다만, "화기엄금" 표시 부분은 제외한다.

3) 특수가연물 표지 중 화기엄금 표시 부분의 바탕은 붉은색으로, 문자는 백색으로 할 것
　다. 특수가연물 표지는 특수가연물을 저장하거나 취급하는 장소 중 보기 쉬운 곳에 설치해야 한다.

시행규칙 제7조(화재예방 안전조치 등) ① 화재예방강화지구 및 영 제16조 제1항 각 호의 장소에서는 다음 각 호의 안전조치를 한 경우에 법 제17조 제1항 각 호의 행위를 할 수 있다.
1. 국민건강증진법 제9조 제4항 각 호 외의 부분 후단에 따라 설치한 흡연실 등 법령에 따라 지정된 장소에서 화기 등을 취급하는 경우
2. 소화기 등 소방시설을 비치 또는 설치한 장소에서 화기 등을 취급하는 경우
3. 산업안전보건기준에 관한 규칙 제241조의2 제1항에 따른 화재감시자 등 안전요원이 배치된 장소에서 화기 등을 취급하는 경우
4. 그 밖에 소방관서장과 사전 협의하여 안전조치를 한 경우
② 제1항 제4호에 따라 소방관서장과 사전 협의하여 안전조치를 하려는 자는 별지 제8호서식의 화재예방 안전조치 협의 신청서를 작성하여 소방관서장에게 제출해야 한다.
③ 소방관서장은 제2항에 따라 협의 신청서를 받은 경우에는 화재예방 안전조치의 적절성을 검토하고 5일 이내에 별지 제9호서식의 화재예방 안전조치 협의 결과 통보서를 협의를 신청한 자에게 통보해야 한다.
④ 소방관서장은 법 제17조 제2항 각 호의 명령을 할 때에는 별지 제10호서식의 화재예방 조치명령서를 해당 관계인에게 발급해야 한다.

🏠 **핵심정리　화재의 예방조치**

1. 누구든지 화재예방강화지구 및 대통령령으로 정하는 장소(가스, 수소,화약류 등)에서 아래 행위를 해서는 아니 된다.

2. **행위의 금지(안전조치 시 제외)**
　① 모닥불, 흡연 등 화기의 취급
　② 풍등 등 소형 열기구 날리기
　③ 용접 용단 등 불꽃 발생시키는 행위
　④ 위험물 방치행위

3. **소방관서장이 관계인에게 명령하는 사항**
　① 위험 행위의 금지 또는 제한(2.에서 말한 행위)
　② 목재, 플라스틱 등 가연성이 큰 물건의 제거, 이격, 적재 금지 등
　③ 소방차량의 통행이나 소화 활동에 지장을 줄 수 있는 물건의 이동
　④ 소방관서장은 물건 소유자가 없을 때 물건을 옮기거나 보관하는 조치를 하게 함
　　· 옮긴 물건을 보관하는 경우에는 그 날부터 14일 동안 소방관서 홈페이지 또는 게시판에 그 사실을 공고
　　· 옮긴 물건 등에 대한 보관기간은 소방관서 홈페이지 또는 게시판에 공고하는 기간의 종료일 다음 날부터 7일 보관
　　· 소방관서장은 보관기간이 종료되는 때에는 보관하고 있는 옮긴 물건을 매각(다만, 보관하고 있는 옮긴 물건이 부패·파손 또는 이와 유사한 사유로 정해진 용도에 계속 사용할 수 없는 경우 보관기간 종료 이전에 매각 또는 폐기)
　　· 소방관서장은 보관하던 옮긴 물건을 매각한 경우 지체 없이 국가재정법에 따라 세입조치
　　· 소방관서장은 매각되거나 폐기된 옮긴 물건의 소유자가 보상을 요구하는 경우에는 보상 금액에 대하여 소유자와 협의를 거쳐 이를 보상

1. 불을사용할 때 지켜야 하는 사항

(1) 보일러
① **가연성 벽 바닥 또는 천장과 접촉하는 증기기관 또는 연통**: 규조토 등 난연성 단열재로 덮어씌움

② **액체연료(경유·등유 등) 사용시**

* 증기기관, 연통: 난연성 단열재

③ **기체연료 사용**: 환기구, 연료공급배관 금속관 설치, 연료 차단 밸브 탱크에서 0.5미터 이내 설치, 가스누설경보기

④ **화목 등 고체연료 사용**
　ⓐ 고체연료는 보일러 본체와 2미터 이상 간격 또는 불연재료로 된 별도 구획공간에 보관
　ⓑ 연통은 천장으로부터 0.6m 이격 및 배출구는 건물 밖으로 0.6m 이상 나오게 설치
　ⓒ 연통 배출구 보일러 본체보다보다 2미터 이상 높게 설치, 연통 관통 벽면 지붕 등은 불연재료
　ⓓ 연통재질 불연재료 사용, 연결부 청소구 설치

⑤ 보일러와 벽·천장 사이의 거리 0.6미터 이상

⑥ 보일러를 실내에 설치 시 콘크리트바닥 또는 금속 외의 불연재료로 된 바닥 위에 설치

(2) 난로
① **연통**: 천장 0.6미터 이상, 건물 밖 0.6미터 이상

② **가연성 벽 바닥 또는 천장과 접촉하는 증기기관 또는 연통**: 규조토 등 난연성 단열재로 덮어씌움

(3) 건조설비

* 실내 설치 시: 벽, 천장, 바닥은 불연

(천장)

0.5m 이상

(벽)

건조
설비

(4) 불꽃을 사용하는 용접·용단기구

(5) 노·화덕 설비(제조업, 가공업)
   ① **바닥**: 실내에 설치하는 경우 흙바닥 또는 금속 외의 불연재료로 된 바닥에 설치
   ② **벽 및 천장**: 불연재료 설치
   ③ **턱**: 노 또는 화덕의 주위에는 녹는 물질이 확산되지 아니하도록 높이 0.1미터 이상 턱 설치
   ④ **시간당 열량이 30만킬로칼로리 이상인 노를 설치하는 경우**
      ㉠ 주요구조부: 불연재료
      ㉡ 창문과 출입구: 60+ 방화문 또는 60분 방화문
      ㉢ 노 주위: 1미터 이상 공간 확보
(6) 음식조리를 위하여 설치하는 설비

• 두께 0.5mm 이상 아연도금강판
• 내식성 불연재료
• 필터 설치

• 반자 선반으로부터 0.6m 이상
• 0.15m 이내
  가연성 주요 구조부 불연재료

2. 특수가연물
(1) 종류

품명		수량
면화류		200킬로그램 이상
나무껍질 및 대팻밥		400킬로그램 이상
넝마 및 종이부스러기		1,000킬로그램 이상
사류(絲類)		1,000킬로그램 이상
볏짚류		1,000킬로그램 이상
가연성고체류		3,000킬로그램 이상
석탄·목탄류		10,000킬로그램 이상
가연성액체류		2세제곱미터 이상
목재가공품 및 나무부스러기		10세제곱미터 이상
고무류 플라스틱류	발포시킨 것	20세제곱미터 이상
	그 밖의 것	3,000킬로그램 이상

(2) 특수가연물의 저장 및 취급 기준
  ① 품명·최대수량·단위체적당 질량·관리책임자 성명·직책, 화기취급의 금지표시: 표지 설치
  ② 설치기준(석탄·목탄류 발전용으로 저장하는 경우 제외)
    ㉠ 품명별로 구분하여 쌓을 것
    ㉡ 일반적인 경우
      ⓐ 쌓는 높이: 10m 이하
      ⓑ 쌓는 부분 바닥면적: 50m² 이하(석탄·목탄 200m² 이하)
    ㉢ 살수설비나 대형소화기 설치 시
      ⓐ 쌓는 높이: 15m 이하
      ⓑ 쌓는 부분 바닥면적 200m² 이하(석탄·목탄 300m² 이하)
    ㉣ 실외에 쌓아 저장하는 경우: 쌓는부분과 대지경계선 또는 도로, 인접건축물: 6m 이상 이격(다만, 쌓는 높이보다 0.9m 이상 높은 내화구조 벽체 설치 시 제외)
    ㉤ 실내에 쌓아 저장하는 경우: 주요구조부는 내화구조 건축물이면서 불연재료, 다른 종류의 특수가연물 동일공간 보관 불가(다만, 내화구조 벽 분리하는 경우 제외)
    ㉥ 쌓는 부분 바닥면적 사이
      ⓐ 실내: 1.2m 또는 쌓는 높이 1/2 중 큰 값 이상으로 이격
      ⓑ 실외: 3m 또는 쌓는 높이 중 큰 값 이상으로 이격
(3) 특수가연물 표지
  ① 한변의 길이가 0.3미터 이상, 다른 한변의 길이가 0.6미터 이상인 직사각형
  ② 표지에는 "화기엄금", 저장 또는 취급하는 특수가연물의 품명, 최대수량(배수), 단위체적당 질량, 관리책임자 성명 및 직책, 관리책임자의 연락처를 기재할 것
  ③ 표지의 바탕은 백색으로, 문자는 흑색으로 할 것(단, "화기엄금" 표시부분은 제외)
  ④ 화기엄금 표시부분의 바탕은 붉은색으로, 문자는 백색으로 할 것

제18조(화재예방강화지구의 지정 등)

① 시·도지사는 다음 각 호의 어느 하나에 해당하는 지역을 화재예방강화지구로 지정하여 관리할 수 있다.

1. 시장지역
2. 공장·창고가 밀집한 지역
3. 목조건물이 밀집한 지역
4. 노후·불량건축물이 밀집한 지역
5. 위험물의 저장 및 처리 시설이 밀집한 지역
6. 석유화학제품을 생산하는 공장이 있는 지역
7. 산업입지 및 개발에 관한 법률 제2조 제8호에 따른 산업단지
8. 소방시설·소방용수시설 또는 소방출동로가 없는 지역
9. 물류시설의 개발 및 운영에 관한 법률 제2조 제6호에 따른 물류단지
10. 그 밖에 제1호부터 제9호까지에 준하는 지역으로서 소방관서장이 화재예방강화지구로 지정할 필요가 있다고 인정하는 지역

② 제1항에도 불구하고 시·도지사가 화재예방강화지구로 지정할 필요가 있는 지역을 화재예방강화지구로 지정하지 아니하는 경우 소방청장은 해당 시·도지사에게 해당 지역의 화재예방강화지구 지정을 요청할 수 있다.

③ 소방관서장은 대통령령으로 정하는 바에 따라 제1항에 따른 화재예방강화지구 안의 소방대상물의 위치·구조 및 설비 등에 대하여 화재안전조사를 하여야 한다.

④ 소방관서장은 제3항에 따른 화재안전조사를 한 결과 화재의 예방강화를 위하여 필요하다고 인정할 때에는 관계인에게 소화기구, 소방용수시설 또는 그 밖에 소방에 필요한 설비(이하 "소방설비등"이라 한다)의 설치(보수, 보강을 포함한다. 이하 같다)를 명할 수 있다.

⑤ 소방관서장은 화재예방강화지구 안의 관계인에 대하여 대통령령으로 정하는 바에 따라 소방에 필요한 훈련 및 교육을 실시할 수 있다.

⑥ 시·도지사는 대통령령으로 정하는 바에 따라 제1항에 따른 화재예방강화지구의 지정 현황, 제3항에 따른 화재안전조사의 결과, 제4항에 따른 소방설비등의 설치 명령 현황, 제5항에 따른 소방훈련 및 교육 현황 등이 포함된 화재예방강화지구에서의 화재예방에 필요한 자료를 매년 작성·관리하여야 한다.

시행령 제20조(화재예방강화지구의 관리) ① 소방관서장은 법 제18조 제3항에 따라 화재예방강화지구 안의 소방대상물의 위치·구조 및 설비 등에 대한 화재안전조사를 연 1회 이상 실시해야 한다.

② 소방관서장은 법 제18조 제5항에 따라 화재예방강화지구 안의 관계인에 대하여 소방에 필요한 훈련 및 교육을 연 1회 이상 실시할 수 있다.

③ 소방관서장은 제2항에 따라 훈련 및 교육을 실시하려는 경우에는 화재예방강화지구 안의 관계인에게 훈련 또는 교육 10일 전까지 그 사실을 통보해야 한다.

④ 시·도지사는 법 제18조 제6항에 따라 다음 각 호의 사항을 행정안전부령으로 정하는 화재예방강화지구 관리대장에 작성하고 관리해야 한다.

1. 화재예방강화지구의 지정 현황
2. 화재안전조사의 결과
3. 법 제18조 제4항에 따른 소화기구, 소방용수시설 또는 그 밖에 소방에 필요한 설비(이하 "소방설비등"이라 한다)의 설치(보수, 보강을 포함한다) 명령 현황
4. 법 제18조 제5항에 따른 소방훈련 및 교육의 실시 현황
5. 그 밖에 화재예방 강화를 위하여 필요한 사항

시행규칙 제8조(화재예방강화지구 관리대장) 영 제20조 제4항 각 호 외의 부분에 따른 화재예방강화지구 관리대장은 별지 제11호서식에 따른다.

영철쌤 tip

손실보상은 없으나 지원은 해준다.

영철쌤 tip

화재예방강화지구
화재발생 우려가 높거나 화재가 발생하는 경우 그 피해가 클 것으로 우려되는 지역에 화재를 미연에 방지하기 위하여 특별히 관리하는 지역을 말한다.
1. 화재예방강화지구 지정자: 시·도지사
2. 화재예방강화지구 관리대장 작성·관리자: 시·도지사
3. 화재예방강화지구 요청자: 소방청장
4. 화재예방강화지구 지정대상
  · 시장
  · 공장·창고
  · 목조건물
  · 노후·불량건축물
  · 위험물의 저장 및 처리 시설
  · 석유화학제품을 생산하는 공장
  · 산업단지
  · 없는 지역(소방시설·소방용수시설, 소방출동로)
  · 물류단지
  · 소방관서장이 지정 필요 인정지역

화재예방강화지구의 관리
1. 화재안전조사: 소방관서장(청장, 본부장, 서장), 연 1회 이상
2. 소방훈련 및 교육: 소방관서장(청장, 본부장, 서장), 연 1회 이상
3. 소방훈련 및 교육 통보: 소방관서장(청장, 본부장, 서장), 10일 전까지

영철쌤 tip

일반적인 훈련, 교육은 10일 전까지 통보한다.

1. **지정권자**: 시·도지사

2. **화재예방강화지구 종류**
   ① 시장지역, 석유화학제품 생산공장, 산업단지, 물류단지, 소방시설·소방용수시설 또는 소방출동로가 없는 지역
   ② 공장·창고, 목조건물, 위험물 저장 처리 시설, 노후·불량건축물: 밀집 지역
   ③ 소방관서장이 지정 필요 있다고 인정하는 지역

3. **시·도지사에게 해당 지역의 화재예방강화지구 지정을 요청 가능한 자**: 소방청장

4. **화재예방강화지구 화재안전조사(연 1회 이상)**: 소방관서장

5. **화재예방강화지구 안의 관계인에 대하여 소방 훈련 및 교육을 실시**: 소방관서장
   ① 훈련 및 교육을 연 1회 이상 실시
   ② 훈련 또는 교육 10일 전까지 그 사실을 통보

6. **화재예방강화지구 관리대장 작성 및 관리**: 시·도지사
   ① 지정현황
   ② 화재안전조사 결과
   ③ 소방설비등 설치 명령 현황
   ④ 소방훈련 및 교육 실시 현황

제19조(화재의 예방 등에 대한 지원)

① 소방청장은 제18조 제4항에 따라 소방설비등의 설치를 명하는 경우 해당 관계인에게 소방설비등의 설치에 필요한 지원을 할 수 있다.

② 소방청장은 관계 중앙행정기관의 장 및 시·도지사에게 제1항에 따른 지원에 필요한 협조를 요청할 수 있다.

③ 시·도지사는 제2항에 따라 소방청장의 요청이 있거나 화재예방강화지구 안의 소방대상물의 화재안전성능 향상을 위하여 필요한 경우 특별시·광역시·특별자치시·도 또는 특별자치도(이하 "시·도"라 한다)의 조례❶로 정하는 바에 따라 소방설비등의 설치에 필요한 비용을 지원할 수 있다.

제20조(화재 위험경보)

소방관서장은 기상법 제13조, 제13조의2 및 제13조의4에 따른 기상현상 및 기상영향에 대한 예보❷·특보❸·태풍예보에 따라 화재의 발생 위험이 높다고 분석·판단되는 경우에는 행정안전부령으로 정하는 바에 따라 화재에 관한 위험경보를 발령하고 그에 따른 필요한 조치를 할 수 있다.

> **시행규칙 제9조(화재 위험경보)** ① 소방관서장은 기상법 제13조에 따른 기상현상 및 기상영향에 대한 예보·특보에 따라 화재의 발생 위험이 높다고 분석·판단되는 경우에는 법 제20조에 따라 화재 위험경보를 발령하고, 보도기관을 이용하거나 정보통신망에 게재하는 등 적절한 방법을 통하여 이를 일반인에게 알려야 한다.
> ② 제1항에 따른 화재 위험경보 발령 절차 및 조치사항에 관하여 필요한 사항은 소방청장이 정한다.

제21조(화재안전영향평가)

① 소방청장은 화재발생 원인 및 연소과정을 조사·분석하는 등의 과정에서 법령이나 정책의 개선이 필요하다고 인정되는 경우 그 법령이나 정책에 대한 화재 위험성의 유발요인 및 완화 방안에 대한 평가(이하 "화재안전영향평가"라 한다)를 실시할 수 있다.

② 소방청장은 제1항에 따라 화재안전영향평가를 실시한 경우 그 결과를 해당 법령이나 정책의 소관 기관의 장에게 통보하여야 한다.

③ 제2항에 따라 결과를 통보받은 소관 기관의 장은 특별한 사정이 없는 한 이를 해당 법령이나 정책에 반영하도록 노력하여야 한다.

④ 화재안전영향평가의 방법·절차·기준 등에 필요한 사항은 대통령령으로 정한다.

> 시행령 제21조(화재안전영향평가의 방법·절차·기준 등) ① 소방청장은 법 제21조 제1항에 따른 화재안전영향평가(이하 "화재안전영향평가"라 한다)를 하는 경우 화재현장 및 자료 조사 등을 기초로 화재·피난 모의실험 등 과학적인 예측·분석 방법으로 실시할 수 있다.
> ② 소방청장은 화재안전영향평가를 위하여 필요한 경우 해당 법령이나 정책의 소관 기관의 장에게 관련 자료의 제출을 요청할 수 있다. 이 경우 자료 제출을 요청받은 소관 기관의 장은 특별한 사유가 없으면 이에 따라야 한다.
> ③ 소방청장은 다음 각 호의 사항이 포함된 화재안전영향평가의 기준을 법 제22조에 따른 화재안전영향평가심의회(이하 "심의회"라 한다)의 심의를 거쳐 정한다.
> 1. 법령이나 정책의 화재위험 유발요인❶
> 2. 법령이나 정책이 소방대상물의 재료, 공간, 이용자 특성 및 화재 확산 경로에 미치는 영향
> 3. 법령이나 정책이 화재피해에 미치는 영향 등 사회경제적 파급 효과
> 4. 화재위험 유발요인을 제어 또는 관리할 수 있는 법령이나 정책의 개선 방안
> ④ 제1항부터 제3항까지에서 규정한 사항 외에 화재안전영향평가의 방법·절차·기준 등에 관하여 필요한 사항은 소방청장이 정한다.

제22조(화재안전영향평가심의회)

① 소방청장은 화재안전영향평가에 관한 업무를 수행하기 위하여 화재안전영향평가심의회(이하 "심의회"라 한다)를 구성·운영할 수 있다.

② 심의회는 위원장 1명을 포함한 12명 이내의 위원으로 구성한다.

③ 위원장은 위원 중에서 호선하고, 위원은 다음 각 호의 사람으로 한다.
   1. 화재안전과 관련되는 법령이나 정책을 담당하는 관계 기관의 소속 직원으로서 대통령령으로 정하는 사람
   2. 소방기술사 등 대통령령으로 정하는 화재안전과 관련된 분야의 학식과 경험이 풍부한 전문가로서 소방청장이 위촉한 사람

④ 제2항 및 제3항에서 규정한 사항 외에 심의회의 구성·운영 등에 필요한 사항은 대통령령으로 정한다.

시행령 제22조(심의회의 구성) ① 법 제22조 제3항 제1호에서 "대통령령으로 정하는 사람"
이란 다음 각 호의 사람을 말한다.

1. 다음 각 목의 중앙행정기관에서 화재안전 관련 법령이나 정책을 담당하는 고위공
   무원단에 속하는 일반직공무원(이에 상당하는 특정직공무원 및 별정직공무원을 포함
   한다) 중에서 해당 중앙행정기관의 장이 지명하는 사람 각 1명
   가. 행정안전부 · 산업통상자원부 · 보건복지부 · 고용노동부 · 국토교통부
   나. 그 밖에 심의회의 심의에 부치는 안건과 관련된 중앙행정기관
2. 소방청에서 화재안전 관련 업무를 수행하는 소방준감 이상의 소방공무원 중에서
   소방청장이 지명하는 사람

② 법 제22조 제3항 제2호에서 "소방기술사 등 대통령령으로 정하는 화재안전과 관
련된 분야의 학식과 경험이 풍부한 전문가"란 다음 각 호의 어느 하나에 해당하는
사람을 말한다.

1. 소방기술사
2. 다음 각 목의 기관이나 법인 또는 단체에서 화재안전 관련 업무를 수행하는 사람
   으로서 해당 기관이나 법인 또는 단체의 장이 추천하는 사람
   가. 안전원
   나. 기술원
   다. 화재보험협회
   라. 가스안전공사
   마. 전기안전공사
3. 고등교육법 제2조에 따른 학교 또는 이에 준하는 학교나 공인된 연구기관에서 부교
   수 이상의 직(職) 또는 이에 상당하는 직에 있거나 있었던 사람으로서 화재안전
   또는 관련 법령이나 정책에 전문성이 있는 사람

③ 법 제22조 제3항 제2호에 따른 위촉위원의 임기는 2년으로 하며 한 차례만 연임할
수 있다.
④ 심의회의 위원장은 심의회를 대표하고 심의회 업무를 총괄한다.
⑤ 위원장이 부득이한 사유로 직무를 수행할 수 없을 때에는 위원장이 지명한 위원
이 그 직무를 대행한다.
⑥ 소방청장은 심의회의 위원이 다음 각 호의 어느 하나에 해당하는 경우에는 해당
위원을 해촉할 수 있다.

1. 심신장애로 직무를 수행할 수 없게 된 경우
2. 직무와 관련된 비위사실이 있는 경우
3. 직무태만, 품위손상이나 그 밖의 사유로 위원으로 적합하지 않다고 인정되는 경우
4. 위원 스스로 직무를 수행하기 어렵다는 의사를 밝히는 경우

제23조(심의회의 운영) ① 심의회의 업무를 효율적으로 수행하기 위하여 심의회에
분야별로 전문위원회를 둘 수 있다.
② 심의회 및 전문위원회에 출석한 위원 및 전문위원회의 위원에게는 예산의 범위에
서 수당, 여비, 그 밖에 필요한 경비를 지급할 수 있다. 다만, 공무원인 위원 또는 전문
위원회의 위원이 소관 업무와 직접 관련하여 심의회에 출석하는 경우는 그렇지 않다.
③ 제1항 및 제2항에서 규정한 사항 외에 심의회의 운영 등에 필요한 사항은 소방청장
이 정한다.

제23조(화재안전취약자에 대한 지원)

① 소방관서장은 어린이, 노인, 장애인 등 화재의 예방 및 안전관리에 취약한 자(이하 "화재안전취약자"라 한다)의 안전한 생활환경을 조성하기 위하여 소방용품의 제공 및 소방시설의 개선 등 필요한 사항을 지원하기 위하여 노력하여야 한다.

② 제1항에 따른 화재안전취약자에 대한 지원의 대상·범위·방법 및 절차 등에 필요한 사항은 대통령령으로 정한다.

③ 소방관서장은 관계 행정기관의 장에게 제1항에 따른 지원이 원활히 수행되는 데 필요한 협력을 요청할 수 있다. 이 경우 요청받은 관계 행정기관의 장은 특별한 사정이 없으면 요청에 따라야 한다.

> **시행령 제24조(화재안전취약자 지원 대상 및 방법 등)** ① 법 제23조 제1항에 따른 어린이, 노인, 장애인 등 화재의 예방 및 안전관리에 취약한 자(이하 "화재안전취약자"라 한다)에 대한 지원의 대상은 다음 각 호와 같다.
> 1. 국민기초생활 보장법 제2조 제2호에 따른 수급자
> 2. 장애인복지법 제6조에 따른 중증장애인
> 3. 한부모가족지원법 제5조에 따른 지원대상자
> 4. 노인복지법 제27조의2에 따른 홀로 사는 노인
> 5. 다문화가족지원법 제2조 제1호에 따른 다문화가족의 구성원
> 6. 그 밖에 화재안전에 취약하다고 소방관서장이 인정하는 사람
>
> ② 소방관서장은 법 제23조 제1항에 따라 제1항 각 호의 사람에게 다음 각 호의 사항을 지원할 수 있다.
> 1. 소방시설등의 설치 및 개선
> 2. 소방시설등의 안전점검
> 3. 소방용품의 제공
> 4. 전기·가스 등 화재위험 설비의 점검 및 개선
> 5. 그 밖에 화재안전을 위하여 필요하다고 인정되는 사항
>
> ③ 제1항 및 제2항에서 규정한 사항 외에 지원의 방법 및 절차 등에 관하여 필요한 사항은 소방청장이 정한다.

영철쌤 tip

화재안전취약자
1. 대상: 어린이, 노인, 장애인 등
2. 지원: 소방용품 제공, 소방시설 개선

01 화재의 예방조치 등으로 옳지 않은 것은?

① 소방관서장은 보관기간이 종료되는 때에는 보관하고 있는 물건을 매각해야 한다.

② 옮긴 물건 등에 대한 보관기간은 소방관서 홈페이지 또는 게시판에 공고하는 기간의 종료일 다음 날부터 7일로 한다.

③ 소방관서장은 옮긴 물건을 보관하는 경우에는 그날부터 14일동안 소방청, 소방본부 또는 소방서(이하"소방관서"라 한다)의 인터넷 홈페이지 또는 게시판에 그 사실을 공고하여야 한다.

④ 시·도지사는 매각되거나 폐기된 옮긴 물건의 소유자가 보상을 요구하는 경우에는 보상금액에 대하여 소유자와 협의를 거쳐 이를 보상하여야 한다.

02 화재의 예방조치 등에 대한 설명이다. (   ) 안의 내용으로 옳은 것은?

> 소방관서장은 옮긴 물건을 보관하는 경우에는 그날부터 (   )일 동안 소방청, 소방본부 또는 소방서(이하 "소방관서"라 한다)의 인터넷 홈페이지에 그 사실을 공고하여야 한다.

① 7　　　　　　　　　　　　　　　② 10

③ 12　　　　　　　　　　　　　　④ 14

03 보일러 등의 위치·구조 및 관리와 화재예방을 위하여 불의 사용에 있어서 지켜야 하는 사항 중 '난로'에 대한 설명이다. (   ) 안의 내용으로 옳게 연결된 것은?

> 연통은 천장으로부터 (㉠)m 이상 떨어지고, 연통의 배출구는 건물 밖으로 (㉡)m 이상 나오게 설치하여야 한다.

	㉠	㉡
①	0.5	0.6
②	0.6	0.6
③	0.5	0.5
④	0.6	0.5

04 보일러 등의 위치·구조 및 관리와 화재예방을 위하여 불의 사용에 있어서 지켜야 하는 사항으로, 용접 또는 용단 작업장에서 지켜야 할 사항이다. (　　) 안에 들어갈 내용으로 옳은 것은? (단, 산업안전보건법 제38조의 적용을 받는 사업장의 경우에는 적용하지 아니한다)

- 용접 또는 용단 작업자로부터 (가) 이내에 소화기를 갖추어 둘 것
- 용접 또는 용단 작업장 주변 (나) 이내에는 가연물을 쌓아두거나 놓아두지 말 것. 다만, 가연물의 제거가 곤란하여 방지포 등으로 방호조치를 한 경우는 제외한다.

	(가)	(나)
①	반경 5m	반경 10m
②	반경 6m	반경 12m
③	직경 5m	직경 10m
④	직경 6m	직경 12m

05 불의 사용에 지켜야 할 사항에서 노·화덕설비의 기준으로 옳지 않은 것은?

① 실내에 설치 시 흙바닥, 금속 외의 불연재료로 된 바닥에 설치한다.

② 노 또는 화덕을 설치하는 장소의 벽·천장은 난연재료로 된 것이어야 한다.

③ 노·화덕의 주위는 녹는 물질이 확산되지 않도록 0.1m 이상의 턱을 설치하여야 한다.

④ 시간당 열량이 30만 킬로칼로리 이상인 노를 설치하는 경우 노 주위에는 1m 이상 공간을 확보하여야 한다.

06 일반음식점에서 조리를 위하여 불을 사용하는 설비를 설치할 때 지켜야 할 사항으로 옳지 않은 것은?

① 주방시설에는 동물 또는 식물의 기름을 제거할 수 있는 필터 등을 설치할 것

② 열을 발생하는 조리기구는 반자 또는 선반으로부터 0.5미터 이상 떨어지게 할 것

③ 주방설비에 부속된 배출덕트는 0.5밀리미터 이상의 아연도금강판 또는 이와 같거나 그 이상의 내식성 불연재료로 설치할 것

④ 열을 발생하는 조리기구로부터 0.15미터 이내의 거리에 있는 가연성 주요구조부는 단열성이 있는 불연재료로 덮어 씌울 것

07 불을 사용하는 설비의 관리기준 등에 대한 설명이다. ( ) 안에 들어갈 숫자로 옳은 것은?

- 보일러: 보일러와 벽·천장 사이의 거리는 (가)미터 이상 되도록 하여야 한다.
- 난로: 연통은 천장으로부터 (나)미터 이상 떨어지고, 연통의 배출구는 건물 밖으로 0.6미터 이상 나오게 설치하여야 한다.
- 건조설비: 건조설비와 벽·천장 사이의 거리는 (다)미터 이상 되도록 하여야 한다.
- 음식조리를 위하여 설치하는 설비: 열을 발생하는 조리기구는 반자 또는 선반으로부터 (라)미터 이상 떨어지게 해야 한다.

	가	나	다	라
①	0.5	0.6	0.6	0.6
②	0.6	0.6	0.5	0.6
③	0.6	0.5	0.6	0.6
④	0.6	0.6	0.5	0.5

08 화재의 예방 및 안전관리에 관한 법률 시행령상 불을 사용하는 설비의 관리기준에 관한 내용으로 옳은 것은?

24. 공채·경채

① 경유·등유 등 액체 연료탱크는 보일러 본체로부터 수평거리 0.5미터 이상의 간격을 두어 설치한다.

② 화목(火木) 등 고체연료를 사용하는 연통의 배출구는 보일러 본체보다 1미터 이상 높게 설치한다.

③ 음식조리를 위하여 설치하는 설비의 경우, 열을 발생하는 조리기구로부터 0.15미터 이내의 거리에 있는 가연성 주요구조부는 단열성이 있는 불연재료로 덮어 씌운다.

④ 대통령령에서 규정한 사항 외에 화재 발생 우려가 있는 설비 또는 기구의 종류, 해당 설비 또는 기구의 위치·구조 및 관리와 화재 예방을 위하여 불을 사용할 때 지켜야 하는 사항은 행정안전부령으로 정한다.

09 특수가연물의 품명과 수량으로 옳지 않은 것은?

① 넝마 및 종이부스러기: 400킬로그램 이상

② 가연성고체류: 3,000킬로그램 이상

③ 석탄·목탄류: 10,000킬로그램 이상

④ 가연성 액체류: 2세제곱미터 이상

10 다음 중 특수가연물에 해당하는 것으로 옳지 않은 것은?

① 면화류: 200kg 이상

② 나무껍질: 350kg 이상

③ 가연성 액체류: 2m³ 이상

④ 넝마, 사류: 1,000kg 이상

정답 및 해설

06 불을 사용하는 설비
열을 발생하는 조리기구는 반자 또는 선반으로부터 0.5미터 이상 떨어지게 할 것 → 0.6미터 이상 떨어지게 한다.

07 불을 사용하는 설비의 관리기준
가: 0.6, 나: 0.6, 다: 0.5, 라: 0.6
· 보일러: 보일러와 벽·천장 사이의 거리는 (0.6)미터 이상 되도록 하여야 한다.
· 난로: 연통는 천장으로부터 (0.6)미터 이상 떨어지고, 연통의 배출구는 건물 밖으로 0.6미터 이상 나오게 설치하여야 한다.
· 건조설비: 건조설비와 벽·천장 사이의 거리는 (0.5)미터 이상 되도록 하여야 한다.
· 음식조리를 위하여 설치하는 설비: 열을 발생하는 조리기구는 반자 또는 선반으로부터 (0.6)미터 이상 떨어지게 해야 한다.

08 불을 사용하는 설비의 관리기준
① 경유·등유 등 액체 연료탱크는 보일러 본체로부터 수평거리 1미터 이상의 간격을 두어 설치한다.
② 화목(火木) 등 고체연료를 사용하는 연통의 배출구는 보일러 본체보다 2미터 이상 높게 설치한다.
④ 대통령령에서 규정한 사항 외에 화재 발생 우려가 있는 설비 또는 기구의 종류, 해당 설비 또는 기구의 위치·구조 및 관리와 화재 예방을 위하여 불을 사용할 때 지켜야 하는 사항은 시·도의 조례로 정한다.

09 특수가연물
넝마 및 종이부스러기는 1,000킬로그램 이상으로 한다.

10 특수가연물
나무껍질은 400kg 이상으로 한다.

정답 06 ② **07** ② **08** ③ **09** ① **10** ②

11 특수가연물에서 "가연물 고체류"에 대하여 옳지 않은 것은?

① 인화점이 섭씨 40도 이상 100도 미만인 것

② 인화점이 섭씨 100도 이상 200도 미만이고, 연소열량이 1그램당 8킬로칼로리 이상인 것

③ 인화점이 섭씨 200도 이상이고 연소열량이 1그램당 8킬로칼로리 이상인 것으로서 융점이 200도 미만인 것

④ 1기압과 섭씨 20도 초과 40도 이하에서 액상인 것으로서 인화점이 섭씨 70도 이상 섭씨 200도 미만인 것

12 화재가 발생하는 경우 불길이 빠르게 번지는 고무류·면화류 등 대통령령으로 정하는 특수가연물의 저장 및 취급기준 중 다음 (　) 안에 들어갈 숫자로 옳은 것은? (단, 석탄·목탄류의 경우는 제외한다)

> 살수설비를 설치하거나, 방사능력 범위에 해당 특수가연물이 포함되도록 대형수동식소화기를 설치하는 경우에는 쌓는 높이를 (가)미터 이하, 쌓는 부분의 바닥면적을 (나)제곱미터 이하로 할 수 있다.

	(가)	(나)
①	10	200
②	10	300
③	15	200
④	15	300

13 화재의 예방 및 안전관리에 관한 법률 시행령상 화재의 확대가 빠른 특수가연물의 저장 및 취급 기준으로 옳은 것은? [단, 석탄·목탄류를 발전용(發電用)으로 저장하는 경우는 제외한다]
                                                                                                24. 경채

① 실외에 쌓아 저장하는 경우 쌓는 부분이 대지경계선, 도로 및 인접 건축물과 최소 6미터 이상 간격을 둘 것. 다만, 쌓는 높이보다 0.9미터 이상 높은 내화구조 벽체를 설치한 경우는 그렇지 않다.

② 실내에 쌓아 저장하는 경우 주요구조부는 불연재료 또는 준불연재료여야 하고, 다른 종류의 특수가연물과 같은 공간에 보관하지 않을 것. 다만, 방화구조의 벽으로 분리하는 경우는 그렇지 않다.

③ 쌓는 부분 바닥면적의 사이는 실내의 경우 1미터 또는 쌓는 높이의 1/2 중 큰 값 이상으로 간격을 둘 것

④ 쌓는 부분 바닥면적의 사이는 실외의 경우 3미터 또는 쌓는 높이의 1/2 중 큰 값 이상으로 간격을 둘 것

14 화재예방강화지구로 지정할 수 있는 대상을 모두 고른 것은?

> ㄱ. 시장지역
> ㄴ. 목조건물이 밀집한 지역
> ㄷ. 위험물의 저장 및 처리 시설이 밀집한 지역
> ㄹ. 석유화학제품을 생산하는 공장이 있는 지역

① ㄱ, ㄴ   ② ㄷ, ㄹ

③ ㄱ, ㄷ, ㄹ   ④ ㄱ, ㄴ, ㄷ, ㄹ

정답 및 해설

11 가연물 고체류
인화점이 섭씨 200도 이상이고 연소열량이 1그램당 8킬로칼로리 이상인 것으로서 융점이 200도 미만인 것 → 융점이 100도 미만인 것을 말한다.

> ■ **가연성 고체류**
> "가연성 고체류"란 고체로서 다음에 해당하는 것을 말한다.
> 1. 인화점이 섭씨 40도 이상 100도 미만인 것
> 2. 인화점이 섭씨 100도 이상 200도 미만이고, 연소열량이 1그램당 8킬로칼로리 이상인 것
> 3. 인화점이 섭씨 200도 이상이고 연소열량이 1그램당 8킬로칼로리 이상인 것으로서 녹는점(융점)이 100도 미만인 것
> 4. 1기압과 섭씨 20도 초과 40도 이하에서 액상인 것으로서 인화점이 섭씨 70도 이상 섭씨 200도 미만이거나 2. 또는 3.에 해당하는 것

12 특수가연물
살수설비를 설치하거나, 방사능력 범위에 해당 특수가연물이 포함되도록 대형수동식소화기를 설치하는 경우에는 쌓는 높이를 (15)미터 이하, 쌓는 부분의 바닥면적을 (200)제곱미터 이하로 할 수 있다.

13 특수가연물의 저장 및 취급기준
② 실내에 쌓아 저장하는 경우 주요구조부는 내화구조이면서 불연재료여야 하고, 다른 종류의 특수가연물과 같은 공간에 보관하지 않을 것. 다만, 내화구조의 벽으로 분리하는 경우는 그렇지 않다.

③, ④ 쌓는 부분 바닥면적의 사이는 실내의 경우 1.2미터 또는 쌓는 높이의 1/2 중 큰 값 이상으로 간격을 두어야 하며, 실외의 경우 3미터 또는 쌓는 높이 중 큰 값 이상으로 간격을 둘 것

14 화재예방강화지구
모두 옳은 대상이다.

정답 11 ③ **12** ③ **13** ① **14** ④

15 화재예방강화지구의 지정에 대한 내용으로 옳지 않은 것은?

① 소방본부장 또는 소방서장은 화재가 발생하는 경우 그로 인하여 피해가 클 것으로 예상되는 지역을 화재예방강화지구로 지정할 수 있다.

② 석유화학제품을 생산하는 공장이 있는 지역을 화재예방강화지구로 지정할 수 있다.

③ 위험물의 저장 및 처리시설이 밀집한 지역을 화재예방강화지구로 지정할 수 있다.

④ 공장 · 창고가 밀집한 지역을 화재예방강화지구로 지정할 수 있다.

16 다음 중 시 · 도지사가 화재예방강화지구로 지정할 필요가 있는 지역을 화재예방강화지구로 지정하지 아니하는 경우 요청할 수 있는 사람은?

① 행정안전부장관 　　　　　　　　② 소방서장

③ 소방본부장 　　　　　　　　　　④ 소방청장

17 화재예방강화지구에 대한 내용으로 옳지 않은 것은?

① 시 · 도지사는 화재안전조사의 결과 등을 대통령령으로 정하는 화재예방강화지구 관리대장에 작성하고 관리하여야 한다.

② 소방관서장은 화재예방강화지구 안의 관계인에 대하여 소방상 필요한 훈련 및 교육을 연 1회 이상 실시할 수 있다.

③ 소방관서장은 화재예방강화지구의 소방 대상물의 위치 · 구조 및 설비 등에 대한 화재안전조사를 연 1회 이상 실시하여야 한다.

④ 소방관서장은 소방상 필요한 훈련 및 교육을 실시하고자 하는 때에는 화재예방강화지구 안의 관계인에게 훈련 또는 교육 10일 전까지 그 사실을 통보하여야 한다.

18 화재의 예방 및 안전관리에 관한 법률상 화재예방강화지구로 지정할 수 있는 지역으로 옳은 것만을 [보기]에서 있는 대로 고른 것은? (단, 소방관서장이 화재예방강화지구로 지정할 필요가 있다고 인정하는 지역은 제외한다) 24. 경채

─[보기]─

ㄱ. 시장지역

ㄴ. 목조건물이 밀집한 지역

ㄷ. 전력용 및 통신용 지하구가 있는 지역

ㄹ. 소방시설·소방용수시설 또는 소방출동로가 없는 지역

ㅁ. 물류시설의 개발 및 운영에 관한 법률 제2조 제6호에 따른 물류단지

① ㄱ, ㄴ, ㄷ

② ㄱ, ㄷ, ㄹ

③ ㄱ, ㄴ, ㄹ, ㅁ

④ ㄴ, ㄷ, ㄹ, ㅁ

정답 및 해설

15 화재예방강화지구
소방본부장 또는 소방서장은 화재가 발생하는 경우 그로 인하여 피해가 클 것으로 예상되는 지역을 화재예방강화지구로 지정할 수 있다. → 시·도지사가 지정할 수 있다.

16 화재예방강화지구
소방청장이 요청할 수 있다.

17 화재예방강화지구
시·도지사는 화재안전조사의 결과 등을 대통령령으로 정하는 화재예방강화지구 관리대장에 작성하고 관리하여야 한다. → 행정안전부령으로 정하는 관리대장에 작성하고 관리하여야 한다.

18 화재예방강화지구
전력용 및 통신용 지하구가 있는 지역은 화재예방강화지구로 지정에 해당하지 않는다.

정답 **15** ① **16** ④ **17** ① **18** ③

19 화재의 예방 및 안전관리에 관한 법률 시행령상 특수가연물의 저장 및 취급 기준에서 특수가연물 표지에 관한 내용으로 옳지 않은 것은?

23. 공채·경채

① 특수가연물 표지 중 화기엄금 표시 부분의 바탕은 붉은색으로, 문자는 백색으로 할 것

② 특수가연물 표지는 한 변의 길이가 0.3미터 이상, 다른 한 변의 길이가 0.6미터 이상인 직사각형으로 할 것

③ 특수가연물 표지의 바탕은 검은색으로, 문자는 흰색으로 할 것. 다만, "화기엄금" 표시 부분은 제외한다.

④ 특수가연물을 저장 또는 취급하는 장소에는 품명, 최대저장수량, 단위부피당 질량 또는 단위체적당 질량, 관리 책임자 성명·직책, 연락처 및 화기취급의 금지표시가 포함된 특수가연물 표지를 설치해야 한다.

20 화재의 예방 및 안전관리에 관한 법률 시행령상 불을 사용하는 설비의 관리기준 등에 관한 내용으로 옳지 않은 것은?

23. 경채

① 보일러: 가연성 벽·바닥 또는 천장과 접촉하는 증기기관 또는 연통의 부분은 규조토 등 난연성 또는 불연성 단열재로 덮어씌워야 한다.

② 난로: 가연성 벽·바닥 또는 천장과 접촉하는 연통의 부분은 규조토 등 난연성 또는 불연성 단열재로 덮어씌워야 한다.

③ 건조설비: 실내에 설치하는 경우에 벽·천장 및 바닥은 준불연재료로 해야 한다.

④ 노·화덕설비: 노 또는 화덕을 설치하는 장소의 벽·천장은 불연재료로 된 것이어야 한다.

정답 및 해설

19 특수가연물
특수가연물 표지의 바탕은 흰색으로, 문자는 검은색으로 할 것. 다만, "화기엄금" 표시 부분은 제외한다.

20 불을 사용하는 설비
건조설비: 실내에 설치하는 경우에 벽·천장 및 바닥은 불연재료로 해야 한다.

정답 19 ③ 20 ③

CHAPTER 5 소방대상물의 소방안전관리

제24조(특정소방대상물의 소방안전관리)

① 특정소방대상물 중 전문적인 안전관리가 요구되는 대통령령으로 정하는 특정소방대상물(이하 "소방안전관리대상물"이라 한다)의 관계인은 소방안전관리업무를 수행하기 위하여 제30조 제1항에 따른 소방안전관리자 자격증을 발급받은 사람을 소방안전관리자로 선임하여야 한다. 이 경우 소방안전관리자의 업무에 대하여 보조가 필요한 대통령령으로 정하는 소방안전관리대상물의 경우에는 소방안전관리자 외에 소방안전관리보조자를 추가로 선임하여야 한다.

② 다른 안전관리자(다른 법령에 따라 전기 · 가스 · 위험물 등의 안전관리업무에 종사하는 자를 말한다. 이하 같다)는 소방안전관리대상물 중 소방안전관리업무의 전담이 필요한 대통령령으로 정하는 소방안전관리대상물의 소방안전관리자를 겸할 수 없다. 다만, 다른 법령에 특별한 규정이 있는 경우에는 그러하지 아니하다.

③ 제1항에도 불구하고 제25조 제1항에 따른 소방안전관리대상물의 관계인은 소방안전관리업무를 대행하는 관리업자(소방시설 설치 및 관리에 관한 법률 제29조 제1항에 따른 소방시설관리업❶의 등록을 한 자를 말한다. 이하 "관리업자"라 한다)를 감독할 수 있는 사람을 지정하여 소방안전관리자로 선임할 수 있다. 이 경우 소방안전관리자로 선임된 자는 선임된 날부터 3개월 이내에 제34조에 따른 교육을 받아야 한다.

④ 소방안전관리자 및 소방안전관리보조자의 선임 대상별 자격 및 인원기준은 대통령령으로 정하고, 선임 절차 등 그 밖에 필요한 사항은 행정안전부령으로 정한다.

⑤ 특정소방대상물(소방안전관리대상물은 제외한다)의 관계인과 소방안전관리대상물의 소방안전관리자는 다음 각 호의 업무를 수행한다. 다만, 제1호 · 제2호 · 제5호 및 제7호의 업무는 소방안전관리대상물의 경우에만 해당한다.

1. 제36조에 따른 피난계획에 관한 사항과 대통령령으로 정하는 사항이 포함된 소방계획서의 작성 및 시행
2. 자위소방대(自衛消防隊) 및 초기대응체계의 구성, 운영 및 교육
3. 소방시설 설치 및 관리에 관한 법률 제16조에 따른 피난시설, 방화구획 및 방화시설의 관리
4. 소방시설이나 그 밖의 소방 관련 시설의 관리
5. 제37조에 따른 소방훈련 및 교육
6. 화기(火氣) 취급의 감독
7. 행정안전부령으로 정하는 바에 따른 소방안전관리에 관한 업무수행에 관한 기록 · 유지(제3호 · 제4호 및 제6호의 업무를 말한다)
8. 화재발생 시 초기대응
9. 그 밖에 소방안전관리에 필요한 업무

 영철쌤 tip

1. 소방안전관리 대상물(급수가 있음): 특급, 1급, 2급. 3급
2. 소방안전관리자 선임(1명): 특급, 1급, 2급, 3급
3. 소방안전관리자 보조자 선임(1명 이상, 0명): 특급, 1급, 2급. 3급
4. 건설현장 소방안전관리자 선임
5. 특정소방대상물: 소방대상물에 소방시설 설치(예 건축물 - 아파트: 특정소방대상물, 단독주택: 소방대상물, 산림: 소방대상물)

용어사전

❶ 소방시설관리업: 소방안전관리업무의 대행 또는 소방시설등을 점검하거나 유지 · 관리하는 업을 말한다.

 영철쌤 tip

소방안전관리업무의 대행
1. 가능
2. 가능하지 않음[특급, 1급(아파트, 연면적이 1만5천제곱미터 이상인 경우)]

특정소방대상물
1. 소방안전관리대상물: 소방안전관리자 선임
2. 소방안전관리대상물 아님: 관계인

자위소방대
방화건물의 구조, 규모, 용도 등에 따라, 각층 또는 각 동별로 자위소방조직을 편성하고 정기적으로 소방훈련을 실시한다. 즉, 민간조직의 소방대이다.

⑥ 제5항 제2호에 따른 자위소방대와 초기대응체계의 구성, 운영 및 교육 등에 필요한 사항은 행정안전부령으로 정한다.

시행령 제25조(소방안전관리자 및 소방안전관리보조자를 두어야 하는 특정소방대상물) ① 법 제24조 제1항 전단에 따라 특정소방대상물 중 전문적인 안전관리가 요구되는 특정소방대상물(이하 "소방안전관리대상물"이라 한다)의 범위와 같은 조 제4항에 따른 소방안전관리자의 선임 대상별 자격 및 인원기준은 별표 4와 같다.

② 법 제24조 제1항 후단에 따라 소방안전관리보조자를 추가로 선임해야 하는 소방안전관리대상물의 범위와 같은 조 제4항에 따른 소방안전관리보조자의 선임 대상별 자격 및 인원기준은 별표 5와 같다.

③ 제1항에도 불구하고 건축물대장의 건축물현황도에 표시된 대지경계선 안의 지역 또는 인접한 2개 이상의 대지에 제1항에 따라 소방안전관리자를 두어야 하는 특정소방대상물이 둘 이상 있고, 그 관리에 관한 권원(權原)을 가진 자가 동일인인 경우에는 이를 하나의 특정소방대상물로 본다. 이 경우 해당 특정소방대상물이 별표 4에 따른 등급 중 둘 이상에 해당하면 그 중에서 등급이 높은 특정소방대상물로 본다.

별표 4. 소방안전관리자를 선임해야 하는 소방안전관리대상물의 범위와 소방안전관리자의 선임 대상별 자격 및 인원기준

1. 특급 소방안전관리대상물
   가. 특급 소방안전관리대상물의 범위
      소방시설 설치 및 관리에 관한 법률 시행령 별표 2의 특정소방대상물 중 다음의 어느 하나에 해당하는 것
      1) 50층 이상(지하층은 제외한다)이거나 지상으로부터 높이가 200미터 이상인 아파트
      2) 30층 이상(지하층을 포함한다)이거나 지상으로부터 높이가 120미터 이상인 특정소방대상물(아파트는 제외한다)
      3) 2)에 해당하지 않는 특정소방대상물로서 연면적이 10만제곱미터 이상인 특정소방대상물(아파트는 제외한다)
   나. 특급 소방안전관리대상물에 선임해야 하는 소방안전관리자의 자격
      다음의 어느 하나에 해당하는 사람으로서 특급 소방안전관리자 자격증을 발급받은 사람
      1) 소방기술사 또는 소방시설관리사의 자격이 있는 사람
      2) 소방설비기사의 자격을 취득한 후 5년 이상 1급 소방안전관리대상물의 소방안전관리자로 근무한 실무경력(법 제24조 제3항에 따라 소방안전관리자로 선임되어 근무한 경력은 제외한다. 이하 이 표에서 같다)이 있는 사람
      3) 소방설비산업기사의 자격을 취득한 후 7년 이상 1급 소방안전관리대상물의 소방안전관리자로 근무한 실무경력이 있는 사람
      4) 소방공무원으로 20년 이상 근무한 경력이 있는 사람
      5) 소방청장이 실시하는 특급 소방안전관리대상물의 소방안전관리에 관한 시험에 합격한 사람
   다. 선임인원: 1명 이상
2. 1급 소방안전관리대상물
   가. 1급 소방안전관리대상물의 범위
      소방시설 설치 및 관리에 관한 법률 시행령 별표 2의 특정소방대상물 중 다음의 어느 하나에 해당하는 것(제1호에 따른 특급 소방안전관리대상물은 제외한다)

1) 30층 이상(지하층은 제외한다)이거나 지상으로부터 높이가 120미터 이상인 아파트

2) 연면적 1만5천제곱미터 이상인 특정소방대상물(아파트 및 연립주택은 제외한다)

3) 2)에 해당하지 않는 특정소방대상물로서 지상층의 층수가 11층 이상인 특정소방대상물(아파트는 제외한다)

4) 가연성 가스를 1천톤 이상 저장·취급하는 시설

나. 1급 소방안전관리대상물에 선임해야 하는 소방안전관리자의 자격

다음의 어느 하나에 해당하는 사람으로서 1급 소방안전관리자 자격증을 발급받은 사람 또는 제1호에 따른 특급 소방안전관리대상물의 소방안전관리자 자격증을 발급받은 사람

1) 소방설비기사 또는 소방설비산업기사의 자격이 있는 사람

2) 소방공무원으로 7년 이상 근무한 경력이 있는 사람

3) 소방청장이 실시하는 1급 소방안전관리대상물의 소방안전관리에 관한 시험에 합격한 사람

다. 선임인원: 1명 이상

3. 2급 소방안전관리대상물

가. 2급 소방안전관리대상물의 범위

소방시설 설치 및 관리에 관한 법률 시행령 별표 2의 특정소방대상물 중 다음의 어느 하나에 해당하는 것(제1호에 따른 특급 소방안전관리대상물 및 제2호에 따른 1급 소방안전관리대상물은 제외한다)

1) 소방시설 설치 및 관리에 관한 법률 시행령 별표 4 제1호 다목에 따라 옥내소화전설비를 설치해야 하는 특정소방대상물, 같은 호 라목에 따라 스프링클러설비를 설치해야 하는 특정소방대상물 또는 같은 호 바목에 따라 물분무등소화설비[화재안전기준에 따라 호스릴(hose reel) 방식의 물분무등소화설비만을 설치할 수 있는 특정소방대상물은 제외한다]를 설치해야 하는 특정소방대상물

2) 가스 제조설비를 갖추고 도시가스사업의 허가를 받아야 하는 시설 또는 가연성 가스를 100톤 이상 1천톤 미만 저장·취급하는 시설

3) 지하구

4) 공동주택관리법 제2조 제1항 제2호의 어느 하나에 해당하는 공동주택(소방시설 설치 및 관리에 관한 법률 시행령 별표 4 제1호 다목 또는 라목에 따른 옥내소화전설비 또는 스프링클러설비가 설치된 공동주택으로 한정한다)

5) 문화재보호법 제23조에 따라 보물 또는 국보로 지정된 목조건축물

나. 2급 소방안전관리대상물에 선임해야 하는 소방안전관리자의 자격

다음의 어느 하나에 해당하는 사람으로서 2급 소방안전관리자 자격증을 발급받은 사람, 제1호에 따른 특급 소방안전관리대상물 또는 제2호에 따른 1급 소방안전관리대상물의 소방안전관리자 자격증을 발급받은 사람

1) 위험물기능장·위험물산업기사 또는 위험물기능사 자격이 있는 사람

2) 소방공무원으로 3년 이상 근무한 경력이 있는 사람

3) 소방청장이 실시하는 2급 소방안전관리대상물의 소방안전관리에 관한 시험에 합격한 사람

4) 기업활동 규제완화에 관한 특별조치법 제29조, 제30조 및 제32조에 따라 소방안전관리자로 선임된 사람(소방안전관리자로 선임된 기간으로 한정한다)

다. 선임인원: 1명 이상

영철쌤 tip

특급 소방안전관리대상물
1. 50층 이상(지하층 제외) 또는 높이가 200미터 이상인 아파트
2. 30층 이상(지하층 포함)(아파트 제외)
3. 높이가 120미터 이상(아파트 제외)
4. 연면적이 10만제곱미터 이상(아파트 제외)

특급 소방안전관리자 선임자격
1. 소방기술사, 소방시설관리사
2. 소방설비기사 + 5년 이상 실무경력(1급)
3. 소방산업설비기사 + 7년 이상 실무경력(1급)
4. 소방공무원 + 20년 이상 근무경력
5. 시험합격(특급)

1급 소방안전관리대상물
1. 30층 이상(아파트로서 지하층 제외)
2. 높이가 120미터 이상(아파트)
3. 연면적이 1만5천제곱미터 이상(아파트, 연립주택 제외)
4. 층수가 11층 이상(아파트 제외)
5. 가연성 가스를 1천톤 이상 저장·취급하는 시설

1급 소방안전관리자 선임자격
1. 특급 소방안전관리자 자격인정
2. 소방설비기사
3. 소방산업설비기사
4. 소방공무원 + 7년 이상 근무경력
5. 시험합격(1급)

소방안전관리업무 전담 대상물
1. 특급 소방안전관리대상물
2. 1급 소방안전관리대상물

영철쌤 tip

1. 소방공무원 + 20년: 특급 소방안전관리대상물
2. 소방공무원 + 7년: 1급 소방안전관리대상물
3. 소방공무원 + 3년: 2급 소방안전관리대상물
4. 소방공무원 + 1년: 3급 소방안전관리대상물

4. 3급 소방안전관리대상물

가. 3급 소방안전관리대상물의 범위

소방시설 설치 및 관리에 관한 법률 시행령 별표 2의 특정소방대상물 중 다음의 어느 하나에 해당하는 것(제1호에 따른 특급 소방안전관리대상물, 제2호에 따른 1급 소방안전관리대상물 및 제3호에 따른 2급 소방안전관리대상물은 제외한다)

1) 소방시설 설치 및 관리에 관한 법률 시행령 별표 4 제1호 마목에 따라 간이스프링클러설비(주택전용 간이스프링클러설비는 제외한다)를 설치해야 하는 특정소방대상물

2) 소방시설 설치 및 관리에 관한 법률 시행령 별표 4 제2호 다목에 따른 자동화재탐지설비를 설치해야 하는 특정소방대상물

나. 3급 소방안전관리대상물에 선임해야 하는 소방안전관리자의 자격

다음의 어느 하나에 해당하는 사람으로서 3급 소방안전관리자 자격증을 발급받은 사람 또는 제1호부터 제3호까지의 규정에 따라 특급 소방안전관리대상물, 1급 소방안전관리대상물 또는 2급 소방안전관리대상물의 소방안전관리자 자격증을 발급받은 사람

1) 소방공무원으로 1년 이상 근무한 경력이 있는 사람

2) 소방청장이 실시하는 3급 소방안전관리대상물의 소방안전관리에 관한 시험에 합격한 사람

3) 기업활동 규제완화에 관한 특별조치법 제29조, 제30조 및 제32조에 따라 소방안전관리자로 선임된 사람(소방안전관리자로 선임된 기간으로 한정한다)

다. **선임인원: 1명 이상**

비고

1. 동·식물원, 철강 등 불연성 물품을 저장·취급하는 창고, 위험물 저장 및 처리 시설 중 제조소등과 지하구는 특급 소방안전관리대상물 및 1급 소방안전관리대상물에서 제외한다.

2. 이 표 제1호에 따른 특급 소방안전관리대상물에 선임해야 하는 소방안전관리자의 자격을 산정할 때에는 동일한 기간에 수행한 경력이 두 가지 이상의 자격기준에 해당하는 경우 하나의 자격기준에 대해서만 그 기간을 인정하고 기간이 중복되지 않는 소방안전관리자 실무경력의 경우에는 각각의 기간을 실무경력으로 인정한다. 이 경우 자격기준별 실무경력 기간을 해당 실무경력 기준기간으로 나누어 합한 값이 1 이상이면 선임자격을 갖춘 것으로 본다.

별표 5. 소방안전관리보조자를 선임해야 하는 소방안전관리대상물의 범위와 선임 대상별 자격 및 인원기준

1. 소방안전관리보조자를 선임해야 하는 소방안전관리대상물의 범위

별표 4에 따라 소방안전관리자를 선임해야 하는 소방안전관리대상물 중 다음 각 목의 어느 하나에 해당하는 소방안전관리대상물

가. 건축법 시행령 별표 1 제2호 가목에 따른 아파트 중 300세대 이상인 아파트

나. 연면적이 1만5천제곱미터 이상인 특정소방대상물(아파트 및 연립주택은 제외한다)

다. 가목 및 나목에 따른 특정소방대상물을 제외한 특정소방대상물 중 다음의 어느 하나에 해당하는 특정소방대상물

1) 공동주택 중 기숙사

2) 의료시설

3) 노유자 시설

4) 수련시설

5) 숙박시설(숙박시설로 사용되는 바닥면적의 합계가 1천500제곱미터 미만이고 관계인이 24시간 상시 근무하고 있는 숙박시설은 제외한다)

2. 소방안전관리보조자의 자격

가. 별표 4에 따른 특급 소방안전관리대상물, 1급 소방안전관리대상물, 2급 소방안전관리대상물 또는 3급 소방안전관리대상물의 소방안전관리자 자격이 있는 사람

나. 국가기술자격법 제2조 제3호에 따른 국가기술자격의 직무분야 중 건축, 기계제작, 기계장비설비·설치, 화공, 위험물, 전기, 전자 및 안전관리에 해당하는 국가기술자격이 있는 사람

다. 공공기관의 소방안전관리에 관한 규정 제5조 제1항 제2호 나목에 따른 강습교육을 수료한 사람

라. 법 제34조 제1항 제1호에 따른 강습교육 중 이 영 제33조 제1호부터 제4호까지에 해당하는 사람을 대상으로 하는 강습교육을 수료한 사람

마. 소방안전관리대상물에서 소방안전 관련 업무에 2년 이상 근무한 경력이 있는 사람

3. 선임인원

가. 제1호 가목에 따른 소방안전관리대상물의 경우에는 1명. 다만, 초과되는 300세대마다 1명 이상을 추가로 선임해야 한다.

나. 제1호 나목에 따른 소방안전관리대상물의 경우에는 1명. 다만, 초과되는 연면적 1만5천제곱미터(특정소방대상물의 방재실에 자위소방대가 24시간 상시 근무하고 소방장비관리법 시행령 별표 1 제1호 가목에 따른 소방자동차 중 소방펌프차, 소방물탱크차, 소방화학차 또는 무인방수차를 운용하는 경우에는 3만제곱미터로 한다)마다 1명 이상을 추가로 선임해야 한다.

다. 제1호 다목에 따른 소방안전관리대상물의 경우에는 1명. 다만, 해당 특정소방대상물이 소재하는 지역을 관할하는 소방서장이 야간이나 휴일에 해당 특정소방대상물이 이용되지 않는다는 것을 확인한 경우에는 소방안전관리보조자를 선임하지 않을 수 있다.

제26조(소방안전관리업무 전담 대상물) 법 제24조 제2항 본문에서 "대통령령으로 정하는 소방안전관리대상물"이란 다음 각 호의 소방안전관리대상물을 말한다.

1. 별표 4 제1호에 따른 특급 소방안전관리대상물

2. 별표 4 제2호에 따른 1급 소방안전관리대상물

제27조(소방안전관리대상물의 소방계획서 작성 등) ① 법 제24조 제5항 제1호에서 "대통령령으로 정하는 사항"이란 다음 각 호의 사항을 말한다.

1. 소방안전관리대상물의 위치·구조·연면적(건축법 시행령 제119조 제1항 제4호에 따라 산정된 면적을 말한다. 이하 같다)·용도 및 수용인원 등 일반 현황

2. 소방안전관리대상물에 설치한 소방시설, 방화시설, 전기시설, 가스시설 및 위험물시설의 현황

3. 화재 예방을 위한 자체점검계획 및 대응대책

4. 소방시설·피난시설 및 방화시설의 점검·정비계획

5. 피난층 및 피난시설의 위치와 피난경로의 설정, 화재안전취약자의 피난계획 등을 포함한 피난계획

6. 방화구획, 제연구획(除煙區劃), 건축물의 내부 마감재료 및 방염대상물품의 사용 현황과 그 밖의 방화구조 및 설비의 유지·관리계획

7. 법 제35조 제1항에 따른 관리의 권원이 분리된 특정소방대상물의 소방안전관리에 관한 사항
8. 소방훈련·교육에 관한 계획
9. 법 제37조를 적용받는 소방안전관리대상물의 근무자 및 거주자의 자위소방대 조직과 대원의 임무(화재안전취약자의 피난 보조 임무를 포함한다)에 관한 사항
10. 화기 취급 작업에 대한 사전 안전조치 및 감독 등 공사 중 소방안전관리에 관한 사항
11. 소화에 관한 사항과 연소 방지에 관한 사항
12. 위험물의 저장·취급에 관한 사항(위험물안전관리법 제17조에 따라 예방규정을 정하는 제조소등은 제외한다)
13. 소방안전관리에 대한 업무수행에 관한 기록 및 유지에 관한 사항
14. 화재발생 시 화재경보, 초기소화 및 피난유도 등 초기대응에 관한 사항
15. 그 밖에 소방본부장 또는 소방서장이 소방안전관리대상물의 위치·구조·설비 또는 관리 상황 등을 고려하여 소방안전관리에 필요하여 요청하는 사항
② 소방본부장 또는 소방서장은 소방안전관리대상물의 소방계획서의 작성 및 그 실시에 관하여 지도·감독한다.

시행규칙 제10조(소방안전관리업무 수행에 관한 기록·유지) ① 영 제25조 제1항의 소방안전관리대상물(이하 "소방안전관리대상물"이라 한다)의 소방안전관리자는 법 제24조 제5항 제7호에 따른 소방안전관리업무 수행에 관한 기록을 별지 제12호서식에 따라 월 1회 이상 작성·관리해야 한다.
② 소방안전관리자는 소방안전관리업무 수행 중 보수 또는 정비가 필요한 사항을 발견한 경우에는 이를 지체 없이 관계인에게 알리고, 별지 제12호서식에 기록해야 한다.
③ 소방안전관리자는 제1항에 따른 업무 수행에 관한 기록을 작성한 날부터 2년간 보관해야 한다.

제11조(자위소방대 및 초기대응체계의 구성·운영 및 교육 등) ① 소방안전관리대상물의 소방안전관리자는 법 제24조 제5항 제2호에 따른 자위소방대를 다음 각 호의 기능을 효율적으로 수행할 수 있도록 편성·운영하되, 소방안전관리대상물의 규모·용도 등의 특성을 고려하여 응급구조 및 방호안전기능 등을 추가하여 수행할 수 있도록 편성할 수 있다.
1. 화재 발생 시 비상연락, 초기소화 및 피난유도
2. 화재 발생 시 인명·재산피해 최소화를 위한 조치
② 제1항에 따른 자위소방대에는 대장과 부대장 1명을 각각 두며, 편성 조직의 인원은 해당 소방안전관리대상물의 수용인원 등을 고려하여 구성한다. 이 경우 자위소방대의 대장·부대장 및 편성조직의 임무는 다음 각 호와 같다.
1. 대장은 자위소방대를 총괄 지휘한다.
2. 부대장은 대장을 보좌하고 대장이 부득이한 사유로 임무를 수행할 수 없는 때에는 그 임무를 대행한다.
3. 비상연락팀은 화재사실의 전파 및 신고 업무를 수행한다.
4. 초기소화팀은 화재 발생 시 초기화재 진압 활동을 수행한다.

5. 피난유도팀은 재실자(在室者) 및 장애인, 노인, 임산부, 영유아 및 어린이 등 이동이 어려운 사람(이하 "피난약자"라 한다)을 안전한 장소로 대피시키는 업무를 수행한다.

6. 응급구조팀은 인명을 구조하고, 부상자에 대한 응급조치를 수행한다.

7. 방호안전팀은 화재확산방지 및 위험시설의 비상정지 등 방호안전 업무를 수행한다.

③ 소방안전관리대상물의 소방안전관리자는 법 제24조 제5항 제2호에 따른 초기대응체계를 제1항에 따른 자위소방대에 포함하여 편성하되, 화재 발생 시 초기에 신속하게 대처할 수 있도록 해당 소방안전관리대상물에 근무하는 사람의 근무위치, 근무인원 등을 고려한다.

④ 소방안전관리대상물의 소방안전관리자는 해당 소방안전관리대상물이 이용되고 있는 동안 제3항에 따른 초기대응체계를 상시적으로 운영해야 한다.

⑤ 소방안전관리대상물의 소방안전관리자는 연 1회 이상 자위소방대를 소집하여 그 편성 상태 및 초기대응체계를 점검하고, 편성된 근무자에 대한 소방교육을 실시해야 한다. 이 경우 초기대응체계에 편성된 근무자 등에 대해서는 화재 발생 초기대응에 필요한 기본 요령을 숙지할 수 있도록 소방교육을 실시해야 한다.

⑥ 소방안전관리대상물의 소방안전관리자는 제5항에 따른 소방교육을 제36조 제1항에 따른 소방훈련과 병행하여 실시할 수 있다.

⑦ 소방안전관리대상물의 소방안전관리자는 제5항에 따른 소방교육을 실시하였을 때는 그 실시 결과를 별지 제13호서식의 자위소방대 및 초기대응체계 교육 · 훈련 실시 결과 기록부에 기록하고, 교육을 실시한 날부터 2년간 보관해야 한다.

⑧ 소방청장은 자위소방대의 구성 · 운영 및 교육, 초기대응체계의 편성 · 운영 등에 필요한 지침을 작성하여 배포할 수 있으며, 소방본부장 또는 소방서장은 소방안전관리대상물의 소방안전관리자가 해당 지침을 준수하도록 지도할 수 있다.

제25조(소방안전관리업무의 대행)[1]

① 소방안전관리대상물 중 연면적 등이 일정규모 미만인 대통령령으로 정하는 소방안전관리대상물의 관계인은 제24조 제1항에도 불구하고 관리업자로 하여금 같은 조 제5항에 따른 소방안전관리업무 중 대통령령으로 정하는 업무를 대행하게 할 수 있다. 이 경우 제24조 제3항에 따라 선임된 소방안전관리자는 관리업자의 대행업무 수행을 감독하고 대행업무 외의 소방안전관리업무는 직접 수행하여야 한다.

② 제1항 전단에 따라 소방안전관리업무를 대행하는 자는 대행인력의 배치기준 · 자격 · 방법 등 행정안전부령으로 정하는 준수사항을 지켜야 한다.

③ 제1항에 따라 소방안전관리업무를 관리업자에게 대행하게 하는 경우의 대가(代價)는 엔지니어링산업 진흥법 제31조에 따른 엔지니어링사업의 대가 기준 가운데 행정안전부령으로 정하는 방식에 따라 산정한다.

📖 용어사전

[1] 대행: 남을 대신하여 어떤 권한이나 직무를 행하는 것을 말한다.

시행령 제28조(소방안전관리 업무의 대행 대상 및 업무) ① 법 제25조 제1항 전단에서 "대통령령으로 정하는 소방안전관리대상물"이란 다음 각 호의 소방안전관리대상물을 말한다.
1. 별표 4 제2호 가목 3)에 따른 지상층의 층수가 11층 이상인 1급 소방안전관리대상물(연면적 1만5천제곱미터 이상인 특정소방대상물과 아파트는 제외한다)
2. 별표 4 제3호에 따른 2급 소방안전관리대상물
3. 별표 4 제4호에 따른 3급 소방안전관리대상물
② 법 제25조 제1항 전단에서 "대통령령으로 정하는 업무"란 다음 각 호의 업무를 말한다.
1. 법 제24조 제5항 제3호에 따른 피난시설, 방화구획 및 방화시설의 관리
2. 법 제24조 제5항 제4호에 따른 소방시설이나 그 밖의 소방 관련 시설의 관리

시행규칙 제12조(소방안전관리업무 대행 기준) 법 제25조 제2항에 따른 소방안전관리업무 대행인력의 배치기준·자격·방법 등 준수사항은 별표 1과 같다.

별표 1. 소방안전관리업무 대행인력의 배치기준·자격 및 방법 등 준수사항
1. 업무대행 인력의 배치기준
   소방시설 설치 및 관리에 관한 법률 제29조에 따라 소방시설관리업을 등록한 소방시설관리업자가 법 제25조 제1항에 따라 영 제28조 제2항 각 호의 소방안전관리업무를 대행하는 경우에는 다음 각 목에 따른 소방안전관리업무 대행인력(이하 "대행인력"이라 한다)을 배치해야 한다.
   가. 소방안전관리대상물의 등급 및 소방시설의 종류에 따른 대행인력의 배치기준

[표 1] 소방안전관리등급 및 설치된 소방시설에 따른 대행인력의 배치 등급

소방안전관리대상물의 등급	설치된 소방시설의 종류	대행인력의 기술등급
1급 또는 2급	스프링클러설비, 물분무등소화설비 또는 제연설비	중급점검자 이상 1명 이상
	옥내소화전설비 또는 옥외소화전설비	초급점검자 이상 1명 이상
3급	자동화재탐지설비 또는 간이스프링클러설비	초급점검자 이상 1명 이상

비고
1. 소방안전관리대상물의 등급은 영 별표 4에 따른 소방안전관리대상물의 등급을 말한다.
2. 대행인력의 기술등급은 소방시설공사업법 시행규칙 별표 4의2에 따른 소방기술자의 자격 등급에 따른다.
3. 연면적 5천제곱미터 미만으로서 스프링클러설비가 설치된 1급 또는 2급 소방안전관리대상물의 경우에는 초급점검자를 배치할 수 있다. 다만, 스프링클러설비 외에 제연설비 또는 물분무등소화설비가 설치된 경우에는 그렇지 않다
4. 스프링클러설비에는 화재조기진압용 스프링클러설비를 포함하고, 물분무등소화설비에는 호스릴(hose reel)방식은 제외한다.

나. 대행인력 1명의 1일 소방안전관리업무 대행 업무량은 [표 2] 및 [표 3]에 따라 산정한 배점을 합산하여 산정하며, 이 합산점수는 8점(이하 "1일 한도점수"라 한다)을 초과할 수 없다.

[표 2] 하나의 소방안전관리대상물의 면적별 배점기준표(아파트는 제외한다)

소방안전관리 대상물의 등급	연면적	대행인력 등급별 배점		
		초급점검자	중급점검자	고급점검자 이상
3급	전체			0.7
1급 또는 2급	1,500m² 미만	0.8	0.7	0.6
	1,500m² 이상 3,000m² 미만	1.0	0.8	0.7
	3,000m² 이상 5,000m² 미만	1.2	1.0	0.8
	5,000m² 이상 10,000m² 이하	1.9	1.3	1.1
	10,000m² 초과 15,000m² 이하	–	1.6	1.4

비고
주상복합아파트의 경우 세대부를 제외한 연면적과 세대수에 소방시설 설치 및 관리에 관한 법률 시행규칙 별표 3의 종합점검 대상의 경우 32, 작동점검 대상의 경우 40을 곱하여 계산된 값을 더하여 연면적을 산정한다. 다만, 환산한 연면적이 1만5천제곱미터를 초과한 경우에는 1만5천제곱미터로 본다.

[표 3] 하나의 소방안전관리대상물 중 아파트 배점기준표

소방안전관리 대상물의 등급	세대 구분	대행인력 등급별 배점		
		초급점검자	중급점검자	고급점검자 이상
3급	전체			0.7
1급 또는 2급	30세대 미만	0.8	0.7	0.6
	30세대 이상 50세대 미만	1.0	0.8	0.7
	50세대 이상 150세대 미만	1.2	1.0	0.8
	150세대 이상 300세대 미만	1.9	1.3	1.1
	300세대 이상 500세대 미만	–	1.6	1.4
	500세대 이상 1,000세대 미만	–	2.0	1.8
	1,000세대 초과	–	2.3	2.1

다. 하루에 2개 이상의 대행 업무를 수행하는 경우에는 소방안전관리대상물 간의 이동거리(좌표거리를 말한다) 5킬로미터마다 1일 한도점수에 0.01를 곱하여 계산된 값을 1일 한도점수에서 뺀다. 다만, 육지와 도서지역 간에 차량 출입이 가능한 교량으로 연결되지 않은 지역 또는 소방시설관리업자가 없는 시·군 지역은 제외한다.

라. 2명 이상의 대행인력이 함께 대행업무를 수행하는 경우 [표 2] 및 [표 3]의 배점을 인원수로 나누어 적용하되, 소수점 둘째자리에서 절사한다.

마. 영 별표 4 제2호 가목 3)에 해당하는 1급 소방안전관리대상물은 [표 2]의 배점에 10%를 할증하여 적용한다.

2. 대행인력의 자격기준 및 점검표

가. 대행인력은 소방시설 설치 및 관리에 관한 법률 제29조에 따라 소방시설관리업에 등록된 기술인력을 말한다.

나. 대행인력의 기술등급은 소방시설공사업법 시행규칙 별표 4의2 제3호 다목의 소방시설 자체점검 점검자의 기술등급 자격에 따른다.

다. 대행인력은 소방안전관리업무 대행 시 [표 4]에 따른 소방안전관리업무 대행 점검표를 작성하고 관계인에게 제출해야 한다.

[표 4] 소방안전관리업무 대행 점검표

건물명		점검일	년 월 일(요일)
주 소			
점검업체명		건물등급	급
설비명		점검결과 세부 내용	
소방시설			
피난시설			
방화시설			
방화구획			
기타			

확인자	관계인 (서명)
기술인력	대행인력의 기술등급: 대행인력: (서명)

비고
1. 소방시설 점검 시 공용부 점검을 원칙으로 한다. 다만, 단독경보형 감지기 등이 동작(오동작)한 경우에는 단독경보형 감지기 등이 동작한 장소도 점검을 실시한다.
2. 방문 시 리모델링 또는 내부 구획변경 등이 있는 경우에는 해당 부분을 점검하여 점검표에 그 결과를 기재한다.
3. 계단, 통로 등 피난통로상에 피난에 장애가 되는 물건 등이 쌓여 있는 경우에는 즉시 이동조치하도록 관계인에게 설명한다.
4. 방화문은 항시 닫힘 상태를 유지하거나 정상 작동될 수 있도록 관계인에게 설명한다.
5. 점검 완료 시 해당 소방안전관리자(또는 관계인)에게 점검결과를 설명하고 점검표에 기재한다.

제13조(소방안전관리업무 대행의 대가) 법 제25조 제3항에서 "행정안전부령으로 정하는 방식"이란 엔지니어링산업 진흥법 제31조에 따라 산업통상자원부장관이 고시한 엔지니어링사업 대가의 기준 중 실비정액가산방식을 말한다.

제26조(소방안전관리자 선임신고 등)

① 소방안전관리대상물의 관계인이 제24조에 따라 소방안전관리자 또는 소방안전관리보조자를 선임한 경우에는 행정안전부령으로 정하는 바에 따라 선임한 날부터 14일 이내에 소방본부장 또는 소방서장에게 신고하고, 소방안전관리대상물의 출입자가 쉽게 알 수 있도록 소방안전관리자의 성명과 그 밖에 행정안전부령으로 정하는 사항을 게시하여야 한다.

② 소방안전관리대상물의 관계인이 소방안전관리자 또는 소방안전관리보조자를 해임한 경우에는 그 관계인 또는 해임된 소방안전관리자 또는 소방안전관리보조자는 소방본부장이나 소방서장에게 그 사실을 알려 해임한 사실의 확인을 받을 수 있다.

시행규칙 제14조(소방안전관리자의 선임신고 등) ① 소방안전관리대상물의 관계인은 법 제24조 및 제35조에 따라 소방안전관리자를 다음 각 호의 구분에 따라 해당 호에서 정하는 날부터 30일 이내에 선임해야 한다.

1. 신축❶·증축❷·개축❸·재축❹·대수선❺ 또는 용도변경❻으로 해당 특정소방대상물의 소방안전관리자를 신규로 선임해야 하는 경우: 해당 특정소방대상물의 사용승인일(건축물의 경우에는 건축법 제22조에 따라 건축물을 사용할 수 있게 된 날을 말한다. 이하 이 조 및 제16조에서 같다)

2. 증축 또는 용도변경으로 인하여 특정소방대상물이 영 제25조 제1항에 따른 소방안전관리대상물로 된 경우 또는 특정소방대상물의 소방안전관리 등급이 변경된 경우: 증축공사의 사용승인일 또는 용도변경 사실을 건축물관리대장에 기재한 날

3. 특정소방대상물을 양수❼하거나 민사집행법에 따른 경매, 채무자 회생 및 파산에 관한 법률에 따른 환가(換價)❽, 국세징수법·관세법 또는 지방세기본법에 따른 압류재산의 매각이나 그 밖에 이에 준하는 절차에 따라 관계인의 권리를 취득한 경우: 해당 권리를 취득한 날 또는 관할 소방서장으로부터 소방안전관리자 선임 안내를 받은 날. 다만, 새로 권리를 취득한 관계인이 종전의 특정소방대상물의 관계인이 선임신고한 소방안전관리자를 해임하지 않는 경우는 제외한다.

4. 법 제35조에 따른 특정소방대상물의 경우: 관리의 권원이 분리되거나 소방본부장 또는 소방서장이 관리의 권원을 조정한 날

5. 소방안전관리자의 해임, 퇴직 등으로 해당 소방안전관리자의 업무가 종료된 경우: 소방안전관리자가 해임된 날, 퇴직한 날 등 근무를 종료한 날

6. 법 제24조 제3항에 따라 소방안전관리업무를 대행하는 자를 감독할 수 있는 사람을 소방안전관리자로 선임한 경우로서 그 업무대행 계약이 해지 또는 종료된 경우: 소방안전관리업무 대행이 끝난 날

7. 법 제31조 제1항에 따라 소방안전관리자 자격이 정지 또는 취소된 경우: 소방안전관리자 자격이 정지 또는 취소된 날

 영철쌤 tip

1. 신축

2. 증축

3. 개축

4. 재축

용어사전

❶ **신축**: 땅에 건물을 새로 지음
❷ **증축**: 이미 세워져 있는 건축물에 층수 또는 면적을 늘림
❸ **개축**: 낡은 건물이나 허물어진 담장 등을 고침. 즉, 리모델링(remodeling)이라고 한다.
❹ **재축**: 무너진 건물을 다시 세움
❺ **대수선**: 주요구조부(바닥, 내력벽, 지붕틀, 기둥, 보, 주계단)를 수선, 변경
❻ **용도변경**: 건축물의 기존용도를 포기하고 사용목적을 달리함
❼ **양수**: 다른 사람의 권리나 재산 및 법률상의 지위 따위를 넘겨받음
❽ **환가**: 금전외 재산을 매각 등의 방법에 따라 상당한 가액의 금전으로 바꾸는 것(예 집, 토지 등)

영철쌤 tip

소방안전관리자 선임신고 등
1. 선임 및 신고자: 관계인
2. 선임: 30일 이내(행정안전부령)
3. 신고: 14일 이내(행정안전부령)
4. 신고처: 소방본부장, 소방서장

소방안전관리자 선임신고 기준(30일 이내 신고)
1. 신규선임: 사용승인일
2. 증축: 사용승인일
3. 용도변경: 건축물대장에 기재한 날
4. 관계인의 권리를 취득한 경우: 해당 권리를 취득한 날, 소방안전관리자 선임 안내를 받은 날
5. 공동소방안전관리자 대상: 관리권원 분리, 조정한 날
6. 소방안전관리자를 해임, 퇴직한 경우: 소방안전관리자를 해임, 퇴직한 날
7. 업무대행 계약해지, 종류: 소방안전관리업무대행이 끝난 날
8. 소방안전관리자의 자격이 정지, 취소: 자격이 정지, 취소되는 날

② 영 별표 4 제3호 및 제4호에 따른 2급 또는 3급 소방안전관리대상물의 관계인은 제20조에 따른 소방안전관리자 자격시험이나 제25조에 따른 소방안전관리자에 대한 강습교육이 제1항에 따른 소방안전관리자 선임기간 내에 있지 않아 소방안전관리자를 선임할 수 없는 경우에는 소방안전관리자 선임의 연기를 신청할 수 있다.

③ 제2항에 따라 소방안전관리자 선임의 연기를 신청하려는 2급 또는 3급 소방안전관리대상물의 관계인은 별지 제14호서식의 소방안전관리자·소방안전관리보조자 선임 연기 신청서를 작성하여 소방본부장 또는 소방서장에게 제출해야 한다. 이 경우 소방본부장 또는 소방서장은 법 제33조에 따른 종합정보망(이하 "종합정보망"이라 한다)에서 강습교육의 접수 또는 시험응시 여부를 확인해야 하며, 2급 또는 3급 소방안전관리대상물의 관계인은 소방안전관리자가 선임될 때까지 법 제24조 제5항의 소방안전관리업무를 수행해야 한다.

④ 소방본부장 또는 소방서장은 제3항에 따라 선임 연기 신청서를 제출받은 경우에는 3일 이내에 소방안전관리자 선임기간을 정하여 2급 또는 3급 소방안전관리대상물의 관계인에게 통보해야 한다.

⑤ 소방안전관리대상물의 관계인은 법 제24조 또는 제35조에 따라 소방안전관리자 또는 총괄소방안전관리자(기업활동 규제완화에 관한 특별조치법 제29조 제2항·제3항, 제30조 제2항 또는 제32조 제2항에 따라 소방안전관리자를 겸임하거나 공동으로 선임되는 사람을 포함한다)를 선임한 경우에는 법 제26조 제1항에 따라 별지 제15호서식의 소방안전관리자 선임신고서(전자문서를 포함한다)에 다음 각 호의 어느 하나에 해당하는 서류(전자문서를 포함한다)를 첨부하여 소방본부장 또는 소방서장에게 제출해야 한다. 이 경우 소방안전관리대상물의 관계인은 종합정보망을 이용하여 선임신고를 할 수 있다.

1. 제18조에 따른 소방안전관리자 자격증
2. 소방안전관리대상물의 소방안전관리에 관한 업무를 감독할 수 있는 직위에 있는 사람임을 증명하는 서류 및 소방안전관리업무의 대행 계약서 사본(법 제24조 제3항에 따라 소방안전관리대상물의 관계인이 소방안전관리업무를 대행하게 하는 경우만 해당한다)
3. 기업활동 규제완화에 관한 특별조치법 제29조 제2항·제3항, 제30조 제2항 또는 제32조 제2항에 따라 해당 소방안전관리대상물의 소방안전관리자를 겸임할 수 있는 안전관리자로 선임된 사실을 증명할 수 있는 서류 또는 선임사항이 기록된 자격증(자격수첩을 포함한다)
4. 계약서 또는 권원이 분리됨을 증명하는 관련 서류(법 제35조에 따른 권원별 소방안전관리자를 선임한 경우만 해당한다)

⑥ 소방본부장 또는 소방서장은 소방안전관리대상물의 관계인이 제5항에 따라 소방안전관리자 등을 선임하여 신고하는 경우에는 신고인에게 별지 제16호서식의 선임증을 발급해야 한다. 이 경우 소방본부장 또는 소방서장은 신고인이 종전의 선임 이력에 관한 확인을 신청하는 경우에는 별지 제17호서식의 소방안전관리자 선임 이력 확인서를 발급해야 한다.

⑦ 소방본부장 또는 소방서장은 소방안전관리자의 선임신고를 접수하거나 해임 사실을 확인한 경우에는 지체 없이 관련 사실을 종합정보망에 입력해야 한다.

⑧ 소방본부장 또는 소방서장은 선임신고의 효율적 처리를 위하여 소방안전관리대상물이 완공된 경우에는 지체 없이 해당 소방안전관리대상물의 위치, 연면적 등의 정보를 종합정보망에 입력해야 한다.

제15조(소방안전관리자 정보의 게시) ① 법 제26조 제1항에서 "행정안전부령으로 정하는 사항"이란 다음 각 호의 사항을 말한다.

1. 소방안전관리대상물의 명칭 및 등급
2. 소방안전관리자의 성명 및 선임일자
3. 소방안전관리자의 연락처
4. 소방안전관리자의 근무 위치(화재 수신기 또는 종합방재실을 말한다)

② 제1항에 따른 소방안전관리자 성명 등의 게시는 별표 2의 소방안전관리자 현황표에 따른다. 이 경우 소방시설 설치 및 관리에 관한 법률 시행규칙 별표 5에 따른 소방시설등 자체점검기록표를 함께 게시할 수 있다.

별표 2. 소방안전관리자 현황표

소방안전관리자 현황표(대상명:)

이 건축물의 소방안전관리자는 다음과 같습니다.

☐ 소방안전관리자: (선임일자: 년   월   일)

☐ 소방안전관리대상물 등급: 급

☐ 소방안전관리자 근무 위치(화재 수신기 위치):

화재의 예방 및 안전관리에 관한 법률 제26조 제1항에 따라 이 표지를 붙입니다.

소방안전관리자 연락처:

비고

이 현황표의 규격은 다음과 같이 한다. 다만, 소방안전관리대상물의 특성을 고려하여 크기, 재질, 글씨체를 정할 수 있다.

1. **크기**: A3 용지(가로 420밀리미터×세로 297밀리미터)
2. **재질**: 아트지(스티커) 또는 종이
3. **글씨체**
   가. **소방안전관리자 현황표**: 나눔고딕Extra Bold 46포인트(흰색)
   나. **대상명**: 나눔고딕Extra Bold 35포인트(흰색)
   다. **본문 제목 및 내용**: 나눔바른고딕 30포인트(검정색)
   라. **하단내용**: 나눔바른고딕 24포인트(검정색)
   마. **연락처**: 나눔고딕Extra Bold 30포인트(흰색)
4. **바탕색**: 남색(RGB: 28, 61, 98), 회색(RGB: 242, 242, 242)

 영철쌤 tip

대상물 명칭 및 등급, 관리자의 성명 및 선임일자, 연락처, 근무위치

제16조(소방안전관리보조자의 선임신고 등) ① 소방안전관리대상물의 관계인은 법 제24조 제1항 후단에 따라 소방안전관리자보조자를 다음 각 호의 구분에 따라 해당 호에서 정하는 날부터 30일 이내에 선임해야 한다.

1. 신축·증축·개축·재축·대수선 또는 용도변경으로 해당 소방안전관리대상물의 소방안전관리보조자를 신규로 선임해야 하는 경우: 해당 소방안전관리대상물의 사용승인일
2. 소방안전관리대상물을 양수하거나 민사집행법에 따른 경매, 채무자 회생 및 파산에 관한 법률에 따른 환가, 국세징수법·관세법 또는 지방세기본법에 따른 압류재산의 매각이나 그 밖에 이에 준하는 절차에 따라 관계인의 권리를 취득한 경우: 해당 권리를 취득한 날 또는 관할 소방서장으로부터 소방안전관리보조자 선임 안내를 받은 날. 다만, 새로 권리를 취득한 관계인이 종전의 소방안전관리대상물의 관계인이 선임신고한 소방안전관리보조자를 해임하지 않는 경우는 제외한다.
3. 소방안전관리보조자의 해임, 퇴직 등으로 해당 소방안전관리보조자의 업무가 종료된 경우: 소방안전관리보조자가 해임된 날, 퇴직한 날 등 근무를 종료한 날

② 법 제24조 제1항 후단에 따라 소방안전관리보조자를 선임해야 하는 소방안전관리대상물(이하 "보조자선임대상 소방안전관리대상물"이라 한다)의 관계인은 제25조에 따른 강습교육이 제1항에 따른 소방안전관리보조자 선임기간 내에 있지 않아 소방안전관리보조자를 선임할 수 없는 경우에는 소방안전관리보조자 선임의 연기를 신청할 수 있다.

③ 제2항에 따라 소방안전관리보조자 선임의 연기를 신청하려는 보조자선임대상 소방안전관리대상물의 관계인은 별지 제14호서식의 선임 연기 신청서를 작성하여 소방본부장 또는 소방서장에게 제출해야 한다. 이 경우 소방본부장 또는 소방서장은 종합정보망에서 강습교육의 접수 여부를 확인해야 한다.

④ 소방본부장 또는 소방서장은 제3항에 따라 선임 연기 신청서를 제출받은 경우에는 3일 이내에 소방안전관리보조자 선임기간을 정하여 보조자선임대상 소방안전관리대상물의 관계인에게 통보해야 한다.

⑤ 보조자선임대상 소방안전관리대상물의 관계인은 법 제24조 제1항에 따른 소방안전관리보조자를 선임한 경우에는 법 제26조 제1항에 따라 별지 제18호서식의 소방안전관리보조자 선임신고서(전자문서를 포함한다)에 다음 각 호의 어느 하나에 해당하는 서류(영 별표 5 제2호의 자격요건 중 해당 자격을 증명할 수 있는 서류를 말하며, 전자문서를 포함한다)를 첨부하여 소방본부장 또는 소방서장에게 제출해야 한다. 이 경우 보조자선임대상 소방안전관리대상물의 관계인은 종합정보망을 이용하여 선임신고를 할 수 있다.

1. 제18조에 따른 소방안전관리자 자격증
2. 영 별표 4에 따른 특급, 1급, 2급 또는 3급 소방안전관리대상물의 소방안전관리자가 되려는 사람에 대한 강습교육 수료증
3. 소방안전관리대상물의 소방안전 관련 업무에 2년 이상 근무한 경력이 있는 사람임을 증명할 수 있는 서류

⑥ 소방본부장 또는 소방서장은 제5항에 따라 보조자선임대상 소방안전관리대상물의 관계인이 선임신고를 하는 경우 전자정부법 제36조 제1항에 따른 행정정보의 공동 이용을 통하여 선임된 소방안전관리보조자의 국가기술자격증(영 별표 5 제2호 나목에 해당하는 사람만 해당한다)을 확인해야 한다. 이 경우 선임된 소방안전관리보조자가 확인에 동의하지 않으면 국가기술자격증의 사본을 제출하도록 해야 한다.

⑦ 소방본부장 또는 소방서장은 보조자선임대상 소방안전관리대상물의 관계인이 법 제26조 제1항에 따른 소방안전관리보조자를 선임하고 제5항에 따라 신고하는 경우에는 신고인에게 별지 제16호서식의 소방안전관리보조자 선임증을 발급해야 한다. 이 경우 소방본부장 또는 소방서장은 신고인이 종전의 선임이력에 관한 확인을 신청하는 경우에는 별지 제17호서식의 소방안전관리보조자 선임 이력 확인서를 발급해야 한다.
⑧ 소방본부장 또는 소방서장은 소방안전관리보조자의 선임신고를 접수하거나 해임 사실을 확인한 경우에는 지체 없이 관련 사실을 종합정보망에 입력해야 한다.

📖 **핵심정리 소방안전관리자**

1. **소방안전관리 업무 수행자:** 특정소방대상물의 관계인 → 소방안전관리자 및 소방안전관리보조자 선임(소방안전관리자 자격증을 발급받은 사람에 한함)

2. **소방안전관리(보조)자 선임신고:** 선임한 날부터 14일 이내에 소방본부장이나 소방서장에게 신고

3. **소방안전관리(보조)자 선임 기간:** 30일 이내

4. **소방안전관리업무의 겸업 금지:** 특급 및 1급 소방안전관리 대상물

5. **관계인과 소방안전관리대상물의 소방안전관리자의 업무**(다만, ① · ② · ⑤ · ⑦의 업무는 소방안전관리대상물의 경우에만 해당)
   ① 피난계획에 관한 사항과 대통령령으로 정하는 사항이 포함된 소방계획서의 작성 및 시행
   ② 자위소방대 및 초기대응체계의 구성 · 운영 · 교육
   ③ 피난시설, 방화구획 및 방화시설의 유지 · 관리
   ④ 소방시설이나 그 밖의 소방 관련 시설 관리
   ⑤ 소방훈련 및 교육
   ⑥ 화기 취급의 감독
   ⑦ 소방안전관리에 관한 업무수행에 관한 기록 · 유지
   ⑧ 화재 발생 시 초기대응

📖 **핵심정리 소방안전관리자를 두어야 하는 소방대상물**

1. **특급 소방안전관리대상물**(동 · 식물원, 철강 등 불연성 물품을 저장 · 취급하는 창고, 위험물 저장 및 처리 시설 중 위험물 제조소등, 지하구를 제외)

구분	층수	지상으로부터의 높이	연면적	선임자격
아파트	50층 이상 (지하층 제외)	200m 이상	–	① 기술사 또는 관리사 ② 기사 + 5년 1급 안전관리 ③ 산업기사 + 7년 1급 안전관리 ④ 소방공무원 20년 ⑤ 특급 소방안전관리 시험 합격자 → 특급 소방안전관리자 자격증 소지자
그 외	30층 이상 (지하층 포함)	120m 이상	10만m² 이상 (층수나 높이 해당 안될 때)	

2. 1급 소방안전관리대상물(동·식물원, 철강 등 불연성 물품을 저장·취급하는 창고, 위험물 저장 및 처리 시설 중 위험물 제조소등, 지하구를 제외)

구분	층수	지상으로부터의 높이	연면적	선임자격
아파트	30층 이상 (지하층 제외)	120m 이상	–	① 기사 또는 산업기사 ② 소방공무원 7년
그 외	지상층 층수 11층 이상 (연면적 해당 안될 때)	120m 이상	1만 5천m² 이상	③ 1급 소방안전관리 시험 합격자 → 1급 소방안전관리자 자격증 소지자
	가연성 가스: 1천톤 이상 저장·취급 시설			

3. 2급 소방안전관리대상물

구분	선임대상물	선임자격
기준	① 옥내소화전, 스프링클러 ② 물분무등소화설비(호스릴만 설치 시 제외) ③ 가연성 가스를 100톤 이상 1천톤 미만 저장·취급하는 시설 ③ 지하구 ④ 옥내소화전설비 또는 스프링클러가 설치된 공동주택 ⑤ 공동주택, 보물 또는 국보로 지정된 목조건축물	① 위험물 자격증 소지자 ② 소방공무원 3년 ③ 2급 소방안전관리 시험 합격자 → 2급 소방안전관리자 자격증 소지자

4. **3급 소방안전관리대상물:** 위에 해당하지 않는 것 중 간이스프링클러 또는 자동화재 탐지설비를 설치하여야 하는 특정소방대상물

📖 **핵심정리 소방안전관리보조자를 두어야 하는 소방대상물**

1. 소방안전관리 보조자 선임 소방대상물
   ① 아파트(300세대 이상 아파트 해당)
   ② 아파트를 제외한 연면적이 15,000m² 이상인 특정소방대상물
   ③ ① 및 ②에 따른 특정소방대상물을 제외한 특정소방대상물 중 다음의 어느 하나에 해당하는 특정소방대상물
       ㉠ 공동주택 중 기숙사, 의료시설, 노유자시설, 수련시설
       ㉡ 숙박시설(사용 바닥면적의 합계 1,500m² 미만이고, 관계인이 24시간 상시 근무 숙박시설은 제외)

2. 소방안전관리 보조자 최소 선임기준
   ① 아파트: 1명. 다만, 300세대 이상인 경우에는 초과되는 300세대마다 1명 이상을 추가로 선임
   ② 연면적 15000m² 이상: 1명. 다만, 초과되는 연면적 1만5천m² 마다 1명 이상을 추가로 선임
   ③ 그 외의 경우(기숙사 등): 1명

제27조(관계인 등의 의무)

① 특정소방대상물의 관계인은 그 특정소방대상물에 대하여 제24조 제5항에 따른 소방
안전관리업무를 수행하여야 한다.

② 소방안전관리대상물의 관계인은 소방안전관리자가 소방안전관리업무를 성실하게
수행할 수 있도록 지도·감독하여야 한다.

③ 소방안전관리자는 인명과 재산을 보호하기 위하여 소방시설·피난시설·방화시설
및 방화구획 등이 법령에 위반된 것을 발견한 때에는 지체 없이 소방안전관리대상
물의 관계인에게 소방대상물의 개수·이전·제거·수리 등 필요한 조치를 할 것을 요구
하여야 하며, 관계인이 시정하지 아니하는 경우 소방본부장 또는 소방서장에게 그 사
실을 알려야 한다. 이 경우 소방안전관리자는 공정하고 객관적으로 그 업무를 수행
하여야 한다.

④ 소방안전관리자로부터 제3항에 따른 조치요구 등을 받은 소방안전관리대상물의 관계
인은 지체 없이 이에 따라야 하며, 이를 이유로 소방안전관리자를 해임하거나 보수
(報酬)의 지급을 거부하는 등 불이익한 처우를 하여서는 아니 된다.

제28조(소방안전관리자 선임명령 등)

① 소방본부장 또는 소방서장은 제24조 제1항에 따른 소방안전관리자 또는 소방안전
관리보조자를 선임하지 아니한 소방안전관리대상물의 관계인에게 소방안전관리
자 또는 소방안전관리보조자를 선임하도록 명할 수 있다.

② 소방본부장 또는 소방서장은 제24조 제5항에 따른 업무를 다하지 아니하는 특정
소방대상물의 관계인 또는 소방안전관리자에게 그 업무의 이행을 명할 수 있다.

 영철쌤 tip

관계인 등의 업무
1. 안전관리 업무 수행
2. 소방안전관리자 감독
3. 안전관리자는 위반사항 발견 시 지체 없이
   관계인에게 시정요구
4. 시정하지 않는 경우 소방본부방, 소방서장
   에게 그 사실 알림

제29조(건설현장 소방안전관리)

① 소방시설 설치 및 관리에 관한 법률 제15조 제1항에 따른 공사시공자가 화재발생 및 화재피해의 우려가 큰 대통령령으로 정하는 특정소방대상물(이하 "건설현장 소방안전관리대상물"이라 한다)을 신축·증축·개축·재축·이전·용도변경 또는 대수선하는 경우에는 제24조 제1항에 따른 소방안전관리자로서 제34조에 따른 교육을 받은 사람을 소방시설공사 착공 신고일부터 건축물 사용승인일(건축법 제22조에 따라 건축물을 사용할 수 있게 된 날을 말한다)까지 소방안전관리자로 선임하고 행정안전부령으로 정하는 바에 따라 소방본부장 또는 소방서장에게 신고하여야 한다.

② 제1항에 따른 건설현장 소방안전관리대상물의 소방안전관리자의 업무는 다음 각 호와 같다.
   1. 건설현장의 소방계획서의 작성
   2. 소방시설 설치 및 관리에 관한 법률 제15조 제1항에 따른 임시소방시설의 설치 및 관리에 대한 감독
   3. 공사진행 단계별 피난안전구역, 피난로 등의 확보와 관리
   4. 건설현장의 작업자에 대한 소방안전 교육 및 훈련
   5. 초기대응체계의 구성·운영 및 교육
   6. 화기취급의 감독, 화재위험작업의 허가 및 관리
   7. 그 밖에 건설현장의 소방안전관리와 관련하여 소방청장이 고시하는 업무

③ 그 밖에 건설현장 소방안전관리대상물의 소방안전관리에 관하여는 제26조부터 제28조까지의 규정을 준용한다. 이 경우 "소방안전관리대상물의 관계인" 또는 "특정소방대상물의 관계인"은 "공사시공자"로 본다.

시행령 제29조(건설현장 소방안전관리대상물) 법 제29조 제1항에서 "대통령령으로 정하는 특정소방대상물"이란 다음 각 호의 어느 하나에 해당하는 특정소방대상물을 말한다.
   1. 신축·증축·개축·재축·이전·용도변경 또는 대수선을 하려는 부분의 연면적의 합계가 1만5천제곱미터 이상인 것
   2. 신축·증축·개축·재축·이전·용도변경 또는 대수선을 하려는 부분의 연면적이 5천제곱미터 이상인 것으로서 다음 각 목의 어느 하나에 해당하는 것
      가. 지하층의 층수가 2개 층 이상인 것
      나. 지상층의 층수가 11층 이상인 것
      다. 냉동창고, 냉장창고 또는 냉동·냉장창고

시행규칙 제17조(건설현장 소방안전관리자의 선임신고) ① 법 제29조 제1항에 따른 건설현장 소방안전관리대상물(이하 "건설현장 소방안전관리대상물"이라 한다)의 공사시공자는 같은 항에 따라 소방안전관리자를 선임한 경우에는 선임한 날부터 14일 이내에 별지 제19호서식의 건설현장 소방안전관리자 선임신고서(전자문서를 포함한다)에 다음 각 호의 서류(전자문서를 포함한다)를 첨부하여 소방본부장 또는 소방서장에게 신고해야 한다. 이 경우 건설현장 소방안전관리대상물의 공사시공자는 종합정보망을 이용하여 선임신고를 할 수 있다.

1. 제18조에 따른 소방안전관리자 자격증
2. 건설현장 소방안전관리자가 되려는 사람에 대한 강습교육 수료증
3. 건설현장 소방안전관리대상물의 공사 계약서 사본

② 소방본부장 또는 소방서장은 건설현장 소방안전관리대상물의 공사시공자가 소방안전관리자를 선임하고 제1항에 따라 신고하는 경우에는 신고인에게 별지 제16호서식의 건설현장 소방안전관리자 선임증을 발급해야 한다. 이 경우 소방본부장 또는 소방서장은 신고인이 종전의 선임이력에 관한 확인을 신청하는 경우 별지 제17호서식의 건설현장 소방안전관리자 선임 이력 확인서를 발급해야 한다.

③ 소방본부장 또는 소방서장은 건설현장 소방안전관리자의 선임신고를 접수하거나 해임 사실을 확인한 경우에는 지체 없이 관련 사실을 종합정보망에 입력해야 한다.

④ 소방본부장 또는 소방서장은 건설현장 소방안전관리대상물 선임신고의 효율적 처리를 위하여 소방시설 설치 및 안전관리에 관한 법률 제6조 제1항에 따라 건축허가등의 동의를 하는 경우에는 지체 없이 해당 소방안전관리대상물의 위치, 연면적 등의 정보를 종합정보망에 입력해야 한다.

제30조(소방안전관리자 자격 및 자격증의 발급 등)

영철쌤 tip

자격증 발급
소방청장

① 제24조 제1항에 따른 소방안전관리자의 자격은 다음 각 호의 어느 하나에 해당하는 사람으로서 소방청장으로부터 소방안전관리자 자격증을 발급받은 사람으로 한다.

1. 소방청장이 실시하는 소방안전관리자 자격시험에 합격한 사람
2. 다음 각 목에 해당하는 사람으로서 대통령령으로 정하는 사람
   가. 소방안전과 관련한 국가기술자격증을 소지한 사람
   나. 가목에 해당하는 국가기술자격증 중 일정 자격증을 소지한 사람으로서 소방안전관리자로 근무한 실무경력이 있는 사람
   다. 소방공무원 경력자
   라. 기업활동 규제완화에 관한 특별조치법에 따라 소방안전관리자로 선임된 사람(소방안전관리자로 선임된 기간에 한정한다)

② 소방청장은 제1항 각 호에 따른 자격을 갖춘 사람이 소방안전관리자 자격증 발급을 신청하는 경우 행정안전부령으로 정하는 바에 따라 자격증을 발급하여야 한다.

③ 제2항에 따라 소방안전관리자 자격증을 발급받은 사람이 소방안전관리자 자격증을 잃어버렸거나 못 쓰게 된 경우에는 행정안전부령으로 정하는 바에 따라 소방안전관리자 자격증을 재발급 받을 수 있다.

④ 제2항 또는 제3항에 따라 발급 또는 재발급 받은 소방안전관리자 자격증을 다른 사람에게 빌려 주거나 빌려서는 아니 되며, 이를 알선하여서도 아니 된다.

> **시행령 제30조(소방안전관리자 자격증의 발급 등)** 법 제30조 제1항 제2호 각 목 외의 부분에서 "대통령령으로 정하는 사람"이란 별표 4 각 호의 소방안전관리대상물별로 선임해야 하는 소방안전관리자의 자격을 갖춘 사람(법 제30조 제1항 제1호에 해당하는 사람은 제외한다)을 말한다.

시행규칙 제18조(소방안전관리자 자격증의 발급 및 재발급 등) ① 소방안전관리자 자격증을 발급받으려는 사람은 법 제30조 제2항에 따라 별지 제20호서식의 소방안전관리자 자격증 발급 신청서(전자문서를 포함한다)에 다음 각 호의 서류(전자문서를 포함한다)를 첨부하여 소방청장에게 제출해야 한다. 이 경우 소방청장은 전자정부법 제36조 제1항에 따른 행정정보의 공동이용을 통하여 소방안전관리자 자격증의 발급 요건인 국가기술자격증(자격증 발급을 위하여 필요한 경우만 해당한다)을 확인할 수 있으며, 신청인이 확인에 동의하지 않는 경우에는 그 사본을 제출하도록 해야 한다.

1. 법 제30조 제1항 각 호의 어느 하나에 해당하는 사람임을 증명하는 서류
2. 신분증 사본
3. 사진(가로 3.5센티미터×세로 4.5센티미터)

② 제1항에 따라 소방안전관리자 자격증의 발급을 신청받은 소방청장은 3일 이내에 법 제30조 제1항 각 호에 따른 자격을 갖춘 사람에게 별지 제21호서식의 소방안전관리자 자격증을 발급해야 한다. 이 경우 소방청장은 별지 제22호서식의 소방안전관리자 자격증 발급대장에 등급별로 기록하고 관리해야 한다.

③ 제2항에 따라 소방안전관리자 자격증을 발급받은 사람이 그 자격증을 잃어버렸거나 자격증이 못 쓰게 된 경우에는 별지 제20호서식의 소방안전관리자 자격증 재발급 신청서(전자문서를 포함한다)를 작성하여 소방청장에게 자격증의 재발급을 신청할 수 있다. 이 경우 소방청장은 신청자에게 자격증을 3일 이내에 재발급하고 별지 제22호서식의 소방안전관리자 자격증 재발급대장에 재발급 사항을 기록하고 관리해야 한다.

④ 소방청장은 별지 제22호서식의 소방안전관리자 자격증 (재)발급대장을 종합정보망에서 전자적 처리가 가능한 방법으로 작성·관리해야 한다.

제31조(소방안전관리자 자격의 정지 및 취소)

① 소방청장은 제30조 제2항에 따라 소방안전관리자 자격증을 발급받은 사람이 다음 각 호의 어느 하나에 해당하는 경우에는 행정안전부령으로 정하는 바에 따라 그 자격을 취소하거나 1년 이하의 기간을 정하여 그 자격을 정지시킬 수 있다. 다만, 제1호 또는 제3호에 해당하는 경우에는 그 자격을 취소하여야 한다.

1. 거짓이나 그 밖의 부정한 방법으로 소방안전관리자 자격증을 발급받은 경우
2. 제24조 제5항에 따른 소방안전관리업무를 게을리한 경우
3. 제30조 제4항을 위반하여 소방안전관리자 자격증을 다른 사람에게 빌려준 경우
4. 제34조에 따른 실무교육을 받지 아니한 경우
5. 이 법 또는 이 법에 따른 명령을 위반한 경우

② 제1항에 따라 소방안전관리자 자격이 취소된 사람은 취소된 날부터 2년간 소방안전관리자 자격증을 발급받을 수 없다.

시행규칙 제19조(소방안전관리자 자격의 정지 및 취소 기준) 법 제31조 제1항에 따른 소방안전관리자 자격의 정지 및 취소 기준은 별표 3과 같다.

별표 3. 소방안전관리자 자격의 정지 및 취소 기준

1. 일반기준

    가. 위반행위가 둘 이상인 경우로서 그에 해당하는 각각의 처분기준이 다른 경우에는 그 중 무거운 처분기준에 따른다.

    나. 위반행위의 횟수에 따른 행정처분 기준은 최근 3년간 같은 위반행위로 행정처분을 받은 경우에 적용한다. 이 경우 기준 적용일은 위반행위에 대한 행정처분일과 그 처분 후에 한 위반행위가 다시 적발된 날을 기준으로 한다.

    다. 나목에 따라 가중된 부과처분을 하는 경우 가중처분의 적용 차수는 그 위반행위 전 부과처분 차수(나목에 따른 기간 내에 처분이 둘 이상 있었던 경우에는 높은 차수를 말한다)의 다음 차수로 한다.

    라. 처분권자는 위반행위의 동기·내용·횟수 및 위반 정도 등 다음의 감경 사유에 해당하는 경우 그 처분기준의 2분의 1의 범위에서 감경할 수 있다.

        1) 위반행위가 사소한 부주의나 오류 등으로 인한 것으로 인정되는 경우

        2) 위반행위를 바로 정정하거나 시정하여 해소한 경우

        3) 그 밖에 위반행위의 정도, 위반행위의 동기와 그 결과 등을 고려하여 처분을 줄일 필요가 있다고 인정되는 경우

2. 개별기준

영철쌤 tip

소방안전관리자 자격의 정지 및 취소 기준은 최근 1년간이 아닌 3년간 같은 위반행위로 행정처분을 받은 경우에 적용한다.

위반사항	근거법령	행정처분기준		
		1차 위반	2차 위반	3차 이상 위반
가. 거짓이나 그 밖의 부정한 방법으로 소방안전관리자 자격증을 발급받은 경우	법 제31조 제1항 제1호	자격취소		
나. 법 제24조 제5항에 따른 소방안전관리업무를 게을리한 경우	법 제31조 제1항 제2호	경고 (시정명령)	자격정지 (3개월)	자격정지 (6개월)
다. 법 제30조 제4항을 위반하여 소방안전관리자 자격증을 다른 사람에게 빌려준 경우	법 제31조 제1항 제3호	자격취소		
라. 제34조에 따른 실무교육을 받지 않는 경우	법 제31조 제1항 제4호	경고 (시정명령)	자격정지 (3개월)	자격정지 (6개월)

제20조(소방안전관리자 자격시험의 방법) ① 소방청장은 법 제30조 제1항 제1호에 따른 소방안전관리자 자격시험(이하 "소방안전관리자 자격시험"이라 한다)을 다음 각 호와 같이 실시한다. 이 경우 특급 소방안전관리자 자격시험은 제1차시험과 제2차시험으로 나누어 실시한다.

1. 특급 소방안전관리자 자격시험: 연 2회 이상

2. 1급·2급·3급 소방안전관리자 자격시험: 월 1회 이상

② 소방안전관리자 자격시험에 응시하려는 사람은 별지 제23호서식의 소방안전관리자 자격시험 응시원서(전자문서를 포함한다)에 다음 각 호의 서류(전자문서를 포함한다)를 첨부하여 소방청장에게 제출해야 한다.

1. 사진(가로 3.5센티미터 × 세로 4.5센티미터)

2. 응시자격 증명서류

③ 소방청장은 제2항에 따라 소방안전관리자 자격시험 응시원서를 접수한 경우에는 시험응시표를 발급해야 한다.

제21조(소방안전관리자 자격시험의 공고) 소방청장은 특급, 1급, 2급 또는 3급 소방안전관리자 자격시험을 실시하려는 경우에는 응시자격·시험과목·일시·장소 및 응시절차를 모든 응시 희망자가 알 수 있도록 시험 시행일 30일 전에 인터넷 홈페이지에 공고해야 한다.

제22조(소방안전관리자 자격시험의 합격자 결정 등) ① 특급, 1급, 2급 및 3급 소방안전관리자 자격시험은 매과목을 100점 만점으로 하여 매과목 40점 이상, 전과목 평균 70점 이상 득점한 사람을 합격자로 한다.

② 소방안전관리자 자격시험은 다음 각 호의 방법으로 채점한다. 이 경우 특급 소방안전관리자 자격시험의 제2차시험 채점은 제1차시험 합격자의 답안지에 대해서만 실시한다.

1. 선택형 문제: 답안지 기재사항을 전산으로 판독하여 채점

2. 주관식 서술형 문제: 제23조 제2항에 따라 임명·위촉된 시험위원이 채점. 이 경우 3명 이상의 채점자가 문항별 배점과 채점 기준표에 따라 별도로 채점하고 그 평균 점수를 해당 문제의 점수로 한다.

③ 특급 소방안전관리자 자격시험의 제1차시험에 합격한 사람은 제1차시험에 합격한 날부터 2년간 제1차시험을 면제한다.

④ 소방청장은 소방안전관리자 자격시험을 종료한 날부터 30일(특급 소방안전관리 자격시험의 경우에는 60일) 이내에 인터넷 홈페이지에 합격자를 공고하고, 응시자에게 휴대전화 문자 메시지로 합격 여부를 알려 줄 수 있다.

제23조(소방안전관리자 자격시험 과목 및 시험위원 위촉 등) ① 소방안전관리자 자격시험 과목 및 시험방법은 별표 4와 같다.

② 소방청장은 소방안전관리자 자격시험의 시험문제 출제, 검토 및 채점을 위하여 다음 각 호의 어느 하나에 해당하는 사람 중에서 시험 위원을 임명 또는 위촉해야 한다.

1. 소방 관련 분야에서 석사 이상의 학위를 취득한 사람

2. 고등교육법 제2조 제1호부터 제6호까지에 해당하는 학교에서 소방안전 관련 학과의 조교수 이상으로 2년 이상 재직한 사람

3. 소방위 이상의 소방공무원

4. 소방기술사

5. 소방시설관리사

6. 그 밖에 화재안전 또는 소방 관련 법령이나 정책에 전문성이 있는 사람

③ 제2항에 따라 위촉된 시험위원에게는 예산의 범위에서 수당, 여비 및 그 밖에 필요한 경비를 지급할 수 있다.

④ 제1항부터 제3항까지에서 규정한 사항 외에 소방안전관리자 자격시험의 운영 등에 필요한 세부적인 사항은 소방청장이 정한다.

별표 4. 소방안전관리자 자격시험 과목 및 시험방법
1. 특급 소방안전관리자

구분	과목	시험 내용	문항수	시험 방법	시험 시간
제1차 시험	제1과목	소방안전관리자 제도	50문항	선택형	120분
		화재통계 및 피해분석			
		위험물안전관리 법령 및 안전관리			
		직업윤리 및 리더십			
		소방 관계 법령			
		건축·전기·가스 관계 법령 및 안전관리			
		재난관리 일반 및 관련 법령			
		초고층재난관리 법령			
		화재예방 사례 및 홍보			
	제2과목	소방기초이론	50문항		
		연소·방화·방폭공학			
		고층건축물 소방시설 적용기준			
		공사장 안전관리 계획 및 감독			
		화기취급감독 및 화재위험작업 허가·관리			
		종합방재실 운용			
		고층건축물 화재 등 재난사례 및 대응방법			
		화재원인 조사실무			
		소방시설의 종류 및 기준			
		피난안전구역 운영			
		위험성 평가기법 및 성능위주 설계			
		화재피해 복구			
제2차 시험	제1과목	소방시설(소화·경보·피난구조·소화용수·소화활동설비)의 구조 점검·실습·평가	10문항	주관식 서술형 (단답형, 기입형 또는 계산형 문제를 포함할 수 있다)	90분
	제2과목	피난시설, 방화구획 및 방화시설의 관리	10문항		
		통합안전점검 실시(가스, 전기, 승강기 등)			
		소방계획 수립 이론·실습·평가(피난약자의 피난계획 등 포함)			
		방재계획 수립 이론·실습·평가			
		자체점검서식의 작성 실습·평가			
		구조 및 응급처치 이론·실습·평가			
		소방안전 교육 및 훈련 이론·실습·평가			

 영철쌤 tip

소방안전관리자 자격시험방법
1. 특급: 연 2회 이상
2. 1급, 2급, 3급: 월 1회 이상

소방안전관리자 합격자 발표
1. 특급: 시험종료일부터 60일 이내
2. 1급, 2급, 3급: 시험종료일부터 30일 이내

소방안전관리자 시험위원
1. 소방기술사, 소방시설관리사
2. 소방관련 석사 이상
3. 소방위
4. 소방안전관련학과 조교수 이상 + 2년 이상 재직

구분	과목	시험 내용	문항수	시험 방법	시험 시간
제2차 시험	제2과목	소방안전 교육 및 훈련 이론·실습·평가	10문항	주관식 서술형 (단답형, 기입형 또는 계산형 문제를 포함할 수 있다)	90분
		화재 시 초기대응 및 피난 실습·평가			
		재난예방 및 피해경감계획 수립 이론·실습·평가			
		자위소방대 및 초기대응체계 구성 등 이론·실습·평가			
		업무 수행기록의 작성·유지 및 실습·평가			

2. 1급 소방안전관리자

구분	시험 내용	문항수	시험 방법	시험 시간
제1과목	소방안전관리자 제도	25문항	선택형 (기입형을 포함할 수 있다)	60분
	소방 관계 법령			
	건축 관계 법령			
	소방학개론			
	화기취급감독 및 화재위험작업 허가·관리			
	공사장 안전관리 계획 및 감독			
	위험물·전기·가스 안전관리			
	종합방재실 운영			
	피난시설, 방화구획 및 방화시설의 관리			
	소방시설의 종류 및 기준			
	소방시설(소화·경보·피난구조·소화용수·소화활동설비)의 구조			
제2과목	소방시설(소화·경보·피난구조·소화용수·소화활동설비)의 점검·실습·평가	25문항		
	소방계획 수립 이론·실습·평가(피난약자의 피난계획 등 포함)			
	자위소방대 및 초기대응체계 구성 등 이론·실습·평가			
	작동기능점검표 작성 실습·평가			
	업무 수행기록의 작성·유지 및 실습·평가			
	구조 및 응급처치 이론·실습·평가			
	소방안전 교육 및 훈련 이론·실습·평가			
	화재 시 초기대응 및 피난 실습·평가			

3. 2급 소방안전관리자

구분	시험 내용	문항수	시험 방법	시험 시간
제1과목	소방안전관리자 제도	25문항	선택형 (기입형을 포함할 수 있다)	60분
	소방 관계 법령(건축 관계 법령 포함)			
	소방학개론			
	화기취급감독 및 화재위험작업 허가·관리			
	위험물·전기·가스 안전관리			
	피난시설, 방화구획 및 방화시설의 관리			
	소방시설의 종류 및 기준			
	소방시설(소화설비, 경보설비, 피난구조설비)의 구조			
제2과목	소방시설(소화설비, 경보설비, 피난구조설비)의 점검·실습·평가	25문항		
	소방계획 수립 이론·실습·평가(피난약자의 피난계획 등 포함)			
	자위소방대 및 초기대응체계 구성 등 이론·실습·평가			
	작동기능점검표 작성 실습·평가			
	응급처치 이론·실습·평가			
	소방안전 교육 및 훈련 이론·실습·평가			
	화재 시 초기대응 및 피난 실습·평가			
	업무 수행기록의 작성·유지 실습·평가			

4. 3급 소방안전관리자

구분	시험 내용	문항수	시험 방법	시험 시간
제1과목	소방 관계 법령	25문항	선택형 (기입형을 포함할 수 있다)	60분
	화재일반			
	화기취급감독 및 화재위험작업 허가 · 관리			
	위험물 · 전기 · 가스 안전관리			
	소방시설(소화설비, 경보설비, 피난구조설비)의 구조			
제2과목	소방시설(소화설비, 경보설비, 피난구조설비)의 점검 · 실습 · 평가	25문항	선택형 (기입형을 포함할 수 있다)	60분
	소방계획 수립 이론 · 실습 · 평가(업무 수행 기록의 작성 · 유지 실습 · 평가, 피난약자의 피난계획 등 포함)			
	작동기능점검표 작성 실습 · 평가			
	응급처치 이론 · 실습 · 평가			
	소방안전 교육 및 훈련 이론 · 실습 · 평가			
	화재 시 초기대응 및 피난 실습 · 평가			

제24조(부정행위 기준 등) ① 소방안전관리자 자격시험에서의 부정행위는 다음 각 호와 같다.
1. 대리시험을 의뢰하거나 대리로 시험에 응시한 행위
2. 다른 수험자의 답안지 또는 문제지를 엿보거나, 다른 수험자에게 이를 알려주는 행위
3. 다른 수험자와 답안지 또는 문제지를 교환하는 행위
4. 시험 중 다른 수험자와 시험과 관련된 대화를 하는 행위
5. 시험 중 시험문제 내용과 관련된 물건을 휴대하여 사용하거나 이를 주고받는 행위(해당 물건의 휴대 여부를 확인하기 위한 검색 요구에 따르지 않는 행위를 포함한다)
6. 시험장 안이나 밖의 사람으로부터 도움을 받아 답안지를 작성하는 행위
7. 다른 수험자와 성명 또는 수험번호를 바꾸어 제출하는 행위
8. 수험자가 시험시간에 통신기기 및 전자기기 등을 사용하여 답안지를 작성하거나 다른 수험자를 위하여 답안을 송신하는 행위(해당 물건의 휴대 여부를 확인하기 위한 검색 요구에 따르지 않는 행위를 포함한다)
9. 감독관의 본인 확인 요구에 따르지 않는 행위
10. 시험 종료 후에도 계속해서 답안을 작성하거나 수정하는 행위
11. 그 밖의 부정 또는 불공정한 방법으로 시험을 치르는 행위
② 제1항 각 호에 따른 부정행위를 하는 응시자를 적발한 경우에는 해당 시험을 정지하고 무효로 처리한다.

제32조(소방안전관리자 자격시험)

① 제30조 제1항 제1호에 따른 소방안전관리자 자격시험에 응시할 수 있는 사람의 자격은 대통령령으로 정한다.

② 제1항에 따른 소방안전관리자 자격의 시험방법, 시험의 공고 및 합격자 결정 등 소방안전관리자의 자격시험에 필요한 사항은 행정안전부령으로 정한다.

시행령 제31조(소방안전관리자 자격시험 응시자격) 법 제32조 제1항에 따라 소방안전관리자 자격시험에 응시할 수 있는 사람의 자격은 별표 6과 같다.

별표 6. 소방안전관리자 자격시험에 응시할 수 있는 사람의 자격

1. 특급 소방안전관리자

가. 1급 소방안전관리대상물의 소방안전관리자로 5년(소방설비기사의 경우에는 자격 취득 후 2년, 소방설비산업기사의 경우에는 자격 취득 후 3년) 이상 근무한 실무경력(법 제24조 제3항에 따라 소방안전관리자로 선임되어 근무한 경력은 제외한다. 이하 이 표에서 같다)이 있는 사람

나. 1급 소방안전관리대상물의 소방안전관리자로 선임될 수 있는 자격을 갖춘 후 특급 또는 1급 소방안전관리대상물의 소방안전관리보조자로 7년 이상 근무한 실무경력이 있는 사람

다. 소방공무원으로 10년 이상 근무한 경력이 있는 사람

라. 고등교육법 제2조 제1호부터 제6호까지 규정 중 어느 하나에 해당하는 학교(이하 "대학"이라 한다) 또는 초·중등교육법 시행령 제90조 제1항 제10호 및 제91조에 따른 고등학교(이하 "고등학교"라 한다)에서 소방안전관리학과(소방청장이 정하여 고시하는 학과를 말한다. 이하 이 표에서 같다)를 전공하고 졸업한 사람(법령에 따라 이와 같은 수준의 학력이 있다고 인정되는 사람을 포함한다)으로서 해당 학과를 졸업한 후 2년 이상 1급 소방안전관리대상물의 소방안전관리자로 근무한 실무경력이 있는 사람

마. 다음의 어느 하나에 해당하는 요건을 갖춘 후 3년 이상 1급 소방안전관리대상물의 소방안전관리자로 근무한 실무경력이 있는 사람

1) 대학 또는 고등학교에서 소방안전 관련 교과목(소방청장이 정하여 고시하는 교과목을 말한다. 이하 이 표에서 같다)을 12학점 이상 이수하고 졸업한 사람

2) 법령에 따라 1)에 해당하는 사람과 같은 수준의 학력이 있다고 인정되는 사람으로서 해당 학력 취득 과정에서 소방안전 관련 교과목을 12학점 이상 이수한 사람

3) 대학 또는 고등학교에서 소방안전 관련 학과(소방청장이 정하여 고시하는 학과를 말한다. 이하 이 표에서 같다)를 전공하고 졸업한 사람(법령에 따라 이와 같은 수준의 학력이 있다고 인정되는 사람을 포함한다)

바. 소방행정학(소방학 및 소방방재학을 포함한다) 또는 소방안전공학(소방방재공학 및 안전공학을 포함한다) 분야에서 석사 이상 학위를 취득한 후 2년 이상 1급 소방안전관리대상물의 소방안전관리자로 근무한 실무경력이 있는 사람

사. 특급 소방안전관리대상물의 소방안전관리보조자로 10년 이상 근무한 실무경력이 있는 사람

아. 법 제34조 제1항 제1호에 따른 강습교육 중 이 영 제33조 제1호에 해당하는 사람을 대상으로 하는 강습교육을 수료한 사람

1. 윗 사람 → 아랫 사람: 통보
2. 아랫 사람 → 윗 사람: 보고

자격시험은 일반적으로 대통령령이다. 그러나 소방안전관리자 자격시험은 행정안전부령이다.

특급 소방안전관리자 자격시험에 응시할 수 있는 사람의 자격
해당 이상 강습교육 수료자, 강습교육면제자

1급 소방안전관리자 자격시험에 응시할 수 있는 사람의 자격
해당 이상 강습교육 수료자(특급, 1급, 공공기관), 강습교육면제자

자. 초고층 및 지하연계 복합건축물 재난관리에 관한 특별법 제12조 제1항 각 호 외의
　　부분 본문에 따라 총괄재난관리자로 지정되어 1년 이상 근무한 경력이 있는 사람
2. 1급 소방안전관리자
　가. 대학 또는 고등학교에서 소방안전관리학과를 전공하고 졸업한 사람(법령에 따
　　　라 이와 같은 수준의 학력이 있다고 인정되는 사람을 포함한다)으로서 해당 학
　　　과를 졸업한 후 2년 이상 2급 소방안전관리대상물 또는 3급 소방안전관리대상
　　　물의 소방안전관리자로 근무한 실무경력이 있는 사람
　나. 다음의 어느 하나에 해당하는 요건을 갖춘 후 3년 이상 2급 소방안전관리대상물 또
　　　는 3급 소방안전관리대상물의 소방안전관리자로 근무한 실무경력이 있는 사람
　　　1) 대학 또는 고등학교에서 소방안전 관련 교과목을 12학점 이상 이수하고 졸업
　　　　한 사람
　　　2) 법령에 따라 1)에 해당하는 사람과 같은 수준의 학력이 있다고 인정되는 사람
　　　　으로서 해당 학력 취득 과정에서 소방안전 관련 교과목을 12학점 이상 이수한
　　　　사람
　　　3) 대학 또는 고등학교에서 소방안전 관련 학과를 전공하고 졸업한 사람(법령에
　　　　따라 이와 같은 수준의 학력이 있다고 인정되는 사람을 포함한다)
　다. 소방행정학(소방학 및 소방방재학을 포함한다) 또는 소방안전공학(소방방재공
　　　학 및 안전공학을 포함한다) 분야에서 석사 이상 학위를 취득한 사람
　라. 5년 이상 2급 소방안전관리대상물의 소방안전관리자로 근무한 실무경력이 있
　　　는 사람
　마. 법 제34조 제1항 제1호에 따른 강습교육 중 이 영 제33조 제1호 및 제2호에 해당
　　　하는 사람을 대상으로 하는 강습교육을 수료한 사람
　바. 2급 소방안전관리대상물의 소방안전관리자로 선임될 수 있는 자격을 갖춘 후
　　　특급 또는 1급 소방안전관리대상물의 소방안전관리보조자로 5년 이상 근무한
　　　실무경력이 있는 사람
　사. 2급 소방안전관리대상물의 소방안전관리자로 선임될 수 있는 자격을 갖춘 후
　　　2급 소방안전관리대상물의 소방안전관리보조자로 7년 이상 근무한 실무경력
　　　(특급 또는 1급 소방안전관리대상물의 소방안전관리보조자로 근무한 실무경력
　　　이 있는 경우에는 이를 포함하여 합산한다)이 있는 사람
　아. 산업안전기사 또는 산업안전산업기사의 자격을 취득한 후 2년 이상 2급 소방안
　　　전관리대상물 또는 3급 소방안전관리대상물의 소방안전관리자로 근무한 실무
　　　경력이 있는 사람
　자. 제1호에 따라 특급 소방안전관리대상물의 소방안전관리자 시험응시 자격이 인
　　　정되는 사람
3. 2급 소방안전관리자
　가. 대학 또는 고등학교에서 소방안전관리학과를 전공하고 졸업한 사람(법령에 따
　　　라 이와 같은 수준의 학력이 있다고 인정되는 사람을 포함한다)
　나. 다음의 어느 하나에 해당하는 사람
　　　1) 대학 또는 고등학교에서 소방안전 관련 교과목을 6학점 이상 이수하고 졸업
　　　　한 사람
　　　2) 법령에 따라 1)에 해당하는 사람과 같은 수준의 학력이 있다고 인정되는 사람으
　　　　로서 해당 학력 취득 과정에서 소방안전 관련 교과목을 6학점 이상 이수한 사람
　　　3) 대학 또는 고등학교에서 소방안전 관련 학과를 전공하고 졸업한 사람(법령에
　　　　따라 이와 같은 수준의 학력이 있다고 인정되는 사람을 포함한다)

다. 소방본부 또는 소방서에서 1년 이상 화재진압 또는 그 보조 업무에 종사한 경력이 있는 사람

라. 의용소방대 설치 및 운영에 관한 법률 제3조에 따라 의용소방대원으로 임명되어 3년 이상 근무한 경력이 있는 사람

마. 군부대(주한 외국군부대를 포함한다) 및 의무소방대의 소방대원으로 1년 이상 근무한 경력이 있는 사람

바. 위험물안전관리법 제19조에 따른 자체소방대의 소방대원으로 3년 이상 근무한 경력이 있는 사람

사. 대통령 등의 경호에 관한 법률에 따른 경호공무원 또는 별정직공무원으로서 2년 이상 안전검측 업무에 종사한 경력이 있는 사람

아. 경찰공무원으로 3년 이상 근무한 경력이 있는 사람

자. 법 제34조 제1항 제1호에 따른 강습교육 중 이 영 제33조 제1호부터 제3호까지에 해당하는 사람을 대상으로 하는 강습교육을 수료한 사람

차. 공공기관의 소방안전관리에 관한 규정 제5조 제1항 제2호 나목에 따른 강습교육을 수료한 사람

카. 특급 소방안전관리대상물, 1급 소방안전관리대상물, 2급 소방안전관리대상물 또는 3급 소방안전관리대상물의 소방안전관리보조자로 3년 이상 근무한 실무경력이 있는 사람

타. 3급 소방안전관리대상물의 소방안전관리자로 2년 이상 근무한 실무경력이 있는 사람

파. 건축사·산업안전기사·산업안전산업기사·건축기사·건축산업기사·일반기계기사·전기기능장·전기기사·전기산업기사·전기공사기사·전기공사산업기사·건설안전기사 또는 건설안전산업기사 자격을 가진 사람

하. 제1호 및 제2호에 따라 특급 또는 1급 소방안전관리대상물의 소방안전관리자 시험응시 자격이 인정되는 사람

4. 3급 소방안전관리자

가. 의용소방대 설치 및 운영에 관한 법률 제3조에 따라 의용소방대원으로 임명되어 의용소방대원으로 2년 이상 근무한 경력이 있는 사람

나. 위험물안전관리법 제19조에 따른 자체소방대의 소방대원으로 1년 이상 근무한 경력이 있는 사람

다. 대통령 등의 경호에 관한 법률에 따른 경호공무원 또는 별정직공무원으로 1년 이상 안전검측 업무에 종사한 경력이 있는 사람

라. 경찰공무원으로 2년 이상 근무한 경력이 있는 사람

마. 법 제34조 제1항 제1호에 따른 강습교육 중 이 영 제33조 제1호부터 제4호까지에 해당하는 사람을 대상으로 하는 강습교육을 수료한 사람

바. 공공기관의 소방안전관리에 관한 규정 제5조 제1항 제2호 나목에 따른 강습교육을 수료한 사람

사. 특급 소방안전관리대상물, 1급 소방안전관리대상물, 2급 소방안전관리대상물 또는 3급 소방안전관리대상물의 소방안전관리보조자로 2년 이상 근무한 실무경력이 있는 사람

아. 제1호부터 제3호까지의 규정에 따라 특급 소방안전관리대상물, 1급 소방안전관리대상물 또는 2급 소방안전관리대상물의 소방안전관리자 시험응시 자격이 인정되는 사람

제33조(소방안전관리자 등 종합정보망의 구축·운영)

① 소방청장은 소방안전관리자 및 소방안전관리보조자에 대한 다음 각 호의 정보를 효율적으로 관리하기 위하여 종합정보망을 구축·운영할 수 있다.

　1. 제26조 제1항에 따른 소방안전관리자 및 소방안전관리보조자의 선임신고 현황

　2. 제26조 제2항에 따른 소방안전관리자 및 소방안전관리보조자의 해임 사실의 확인 현황

　3. 제29조 제1항에 따른 건설현장 소방안전관리자 선임신고 현황

　4. 제30조 제1항 및 제2항에 따른 소방안전관리자 자격시험 합격자 및 자격증의 발급 현황

　5. 제31조 제1항에 따른 소방안전관리자 자격증의 정지·취소 처분 현황

　6. 제34조에 따른 소방안전관리자 및 소방안전관리보조자의 교육 실시현황

② 제1항에 따른 종합정보망의 구축·운영 등에 필요한 사항은 대통령령으로 정한다.

> **시행령 제32조(종합정보망의 구축·운영)** 소방청장은 법 제33조 제1항에 따른 종합정보망(이하 "종합정보망"이라 한다)의 효율적인 운영을 위해 필요한 경우 다음 각 호의 업무를 수행할 수 있다.
> 1. 종합정보망과 유관 정보시스템의 연계·운영
> 2. 법 제33조 제1항 각 호의 정보를 저장·가공 및 제공하기 위한 시스템의 구축·운영

제34조(소방안전관리자 등에 대한 교육)

① 소방안전관리자가 되려고 하는 사람 또는 소방안전관리자(소방안전관리보조자를 포함한다)로 선임된 사람은 소방안전관리업무에 관한 능력의 습득 또는 향상을 위하여 행정안전부령으로 정하는 바에 따라 소방청장이 실시하는 다음 각 호의 강습교육 또는 실무교육을 받아야 한다.

　1. 강습교육❶

　　가. 소방안전관리자의 자격을 인정받으려는 사람으로서 대통령령으로 정하는 사람

　　나. 제24조 제3항에 따른 소방안전관리자로 선임되고자 하는 사람

　　다. 제29조에 따른 소방안전관리자로 선임되고자 하는 사람

　2. 실무교육❷

　　가. 제24조 제1항에 따라 선임된 소방안전관리자 및 소방안전관리보조자

　　나. 제24조 제3항에 따라 선임된 소방안전관리자

② 제1항에 따른 교육실시방법은 다음 각 호와 같다. 다만, 감염병의 예방 및 관리에 관한 법률 제2조에 따른 감염병 등 불가피한 사유가 있는 경우에는 행정안전부령으로 정하는 바에 따라 제1호 또는 제3호의 교육을 제2호의 교육으로 실시할 수 있다.

　1. 집합교육❸

　2. 정보통신매체를 이용한 원격교육❹

　3. 제1호 및 제2호를 혼용한 교육

영철쌤 tip

소방안전관리자 등의 교육
1. 실시자: 소방청장
2. 교육종류: 강습교육, 실무교육
3. 교육대상

강습교육	· 소방안전관리자의 자격을 인정받으려는 사람 · 소방안전관리자로 선임되고자 하는 사람
실무교육	선임된 소방안전관리자 및 소방안전관리보조자

시행령 제33조(소방안전관리자의 자격을 인정받으려는 사람) 법 제34조 제1항 제1호 가목에서 "대통령령으로 정하는 사람"이란 다음 각 호의 사람을 말한다.

1. 특급 소방안전관리대상물의 소방안전관리자가 되려는 사람
2. 1급 소방안전관리대상물의 소방안전관리자가 되려는 사람
3. 2급 소방안전관리대상물의 소방안전관리자가 되려는 사람
4. 3급 소방안전관리대상물의 소방안전관리자가 되려는 사람
5. 공공기관의 소방안전관리에 관한 규정 제2조에 따른 공공기관의 소방안전관리자가 되려는 사람

시행규칙 제25조(강습교육의 실시) ① 소방청장은 법 제34조 제1항 제1호에 따른 강습교육(이하 "강습교육"이라 한다)의 대상·일정·횟수 등을 포함한 강습교육의 실시계획을 매년 수립·시행해야 한다.

② 소방청장은 강습교육을 실시하려는 경우에는 강습교육 실시 20일 전까지 일시·장소, 그 밖에 강습교육 실시에 필요한 사항을 인터넷 홈페이지에 공고해야 한다.

③ 소방청장은 강습교육을 실시한 경우에는 수료자에게 별지 제24호서식의 수료증(전자문서를 포함한다)을 발급하고 강습교육의 과정별로 별지 제25호서식의 강습교육수료자 명부대장(전자문서를 포함한다)을 작성·보관해야 한다.

제26조(강습교육 수강신청 등) ① 강습교육을 받으려는 사람은 강습교육의 과정별로 별지 제26호서식의 강습교육 수강신청서(전자문서를 포함한다)에 다음 각 호의 서류(전자문서를 포함한다)를 첨부하여 소방청장에게 제출해야 한다.

1. 사진(가로 3.5센티미터 × 세로 4.5센티미터)
2. 재직증명서(법 제39조 제1항에 따른 공공기관에 재직하는 사람만 해당한다)

② 소방청장은 강습교육 수강신청서를 접수한 경우에는 수강증을 발급해야 한다.

제27조(강습교육의 강사) 강습교육을 담당할 강사는 과목별로 다음 각 호의 어느 하나에 해당하는 사람 중에서 소방에 관한 학식·경험·능력 등을 고려하여 소방청장이 임명 또는 위촉한다.

1. 안전원 직원
2. 소방기술사
3. 소방시설관리사
4. 소방안전 관련 학과에서 부교수 이상의 직(職)에 재직 중이거나 재직한 사람
5. 소방안전 관련 분야에서 석사 이상의 학위를 취득한 사람
6. 소방공무원으로 5년 이상 근무한 사람

제28조(강습교육의 과목, 시간 및 운영방법) 강습교육의 과목, 시간 및 운영방법은 별표 5와 같다.

교육대상	시간 합계	1일 8시간
특급 소방안전관리자	160시간	20일
1급 소방안전관리자	80시간	10일
2급 및 공공기관 소방 안전관리자	40시간	5일
3급 소방안전관리자	24시간	3일
업무 대행감독 소방안 전관리자	16시간	2일
건설현장 소방안전관 리자	24시간	3일

별표 5. 강습교육 과목, 시간 및 운영방법

1. 교육과정별 과목 및 시간

교육대상	교육과목	교육시간
가. 영 별표 4의 특급 소방안전관리대상 물에 소방안전관리 자가 되려는 사람	소방안전관리자 제도	160시간
	화재통계 및 피해분석	
	직업윤리 및 리더십	
	소방 관계 법령	
	건축 · 전기 · 가스 관계 법령 및 안전관리	
	위험물안전관계 법령 및 안전관리	
	재난관리 일반 및 관련 법령	
	초고층재난관리 법령	
	소방기초이론	
	연소 · 방화 · 방폭공학	
	화재예방 사례 및 홍보	
	고층건축물 소방시설 적용기준	
	소방시설의 종류 및 기준	
	소방시설(소화설비, 경보설비, 피난구조설비, 소 화용수설비, 소화활동설비)의 구조 · 점검 · 실습 · 평가	
	공사장 안전관리 계획 및 감독	
	화기취급감독 및 화재위험작업 허가 · 관리	
	종합방재실 운용	
	피난안전구역 운영	
	고층건축물 화재 등 재난사례 및 대응방법	
	화재원인 조사실무	
	위험성 평가기법 및 성능위주 설계	
	소방계획의 수립 이론 · 실습 · 평가(피난약자의 피난계획 등 포함)	
	자위소방대 및 초기대응체계 구성 등 이론 · 실 습 · 평가	
	방재계획 수립 이론 · 실습 · 평가	
	재난예방 및 피해경감계획 수립 이론 · 실습 · 평가	
	자체점검 서식의 작성 실습 · 평가	
	통합안전점검 실시(가스, 전기, 승강기 등)	

가. 영 별표 4의 특급 소방안전관리대상물에 소방안전관리자가 되려는 사람	피난시설, 방화구획 및 방화시설의 관리	160시간
	구조 및 응급처치 이론·실습·평가	
	소방안전 교육 및 훈련 이론·실습·평가	
	화재 시 초기대응 및 피난 실습·평가	
	업무 수행기록의 작성·유지 실습·평가	
	화재피해 복구	
	초고층 건축물 안전관리 우수사례 토의	
	소방신기술 동향	
	시청각 교육	
나. 영 별표 4의 1급 소방안전관리대상물에 소방안전관리자가 되려는 사람	소방안전관리자 제도	80시간
	소방 관계 법령	
	건축 관계 법령	
	소방학개론	
	화기취급감독 및 화재위험작업 허가·관리	
	공사장 안전관리 계획 및 감독	
	위험물·전기·가스 안전관리	
	종합방재실 운영	
	소방시설의 종류 및 기준	
	소방시설(소화설비, 경보설비, 피난구조설비, 소화용수설비, 소화활동설비)의 구조·점검·실습·평가	
	소방계획의 수립 이론·실습·평가(피난약자의 피난계획 등 포함)	
	자위소방대 및 초기대응체계 구성 등 이론·실습·평가	
	작동기능점검표 작성 실습·평가	
	피난시설, 방화구획 및 방화시설의 관리	
	구조 및 응급처치 이론·실습·평가	
	소방안전 교육 및 훈련 이론·실습·평가	
	화재 시 초기대응 및 피난 실습·평가	
	업무 수행기록의 작성·유지 실습·평가	
	형성평가(시험)	

교육대상	교육과목	교육시간
다. 영 별표 4의 2급 소방안전관리대상물에 소방안전관리자가 되려는 사람	소방안전관리자 제도	40시간
	소방 관계 법령(건축 관계 법령 포함)	
	소방학개론	
	화기취급감독 및 화재위험작업 허가 · 관리	
	위험물 · 전기 · 가스 안전관리	
	소방시설의 종류 및 기준	
	소방시설(소화설비, 경보설비, 피난구조설비)의 구조 · 점검 · 실습 · 평가	
	소방계획의 수립 이론 · 실습 · 평가(피난약자의 피난계획 등 포함)	
	자위소방대 및 초기대응체계 구성 등 이론 · 실습 · 평가	
	작동기능점검표 작성 실습 · 평가	
	피난시설, 방화구획 및 방화시설의 관리	
	응급처치 이론 · 실습 · 평가	
	소방안전 교육 및 훈련 이론 · 실습 · 평가	
	화재 시 초기대응 및 피난 실습 · 평가	
	업무 수행기록의 작성 · 유지 실습 · 평가	
	형성평가(시험)	
라. 영 별표 4의 3급 소방안전관리대상물에 소방안전관리자가 되려는 사람	소방 관계 법령	24시간
	화재일반	
	화기취급감독 및 화재위험작업 허가 · 관리	
	위험물 · 전기 · 가스 안전관리	
	소방시설(소화설비, 경보설비, 피난구조설비)의 구조 · 점검 · 실습 · 평가	
	소방계획의 수립 이론 · 실습 · 평가(업무 수행기록의 작성 · 유지 실습 · 평가 및 피난약자의 피난계획 등 포함)	
	작동기능점검표 작성 실습 · 평가	
	응급처치 이론 · 실습 · 평가	
	소방안전 교육 및 훈련 이론 · 실습 · 평가	
	화재 시 초기대응 및 피난 실습 · 평가	
	형성평가(시험)	

마. 영 제40조의 공공 기관에 소방안전관 리자가 되려는 사람	소방안전관리자 제도	40시간
	직업윤리 및 리더십	
	소방 관계 법령	
	건축 관계 법령	
	공공기관 소방안전규정의 이해	
	소방학개론	
	소방시설의 종류 및 기준	
	소방시설(소화설비, 경보설비, 피난구조설비, 소화 용수설비, 소화활동설비)의 구조 · 점검 · 실습 · 평가	
	소방안전관리업무 대행 감독	
	공사장 안전관리 계획 및 감독	
	화기취급감독 및 화재위험작업 허가 · 관리	
	위험물 · 전기 · 가스 안전관리	
	소방계획의 수립 이론 · 실습 · 평가(피난약자의 피난계획 등 포함)	
	자위소방대 및 초기대응체계 구성 등 이론 · 실 습 · 평가	
	작동기능점검표 및 외관점검표 작성 실습 · 평가	
	피난시설, 방화구획 및 방화시설의 관리	
	응급처치 이론 · 실습 · 평가	
	소방안전 교육 및 훈련 이론 · 실습 · 평가	
	화재 시 초기대응 및 피난 실습 · 평가	
	업무 수행기록의 작성 · 유지 실습 · 평가	
	공공기관 소방안전관리 우수사례 토의	
	형성평가(수료)	
바. 법 제24조 제3항 에 따른 업무대행 감독 소방안전관리 자가 되려는 사람	소방 관계 법령	16시간
	소방안전관리업무대행 감독	
	소방시설 유지 · 관리	
	화기취급감독 및 위험물 · 전기 · 가스 안전관리	
	소방계획의 수립 이론 · 실습 · 평가(업무 수행기록 의 작성 · 유지 및 피난약자의 피난계획 등 포함)	
	자위소방대 구성운영 등 이론 · 실습 · 평가	
	응급처치 이론 · 실습 · 평가	
	소방안전 교육 및 훈련 이론 · 실습 · 평가	

화재의 예방 및 안전관리에 관한 법률

3

해커스소방 이영철 소방관계법규 기본서

교육대상	교육과목	교육시간
	화재 시 초기대응 및 피난 실습·평가	16시간
	형성평가(수료)	
사. 법 제29조 제1항에 따른 건설현장 소방안전관리자가 되려는 사람	소방 관계 법령	24시간
	건설현장 관련 법령	
	건설현장 화재일반	
	건설현장 위험물·전기·가스 안전관리	
	임시소방시설의 구조·점검·실습·평가	
	화기취급감독 및 화재위험작업 허가·관리	
	건설현장 소방계획 이론·실습·평가	
	초기대응체계 구성·운영 이론·실습·평가	
	건설현장 피난계획 수립	
	건설현장 작업자 교육훈련 이론·실습·평가	
	응급처치 이론·실습·평가	
	형성평가(수료)	

2. 교육운영방법
가. 교육과정별 교육시간 편성기준

교육대상	시간 합계	이론 (30%)	실무(70%)	
			일반 (30%)	실습 및 평가 (40%)
특급 소방안전관리자	160시간	48시간	48시간	64시간
1급 소방안전관리자	80시간	24시간	24시간	32시간
2급 및 공공기관 소방안전관리자	40시간	12시간	12시간	16시간
3급 소방안전관리자	24시간	7시간	7시간	10시간
업무 대행감독 소방안전관리자	16시간	5시간	5시간	6시간
건설현장 소방안전관리자	24시간	7시간	7시간	10시간

나. 가목에 따른 평가는 서식작성, 설비운용(소방시설에 대한 점검능력을 포함한다) 및 비상대응 등 실습내용에 대한 평가를 말한다.

다. 교육과정을 수료하려는 사람은 가목에 따른 교육시간 합계의 90퍼센트 이상을 출석하고, 나목에 따른 실습내용 평가에 합격(해당 평가항목을 이수하거나 평가기준을 충족한 경우를 말한다)해야 한다. 다만, 결강시간은 1일 최대 3시간을 초과할 수 없다.

라. 공공기관 소방안전관리업무에 관한 강습과목 중 일부 과목은 16시간 범위에서 원격교육으로 실시할 수 있다.

마. 구조 및 응급처치과목에는 응급의료에 관한 법률 시행규칙 제6조 제1항에 따른 구조 및 응급처치에 관한 교육의 내용과 시간이 포함되어야 한다.

제29조(실무교육의 실시) ① 소방청장은 법 제34조 제1항 제2호에 따른 실무교육(이하 "실무교육"이라 한다)의 대상·일정·횟수 등을 포함한 실무교육의 실시 계획을 매년 수립·시행해야 한다.

② 소방청장은 실무교육을 실시하려는 경우에는 실무교육 실시 30일 전까지 일시·장소, 그 밖에 실무교육 실시에 필요한 사항을 인터넷 홈페이지에 공고하고 교육대상자에게 통보해야 한다.

③ 소방안전관리자는 소방안전관리자로 선임된 날부터 6개월 이내에 실무교육을 받아야 하며, 그 이후에는 2년마다(최초 실무교육을 받은 날을 기준일로 하여 매 2년이 되는 해의 기준일과 같은 날 전까지를 말한다) 1회 이상 실무교육을 받아야 한다. 다만, 소방안전관리 강습교육 또는 실무교육을 받은 후 1년 이내에 소방안전관리자로 선임된 사람은 해당 강습교육을 수료하거나 실무교육을 이수한 날에 실무교육을 이수한 것으로 본다.

④ 소방안전관리보조자는 그 선임된 날부터 6개월(영 별표 5 제2호 마목에 따라 소방안전관리보조자로 지정된 사람의 경우 3개월을 말한다) 이내에 실무교육을 받아야 하며, 그 이후에는 2년마다(최초 실무교육을 받은 날을 기준일로 하여 매 2년이 되는 해의 기준일과 같은 날 전까지를 말한다) 1회 이상 실무교육을 받아야 한다. 다만, 소방안전관리자 강습교육 또는 실무교육이나 소방안전관리보조자 실무교육을 받은 후 1년 이내에 소방안전관리보조자로 선임된 사람은 해당 강습교육을 수료하거나 실무교육을 이수한 날에 실무교육을 이수한 것으로 본다.

제30조(실무교육의 강사) 실무교육을 담당할 강사는 다음 각 호의 어느 하나에 해당하는 사람 중에서 소방에 관한 학식·경험·능력 등을 종합적으로 고려하여 소방청장이 임명 또는 위촉한다.

1. 안전원 직원
2. 소방기술사
3. 소방시설관리사
4. 소방안전 관련 학과에서 부교수 이상의 직에 재직 중이거나 재직한 사람
5. 소방안전 관련 분야에서 석사 이상의 학위를 취득한 사람
6. 소방공무원으로 5년 이상 근무한 사람

제31조(실무교육의 과목, 시간 및 운영방법) 실무교육의 과목, 시간 및 운영방법은 별표 6과 같다.

별표 6. 소방안전관리자 및 소방안전관리보조자에 대한 실무교육의 과목, 시간 및 운영방법

1. 소방안전관리자에 대한 실무교육의 과목 및 시간

교육과목	교육시간
가. 소방 관계 법규 및 화재 사례 나. 소방시설의 구조원리 및 현장실습 다. 소방시설의 유지·관리요령 라. 소방계획서의 작성 및 운영 마. 업무 수행 기록·유지에 관한 사항 바. 자위소방대의 조직과 소방 훈련 및 교육 사. 피난시설 및 방화시설의 유지·관리 아. 화재 시 초기대응 및 인명 대피 요령 자. 소방 관련 질의회신 등	8시간 이내

 영철쌤 tip

1. 소방안전관리자 실무교육: 하루(8시간)
2. 소방안전관리보조자 실무교육: 반나절(4시간)

교육과목 중 이론 과목 및 서식작성 등은 4시간 이내에서 원격교육으로 실시할 수 있다.

2. 소방안전관리보조자에 대한 실무교육의 과목 및 시간

교육과목	교육시간
가. 소방 관계 법규 및 화재 사례 나. 화재의 예방·대비 다. 소방시설 유지관리 실습 라. 초기대응체계 교육 및 훈련 실습 마. 화재발생 시 대응 실습 등	4시간

3. **교육운영 방법**

　　가. 실무교육은 이론·실습 또는 실습·평가로 구분하여 실시할 수 있다. 이 경우 실습·평가는 교육시간을 달리 정할 수 있다.

　　나. 실무교육의 수료를 위한 출석기준은 제1호 및 제2호에 따른 교육시간의 90퍼센트 이상으로 한다. 다만, 실습·평가의 경우에는 가목 후단에 따라 달리 정한 시간의 100퍼센트로 한다.

제32조(실무교육 수료증 발급 및 실무교육 결과의 통보) ① 소방청장은 실무교육을 수료한 사람에게 실무교육 수료증(전자문서를 포함한다)을 발급하고, 별지 제27호서식의 실무교육 수료자명부(전자문서를 포함한다)에 작성·관리해야 한다.

② 소방청장은 해당 연도의 실무교육이 끝난 날부터 30일 이내에 그 결과를 소방본부장 또는 소방서장에게 통보해야 한다.

제33조(원격교육 실시방법) 법 제34조 제2항 제2호에 따른 원격교육은 실시간 양방향 교육, 인터넷을 통한 영상강의 등 정보통신매체를 이용하여 실시한다.

용어사전
······································

❶ 복합건축물: 하나의 건축물에 둘 이상의 특정소방대상물이 있는 것을 말한다.

영철쌤 tip

관리의 권원이 분리된 특정소방대상물
1. 복합건축물(11층 이상, 연면적 3만제곱미터 이상)
2. 지하가
3. 그 밖에 대통령령으로 정하는 특정소방대상물(판매시설 중 도매시장, 소매시장, 전통시장)

1인 소방안전관리자　　공동 소방안전관리자

제35조(관리의 권원이 분리된 특정소방대상물의 소방안전관리)

① 다음 각 호의 어느 하나에 해당하는 특정소방대상물로서 그 관리의 권원(權原)이 분리되어 있는 특정소방대상물의 경우 그 관리의 권원별 관계인은 대통령령으로 정하는 바에 따라 제24조 제1항에 따른 소방안전관리자를 선임하여야 한다. 다만, 소방본부장 또는 소방서장은 관리의 권원이 많아 효율적인 소방안전관리가 이루어지지 아니한다고 판단되는 경우 대통령령으로 정하는 바에 따라 관리의 권원을 조정하여 소방안전관리자를 선임하도록 할 수 있다.

1. 복합건축물❶(지하층을 제외한 층수가 11층 이상 또는 연면적 3만제곱미터 이상인 건축물)

2. 지하가(지하의 인공구조물 안에 설치된 상점 및 사무실, 그 밖에 이와 비슷한 시설이 연속하여 지하도에 접하여 설치된 것과 그 지하도를 합한 것을 말한다)

3. 그 밖에 대통령령으로 정하는 특정소방대상물

② 제1항에 따른 관리의 권원별 관계인은 상호 협의하여 특정소방대상물의 전체에 걸쳐 소방안전관리상 필요한 업무를 총괄하는 소방안전관리자(이하 "총괄소방안전관리자"라 한다)를 제1항에 따라 선임된 소방안전관리자 중에서 선임하거나 별도로 선임하여야 한다. 이 경우 총괄소방안전관리자의 자격은 대통령령으로 정하고 업무수행 등에 필요한 사항은 행정안전부령으로 정한다.

③ 제2항에 따른 총괄소방안전관리자에 대하여는 제24조, 제26조부터 제28조까지 및 제30조부터 제34조까지에서 규정한 사항 중 소방안전관리자에 관한 사항을 준용한다.

④ 제1항 및 제2항에 따라 선임된 소방안전관리자 및 총괄소방안전관리자는 해당 특정소방대상물의 소방안전관리를 효율적으로 수행하기 위하여 공동소방안전관리협의회를 구성하고, 해당 특정소방대상물에 대한 소방안전관리를 공동으로 수행하여야 한다. 이 경우 공동소방안전관리협의회의 구성 · 운영 및 공동소방안전관리의 수행 등에 필요한 사항은 대통령령으로 정한다.

시행령 제34조(관리의 권원별 소방안전관리자 선임 및 조정 기준) ① 법 제35조 제1항 본문에 따라 관리의 권원이 분리되어 있는 특정소방대상물의 관계인은 소유권, 관리권 및 점유권에 따라 각각 소방안전관리자를 선임해야 한다. 다만, 둘 이상의 소유권, 관리권 또는 점유권이 동일인에게 귀속된 경우에는 하나의 관리 권원으로 보아 소방안전관리자를 선임할 수 있다.

② 제1항에도 불구하고 다음 각 호의 어느 하나에 해당하는 경우에는 해당 호에서 정하는 바에 따라 소방안전관리자를 선임할 수 있다.

1. 법령 또는 계약 등에 따라 공동으로 관리하는 경우: 하나의 관리 권원으로 보아 소방안전관리자 1명 선임

2. 화재 수신기 또는 소화펌프(가압송수장치를 포함한다. 이하 이 항에서 같다)가 별도로 설치되어 있는 경우: 설치된 화재 수신기 또는 소화펌프가 화재를 감지 · 소화 또는 경보할 수 있는 부분을 각각 하나의 관리 권원으로 보아 각각 소방안전관리자 선임

3. 하나의 화재 수신기 및 소화펌프가 설치된 경우: 하나의 관리 권원으로 보아 소방안전관리자 1명 선임

③ 제1항 및 제2항에도 불구하고 소방본부장 또는 소방서장은 법 제35조 제1항 각 호 외의 부분 단서에 따라 관리의 권원이 많아 효율적인 소방안전관리가 이루어지지 않는다고 판단되는 경우 제1항 각 호의 기준 및 해당 특정소방대상물의 화재위험성 등을 고려하여 관리의 권원이 분리되어 있는 특정소방대상물의 관리의 권원을 조정하여 소방안전관리자를 선임하도록 할 수 있다.

제35조(관리의 권원이 분리된 특정소방대상물) 법 제35조 제1항 제3호에서 "대통령령으로 정하는 특정소방대상물"이란 소방시설 설치 및 관리에 관한 법률 시행령 별표 2에 따른 판매시설 중 도매시장, 소매시장 및 전통시장을 말한다.

제36조(총괄소방안전관리자 선임자격) 법 제35조 제2항에 따른 특정소방대상물의 전체에 걸쳐 소방안전관리상 필요한 업무를 총괄하는 소방안전관리자(이하 "총괄소방안전관리자"라 한다)는 별표 4에 따른 소방안전관리대상물의 등급별 선임자격을 갖춰야 한다. 이 경우 관리의 권원이 분리되어 있는 특정소방대상물에 대하여 소방안전관리대상물의 등급을 결정할 때에는 해당 특정소방대상물 전체를 기준으로 한다.

총괄소방안전관리자

1. 의미: 특정소방대상물의 전체에 걸쳐 소방안전관리상 필요한 업무를 총괄하는 소방안전관리자

2. 선임: 선임된 소방안전관리자 중에서 선임 또는 별도 선임

3. 선임자격: 총괄 소방안전관리자를 선임하여야 하는 소방안전관리대상물 전체에 대한 소방안전관리자 선임 등급 이상

1. 소방안전관리자: 2명 선임
2. 총괄소방안전관리자: 1명 선임

관리권원별 소방안전관리자 선임기준

1. 공동관리: 하나의 관리권원으로 보고 1명 선임
2. 화재수신기, 소화펌프 설치: 각각 선임

제37조(공동소방안전관리협의회의 구성·운영 등) ① 법 제35조 제4항에 따른 공동소방안전관리협의회(이하 "협의회"라 한다)는 같은 조 제1항 및 제2항에 따라 선임된 소방안전관리자 및 총괄소방안전관리자(이하 이 조에서 "총괄소방안전관리자등"이라 한다)로 구성한다.

② 총괄소방안전관리자등은 법 제35조 제4항에 따라 다음 각 호의 공동소방안전관리 업무를 협의회의 협의를 거쳐 공동으로 수행한다.

1. 특정소방대상물 전체의 소방계획 수립 및 시행에 관한 사항
2. 특정소방대상물 전체의 소방훈련·교육의 실시에 관한 사항
3. 공용 부분의 소방시설 및 피난·방화시설의 유지·관리에 관한 사항
4. 그 밖에 공동으로 소방안전관리를 할 필요가 있는 사항

③ 협의회는 공동소방안전관리 업무의 수행에 필요한 기준을 정하여 운영할 수 있다.

제36조(피난계획의 수립 및 시행)

① 소방안전관리대상물의 관계인은 그 장소에 근무하거나 거주 또는 출입하는 사람들이 화재가 발생한 경우에 안전하게 피난할 수 있도록 피난계획을 수립·시행하여야 한다.

② 제1항의 피난계획에는 그 소방안전관리대상물의 구조, 피난시설 등을 고려하여 설정한 피난경로가 포함되어야 한다.

③ 소방안전관리대상물의 관계인은 피난시설의 위치, 피난경로 또는 대피요령이 포함된 피난유도 안내정보를 근무자 또는 거주자에게 정기적으로 제공하여야 한다.

④ 제1항에 따른 피난계획의 수립·시행, 제3항에 따른 피난유도 안내정보 제공에 필요한 사항은 행정안전부령으로 정한다.

시행규칙 제34조(피난계획의 수립·시행) ① 법 제36조 제1항에 따른 피난계획(이하 "피난계획"이라 한다)에는 다음 각 호의 사항이 포함되어야 한다.

1. 화재경보의 수단 및 방식
2. 층별, 구역별 피난대상 인원의 연령별·성별 현황
3. 피난약자의 현황
4. 각 거실에서 옥외(옥상 또는 피난안전구역을 포함한다)로 이르는 피난경로
5. 피난약자 및 피난약자를 동반한 사람의 피난동선과 피난방법
6. 피난시설, 방화구획, 그 밖에 피난에 영향을 줄 수 있는 제반 사항

② 소방안전관리대상물의 관계인은 해당 소방안전관리대상물의 구조·위치, 소방시설 등을 고려하여 피난계획을 수립해야 한다.

③ 소방안전관리대상물의 관계인은 해당 소방안전관리대상물의 피난시설이 변경된 경우에는 그 변경사항을 반영하여 피난계획을 정비해야 한다.

④ 제1항부터 제3항까지에서 규정한 사항 외에 피난계획의 수립·시행에 필요한 세부 사항은 소방청장이 정하여 고시한다.

제35조(피난유도 안내정보의 제공) ① 법 제36조 제3항에 따른 피난유도 안내정보는 다음 각 호의 어느 하나의 방법으로 제공한다.

1. 연 2회 피난안내 교육을 실시하는 방법
2. 분기별 1회 이상 피난안내방송을 실시하는 방법
3. 피난안내도를 층마다 보기 쉬운 위치에 게시하는 방법
4. 엘리베이터, 출입구 등 시청이 용이한 장소에 피난안내영상을 제공하는 방법

② 제1항에서 규정한 사항 외에 피난유도 안내정보의 제공에 필요한 세부 사항은 소방청장이 정하여 고시한다.

영철쌤 tip

피난유도 안내정보의 제공

1. 연 2회 피난안내 교육 실시
2. 분기별 1회 이상 피난안내방송 실시
3. 피난안내도를 층마다 게시
4. 엘리베이터, 출입구 등 피난안내영상을 제공

제37조(소방안전관리대상물 근무자 및 거주자 등에 대한 소방훈련 등)

① 소방안전관리대상물의 관계인은 그 장소에 근무하거나 거주하는 사람 등(이하 이 조에서 "근무자등"이라 한다)에게 소화·통보·피난 등의 훈련(이하 "소방훈련"이라 한다)과 소방안전관리에 필요한 교육을 하여야 하고, 피난훈련은 그 소방대상물에 출입하는 사람을 안전한 장소로 대피시키고 유도하는 훈련을 포함하여야 한다. 이 경우 소방훈련과 교육의 횟수 및 방법 등에 관하여 필요한 사항은 행정안전부령으로 정한다.

② 소방안전관리대상물 중 소방안전관리업무의 전담이 필요한 대통령령으로 정하는 소방안전관리대상물의 관계인은 제1항에 따른 소방훈련 및 교육을 한 날부터 30일 이내에 소방훈련 및 교육 결과를 행정안전부령으로 정하는 바에 따라 소방본부장 또는 소방서장에게 제출하여야 한다.

③ 소방본부장 또는 소방서장은 제1항에 따라 소방안전관리대상물의 관계인이 실시하는 소방훈련과 교육을 지도·감독할 수 있다.

④ 소방본부장 또는 소방서장은 소방안전관리대상물 중 불특정 다수인이 이용하는 대통령령으로 정하는 특정소방대상물의 근무자등에게 불시에 소방훈련과 교육을 실시할 수 있다. 이 경우 소방본부장 또는 소방서장은 그 특정소방대상물 근무자등의 불편을 최소화하고 안전 등을 확보하는 대책을 마련하여야 하며, 소방훈련과 교육의 내용, 방법 및 절차 등은 행정안전부령으로 정하는 바에 따라 관계인에게 사전에 통지하여야 한다.

⑤ 소방본부장 또는 소방서장은 제4항에 따라 소방훈련과 교육을 실시한 경우에는 그 결과를 평가할 수 있다. 이 경우 소방훈련과 교육의 평가방법 및 절차 등에 필요한 사항은 행정안전부령으로 정한다.

시행령 제38조(소방훈련·교육 결과 제출의 대상) 법 제37조 제2항에서 "대통령령으로 정하는 소방안전관리대상물"이란 다음 각 호의 소방안전관리대상물을 말한다.

1. 별표4 제1호에 따른 특급 소방안전관리대상물
2. 별표4 제2호에 따른 1급 소방안전관리대상물

영철쌤 tip

근무자 등의 소방훈련 등

1. 소방훈련: 소화·통보·피난 등의 훈련
2. 지도 및 감독: 소방본부장, 소방서장
3. 결과제출: 30일 이내에 부령으로 정하는 바에 따라 소방본부장, 소방서장에게 제출
4. 제출대상: 특급, 1급 소방안전관리대상물

제39조(불시 소방훈련·교육의 대상) 법 제37조 제4항에서 "대통령령으로 정하는 특정소방대상물"이란 소방안전관리대상물 중 다음 각 호의 특정소방대상물을 말한다.

1. 소방시설 설치 및 관리에 관한 법률 시행령 별표 2 제7호에 따른 의료시설
2. 소방시설 설치 및 관리에 관한 법률 시행령 별표 2 제8호에 따른 교육연구시설
3. 소방시설 설치 및 관리에 관한 법률 시행령 별표 2 제9호에 따른 노유자 시설
4. 그 밖에 화재 발생 시 불특정 다수의 인명피해가 예상되어 소방본부장 또는 소방서장이 소방훈련·교육이 필요하다고 인정하는 특정소방대상물

시행규칙 제36조(근무자 및 거주자에 대한 소방훈련과 교육) ① 소방안전관리대상물의 관계인은 법 제37조 제1항에 따른 소방훈련과 교육을 연 1회 이상 실시해야 한다. 다만, 소방본부장 또는 소방서장이 화재예방을 위하여 필요하다고 인정하여 2회의 범위에서 추가로 실시할 것을 요청하는 경우에는 소방훈련과 교육을 추가로 실시해야 한다.
② 소방본부장 또는 소방서장은 특급 및 1급 소방안전관리대상물의 관계인으로 하여금 제1항에 따른 소방훈련과 교육을 소방기관과 합동으로 실시하게 할 수 있다.
③ 소방안전관리대상물의 관계인은 소방훈련과 교육을 실시하는 경우 소방훈련 및 교육에 필요한 장비 및 교재 등을 갖추어야 한다.
④ 소방안전관리대상물의 관계인은 제1항에 따라 소방훈련과 교육을 실시했을 때에는 그 실시 결과를 별지 제28호서식의 소방훈련·교육 실시 결과 기록부에 기록하고, 이를 소방훈련 및 교육을 실시한 날부터 2년간 보관해야 한다.

제37조(소방훈련 및 교육 실시 결과의 제출) 영 제38조 각 호에 따른 소방안전관리대상물의 관계인은 제36조 제1항에 따라 소방훈련 및 교육을 실시한 날부터 30일 이내에 별지 제29호서식의 소방훈련·교육 실시 결과서를 작성하여 소방본부장 또는 소방서장에게 제출해야 한다.

제38조(불시 소방훈련 및 교육 사전통지) 소방본부장 또는 소방서장은 법 제37조 제4항에 따라 불시 소방훈련과 교육(이하 "불시 소방훈련·교육"이라 한다)을 실시하려는 경우에는 소방안전관리대상물의 관계인에게 불시 소방훈련·교육 실시 10일 전까지 별지 제30호서식의 불시 소방훈련·교육 계획서를 통지해야 한다.

제39조(불시 소방훈련·교육의 평가 방법 및 절차) ① 소방본부장 또는 소방서장은 법 제37조 제5항 전단에 따라 불시 소방훈련·교육 실시 결과에 대한 평가를 실시하려는 경우에는 평가 계획을 사전에 수립해야 한다.
② 제1항에 따른 평가의 기준은 다음 각 호와 같다.
1. 불시 소방훈련·교육 내용의 적절성
2. 불시 소방훈련·교육 유형 및 방법의 적합성
3. 불시 소방훈련·교육 참여인력, 시설 및 장비 등의 적정성
4. 불시 소방훈련·교육 여건 및 참여도
③ 제1항에 따른 평가는 현장평가를 원칙으로 하되, 필요에 따라 서면평가 등을 병행할 수 있다. 이 경우 불시 소방훈련·교육 참가자에 대한 설문조사 또는 면접조사 등을 함께 실시할 수 있다.
④ 소방본부장 또는 소방서장은 제1항에 따른 평가를 실시한 경우 소방안전관리대상물의 관계인에게 불시 소방훈련·교육 종료일부터 10일 이내에 별지 제31호서식의 불시 소방훈련·교육 평가 결과서를 통지해야 한다.

제38조(특정소방대상물의 관계인에 대한 소방안전교육)

① 소방본부장이나 소방서장은 제37조를 적용받지 아니하는 특정소방대상물의 관계인에 대하여 특정소방대상물의 화재예방과 소방안전을 위하여 행정안전부령으로 정하는 바에 따라 소방안전교육을 할 수 있다.

② 제1항에 따른 교육대상자 및 특정소방대상물의 범위 등에 필요한 사항은 행정안전부령으로 정한다.

> **시행규칙 제40조(소방안전교육 대상자 등)** ① 법 제38조 제1항에 따른 소방안전교육의 교육대상자는 법 제37조를 적용받지 않는 특정소방대상물 중 다음 각 호의 어느 하나에 해당하는 특정소방대상물의 관계인으로서 관할 소방서장이 소방안전교육이 필요하다고 인정하는 사람으로 한다.
> 1. 소화기 또는 비상경보설비가 설치된 공장·창고 등의 특정소방대상물
> 2. 그 밖에 관할 소방본부장 또는 소방서장이 화재에 대한 취약성이 높다고 인정하는 특정소방대상물
>
> ② 소방본부장 또는 소방서장은 법 제38조 제1항에 따른 소방안전교육을 실시하려는 경우에는 교육일 10일 전까지 별지 제32호서식의 특정소방대상물 관계인 소방안전교육 계획서를 작성하여 통보해야 한다.

제39조(공공기관의 소방안전관리)

① 국가, 지방자치단체, 국공립학교 등 대통령령으로 정하는 공공기관의 장은 소관 기관의 근무자 등의 생명·신체와 건축물·인공구조물 및 물품 등을 화재로부터 보호하기 위하여 화재예방, 자위소방대의 조직 및 편성, 소방시설등의 자체점검과 소방훈련 등의 소방안전관리를 하여야 한다.

② 제1항에 따른 공공기관에 대한 다음 각 호의 사항에 관하여는 제24조부터 제38조까지의 규정에도 불구하고 대통령령으로 정하는 바에 따른다.

1. 소방안전관리자의 자격·책임 및 선임 등
2. 소방안전관리의 업무대행
3. 자위소방대의 구성·운영 및 교육
4. 근무자 등에 대한 소방훈련 및 교육
5. 그 밖에 소방안전관리에 필요한 사항

> **시행령 제40조(공공기관의 소방안전관리)** 법 제39조에 따른 공공기관의 소방안전관리에 관하여는 공공기관의 소방안전관리에 관한 규정으로 정한다.

01 화재의 예방 및 안전관리에 관한 법률 및 같은 법 시행규칙상 소방안전관리대상물의 관계인이 소방안전관리자를 선임한 경우 소방안전관리대상물의 출입자가 쉽게 알 수 있도록 게시해야 하는 사항으로 옳지 않은 것은?　24. 공채·경채

① 소방안전관리자의 성명 및 선임일자

② 소방안전관리대상물의 명칭 및 등급

③ 소방안전관리대상물의 용도 및 수용인원

④ 소방안전관리자의 근무 위치(화재수신기 또는 종합방재실을 말한다.)

02 특정소방대상물(소방안전관리대상물은 제외한다) 관계인의 업무로 옳지 않은 것은?　20. 경채

① 소방계획서의 작성 및 시행

② 화기(火氣) 취급의 감독

③ 소방시설이나 그 밖의 소방 관련 시설의 관리

④ 피난시설, 방화구획 및 방화시설의 관리

03 1급 소방안전관리대상물로 옳은 것은?　19. 공채

① 지하구

② 동·식물원

③ 가연성 가스를 1천톤 이상 저장·취급하는 시설

④ 철강 등 불연성 물품을 저장·취급하는 창고

04 소방안전관리보조자를 두어야 하는 특정소방대상물에 대한 설명이다. ( ) 안에 들어갈 용어로 옳은 것은? 20. 공채

> • 아파트 [(가)세대 이상인 아파트만 해당한다]
> • 아파트를 제외한 연면적이 (나) 이상인 특정소방대상물

	(가)	(나)
①	150	1만제곱미터
②	150	1만5천제곱미터
③	300	1만제곱미터
④	300	1만5천제곱미터

05 관리의 권원이 분리된 특정소방대상물의 소방안전관리 대상물로 옳지 않은 것은? 21. 공채 변형

① 판매시설 중 도매시장, 소매시장 및 전통시장

② 복합건축물로서 지하층을 제외한 층수가 11층 이상인 것

③ 복합건축물로서 연면적 2만제곱미터 이상인 것

④ 지하가

정답 및 해설

01 소방안전관리자 정보의 게시
소방안전관리대상물의 용도 및 수용인원은 해당사항 없다.

02 특정소방대상물
소방계획서의 작성 및 시행은 소방안전관리자만 할 수 있는 업무이다.

03 1급 소방안전관리대상물
① 2급, ② 동식물원은 제외, ④ 철강 등 불연성물품은 제외이다.

04 특정소방대상물
• 아파트 [(300)세대 이상인 아파트만 해당한다]
• 아파트를 제외한 연면적이 (15,000제곱미터) 이상인 특정소방대상물

05 특정소방대상물
복합건축물로서 연면적 2만제곱미터 이상인 것 → 3만제곱미터 이상인 것

정답 01 ③ **02** ① **03** ③ **04** ④ **05** ③

06 소방안전관리대상물의 관계인이 피난 시설의 위치, 피난경로 또는 대피요령이 포함된 피난유도 안내정보를 근무자 또는 거주자에게 정기적으로 제공해야 하는 방법으로 옳지 않은 것은?

① 연 1회 피난안내 교육을 실시하는 방법

② 분기별 1회 이상 피난안내방송을 실시하는 방법

③ 피난안내도를 층마다 보기 쉬운 위치에 게시하는 방법

④ 엘리베이터, 출입구 등 시청이 용이한 지역에 피난안내 영상을 제공하는 방법

07 화재의 예방 및 안전관리에 관한 법률 시행령상 건설현장 소방안전관리대상물에 관한 내용이다. (   ) 안에 들어갈 내용으로 옳은 것은?
24. 공채 · 경채

> • 신축 · 증축 · 개축 · 재축 · 이전 · 용도변경 또는 대수선을 하려는 부분의 연면적의 합계가 (ㄱ) 이상인 것
> • 신축 · 증축 · 개축 · 재축 · 이전 · 용도변경 또는 대수선을 하려는 부분의 연면적이 (ㄴ) 이상인 것으로서 다음 각 목의 어느 하나에 해당하는 것
>   가. 지하층의 층수가 2개 층 이상인 것
>   나. 지상층의 층수가 (ㄷ) 이상인 것
>   다. 냉동창고, 냉장창고 또는 냉동 · 냉장창고

	ㄱ	ㄴ	ㄷ
①	1만5천 제곱미터	5천 제곱미터	6층
②	1만5천 제곱미터	5천 제곱미터	11층
③	1만5천 제곱미터	1천 제곱미터	6층
④	1만 제곱미터	5천 제곱미터	11층

08 화재의 예방 및 안전관리에 관한 법률 시행령상 소방공무원으로 9년간 근무한 경력자가 발급받을 수 있는 최상위의 소방안전관리자 자격으로 선임할 수 있는 소방안전관리대상물로 옳은 것은? 　　24. 공채·경채

① 가연성 가스를 1천 톤 이상 저장·취급하는 시설

② 지상으로부터 높이가 200미터 이상인 아파트

③ 지상으로부터 높이가 120미터 이상인 업무시설

④ 연면적이 10만 제곱미터 이상인 의료시설

09 특정소방대상물의 근무자 및 거주자의 소방훈련에 대한 설명으로 옳지 않은 것은? 　　15. 공채 변형

① 소방본부장이나 소방서장은 특정소방대상물의 관계인이 실시하는 소방훈련을 지도·감독할 수 있다.

② 소방본부장이나 소방서장은 소방훈련과 교육을 실시한 경우에는 그 결과를 평가할 수 있다.

③ 소방훈련과 교육을 연 2회 이상 실시하여야 한다.

④ 소방본부장 또는 소방서장은 특급 및 1급 소방안전관리대상물의 관계인으로 하여금 소방훈련을 소방기관과 합동으로 실시하게 할 수 있다.

정답 및 해설

06 소방안전관리대상물
연 1회 피난안내 교육을 실시하는 방법 → 연 2회 피난안내 교육을 실시하는 방법

07 건설현장 소방안전관리대상물
법 제29조 제1항에서 "대통령령으로 정하는 특정소방대상물"이란 다음의 어느 하나에 해당하는 특정소방대상물을 말한다.
1. 신축·증축·개축·재축·이전·용도변경 또는 대수선을 하려는 부분의 연면적의 합계가 1만5천제곱미터 이상인 것
2. 신축·증축·개축·재축·이전·용도변경 또는 대수선을 하려는 부분의 연면적이 5천제곱미터 이상인 것으로서 다음의 어느 하나에 해당하는 것
　가. 지하층의 층수가 2개 층 이상인 것
　나. 지상층의 층수가 11층 이상인 것
　다. 냉동창고, 냉장창고 또는 냉동·냉장창고

08 소방안전관리대상물
소방공무원으로 7년 이상 근무한 경력자: 1급소방안전대상물에 해당된다. ①은 9년간 근무한 경력자이므로 1급소방안전대상물에 해당된다.

06 소방훈련
소방훈련과 교육을 연 2회 이상 실시하여야 한다. → 연 1회 이상 실시하여야 한다.

정답 **06** ① **07** ② **08** ① **09** ③

10 화재의 예방 및 안전관리에 관한 법률상 건설 현장 소방안전관리대상물의 소방안전관리자의 업무에 관한 내용으로 옳지 않은 것은?

23. 공채·경채

① 건설현장의 소방계획서의 작성

② 화기취급의 감독, 화재위험작업의 허가 및 관리

③ 공사진행 단계별 피난안전구역, 피난로 등의 확보와 관리

④ 건설현장 작업자를 제외한 책임자에 대한 소방안전 교육 및 훈련

11 화재의 예방 및 안전관리에 관한 법률 및 같은 법 시행령, 시행규칙상 소방안전관리대상물 근무자 및 거주자 등에 대한 소방훈련 등에 관한 내용으로 옳지 않은 것은?

24. 공채·경채

① 소방안전관리대상물의 관계인은 소방훈련과 교육을 연 1회 이상 실시해야 한다.

② 1급 소방안전관리대상물의 관계인은 소방훈련 및 교육을 한 날부터 30일 이내에 소방훈련 및 교육 결과를 행정안전부령으로 정하는 바에 따라 소방본부장 또는 소방서장에게 제출해야 한다.

③ 소방서장은 특급 소방안전관리대상물의 관계인으로 하여금 소방훈련과 교육을 소방기관과 합동으로 실시하게 할 수 있다.

④ 소방안전관리대상물의 관계인은 소방훈련과 교육을 실시했을 때에는 그 실시 결과를 소방훈련·교육 실시 결과 기록부에 기록하고, 이를 소방훈련 및 교육을 실시한 날부터 1년간 보관해야 한다.

12 화재의 예방 및 안전관리에 관한 법률 및 같은 법 시행령상 소방안전관리자를 선임해야 하는 건설 현장 소방안전관리대상물에 해당하지 않는 것은?

23. 공채·경채

① 신축을 하려는 부분의 연면적이 5천제곱미터인 냉동·냉장창고

② 신축을 하려는 부분의 연면적의 합계가 2만제곱미터인 복합건축물

③ 증축을 하려는 부분의 연면적의 합계가 3만제곱미터인 업무시설

④ 증축을 하려는 부분의 연면적이 5천제곱미터이고, 지상층의 층수가 10층인 업무시설

13 화재의 예방 및 안전관리에 관한 법률 및 같은 법 시행규칙상 소방안전관리자의 선임신고 등에 관한 설명이다. (   ) 안에 들어갈 내용으로 옳은 것은?

> • 소방안전관리대상물의 관계인이 소방안전관리자를 선임한 경우에는 선임한 날부터 (ㄱ)일 이내에 선임사실을 소방본부장 또는 소방서장에게 신고하여야 한다.
> • 소방안전관리대상물의 관계인은 소방안전관리자를 선임사유가 발생한 날부터 (ㄴ)일 이내에 선임해야 한다.

	ㄱ	ㄴ
①	14	30
②	14	60
③	30	30
④	30	60

정답 및 해설

10 소방안전관리자
건설현장 작업자에 대한 소방안전 교육 및 훈련

11 소방훈련
소방안전관리대상물의 관계인은 제1항에 따라 소방훈련과 교육을 실시했을 때에는 그 실시 결과를 별지 제28호서식의 소방훈련·교육 실시 결과 기록부에 기록하고, 이를 소방훈련 및 교육을 실시한 날부터 2년간 보관해야 한다.

12 소방안전관리대상물
증축을 하려는 부분의 연면적이 5천제곱미터이고, 지상층의 층수가 11층인 업무시설

13 소방안전관리자의 선임신고
• 소방안전관리대상물의 관계인이 소방안전관리자를 선임한 경우에는 선임한 날부터 (14일) 이내에 선임사실을 소방본부장 또는 소방서장에게 신고하여야 한다.
• 소방안전관리대상물의 관계인은 소방안전관리자를 선임사유가 발생한 날부터 (30일) 이내에 선임해야 한다.

정답 10 ④ **11** ④ **12** ④ **13** ①

영철쌤 tip

소방안전 특별관리대상물
1. 운수관련(공항, 철도, 도시철도, 항만)시설
2. 산업관련(산업단지, 산업기술단지)시설
3. 에너지관련(석유비축, 천연가스 인수기지 및 공급망, 도시가스공급시설, 발전소)시설 건축물관련(초고층건축물 및 지하연계복합건축물, 수용인원 1천명 이상 영화상영관, 지정문화유산 및 천연기념물시설, 전력용 및 통신용 지하구, 물류창고로서 연면적 10만m² 이상, 점포 500개 이상인 전통시장)

대통령령이 정하는 시설물
발전소, 물류창고로서 연면적 10만제곱미터 이상, 가스공급시설

📖 용어사전

❶ 산업기술단지: 기업·대학·연구소·지방자치단체 등이 공동으로 협력체계 구축, 연구개발, 기술이전 및 사업화 등의 사업을 수행하는 지역혁신의 거점을 말한다.
❷ 산업단지: 공업용으로 개발되어 산업시설이 들어서는 일정한 지역을 말한다.
❸ 초고층 건축물: 높이 200m 이상 또는 50층 이상인 건축물을 말한다.
❹ 지하연계 복합건축물: 층수가 11층 이상이거나 1일 수용인원이 5천명 이상인 건축물로서 지하부분이 지하역사 또는 지하도상가와 연결된 건축물 등을 말한다 (예 고속터미널, 청량리역 등).

 영철쌤 tip

소방안전 특별관리시설물의 안전관리
1. 특별관리자: 소방청장
2. 기본계획 수립, 시행자: 소방청장(시·도지사와 협의)
3. 특별관리시행계획: 시·도지사

제40조(소방안전 특별관리시설물의 안전관리)

① 소방청장은 화재 등 재난이 발생할 경우 사회·경제적으로 피해가 큰 다음 각 호의 시설(이하 "소방안전 특별관리시설물"이라 한다)에 대하여 소방안전 특별관리를 하여야 한다.
   1. 공항시설법 제2조 제7호의 공항시설
   2. 철도산업발전기본법 제3조 제2호의 철도시설
   3. 도시철도법 제2조 제3호의 도시철도시설
   4. 항만법 제2조 제5호의 항만시설
   5. 문화유산의 보존 및 활용에 관한 법률 제2조 제3항의 지정문화유산 및 자연유산의 보존 및 활용에 관한 법률 제2조 제5호에 따른 천연기념물등인 시설(시설이 아닌 지정문화유산 및 천연기념물등을 보호하거나 소장하고 있는 시설을 포함한다)
   6. 산업기술단지 지원에 관한 특례법 제2조 제1호의 산업기술단지❶
   7. 산업입지 및 개발에 관한 법률 제2조 제8호의 산업단지❷
   8. 초고층 및 지하연계 복합건축물 재난관리에 관한 특별법 제2조 제1호·제2호의 초고층 건축물❸ 및 지하연계 복합건축물❹
   9. 영화 및 비디오물의 진흥에 관한 법률 제2조 제10호의 영화상영관 중 수용인원 1천명 이상인 영화상영관
   10. 전력용 및 통신용 지하구
   11. 한국석유공사법 제10조 제1항 제3호의 석유비축시설
   12. 한국가스공사법 제11조 제1항 제2호의 천연가스 인수기지 및 공급망
   13. 전통시장 및 상점가 육성을 위한 특별법 제2조 제1호의 전통시장으로서 대통령령으로 정하는 전통시장
   14. 그 밖에 대통령령으로 정하는 시설물
② 소방청장은 제1항에 따른 특별관리를 체계적이고 효율적으로 하기 위하여 시·도지사와 협의하여 소방안전 특별관리기본계획을 제4조 제1항에 따른 기본계획에 포함하여 수립 및 시행하여야 한다.
③ 시·도지사는 제2항에 따른 소방안전 특별관리기본계획에 저촉되지 아니하는 범위에서 관할 구역에 있는 소방안전 특별관리시설물의 안전관리에 적합한 소방안전 특별관리시행계획을 제4조 제6항에 따른 세부시행계획에 포함하여 수립 및 시행하여야 한다.
④ 그 밖에 제2항 및 제3항에 따른 소방안전 특별관리기본계획 및 소방안전 특별관리시행계획의 수립·시행에 필요한 사항은 대통령령으로 정한다.

시행령 제41조(소방안전 특별관리시설물) ① 법 제40조 제1항 제13호에서 "대통령령으로 정하는 전통시장"이란 점포가 500개 이상인 전통시장을 말한다.

② 법 제40조 제1항 제14호에서 "대통령령으로 정하는 시설물"이란 다음 각 호의 시설물을 말한다.

1. 전기사업법 제2조 제4호에 따른 발전사업자가 가동 중인 발전소(발전소주변지역지원에 관한 법률 시행령 제2조 제2항에 따른 발전소는 제외한다)
2. 물류시설의 개발 및 운영에 관한 법률 제2조 제5호의2에 따른 물류창고로서 연면적 10만제곱미터 이상인 것
3. 도시가스사업법 제2조 제5호에 따른 가스공급시설

제42조(소방안전 특별관리기본계획·시행계획의 수립·시행) ① 소방청장은 법 제40조 제2항에 따른 소방안전 특별관리기본계획(이하 "특별관리기본계획"이라 한다)을 5년마다 수립하여 시·도에 통보해야 한다.

② 특별관리기본계획에는 다음 각 호의 사항이 포함되어야 한다.

1. 화재예방을 위한 중기·장기 안전관리정책
2. 화재예방을 위한 교육·홍보 및 점검·진단
3. 화재대응을 위한 훈련
4. 화재대응과 사후 조치에 관한 역할 및 공조체계
5. 그 밖에 화재 등의 안전관리를 위하여 필요한 사항

③ 시·도지사는 특별관리기본계획을 시행하기 위하여 매년 법 제40조 제3항에 따른 소방안전 특별관리시행계획(이하 "특별관리시행계획"이라 한다)을 수립·시행하고, 그 결과를 다음 연도 1월 31일까지 소방청장에게 통보해야 한다.

④ 특별관리시행계획에는 다음 각 호의 사항이 포함되어야 한다.

1. 특별관리기본계획의 집행을 위하여 필요한 사항
2. 시·도에서 화재 등의 안전관리를 위하여 필요한 사항

⑤ 소방청장 및 시·도지사는 특별관리기본계획 또는 특별관리시행계획을 수립하는 경우 성별, 연령별, 화재안전취약자별 화재 피해현황 및 실태 등을 고려해야 한다.

 영철쌤 tip

특별관리기본계획 포함 사항
1. 화재예방(중기·장기 안전관리정책, 교육·홍보 및 점검·진단)
2. 화재대응훈련
3. 화재대응과 사후 조치에 관한 역할 및 공조체계

📖 **핵심정리 소방안전 특별관리시설물의 안전관리**

1. **특별관리자**: 소방청장

2. **특별관리시설물의 대상**

> 공항, 철도, 도시철도, 항만, 지정문화유산 및 천연기념물시설, 산업단지, 산업기술단지, 초고층 건축물 및 지하연계복합건축물, 수용인원 1,000명 이상인 영화상영관, 지하구(전력용 및 통신용), 석유비축시설, 천연가스 인수기지 및 공급망, 점포 500개 이상 전통시장, 발전소, 연면적 10만m³ 이상 물류창고, 가스공급시설

3. **특별관리기본계획**: 소방청장이 5년마다 수립 후 시·도지사에게 통보

4. **특별관리시행계획**: 시·도지사가 매년 수립 및 시행(시행결과 다음 연도 1월 31일까지 소방청장에게 통보)

화재예방안전진단
1. 진단 대상: 소방안전 특별관리시설물(대통령령)
2. 진단자: 안전원, 소방청장이 지정하는 화재예방안전진단기관

제41조(화재예방안전진단)

① 대통령령으로 정하는 소방안전 특별관리시설물의 관계인은 화재의 예방 및 안전관리를 체계적·효율적으로 수행하기 위하여 대통령령으로 정하는 바에 따라 소방기본법 제40조에 따른 한국소방안전원(이하 "안전원"이라 한다) 또는 소방청장이 지정하는 화재예방안전진단기관(이하 "진단기관"이라 한다)으로부터 정기적으로 화재예방안전진단을 받아야 한다.

② 제1항에 따른 화재예방안전진단의 범위는 다음 각 호와 같다.

1. 화재위험요인의 조사에 관한 사항
2. 소방계획 및 피난계획 수립에 관한 사항
3. 소방시설등의 유지·관리에 관한 사항
4. 비상대응조직 및 교육훈련에 관한 사항
5. 화재 위험성 평가에 관한 사항
6. 그 밖에 화재예방진단을 위하여 대통령령으로 정하는 사항

③ 제1항에 따라 안전원 또는 진단기관의 화재예방안전진단을 받은 연도에는 제37조에 따른 소방훈련과 교육 및 소방시설 설치 및 관리에 관한 법률 제22조에 따른 자체점검을 받은 것으로 본다.

④ 안전원 또는 진단기관은 제1항에 따른 화재예방안전진단 결과를 행정안전부령으로 정하는 바에 따라 소방본부장 또는 소방서장, 관계인에게 제출하여야 한다.

⑤ 소방본부장 또는 소방서장은 제4항에 따라 제출받은 화재예방안전진단 결과에 따라 보수·보강 등의 조치가 필요하다고 인정하는 경우에는 해당 소방안전 특별관리시설물의 관계인에게 보수❶·보강❷ 등의 조치를 취할 것을 명할 수 있다.

⑥ 화재예방안전진단 업무에 종사하고 있거나 종사하였던 사람은 업무를 수행하면서 알게 된 비밀을 이 법에서 정한 목적 외의 용도로 사용하거나 다른 사람 또는 기관에 제공하거나 누설하여서는 아니 된다.

용어사전

❶ 보수: 낡거나 부서진 것을 손보아 고치는 것을 말한다.
❷ 보강: 보태거나 채워서 원래보다 더 튼튼하게 하는 것을 말한다.

> **시행령 제43조(화재예방안전진단의 대상)** 법 제41조 제1항에서 "대통령령으로 정하는 소방안전 특별관리시설물"이란 다음 각 호의 시설을 말한다.
>
> 1. 법 제40조 제1항 제1호에 따른 공항시설 중 여객터미널의 연면적이 1천제곱미터 이상인 공항시설
> 2. 법 제40조 제1항 제2호에 따른 철도시설 중 역 시설의 연면적이 5천제곱미터 이상인 철도시설
> 3. 법 제40조 제1항 제3호에 따른 도시철도시설 중 역사 및 역 시설의 연면적이 5천제곱미터 이상인 도시철도시설
> 4. 법 제40조 제1항 제4호에 따른 항만시설 중 여객이용시설 및 지원시설의 연면적이 5천제곱미터 이상인 항만시설
> 5. 법 제40조 제1항 제10호에 따른 전력용 및 통신용 지하구 중 국토의 계획 및 이용에 관한 법률 제2조 제9호에 따른 공동구
> 6. 법 제40조 제1항 제12호에 따른 천연가스 인수기지 및 공급망 중 소방시설 설치 및 관리에 관한 법률 시행령 별표 2 제17호 나목에 따른 가스시설
> 7. 제41조 제2항 제1호에 따른 발전소 중 연면적이 5천제곱미터 이상인 발전소

화재예방안전진단의 대상
1. 연면적이 1천제곱미터 이상(공항시설)
2. 연면적이 5천제곱미터 이상(철도시설, 도시철도시설, 항만시설, 발전소)
3. 공동구, 가스시설, 가연성 가스 탱크의 저장용량의 합계가 100톤 이상, 저장용량이 30톤 이상인 가연성 가스 탱크가 있는 가스공급시설

8. 제41조 제2항 제3호에 따른 가스공급시설 중 가연성 가스 탱크의 저장용량의 합계
　　가 100톤 이상이거나 저장용량이 30톤 이상인 가연성 가스 탱크가 있는 가스공급시설

제44조(화재예방안전진단의 실시 절차 등) ① 소방안전관리대상물이 건축되어 제43조
각 호의 소방안전 특별관리시설물에 해당하게 된 경우 해당 소방안전 특별관리시설물
의 관계인은 건축법 제22조에 따른 사용승인 또는 소방시설공사업법 제14조에 따른
완공검사를 받은 날부터 5년이 경과한 날이 속하는 해에 법 제41조 제1항에 따라 최초의
화재예방안전진단을 받아야 한다.

② 화재예방안전진단을 받은 소방안전 특별관리시설물의 관계인은 제3항에 따른
안전등급(이하 "안전등급"이라 한다)에 따라 정기적으로 다음 각 호의 기간에 법 제
41조 제1항에 따라 화재예방안전진단을 받아야 한다.

1. 안전등급이 우수인 경우: 안전등급을 통보받은 날부터 6년이 경과한 날이 속하는 해
2. 안전등급이 양호 · 보통인 경우: 안전등급을 통보받은 날부터 5년이 경과한 날이
　속하는 해
3. 안전등급이 미흡 · 불량인 경우: 안전등급을 통보받은 날부터 4년이 경과한 날이
　속하는 해

③ 화재예방안전진단 결과는 우수, 양호, 보통, 미흡 및 불량의 안전등급으로 구분
하며, 안전등급의 기준은 별표 7과 같다.

④ 제1항부터 제3항까지에서 규정한 사항 외에 화재예방안전진단 절차 및 방법 등
에 관하여 필요한 사항은 행정안전부령으로 정한다.

별표 7. 화재예방안전진단 결과에 따른 안전등급 기준

안전등급	화재예방안전진단 대상물의 상태
우수(A)	화재예방안전진단 실시 결과 문제점이 발견되지 않은 상태
양호(B)	화재예방안전진단 실시 결과 문제점이 일부 발견되었으나 대상물의 화재안전에는 이상이 없으며 대상물 일부에 대해 법 제41조 제5항에 따른 보수 · 보강 등의 조치명령(이하 이 표에서 "조치명령"이라 한다)이 필요한 상태
보통(C)	화재예방안전진단 실시 결과 문제점이 다수 발견되었으나 대상물의 전반적인 화재안전에는 이상이 없으며 대상물에 대한 다수의 조치명령이 필요한 상태
미흡(D)	화재예방안전진단 실시 결과 광범위한 문제점이 발견되어 대상물의 화재안전을 위해 조치명령의 즉각적인 이행이 필요하고 대상물의 사용 제한을 권고할 필요가 있는 상태
불량(E)	화재예방안전진단 실시 결과 중대한 문제점이 발견되어 대상물의 화재안전을 위해 조치명령의 즉각적인 이행이 필요하고 대상물의 사용 중단을 권고할 필요가 있는 상태

안전등급의 세부적인 기준은 소방청장이 정하여 고시한다.

제45조(화재예방안전진단의 범위) 법 제41조 제2항 제6호에서 "대통령령으로 정하는
사항"이란 다음 각 호의 사항을 말한다.

1. 화재 등의 재난 발생 후 재발방지 대책의 수립 및 그 이행에 관한 사항
2. 지진 등 외부 환경 위험요인 등에 대한 예방 · 대비 · 대응에 관한 사항
3. 화재예방안전진단 결과 보수 · 보강 등 개선요구 사항 등에 대한 이행 여부

영철쌤 tip

안전등급
1. 우수(A): 문제점이 발견되지 않은 상태
2. 양호(B): 문제점이 일부 발견
3. 보통(C): 문제점이 다수 발견
4. 미흡(D): 광범위한 문제점이 발견
5. 불량(E): 중대한 문제점이 발견

시행규칙 제41조(화재예방안전진단의 절차 및 방법) ① 법 제41조 제1항에 따라 화재예방안전진단을 받아야 하는 소방안전 특별관리시설물(이하 "소방안전 특별관리시설물"이라 한다)의 관계인은 별지 제33호서식을 안전원 또는 소방청장이 지정하는 화재예방안전진단기관(이하 "진단기관"이라 한다)에 신청해야 한다.

② 제1항에 따라 화재예방안전진단 신청을 받은 안전원 또는 진단기관은 다음 각 호의 절차에 따라 화재예방안전진단을 실시한다.

1. 위험요인 조사

2. 위험성 평가

3. 위험성 감소대책의 수립

③ 화재예방안전진단은 다음 각 호의 방법으로 실시한다.

1. 준공도면, 시설 현황, 소방계획서 등 자료수집 및 분석

2. 화재위험요인 조사, 소방시설등의 성능점검 등 현장조사 및 점검

3. 정성적 · 정량적 방법을 통한 화재위험성 평가

4. 불시 · 무각본 훈련에 의한 비상대응훈련 평가

5. 그 밖에 지진 등 외부 환경 위험요인에 대한 예방 · 대비 · 대응태세 평가

④ 제1항에 따라 화재예방안전진단을 신청한 소방안전 특별관리시설물의 관계인은 화재예방안전진단에 필요한 자료의 열람 및 화재예방안전진단에 적극 협조해야 한다.

⑤ 제1항부터 제4항까지에서 규정한 사항 외에 화재예방안전진단의 세부 절차 및 평가방법 등에 관하여 필요한 사항은 소방청장이 정하여 고시한다.

제42조(화재예방안전진단 결과 제출) ① 화재예방안전진단을 실시한 안전원 또는 진단기관은 법 제41조 제4항에 따라 화재예방안전진단이 완료된 날부터 60일 이내에 소방본부장 또는 소방서장, 관계인에게 별지 제34호서식의 화재예방안전진단 결과 보고서(전자문서를 포함한다)에 다음 각 호의 서류(전자문서를 포함한다)를 첨부하여 제출해야 한다.

1. 화재예방안전진단 결과 세부 보고서

2. 화재예방안전진단기관 지정서

② 제1항에 따른 화재예방안전진단 결과 보고서에는 다음 각 호의 사항이 포함되어야 한다.

1. 해당 소방안전 특별관리시설물 현황

2. 화재예방안전진단 실시 기관 및 참여인력

3. 화재예방안전진단 범위 및 내용

4. 화재위험요인의 조사 · 분석 및 평가 결과

5. 영 제44조 제2항에 따른 안전등급 및 위험성 감소대책

6. 그 밖에 소방안전 특별관리시설물의 화재예방 강화를 위하여 소방청장이 정하는 사항

제42조(진단기관의 지정 및 취소)

① 제41조 제1항에 따라 소방청장으로부터 진단기관으로 지정을 받으려는 자는 대통령령으로 정하는 시설과 전문인력 등 지정기준을 갖추어 소방청장에게 지정을 신청하여야 한다.

② 소방청장은 진단기관으로 지정받은 자가 다음 각 호의 어느 하나에 해당하는 경우에는 그 지정을 취소하거나 6개월 이내의 기간을 정하여 업무의 전부 또는 일부의 정지를 명할 수 있다. 다만, 제1호 또는 제4호에 해당하는 경우에는 그 지정을 취소하여야 한다.

1. 거짓이나 그 밖의 부정한 방법으로 지정을 받은 경우
2. 제41조 제4항에 따른 화재예방안전진단 결과를 소방본부장 또는 소방서장, 관계인에게 제출하지 아니한 경우
3. 제1항에 따른 지정기준에 미달하게 된 경우
4. 업무정지기간에 화재예방안전진단 업무를 한 경우

③ 진단기관의 지정절차, 지정취소 또는 업무정지의 처분 등에 필요한 사항은 행정안전부령으로 정한다.

> 시행령 제46조(화재예방안전진단기관의 지정기준) 법 제42조 제1항에서 "대통령령으로 정하는 시설과 전문인력 등 지정기준"이란 별표 8에서 정하는 기준을 말한다.

별표 8. 화재예방안전진단기관의 시설, 전문인력 등 지정기준

1. 시설

   화재예방안전진단을 목적으로 설립된 비영리법인·단체로서 제2호에 따른 전문인력이 근무할 수 있는 사무실과 제3호에 따른 장비를 보관할 수 있는 창고를 갖출 것. 이 경우 사무실과 창고를 임차하여 사용하는 경우도 사무실과 창고를 갖춘 것으로 본다.

2. 전문인력

   다음 각 목의 전문인력을 모두 갖출 것. 이 경우 전문인력은 해당 화재예방안전진단기관의 상근 직원이어야 하며, 한 사람이 다음 각 목의 자격 요건 중 둘 이상을 충족하는 경우에도 한 명의 전문인력으로 본다.

   가. 다음에 해당하는 사람
   1) 소방기술사: 1명 이상
   2) 소방시설관리사: 1명 이상
   3) 전기안전기술사·화공안전기술사·가스기술사·위험물기능장 또는 건축사: 1명 이상

   나. 다음의 분야별로 각 1명 이상

분야	자격 요건
소방	1) 소방기술사 2) 소방시설관리사 3) 소방설비기사(산업기사를 포함한다) 자격 취득 후 소방 관련 업무경력이 3년(소방설비산업기사의 경우 5년) 이상인 사람
전기	1) 전기안전기술사 2) 전기기사(산업기사를 포함한다) 자격 취득 후 소방 관련 업무 경력이 3년(전기산업기사의 경우 5년) 이상인 사람

영철쌤 tip

1. 기사 + 3년, 산업기사 + 5년
2. 위험물은 기술사, 기사 자격증이 없는 관계로 위험물기능장, 위험산업기사 + 5년

화재예방안전진단기관의 지정취소 및 업무정지의 처분기준
행정처분 기준은 최근 1년간 아닌 최근 3년간 같은 위반행위로 행정처분을 받은 경우에 적용한다.

화공	1) 화공안전기술사 2) 화공기사(산업기사를 포함한다) 자격 취득 후 소방 관련 업무 경력이 3년(화공산업기사의 경우 5년) 이상인 사람
가스	1) 가스기술사 2) 가스기사(산업기사를 포함한다) 자격 취득 후 소방 관련 업무 경력이 3년(가스산업기사의 경우 5년) 이상인 사람
위험물	1) 위험물기능장 2) 위험물산업기사 자격 취득 후 소방 관련 업무 경력이 5년 이상인 사람
건축	1) 건축사 2) 건축기사(산업기사를 포함한다) 자격 취득 후 소방 관련 업무 경력이 3년(건축산업기사의 경우 5년) 이상인 사람
교육훈련	소방안전교육사

소방 관련 업무 경력은 소방청장이 정하여 고시하는 기준에 따른다.

3. 장비
소방, 전기, 가스, 위험물, 건축 분야별로 행정안전부령으로 정하는 장비를 갖출 것

시행규칙 제43조(진단기관의 장비기준) 영 별표 8 제3호에서 "행정안전부령으로 정하는 장비"란 별표 7의 장비를 말한다.

별표 7. 화재예방안전진단기관의 장비기준
다음의 분야별 장비를 모두 갖출 것. 다만, 해당 장비의 기능을 2개 이상 갖춘 복합기능 장비를 갖춘 경우에는 개별 장비를 갖춘 것으로 본다.

분야	장비
소방	1) 방수압력측정계, 절연저항계, 전류전압측정계 2) 저울 3) 소화전밸브압력계 4) 헤드결합렌치 5) 검량계, 기동관누설시험기, 그 밖에 소화약제의 저장량을 측정할 수 있는 점검기구 6) 열감지기시험기, 연(煙)감지기시험기, 공기주입시험기, 감지기시험기연결폴대, 음량계 7) 누전계(누전전류 측정용) 8) 무선기(통화시험용) 9) 풍속풍압계, 폐쇄력측정기, 차압계(압력차 측정기) 10) 조도계(최소눈금이 0.1럭스 이하인 것) 11) 화재 및 피난 모의시험이 가능한 컴퓨터 12) 화재 모의시험을 위한 프로그램 13) 피난 모의시험을 위한 프로그램 14) 교육·훈련 평가 기자재 　　가) 연기발생기 　　나) 초시계

전기	1) 정전기 전하량 측정기 2) 적외선 열화상 카메라 3) 검전기 4) 클램프미터 5) 절연안전모 6) 고압절연장갑 7) 절연장화
가스	1) 가스누출검출기 2) 가스농도측정기 3) 일산화탄소농도측정기 4) 가스누출 검지액

제44조(진단기관의 지정신청) ① 진단기관으로 지정받으려는 자는 법 제42조 제1항에 따라 별지 제35호서식의 화재예방안전진단기관 지정신청서(전자문서를 포함한다)에 다음 각 호의 서류(전자문서를 포함한다)를 첨부하여 소방청장에게 제출해야 한다.

1. 정관 사본

2. 시설 요건을 증명하는 서류 및 장비 명세서

3. 경력증명서 또는 재직증명서 등 기술인력의 자격요건을 증명하는 서류

② 제1항에 따른 화재예방안전진단기관 지정신청서를 제출받은 담당 공무원은 전자정부법 제36조 제1항에 따른 행정정보의 공동이용을 통하여 법인등기부 등본(법인인 경우만 해당한다) 및 국가기술자격증을 확인해야 한다. 다만, 신청인이 확인에 동의하지 않는 경우에는 이를 제출하도록 해야 한다.

제45조(진단기관의 지정 절차) ① 소방청장은 제44조 제1항에 따라 지정신청서를 접수한 경우에는 지정기준 등에 적합한지를 검토하여 60일 이내에 진단기관 지정 여부를 결정해야 한다.

② 소방청장은 제1항에 따라 진단기관의 지정을 결정한 경우에는 별지 제36호서식의 화재예방안전진단기관 지정서를 발급하고, 별지 제37호서식의 화재예방안전진단기관 관리대장에 기록하고 관리해야 한다.

③ 소방청장은 제2항에 따라 지정서를 발급한 경우에는 그 내용을 소방청 인터넷 홈페이지에 공고해야 한다.

제46조(진단기관의 지정취소) 법 제42조 제2항에 따른 진단기관의 지정취소 및 업무정지의 처분기준은 별표 8과 같다.

별표 8. 화재예방안전진단기관의 지정취소 및 업무정지의 처분기준

1. 일반기준

가. 위반행위가 둘 이상인 경우에는 각 위반행위에 따라 각각 처분한다.

나. 위반행위의 횟수에 따른 행정처분 기준은 최근 3년간 같은 위반행위로 행정처분을 받은 경우에 적용한다. 이 경우 기준 적용일은 위반행위에 대한 행정처분일과 그 처분 후에 한 위반행위가 다시 적발된 날을 기준으로 한다.

다. 나목에 따라 가중된 부과처분을 하는 경우 가중처분의 적용 차수는 그 위반행위 전 부과처분 차수(나목에 따른 기간 내에 처분이 둘 이상 있었던 경우에는 높은 차수를 말한다)의 다음 차수로 한다.

라. 처분권자는 위반행위의 동기·내용·횟수 및 위반 정도 등 다음의 감경 사유에 해당하는 경우 그 처분기준의 2분의 1의 범위에서 감경할 수 있다.
  1) 위반행위가 사소한 부주의나 오류로 인한 것으로 인정되는 경우
  2) 위반의 내용 및 정도가 경미하여 화재예방안전진단등의 업무를 수행하는데 문제가 발생하지 않는 경우
  3) 그 밖에 위반행위의 정도, 위반행위의 동기와 그 결과 등을 고려하여 감경할 필요가 있다고 인정되는 경우

2. 개별기준

위반 내용	근거 법조문	처분기준		
		1차 위반	2차 위반	3차 이상 위반
가. 거짓이나 그 밖의 부정한 방법으로 안전진단기관으로 지정을 받은 경우	법 제42조 제2항 제1호	지정취소		
나. 법 제41조 제4항에 따른 화재예방안전진단 결과를 소방본부장 또는 소방서장, 관계인에게 제출하지 않은 경우	법 제42조 제2항 제2호	경고 (시정명령)	업무정지 3개월	업무정지 6개월
다. 법 제42조 제1항에 따른 지정기준에 미달하게 된 경우	법 제42조 제2항 제3호	업무정지 3개월	업무정지 6개월	지정취소
라. 업무정지기간에 화재예방안전진단 업무를 한 경우	법 제42조 제2항 제4호	지정취소		

문제로 완성하기

01 소방안전 특별관리시설물로 옳지 않은 것은?

21. 경채

① 위험물안전관리법 제2조 제1항 제3호의 제조소

② 전통시장 및 상점가 육성을 위한 특별법 제2조 제1호의 전통시장으로서 대통령령으로 정하는 전통시장

③ 영화 및 비디오물의 진흥에 관한 법률 제2조 제10호의 영화상영관 중 수용인원 1,000명 이상인 영화상영관

④ 문화재보호법 제2조 제3항의 지정문화재인 시설(시설이 아닌 지정문화재를 보호하거나 소장하고 있는 시설을 포함한다)

02 소방안전 특별관리시설물의 안전관리 대상으로 지정하여야 하는 것으로 옳지 않은 것은?

16. 공채

① 천연가스 인수기지 및 공급망

② 10개 이상의 영화상영관

③ 석유비축시설

④ 공항시설, 철도시설, 도시철도시설, 항만시설

정답 및 해설

01 소방안전 특별관리시설물
제조소는 포함되지 않는다.

02 소방안전 특별관리시설물
1,000명 이상의 영화상영관이 해당한다.

정답 **01** ① **02** ②

03 화재의 예방 및 안전관리에 관한 법률상 화재예방안전진단의 범위에 해당하는 것만을 [보기]에서 있는 대로 고른 것은?

23. 공채·경채

─────────────[보기]─────────────
ㄱ. 소방계획 및 피난계획 수립에 관한 사항   ㄴ. 소방시설등의 유지·관리에 관한 사항
ㄷ. 비상대응조직 및 교육훈련에 관한 사항   ㄹ. 화재 위험성 평가에 관한 사항
────────────────────────────────

① ㄱ   ② ㄱ, ㄴ

③ ㄱ, ㄴ, ㄷ   ④ ㄱ, ㄴ, ㄷ, ㄹ

04 화재의 예방 및 안전관리에 관한 법률 시행령상 화재예방안전진단 대상의 시설기준으로 옳지 않은 것은?   24. 공채·경채

① 발전소 중 연면적이 5천 제곱미터 이상인 발전소

② 항만시설 중 여객이용시설 및 지원시설의 연면적이 5천 제곱미터 이상인 항만시설

③ 철도시설 중 역 시설의 연면적이 5천 제곱미터 이상인 철도시설

④ 가스공급시설 중 가연성 가스 탱크의 저장용량의 합계가 30톤 이상이거나 저장용량이 10톤 이상인 가연성 가스 탱크가 있는 가스공급시설

정답 및 해설

03 화재예방안전진단
모두 옳은 내용이다.

04 화재예방안전진단 대상의 시설기준
가스공급시설 중 가연성 가스 탱크의 저장용량의 합계가 100톤 이상이거나 저장용량이 30톤 이상인 가연성 가스 탱크가 있는 가스공급시설

정답 03 ④ **04** ④

CHAPTER 7 보칙

제43조(화재의 예방과 안전문화 진흥을 위한 시책의 추진)

① 소방관서장은 국민의 화재 예방과 안전에 관한 의식을 높이고 화재의 예방과 안전문화를 진흥시키기 위한 다음 각 호의 활동을 적극 추진하여야 한다.

  1. 화재의 예방 및 안전관리에 관한 의식을 높이기 위한 활동 및 홍보

  2. 소방대상물 특성별 화재의 예방과 안전관리에 필요한 행동요령의 개발·보급

  3. 화재의 예방과 안전문화 우수사례의 발굴 및 확산

  4. 화재 관련 통계 현황의 관리·활용 및 공개

  5. 화재의 예방과 안전관리 취약계층에 대한 화재의 예방 및 안전관리 강화

  6. 그 밖에 화재의 예방과 안전문화를 진흥하기 위한 활동

② 소방관서장은 화재의 예방과 안전문화 활동에 국민 또는 주민이 참여할 수 있는 제도를 마련하여 시행할 수 있다.

③ 소방청장은 국민이 화재의 예방과 안전문화를 실천하고 체험할 수 있는 체험시설을 설치·운영할 수 있다.

④ 국가와 지방자치단체는 지방자치단체 또는 그 밖의 기관·단체에서 추진하는 화재의 예방과 안전문화활동을 위하여 필요한 예산을 지원할 수 있다.

 영철쌤 tip

화재의 예방과 안전문화 진흥을 위한 시책
1. 추진자: 소방관서장
2. 소방청장: 국민이 화재의 예방과 안전문화를 실천하고 체험할 수 있는 체험시설을 설치·운영(체험관이 아닌 체험시설임)

제44조(우수 소방대상물 관계인에 대한 포상 등)

① 소방청장은 소방대상물의 자율적인 안전관리를 유도하기 위하여 안전관리 상태가 우수한 소방대상물을 선정하여 우수 소방대상물 표지를 발급하고, 소방대상물의 관계인을 포상할 수 있다.

② 제1항에 따른 우수 소방대상물의 선정 방법, 평가 대상물의 범위 및 평가 절차 등에 필요한 사항은 행정안전부령으로 정한다.

> **시행규칙 제47조(우수 소방대상물의 선정 등)** ① 소방청장은 법 제44조 제1항에 따른 우수 소방대상물의 선정 및 관계인에 대한 포상을 위하여 우수 소방대상물의 선정방법, 평가 대상물의 범위 및 평가 절차 등에 관한 내용이 포함된 시행계획(이하 "시행계획"이라 한다)을 매년 수립·시행해야 한다.
> ② 소방청장은 우수 소방대상물 선정을 위하여 필요한 경우에는 소방대상물을 직접 방문하여 필요한 사항을 확인할 수 있다.
> ③ 소방청장은 우수 소방대상물 선정의 객관성 및 전문성을 확보하기 위하여 필요한 경우에는 다음 각 호의 어느 하나에 해당하는 사람이 2명 이상 포함된 평가위원회(이하 이 조에서 "평가위원회"라 한다)를 성별을 고려하여 구성·운영할 수 있다. 이 경우 평가위원회의 위원에게는 예산의 범위에서 수당, 여비 등 필요한 경비를 지급할 수 있다.

 영철쌤 tip

우수 소방대상물 포상 등
1. 선정자: 소방청장
2. 우수소방대상물 표지발급, 관계인 포상
3. 필요사항: 행정안전부령

우수 소방대상물 평가위원회
1. 구성·운영: 소방청장
2. 평가위원(2명 이상)
  • 소방기술사(소방안전관리자로 선임된 사람은 제외한다)
  • 소방시설관리사
  • 소방 관련 석사 이상의 학위
  • 소방 관련 법인 또는 단체에서 소방 관련 업무에 5년 이상
  • 소방공무원 교육기관, 대학 또는 연구소에서 소방과 관련한 교육 또는 연구에 5년 이상
※ 소방공무원은 해당사항 없다.

1. 소방기술사(소방안전관리자로 선임된 사람은 제외한다)

2. 소방시설관리사

3. 소방 관련 석사 이상의 학위를 취득한 사람

4. 소방 관련 법인 또는 단체에서 소방 관련 업무에 5년 이상 종사한 사람

5. 소방공무원 교육기관, 대학 또는 연구소에서 소방과 관련한 교육 또는 연구에 5년 이상 종사한 사람

④ 제1항부터 제3항까지에서 규정한 사항 외에 우수 소방대상물의 평가, 평가위원회 구성·운영, 포상의 종류·명칭 및 우수 소방대상물 표지 등에 관하여 필요한 사항은 소방청장이 정하여 고시한다.

제45조(조치명령 등의 기간연장)

① 다음 각 호에 따른 조치명령·선임명령 또는 이행명령(이하 "조치명령등"이라 한다)을 받은 관계인 등은 천재지변이나 그 밖에 대통령령으로 정하는 사유로 조치명령등을 그 기간 내에 이행할 수 없는 경우에는 조치명령등을 명령한 소방관서장에게 대통령령으로 정하는 바에 따라 조치명령등의 이행시기를 연장하여 줄 것을 신청할 수 있다.

1. 제14조에 따른 소방대상물의 개수·이전·제거, 사용의 금지 또는 제한, 사용폐쇄, 공사의 정지 또는 중지, 그 밖의 필요한 조치명령

2. 제28조 제1항에 따른 소방안전관리자 또는 소방안전관리보조자 선임명령

3. 제28조 제2항에 따른 소방안전관리업무 이행명령

② 제1항에 따라 연장신청을 받은 소방관서장은 연장신청 승인 여부를 결정하고 그 결과를 조치명령등의 이행 기간 내에 관계인 등에게 알려 주어야 한다.

> 시행령 제47조(조치명령등의 기간연장) ① 법 제45조 제1항 각 호 외의 부분에서 "대통령령으로 정하는 사유"란 다음 각 호의 어느 하나에 해당하는 사유를 말한다.
> 1. 재난 및 안전관리 기본법 제3조 제1호에 해당하는 재난이 발생한 경우
> 2. 경매 등의 사유로 소유권이 변동 중이거나 변동된 경우
> 3. 관계인의 질병, 사고, 장기출장의 경우
> 4. 시장·상가·복합건축물 등 소방대상물의 관계인이 여러 명으로 구성되어 법 제45조 제1항 각 호에 따른 조치명령·선임명령 또는 이행명령(이하 "조치명령등"이라 한다)의 이행에 대한 의견을 조정하기 어려운 경우
> 5. 그 밖에 관계인이 운영하는 사업에 부도 또는 도산 등 중대한 위기가 발생하여 조치명령등을 그 기간 내에 이행할 수 없는 경우
> ② 법 제45조 제1항에 따라 조치명령등의 이행시기 연장을 신청하려는 관계인 등은 행정안전부령으로 정하는 바에 따라 연장신청서에 기간연장의 사유 및 기간 등을 적어 소방관서장에게 제출해야 한다.
> ③ 제2항에 따른 기간연장의 신청 및 연장신청서의 처리에 필요한 사항은 행정안전부령으로 정한다.

영철쌤 tip

재난 및 안전관리 기본법 제3조 제1호에 해당하는 재난

1. 자연재난: 태풍, 홍수, 호우(豪雨), 강풍, 풍랑, 해일(海溢), 대설, 한파, 낙뢰, 가뭄, 폭염, 지진, 황사(黃砂), 조류(藻類) 대발생, 조수(潮水), 화산활동, 소행성·유성체 등 자연우주물체의 추락·충돌, 그 밖에 이에 준하는 자연현상으로 인하여 발생하는 재해

2. 사회재난: 화재·붕괴·폭발·교통사고(항공사고 및 해상사고를 포함한다)·화생방사고·환경오염사고 등으로 인하여 발생하는 대통령령으로 정하는 규모 이상의 피해와 국가핵심기반의 마비, 감염병의 예방 및 관리에 관한 법률에 따른 감염병 또는 가축전염병예방법에 따른 가축전염병의 확산, 미세먼지 저감 및 관리에 관한 특별법에 따른 미세먼지 등으로 인한 피해

시행규칙 제48조(조치명령등의 기간연장) ① 법 제45조 제1항에 따른 조치명령·선임명령 또는 이행명령(이하 "조치명령등"이라 한다)의 기간연장을 신청하려는 관계인 등은 영 제47조 제2항에 따라 별지 제38호서식에 따른 조치명령등의 기간연장 신청서(전자문서를 포함한다)에 조치명령등을 이행할 수 없음을 증명할 수 있는 서류(전자문서를 포함한다)를 첨부하여 소방관서장에게 제출해야 한다.

② 제1항에 따른 신청서를 제출받은 소방관서장은 신청받은 날부터 3일 이내에 조치명령등의 기간연장 여부를 결정하여 별지 제39호서식의 조치명령등의 기간연장 신청 결과 통지서를 관계인 등에게 통지해야 한다.

영철쌤 tip

조치명령등의 기간연장
1. **조치명령등**: 조치명령, 선임명령, 이행명령
2. **명령권자**: 소방관서장
3. **기간연장 대상**: 재난발생, 소유권이 변동, 질병·사고·장기출장, 관계인이 여러 명으로 구성의견을 조정하기 어려운 경우, 관계인이 운영하는 사업에 부도 또는 도산 등

제46조(청문)

소방청장 또는 시·도지사는 다음 각 호의 어느 하나에 해당하는 처분을 하려면 청문을 하여야 한다.

1. 제31조 제1항에 따른 소방안전관리자의 자격 취소
2. 제42조 제2항에 따른 진단기관의 지정 취소

영철쌤 tip

청문
1. **청문실시자**: 소방청장, 시·도지사
2. **대상**: 취소(소방안전관리자 자격, 진단기관 지정)

제47조(수수료 등)

다음 각 호의 어느 하나에 해당하는 자는 행정안전부령으로 정하는 수수료 또는 교육비를 내야 한다.

1. 제30조 제1항에 따른 소방안전관리자 자격시험에 응시하려는 사람
2. 제30조 제2항 및 제3항에 따른 소방안전관리자 자격증을 발급 또는 재발급 받으려는 사람
3. 제34조에 따른 강습교육 또는 실무교육을 받으려는 사람
4. 제41조 제1항에 따라 화재예방안전진단을 받으려는 관계인

시행규칙 제49조(수수료 및 교육비) ① 법 제47조에 따른 수수료 및 교육비는 별표 9와 같다.

② 별표 9에 따른 수수료 또는 교육비를 반환하는 경우에는 다음 각 호의 구분에 따라 반환해야 한다.
1. 수수료 또는 교육비를 과오납한 경우: 그 과오납한 금액의 전부
2. 시험시행기관 또는 교육실시기관에 책임이 있는 사유로 시험에 응시하지 못하거나 교육을 받지 못한 경우: 납입한 수수료 또는 교육비의 전부
3. 직계가족의 사망, 본인의 사고 또는 질병, 격리가 필요한 감염병이나 예견할 수 없는 기상상황 등으로 인해 시험에 응시하지 못하거나 교육을 받지 못한 경우(해당 사실을 증명하는 서류 등을 제출한 경우로 한정한다): 납입한 수수료 또는 교육비의 전부
4. 원서접수기간 또는 교육신청기간에 접수를 철회한 경우: 납입한 수수료 또는 교육비의 전부

5. 시험시행일 또는 교육실시일 20일 전까지 접수를 취소한 경우: 납입한 수수료 또는 교육비의 전부

6. 시험시행일 또는 교육실시일 10일 전까지 접수를 취소한 경우: 납입한 수수료 또는 교육비의 100분의 50

별표 9. 수수료 및 교육비

1. 자격증 발급 및 시험응시 수수료

납부 대상자	수수료 금액
가. 법 제30조 제1항에 따른 소방안전관리자 자격시험에 응시하려는 사람	・특급 제1차시험: 1만8천원 ・특급 제2차시험: 2만4천원 ・1 · 2 · 3급시험: 1만2천원
나. 법 제30조 제2항 및 제3항에 따른 소방안전관리자 자격증(수첩형)을 발급 또는 재발급받으려는 사람	1만 원

2. 교육비

납부 대상자	납부 금액
가. 영 별표 4의 특급 소방안전관리대상물에 대한 소방안전관리업무 강습교육을 받으려는 사람	96만 원
나. 영 별표 4의 1급 소방안전관리대상물에 대한 소방안전관리업무 강습교육을 받으려는 사람	48만 원
다. 영 별표 4의 2급 소방안전관리대상물에 대한 소방안전관리업무 강습교육 및 공공기관 소방안전관리 강습교육을 받으려는 사람	24만 원
라. 영 별표 4의 3급 소방안전관리대상물에 대한 소방안전관리업무 강습교육을 받으려는 사람	14만4천원
마. 법 제24조 제3항에 따라 선임된 소방안전관리자 업무대행 감독자에 대한 강습교육을 받으려는 사람	9만6천원
바. 법 제29조 제1항에 따른 건설현장에 대한 소방안전관리업무 강습교육을 받으려는 사람	14만4천원
사. 법 제34조 제1항 제2호에 따른 소방안전관리자에 대한 실무교육을 받으려는 사람	5만5천원
아. 법 제34조 제1항 제2호에 따른 소방안전관리보조자에 대한 실무교육을 받으려는 사람	3만 원

3. 화재예방안전진단 수수료

가. 법 제41조 제1항에 따라 화재예방안전진단을 받으려는 자는 다음의 계산식에 따라 산출한 수수료(천원 미만은 절사한다)를 납부해야 한다.

구분	계산식
수수료	직접인건비+직접경비+제경비+기술료

나. 가목의 계산식에서 직접인건비, 직접경비, 제경비 및 기술료는 다음의 값으로 한다.

구분	내용
직접인건비	1) 직접인건비는 진단단계별 각 공사량에 진단단계별 투입인력의 노임단가를 곱하여 산출한 금액의 합계 금액으로 한다. 2) 1)에서 진단단계별 각 공사량은 현장시설진단의 용도별 공사량에 보정계수1을 곱하고 사전조사의 공사량, 비상대응훈련의 공사량 및 보고서작성의 공사량에 보정계수2를 곱한 값으로 한다. 3) 1)에서 노임단가는 엔지니어링산업 진흥법 제31조에 따른 엔지니어링사업대가의 기준 중 기타부분의 노임단가로 한다. 4) 노임단가 산정 시 투입인력의 등급은 엔지니어링산업 진흥법 시행령 제4조에 따른다.
직접경비	직접인건비에 0.1을 곱하여 산출한 금액으로 한다.
제경비	직접인건비에 1.1을 곱하여 산출한 금액으로 한다.
기술료	직접인건비와 제경비의 합에 0.2를 곱하여 산출한 금액으로 한다.

다. 나목에서 진단단계별 분야별 공사량은 다음과 같다.

구분		공사량									
진단단계	용도별	영 별표 8 제2호 가목에 따른 전문인력				영 별표 8 제2호 나목에 따른 분야별 전문인력					
		합계	소방기술사	소방시설관리사	그 밖의 기술사 등	소방	전기	건축	가스	화공	위험물
사전조사	전체	1.0									
현장시설진단	공항	4.5	0.5	0.5	0.5	1.0	0.4	0.7	0.2	0.2	0.5
	철도, 도시철도, 항만	3.0	0.5	0.5	0.2	0.7	0.3	0.4	0.1	0.1	0.2
	공동구	3.0	0.5	0.5	0.2	0.5	0.5	0.4	0.2	0.1	0.1
	천연가스인수기지, 가스공급시설	5.0	0.5	0.5	0.5	1.0	0.3	0.7	1.0	0.2	0.3
	발전소	5.0	0.7	0.5	0.5	1.0	0.5	0.7	0.3	0.5	0.3
비상대응훈련		4.0(소방안전교육사1명 포함)									
보고서 작성 (시뮬레이션 포함)		4.0									

라. 나목에서 보정계수 값은 다음과 같이 한다.

연면적의 합계(m²)	보정계수1 (현장진단)	보정계수2 (사전조사, 비상대응훈련 및 보고서작성)
10,000 이하	1.0	0.25
10,000 초과 ~ 15,000 이하	1.5	0.50
15,000 초과 ~ 20,000 이하	2.0	0.50
20,000 초과 ~ 25,000 이하	2.5	1.00
25,000 초과 ~ 30,000 이하	3.0	1.00
30,000 초과 ~ 35,000 이하	3.5	1.50
35,000 초과 ~ 40,000 이하	4.0	1.50
40,000 초과 ~ 45,000 이하	4.5	1.50
45,000 초과 ~ 50,000 이하	5.0	1.50
50,000 초과 ~ 60,000 이하	6.0	2.00
60,000 초과 ~ 70,000 이하	7.0	2.00
70,000 초과 ~ 80,000 이하	8.0	2.00
80,000 초과 ~ 90,000 이하	9.0	2.00
90,000 초과 ~ 100,000 이하	10.0	2.00
100,000 초과	11.0으로 하되 10,000 초과 시 마다 1.0을 더한 수치	2.10으로 하되 100,000 초과 시 마다 0.1을 더한 수치

1. 수수료 및 교육비는 계좌입금의 방식 또는 현금으로 납부하거나 신용카드로 결제해야 한다. 다만, 정보통신망을 이용하여 전자화폐·전자결제 등의 방법으로 결제할 수 있다.
2. 제1호 가목에도 불구하고 영 별표 4 제2호부터 제4호까지에 해당하는 소방안전관리대상물의 소방안전관리자가 되려는 사람이 강습교육 마지막일(원격교육과정의 경우 수료 후 처음 시험에 응시하는 경우를 말한다)에 실시하는 소방안전관리자 자격시험에 응시하는 경우에는 응시 수수료를 납부한 것으로 본다.
3. 강습교육을 받으려는 사람은 강습교육 수강신청 시 교육비를 납부해야 한다.

제48조(권한의 위임^❶·위탁^❷ 등)

① 이 법에 따른 소방청장 또는 시·도지사의 권한은 그 일부를 대통령령으로 정하는 바에 따라 시·도지사, 소방본부장 또는 소방서장에게 위임할 수 있다.

② 소방관서장은 다음 각 호에 해당하는 업무를 안전원에 위탁할 수 있다.

1. 제26조 제1항에 따른 소방안전관리자 또는 소방안전관리보조자 선임신고의 접수
2. 제26조 제2항에 따른 소방안전관리자 또는 소방안전관리보조자 해임 사실의 확인
3. 제29조 제1항에 따른 건설현장 소방안전관리자 선임신고의 접수
4. 제30조 제1항 제1호에 따른 소방안전관리자 자격시험
5. 제30조 제2항 및 제3항에 따른 소방안전관리자 자격증의 발급 및 재발급
6. 제33조에 따른 소방안전관리 등에 관한 종합정보망의 구축·운영
7. 제34조에 따른 강습교육 및 실무교육

③ 제2항에 따라 위탁받은 업무에 종사하고 있거나 종사하였던 사람은 업무를 수행하면서 알게 된 비밀을 이 법에서 정한 목적 외의 용도로 사용하거나 다른 사람 또는 기관에 제공하거나 누설하여서는 아니 된다.

> **시행령 제48조(권한의 위임·위탁 등)** 소방청장은 법 제48조 제1항에 따라 법 제31조에 따른 소방안전관리자 자격의 정지 및 취소에 관한 업무를 소방서장에게 위임한다.
>
> **제49조(고유식별정보의 처리)** 소방관서장(제48조 및 법 제48조 제2항에 따라 소방관서장의 권한 또는 업무를 위임받거나 위탁받은 자를 포함한다) 또는 시·도지사(해당 권한 또는 업무가 위임되거나 위탁된 경우에는 그 권한 또는 업무를 위임받거나 위탁받은 자를 포함한다)는 다음 각 호의 사무를 수행하기 위하여 불가피한 경우 개인정보 보호법 시행령 제19조 제1호 또는 제4호에 따른 주민등록번호 또는 외국인등록번호가 포함된 자료를 처리할 수 있다.
>
> 1. 법 제7조 및 제8조에 따른 화재안전조사에 관한 사무
> 2. 법 제14조에 따른 화재안전조사 결과에 따른 조치명령에 관한 사무
> 3. 법 제15조에 따른 손실보상에 관한 사무
> 4. 법 제17조에 따른 화재의 예방조치 등에 관한 사무
> 5. 법 제19조에 따른 화재의 예방 등에 대한 지원에 관한 사무
> 6. 법 제23조에 따른 화재안전취약자 지원에 관한 사무
> 7. 법 제24조, 제26조, 제28조 및 제29조에 따른 소방안전관리자, 소방안전관리보조자 및 건설현장 소방안전관리자의 선임신고 등에 관한 사무
> 8. 법 제30조에 따른 소방안전관리자 자격증의 발급·재발급 및 법 제31조에 따른 자격의 정지·취소에 관한 사무
> 9. 법 제32조에 따른 소방안전관리자 자격시험에 관한 사무
> 10. 법 제33조에 따른 소방안전관리 등에 관한 종합정보망의 구축·운영에 관한 사무
> 11. 법 제34조에 따른 소방안전관리자 등에 대한 교육에 관한 사무
> 12. 법 제42조에 따른 화재예방안전진단기관의 지정 및 취소
> 13. 법 제44조에 따른 우수 소방대상물 관계인에 대한 포상 등에 관한 사무
> 14. 법 제45조에 따른 조치명령등의 기간연장에 관한 사무
> 15. 법 제46조에 따른 청문에 관한 사무
> 16. 법 제47조에 따른 수수료 징수에 관한 사무

🔖 용어사전

❶ 위임: 상급행정기관이 하급행정기관에 맡기는 것을 말한다.
❷ 위탁: 행정기관이 법인, 단체, 민관기관, 개인에게 맡기는 것을 말한다[기술원(소방용품, 위험물탱크관련 등), 안전원(교육 등)].

제50조(규제의 재검토) 소방청장은 다음 각 호의 사항에 대하여 해당 호에서 정하는 날을 기준일로 하여 3년마다(매 3년이 되는 해의 기준일과 같은 날 전까지를 말한다) 그 타당성을 검토하여 개선 등의 조치를 해야 한다.

1. 제25조에 따른 소방안전관리자를 두어야 하는 특정소방대상물: 2022년 12월 1일
2. 제25조에 따른 소방안전관리보조자를 두어야 하는 특정소방대상물: 2022년 12월 1일
3. 제25조에 따른 소방안전관리자 및 소방안전관리보조자의 선임 대상별 자격 및 선임인원: 2022년 12월 1일
4. 제28조에 따른 소방안전관리 업무의 대행 대상 및 업무: 2022년 12월 1일

제49조(벌칙 적용에서 공무원 의제)

다음 각 호의 어느 하나에 해당하는 자 중 공무원이 아닌 사람은 형법 제129조부터 제132조까지의 규정을 적용할 때에는 공무원으로 본다.

1. 제9조에 따른 화재안전조사단의 구성원
2. 제10조에 따른 화재안전조사위원회의 위원
3. 제11조에 따라 화재안전조사에 참여하는 자
4. 제22조에 따른 화재안전영향평가심의회 위원
5. 제41조 제1항에 따른 화재예방안전진단업무 수행 기관의 임원 및 직원
6. 제48조 제2항에 따라 위탁받은 업무에 종사하는 안전원의 담당 임원 및 직원

시행규칙 제50조(안전원이 갖춰야 하는 시설 기준 등) ① 안전원의 장은 화재예방안전진단을 원활하게 수행하기 위하여 영 별표 8에 따른 진단기관이 갖춰야 하는 시설, 전문인력 및 장비를 갖춰야 한다.
② 안전원은 법 제48조 제2항 제7호에 따른 업무를 위탁받은 경우 별표 10의 시설기준을 갖춰야 한다.

별표 10. 한국소방안전원이 갖추어야 하는 시설기준
1. 사무실: 바닥면적 60제곱미터 이상일 것
2. 강의실: 바닥면적 100제곱미터 이상이고 책상·의자, 음향시설, 컴퓨터 및 빔프로젝터 등 교육에 필요한 비품을 갖출 것
3. 실습실: 바닥면적 100제곱미터 이상이고, 교육과정별 실습·평가를 위한 교육기자재 등을 갖출 것

4. 교육용기자재 등

교육 대상	교육용기자재 등	수량
공통 (특급 · 1급 · 2급 · 3급 소방안전관리자, 소방안전관리보조자, 업무대행감독 소방안전관리자, 건설현장 소방안전관리자)	1. 소화기(분말, 이산화탄소, 할로겐화합물 및 불활성기체) 2. 소화기 실습 · 평가설비 3. 자동화재탐지설비(P형) 실습 · 평가설비 4. 응급처치 실습 · 평가장비(마네킹, 심장충격기) 5. 피난구조설비(유도등, 완강기) 6. 소방시설 설치 및 관리에 관한 법률 시행규칙 별표 4에 따른 소방시설별 점검 장비 7. 원격교육을 위한 스튜디오, 영상장비 및 콘텐츠 8. 가상체험(VR 등) 장비 및 기기	각 1개 1식 3식 각 1개 각 1식 각 1개 1식 1식 1식
특급 소방안전관리자	1. 옥내소화전설비 실습 · 평가설비 2. 스프링클러설비 실습 · 평가설비 3. 가스계소화설비 실습 · 평가설비 4. 자동화재탐지설비(R형) 실습 · 평가설비 5. 제연설비 실습 · 평가설비	1식 1식 1식 1식 1식
1급 소방안전관리자	1. 옥내소화전설비 실습 · 평가설비 2. 스프링클러설비 실습 · 평가설비 3. 자동화재탐지설비(R형) 실습 · 평가설비	1식 1식 1식
2급 소방안전관리자, 공공기관의 소방안전관리에 관한 규정 제2조에 따른 공공기관의 소방안전관리자	1. 옥내소화전설비 실습 · 평가설비 2. 스프링클러설비 실습 · 평가설비	1식 1식
건설현장 소방안전관리자	1. 임시소방시설 실습 · 평가설비 2. 화기취급작업 안전장비	1식 1식

CHAPTER 8 벌칙

 영철쌤 tip

3년 이하의 징역 또는 3천만 원 이하의 벌금
명령위반, 거짓이나 부정한 방법

 영철쌤 tip

일반적으로 비밀을 다른 사람 또는 기관에게
제공 또는 누설하거나 목적 외의 용도로 사용
한 자는 300만 원 이하 벌금이다. 그러나 조
사업무를 수행하면서 비밀을 다른 사람 또는
기관에게 제공 또는 누설하거나 목적 외의 용
도로 사용한 자는 1년 이하의 징역 또는 1천
만 원 이하의 벌금이다.

제50조(벌칙)

① 다음 각 호의 어느 하나에 해당하는 자는 3년 이하의 징역 또는 3천만 원 이하의 벌금에 처한다.

1. 제14조 제1항 및 제2항에 따른 조치명령을 정당한 사유 없이 위반한 자
2. 제28조 제1항 및 제2항에 따른 명령을 정당한 사유 없이 위반한 자
3. 제41조 제5항에 따른 보수·보강 등의 조치명령을 정당한 사유 없이 위반한 자
4. 거짓이나 그 밖의 부정한 방법으로 제42조 제1항에 따른 진단기관으로 지정을 받은 자

② 다음 각 호의 어느 하나에 해당하는 자는 1년 이하의 징역 또는 1천만 원 이하의 벌금에 처한다.

1. 제12조 제2항을 위반하여 관계인의 정당한 업무를 방해하거나, 조사업무를 수행하면서 취득한 자료나 알게 된 비밀을 다른 사람 또는 기관에게 제공 또는 누설하거나 목적 외의 용도로 사용한 자
2. 제30조 제4항을 위반하여 자격증을 다른 사람에게 빌려 주거나 빌리거나 이를 알선한 자
3. 제41조 제1항을 위반하여 진단기관으로부터 화재예방안전진단을 받지 아니한 자

③ 다음 각 호의 어느 하나에 해당하는 자는 300만 원 이하의 벌금에 처한다.

1. 제7조 제1항에 따른 화재안전조사를 정당한 사유 없이 거부·방해 또는 기피한 자
2. 제17조 제2항 각 호의 어느 하나에 따른 명령을 정당한 사유 없이 따르지 아니하거나 방해한 자
3. 제24조 제1항·제3항, 제29조 제1항 및 제35조 제1항·제2항을 위반하여 소방안전관리자, 총괄소방안전관리자 또는 소방안전관리보조자를 선임하지 아니한 자
4. 제27조 제3항을 위반하여 소방시설·피난시설·방화시설 및 방화구획 등이 법령에 위반된 것을 발견하였음에도 필요한 조치를 할 것을 요구하지 아니한 소방안전관리자
5. 제27조 제4항을 위반하여 소방안전관리자에게 불이익한 처우를 한 관계인
6. 제41조 제6항 및 제48조 제3항을 위반하여 업무를 수행하면서 알게 된 비밀을 이 법에서 정한 목적 외의 용도로 사용하거나 다른 사람 또는 기관에 제공하거나 누설한 자

제51조(양벌규정) ^❶

법인의 대표자나 법인 또는 개인의 대리인, 사용인, 그 밖의 종업원이 그 법인 또는 개인의 업무에 관하여 제50조에 해당하는 위반행위를 하면 그 행위자를 벌하는 외에 그 법인 또는 개인에게도 해당 조문의 벌금형을 과(科)한다. 다만, 법인 또는 개인이 그 위반행위를 방지하기 위하여 해당 업무에 관하여 상당한 주의와 감독을 게을리하지 아니한 경우에는 그러하지 아니하다.

제52조(과태료)

① 다음 각 호의 어느 하나에 해당하는 자에게는 300만 원 이하의 과태료를 부과한다.
  1. 정당한 사유 없이 제17조 제1항 각 호의 어느 하나에 해당하는 행위를 한 자
  2. 제24조 제2항을 위반하여 소방안전관리자를 겸한 자
  3. 제24조 제5항에 따른 소방안전관리업무를 하지 아니한 특정소방대상물의 관계인 또는 소방안전관리대상물의 소방안전관리자
  4. 제27조 제2항을 위반하여 소방안전관리업무의 지도·감독을 하지 아니한 자
  5. 제29조 제2항에 따른 건설현장 소방안전관리대상물의 소방안전관리자의 업무를 하지 아니한 소방안전관리자
  6. 제36조 제3항을 위반하여 피난유도 안내정보를 제공하지 아니한 자
  7. 제37조 제1항을 위반하여 소방훈련 및 교육을 하지 아니한 자
  8. 제41조 제4항을 위반하여 화재예방안전진단 결과를 제출하지 아니한 자

② 다음 각 호의 어느 하나에 해당하는 자에게는 200만 원 이하의 과태료를 부과한다.
  1. 제17조 제4항에 따른 불을 사용할 때 지켜야 하는 사항 및 같은 조 제5항에 따른 특수가연물의 저장 및 취급 기준을 위반한 자
  2. 제18조 제4항에 따른 소방설비등의 설치 명령을 정당한 사유 없이 **따르지 아니한 자**
  3. 제26조 제1항을 위반하여 기간 내에 선임신고를 하지 아니하거나 소방안전관리자의 성명 등을 게시하지 아니한 자
  4. 제29조 제1항을 위반하여 기간 내에 선임신고를 하지 아니한 자
  5. 제37조 제2항을 위반하여 기간 내에 소방훈련 및 교육 결과를 제출하지 아니한 자

③ 제34조 제1항 제2호를 위반하여 실무교육을 받지 아니한 소방안전관리자 및 소방안전관리보조자에게는 100만 원 이하의 과태료를 부과한다.

④ 제1항부터 제3항까지에 따른 과태료는 대통령령으로 정하는 바에 따라 소방청장, 시·도지사, 소방본부장 또는 소방서장이 부과·징수한다.

시행령 제51조(과태료의 부과기준) 법 제52조 제1항부터 제3항까지의 규정에 따른 과태료의 부과기준은 별표 9와 같다.

별표 9. 과태료의 부과기준

1. 일반기준

　가. 위반행위의 횟수에 따른 과태료의 가중된 부과기준은 최근 1년간 같은 위반행위로 과태료 부과처분을 받은 경우에 적용한다. 이 경우 기간의 계산은 위반행위에 대하여 과태료 부과처분을 받은 날과 그 처분 후 다시 같은 위반행위를 하여 적발된 날을 기준으로 한다.

　나. 가목에 따라 가중된 부과처분을 하는 경우 가중처분의 적용 차수는 그 위반행위 전 부과처분 차수(가목에 따른 기간 내에 과태료 부과처분이 둘 이상 있었던 경우에는 높은 차수를 말한다)의 다음 차수로 한다.

　다. 부과권자는 다음의 어느 하나에 해당하는 경우에는 제2호의 개별기준에 따른 과태료의 2분의 1 범위에서 그 금액을 줄여 부과할 수 있다. 다만, 과태료를 체납하고 있는 위반행위자에 대해서는 그렇지 않다.

　　1) 위반행위가 사소한 부주의나 오류로 인한 것으로 인정되는 경우

　　2) 위반행위자가 법 위반상태를 시정하거나 해소하기 위하여 노력한 사실이 인정되는 경우

　　3) 위반행위자가 처음 위반행위를 한 경우로서 3년 이상 해당 업종을 모범적으로 영위한 사실이 인정되는 경우

　　4) 위반행위자가 화재 등 재난으로 재산에 현저한 손실을 입거나 사업 여건의 악화로 그 사업이 중대한 위기에 처하는 등 사정이 있는 경우

　　5) 위반행위자가 같은 위반행위로 다른 법률에 따라 과태료·벌금·영업정지 등의 처분을 받은 경우

　　6) 그 밖에 위반행위의 정도, 위반행위의 동기와 그 결과 등을 고려하여 과태료 금액을 줄일 필요가 있다고 인정되는 경우

2. 개별기준

위반행위	근거 법조문	과태료 금액 (단위: 만 원)		
		1차 위반	2차 위반	3차 이상 위반
가. 정당한 사유 없이 법 제17조 제1항 각 호의 어느 하나에 해당하는 행위를 한 경우	법 제52조 제1항 제1호		300	
나. 법 제17조 제4항에 따른 불을 사용할 때 지켜야 하는 사항 및 같은 조 제5항에 따른 특수가연물의 저장 및 취급 기준을 위반한 경우	법 제52조 제2항 제1호		200	
다. 법 제18조 제4항에 따른 소방설비등의 설치 명령을 정당한 사유 없이 따르지 않은 경우	법 제52조 제2항 제2호		200	
라. 법 제24조 제2항을 위반하여 소방안전관리자를 겸한 경우	법 제52조 제1항 제2호		300	

마. 법 제24조 제5항에 따른 소방안전관리 업무를 하지 않은 경우	법 제52조 제1항 제3호	100	200	300
바. 법 제26조 제1항을 위반하여 기간 내에 선임신고를 하지 않거나 소방안전관리자의 성명 등을 게시하지 않은 경우 1) 지연 신고기간이 1개월 미만인 경우 2) 지연 신고기간이 1개월 이상 3개월 미만인 경우 3) 지연 신고기간이 3개월 이상이거나 신고하지 않은 경우	법 제52조 제2항 제3호		50 100 200	
4) 소방안전관리자의 성명 등을 게시하지 않은 경우		50	100	200
사. 법 제27조 제2항을 위반하여 소방안전 관리업무의 지도·감독을 하지 않은 경우	법 제52조 제1항 제4호		300	
아. 법 제29조 제1항을 위반하여 기간 내에 선임신고를 하지 않은 경우 1) 지연 신고기간이 1개월 미만인 경우 2) 지연 신고기간이 1개월 이상 3개월 미만인 경우 3) 지연 신고기간이 3개월 이상이거나 신고하지 않은 경우	법 제52조 제2항 제4호		50 100 200	
자. 법 제29조 제2항에 따른 건설현장 소방 안전관리대상물의 소방안전관리자의 업무를 하지 않은 경우	법 제52조 제1항 제5호	100	200	300
차. 법 제34조 제1항 제2호를 위반하여 실무교육을 받지 않은 경우	법 제52조 제3항		50	
카. 법 제36조 제3항을 위반하여 피난유도 안내정보를 제공하지 않은 경우	법 제52조 제1항 제6호	100	200	300
타. 법 제37조 제1항을 위반하여 소방훈련 및 교육을 하지 않은 경우	법 제52조 제1항 제7호	100	200	300
파. 법 제37조 제2항을 위반하여 기간 내에 소방훈련 및 교육 결과를 제출하지 않은 경우 1) 지연 제출기간이 1개월 미만인 경우 2) 지연 제출기간이 1개월 이상 3개월 미만인 경우 3) 지연 제출기간이 3개월 이상이거나 제출을 하지 않은 경우	법 제52조 제2항 제5호		50 100 200	
하. 법 제41조 제4항을 위반하여 화재예방 안전진단 결과를 제출하지 않은 경우 1) 지연 제출기간이 1개월 미만인 경우 2) 지연 제출기간이 1개월 이상 3개월 미만인 경우 3) 지연 제출기간이 3개월 이상이거나 제출하지 않은 경우	법 제52조 제1항 제8호		100 200 300	

해커스소방 **이영철 소방관계법규** 기본서

PART 4

소방시설 설치 및 관리에 관한 법률

법[시행 2024.12.1.][법률 제18522호, 2021.11.30., 전부개정]
시행령[시행 2023.3.7.][대통령령 제33321호, 2023.3.7., 타법개정]
시행규칙[시행 2024.12.1.][행정안전부령 제360호, 2022.12.1., 전부개정]

CHAPTER 1 총칙

제1조(목적)

이 법은 특정소방대상물 등에 설치하여야 하는 소방시설등의 설치·관리와 소방용품 성능관리에 필요한 사항을 규정함으로써 국민의 생명·신체 및 재산을 보호하고 공공의 안전과 복리 증진에 이바지함을 목적으로 한다.

> **시행령 제1조(목적)** 이 영은 소방시설 설치 및 관리에 관한 법률에서 위임된 사항과 그 시행에 필요한 사항을 규정함을 목적으로 한다.

> **시행규칙 제1조(목적)** 이 규칙은 소방시설 설치 및 관리에 관한 법률 및 같은 법 시행령에서 위임된 사항과 그 시행에 필요한 사항을 규정함을 목적으로 한다.

제2조(정의)

① 이 법에서 사용하는 용어의 뜻은 다음과 같다.

1. "소방시설"이란 소화설비, 경보설비, 피난구조설비, 소화용수설비, 그 밖에 소화활동설비로서 대통령령으로 정하는 것을 말한다.
2. "소방시설등❶"이란 소방시설과 비상구(非常口), 그 밖에 소방 관련 시설로서 대통령령으로 정하는 것을 말한다.
3. "특정소방대상물"이란 건축물 등의 규모·용도 및 수용인원 등을 고려하여 소방시설을 설치하여야 하는 소방대상물로서 대통령령으로 정하는 것을 말한다.
4. "화재안전성능❷"이란 화재를 예방하고 화재발생 시 피해를 최소화하기 위하여 소방대상물의 재료, 공간 및 설비 등에 요구되는 안전성능을 말한다.
5. "성능위주설계❸"란 건축물 등의 재료, 공간, 이용자, 화재 특성 등을 종합적으로 고려하여 공학적 방법으로 화재 위험성을 평가하고 그 결과에 따라 화재안전성능이 확보될 수 있도록 특정소방대상물을 설계하는 것을 말한다.
6. "화재안전기준❹"이란 소방시설 설치 및 관리를 위한 다음 각 목의 기준을 말한다.
   가. 성능기준: 화재안전 확보를 위하여 재료, 공간 및 설비 등에 요구되는 안전성능으로서 소방청장이 고시로 정하는 기준
   나. 기술기준: 가목에 따른 성능기준을 충족하는 상세한 규격, 특정한 수치 및 시험방법 등에 관한 기준으로서 행정안전부령으로 정하는 절차에 따라 소방청장의 승인을 받은 기준
7. "소방용품"이란 소방시설등을 구성하거나 소방용으로 사용되는 제품 또는 기기로서 대통령령으로 정하는 것을 말한다.

영철쌤 tip

📖 용어사전

❶ **소방시설등:** 소방시설, 비상구, 방화문, 자동방화셔터를 말한다.

❷ **화재안전성능:** 화재를 예방하고 피해를 최소화하기 위해 요구되는 안전성능을 말한다.

❸ **성능위주설계:** 공학적 방법으로 화재 위험성을 평가하고 그 결과에 따라 화재안전성능이 확보될 수 있도록 설계하는 것을 말한다.

❹ **화재안전기준:** 소방시설을 설치 및 관리하기 위한 성능기준(고시) 및 기술기준[승인(공고)]을 말한다.

② 이 법에서 사용하는 용어의 뜻은 제1항에서 규정하는 것을 제외하고는 소방기본법, 화재의 예방 및 안전관리에 관한 법률, 소방시설공사업법, 위험물안전관리법 및 건축법에서 정하는 바에 따른다.

시행령 제2조(정의) 이 영에서 사용하는 용어의 뜻은 다음과 같다.

1. "무창층"(無窓層)이란 지상층 중 다음 각 목의 요건을 모두 갖춘 개구부(건축물에서 채광·환기·통풍 또는 출입 등을 위하여 만든 창·출입구, 그 밖에 이와 비슷한 것을 말한다. 이하 같다)의 면적의 합계가 해당 층의 바닥면적(건축법 시행령 제119조 제1항 제3호에 따라 산정된 면적을 말한다. 이하 같다)의 **30분의 1 이하**가 되는 층을 말한다.

   가. 크기는 지름 50센티미터 이상의 원이 통과할 수 있을 것

   나. 해당 층의 바닥면으로부터 개구부 밑부분까지의 높이가 1.2미터 이내일 것

   다. 도로 또는 차량이 진입할 수 있는 빈터를 향할 것

   라. 화재 시 건축물로부터 쉽게 피난할 수 있도록 창살이나 그 밖의 장애물이 설치되지 않을 것

   마. 내부 또는 외부에서 쉽게 부수거나 열 수 있을 것

2. "피난층"이란 곧바로 지상으로 갈 수 있는 출입구가 있는 층을 말한다.

제3조(소방시설) 소방시설 설치 및 관리에 관한 법률(이하 "법"이라 한다) 제2조 제1항 제1호에서 "대통령령으로 정하는 것"이란 별표 1의 설비를 말한다.

별표 1. 소방시설

1. **소화설비**: 물 또는 그 밖의 소화약제를 사용하여 소화하는 기계·기구 또는 설비로서 다음 각 목의 것

   가. 소화기구

   　1) 소화기

   　2) 간이소화용구: 에어로졸식 소화용구, 투척용 소화용구, 소공간용 소화용구 및 소화약제 외의 것을 이용한 간이소화용구

   　3) 자동확산소화기

   나. 자동소화장치

   　1) 주거용 주방자동소화장치

   　2) 상업용 주방자동소화장치

   　3) 캐비닛형 자동소화장치

   　4) 가스자동소화장치

   　5) 분말자동소화장치

   　6) 고체에어로졸자동소화장치

   다. 옥내소화전설비[호스릴(hose reel) 옥내소화전설비를 포함한다]

   라. 스프링클러설비등

   　1) 스프링클러설비

   　2) 간이스프링클러설비(캐비닛형 간이스프링클러설비를 포함한다)

   　3) 화재조기진압용 스프링클러설비

   마. 물분무등소화설비

   　1) 물분무소화설비

   　2) 미분무소화설비

   　3) 포소화설비

무창층

1. 지상층 가운데

2. 개구부의 면적의 합계가 해당 층의 바닥면적의 30분의 1 이하가 되는 층

개구부

1. 지름 50cm이상 원 통과

2. 개구부 밑부분까지의 높이가 1.2m 이내

3. 내부 또는 외부에서 쉽게 파손, 개방

피난층

지상으로 갈 수 있는 출입구가 있는 층

▲ 소화기

▲ 에어졸식
: 스프레이 방식

▲ 투척용
: 던지는 방식

▲ 소공간용
: 부착식

▲ 소화약제 이외 –
마른 모래, 팽창진주암,
팽창질석
: 뿌려서 덮는 방식

▲ 간이소화용구

▲ 자동확산소화기

▲ 호스릴방식

디플렉타
프레임
감열체

프레임
감열체
디플렉타

경보설비
1. 주택화재: 단독경보형감지기
2. 전통시장: 화재알림설비
3. IOT 화재알림설비로서 화재발생시 시장
   상인에게 화재통보 및 소방서로 통보하는
   설비
4. 중요한 건물: 자동화재속보설비 화재발생
   시 소방서로 통보하는 설비
5. 지하공동구: 통합감시시설

4) 이산화탄소소화설비
5) 할론소화설비
6) 할로겐화합물 및 불활성기체(다른 원소와 화학반응을 일으키기 어려운 기체를 말한다. 이하 같다) 소화설비
7) 분말소화설비
8) 강화액소화설비
9) 고체에어로졸소화설비
바. 옥외소화전설비
2. **경보설비**: 화재발생 사실을 통보하는 기계·기구 또는 설비로서 다음 각 목의 것
가. 단독경보형 감지기
나. **비상경보설비**
1) 비상벨설비
2) 자동식사이렌설비
다. 자동화재탐지설비
라. 시각경보기
마. 화재알림설비
바. 비상방송설비
사. 자동화재속보설비
아. 통합감시시설
자. 누전경보기
차. 가스누설경보기
3. **피난구조설비**: 화재가 발생할 경우 피난하기 위하여 사용하는 기구 또는 설비로서 다음 각 목의 것
가. **피난기구**
1) 피난사다리
2) 구조대
3) 완강기
4) 간이완강기
5) 그 밖에 화재안전기준으로 정하는 것
나. **인명구조기구**
1) 방열복, 방화복(안전모, 보호장갑 및 안전화를 포함한다)
2) 공기호흡기
3) 인공소생기
다. **유도등**
1) 피난유도선
2) 피난구유도등
3) 통로유도등
4) 객석유도등
5) 유도표지
라. 비상조명등 및 휴대용비상조명등
4. **소화용수설비**: 화재를 진압하는 데 필요한 물을 공급하거나 저장하는 설비로서 다음 각 목의 것
가. 상수도소화용수설비
나. 소화수조·저수조, 그 밖의 소화용수설비

5. **소화활동설비**: 화재를 진압하거나 인명구조활동을 위하여 사용하는 설비로서 다음 각 목의 것

   가. 제연설비

   나. 연결송수관설비

   다. 연결살수설비

   라. 비상콘센트설비

   마. 무선통신보조설비

   바. 연소방지설비

제4조(소방시설등) 법 제2조 제1항 제2호에서 "대통령령으로 정하는 것"이란 방화문 및 자동방화셔터를 말한다.

제5조(특정소방대상물) 법 제2조 제1항 제3호에서 "대통령령으로 정하는 것"이란 별표 2의 소방대상물을 말한다.

별표 2. 특정소방대상물

1. 공동주택

   가. 아파트등: 주택으로 쓰는 층수가 5층 이상인 주택

   나. 연립주택: 주택으로 쓰는 1개 동의 바닥면적(2개 이상의 동을 지하주차장으로 연결하는 경우에는 각각의 동으로 본다) 합계가 660m²를 초과하고, 층수가 4개 층 이하인 주택

   다. 다세대주택: 주택으로 쓰는 1개 동의 바닥면적(2개 이상의 동을 지하주차장으로 연결하는 경우에는 각각의 동으로 본다) 합계가 660m² 이하이고, 층수가 4개 층 이하인 주택

   라. 기숙사: 학교 또는 공장 등의 학생 또는 종업원 등을 위하여 쓰는 것으로서 1개 동의 공동취사시설 이용 세대 수가 전체의 50퍼센트 이상인 것(교육기본법 제27조 제2항에 따른 학생복지주택 및 공공주택 특별법 제2조 제1호의3에 따른 공공매입임대주택 중 독립된 주거의 형태를 갖추지 않은 것을 포함한다)

2. 근린생활시설

   가. 슈퍼마켓과 일용품(식품, 잡화, 의류, 완구, 서적, 건축자재, 의약품, 의료기기 등) 등의 소매점으로서 같은 건축물(하나의 대지에 두 동 이상의 건축물이 있는 경우에는 이를 같은 건축물로 본다. 이하 같다)에 해당 용도로 쓰는 바닥면적의 합계가 1천m² 미만인 것

   나. 휴게음식점, 제과점, 일반음식점, 기원(棋院), 노래연습장 및 단란주점(단란주점은 같은 건축물에 해당 용도로 쓰는 바닥면적의 합계가 150m² 미만인 것만 해당한다)

   다. 이용원, 미용원, 목욕장 및 세탁소(공장에 부설된 것과 대기환경보전법, 물환경보전법 또는 소음·진동관리법에 따른 배출시설의 설치허가 또는 신고의 대상인 것은 제외한다)

   라. 의원, 치과의원, 한의원, 침술원, 접골원(接骨院), 조산원, 산후조리원 및 안마원(의료법 제82조 제4항에 따른 안마시술소를 포함한다)

   마. 탁구장, 테니스장, 체육도장, 체력단련장, 에어로빅장, 볼링장, 당구장, 실내낚시터, 골프연습장, 물놀이형 시설(관광진흥법 제33조에 따른 안전성검사의 대상이 되는 물놀이형 시설을 말한다. 이하 같다), 그 밖에 이와 비슷한 것으로서 같은 건축물에 해당 용도로 쓰는 바닥면적의 합계가 500m² 미만인 것

▲ 피난사다리

▲ 구조대

▲ 완강기

▲ 공기안전매트

▲ 방화복

▲ 방열복

▲ 인공소생기

▲ 공기호흡기

▲ 피난유도선　　　▲ 피난구유도등

▲ 객석유도등　　　▲ 계단통로유도등

▲ 복도 또는　　　▲ 피난구유도표지
거실 통로유도등

▲ 통로유도표지　　　▲ 비상조명등

▲ 휴대용비상조명등　　　▲ 상수도소화용수
설비(소화전)

▲ 소화수조(소화용수의 전용수조)

▲ 저수조(소화용수와 일반생활용수의 겸용수조)

바. 공연장(극장, 영화상영관, 연예장, 음악당, 서커스장, 영화 및 비디오물의 진흥에 관한 법률 제2조 제16호 가목에 따른 비디오물감상실업의 시설, 같은 호 나목에 따른 비디오물소극장업의 시설, 그 밖에 이와 비슷한 것을 말한다. 이하 같다) 또는 종교집회장[교회, 성당, 사찰, 기도원, 수도원, 수녀원, 제실(祭室), 사당, 그 밖에 이와 비슷한 것을 말한다. 이하 같다]로서 같은 건축물에 해당 용도로 쓰는 바닥면적의 합계가 300m² 미만인 것

사. 금융업소, 사무소, 부동산중개사무소, 결혼상담소 등 소개업소, 출판사, 서점, 그 밖에 이와 비슷한 것으로서 같은 건축물에 해당 용도로 쓰는 바닥면적의 합계가 500m² 미만인 것

아. 제조업소, 수리점, 그 밖에 이와 비슷한 것으로서 같은 건축물에 해당 용도로 쓰는 바닥면적의 합계가 500m² 미만인 것(대기환경보전법, 물환경보전법 또는 소음·진동관리법에 따른 배출시설의 설치허가 또는 신고의 대상인 것은 제외한다)

자. 게임산업진흥에 관한 법률 제2조 제6호의2에 따른 청소년게임제공업 및 일반게임제공업의 시설, 같은 조 제7호에 따른 인터넷컴퓨터게임시설제공업의 시설 및 같은 조 제8호에 따른 복합유통게임제공업의 시설로서 같은 건축물에 해당 용도로 쓰는 바닥면적의 합계가 500m² 미만인 것

차. 사진관, 표구점, 학원(같은 건축물에 해당 용도로 쓰는 바닥면적의 합계가 500m² 미만인 것만 해당하며, 자동차학원 및 무도학원은 제외한다), 독서실, 고시원(다중이용업소의 안전관리에 관한 특별법에 따른 다중이용업 중 고시원업의 시설로서 독립된 주거의 형태를 갖추지 않은 것으로서 같은 건축물에 해당 용도로 쓰는 바닥면적의 합계가 500m² 미만인 것을 말한다), 장의사, 동물병원, 총포판매사, 그 밖에 이와 비슷한 것

카. 의약품 판매소, 의료기기 판매소 및 자동차영업소로서 같은 건축물에 해당 용도로 쓰는 바닥면적의 합계가 1천m² 미만인 것

3. 문화 및 집회시설
가. 공연장으로서 근린생활시설에 해당하지 않는 것(바닥면적 300m² 이상)
나. 집회장: 예식장, 공회당, 회의장, 마권(馬券) 장외 발매소, 마권 전화투표소, 그 밖에 이와 비슷한 것으로서 근린생활시설에 해당하지 않는 것
다. 관람장: 경마장, 경륜장, 경정장, 자동차 경기장, 그 밖에 이와 비슷한 것과 체육관 및 운동장으로서 관람석의 바닥면적의 합계가 1천m² 이상인 것
라. 전시장: 박물관, 미술관, 과학관, 문화관, 체험관, 기념관, 산업전시장, 박람회장, 견본주택, 그 밖에 이와 비슷한 것
마. 동·식물원: 동물원, 식물원, 수족관, 그 밖에 이와 비슷한 것

4. 종교시설
가. 종교집회장으로서 근린생활시설에 해당하지 않는 것(바닥면적 300m² 이상)
나. 가목의 종교집회장에 설치하는 봉안당(奉安堂)

5. 판매시설
가. 도매시장: 농수산물 유통 및 가격안정에 관한 법률 제2조 제2호에 따른 농수산물도매시장, 같은 조 제5호에 따른 농수산물공판장, 그 밖에 이와 비슷한 것(그 안에 있는 근린생활시설을 포함한다)
나. 소매시장: 시장, 유통산업발전법 제2조 제3호에 따른 대규모점포, 그 밖에 이와 비슷한 것(그 안에 있는 근린생활시설을 포함한다)

다. 전통시장: 전통시장 및 상점가 육성을 위한 특별법 제2조 제1호에 따른 전통시
　　장(그 안에 있는 근린생활시설을 포함하며, 노점형시장은 제외한다)
라. 상점: 다음의 어느 하나에 해당하는 것(그 안에 있는 근린생활시설을 포함한다)
　　1) 제2호 가목(슈퍼마켓 등)에 해당하는 용도로서 같은 건축물에 해당 용도로
　　　　쓰는 바닥면적 합계가 1천m² 이상인 것
　　2) 제2호 자목(게임제공업)에 해당하는 용도로서 같은 건축물에 해당 용도로 쓰
　　　　는 바닥면적 합계가 500m² 이상인 것
6. 운수시설
　가. 여객자동차터미널
　나. 철도 및 도시철도 시설[정비창(整備廠) 등 관련 시설을 포함한다]
　다. 공항시설(항공관제탑을 포함한다)
　라. 항만시설 및 종합여객시설
7. 의료시설
　가. 병원: 종합병원, 병원, 치과병원, 한방병원, 요양병원
　나. 격리병원: 전염병원, 마약진료소, 그 밖에 이와 비슷한 것
　다. 정신의료기관
　라. 장애인복지법 제58조 제1항 제4호에 따른 장애인 의료재활시설
8. 교육연구시설
　가. 학교
　　1) 초등학교, 중학교, 고등학교, 특수학교, 그 밖에 이에 준하는 학교: 학교시설사
　　　　업 촉진법 제2조 제1호 나목의 교사(校舍)(교실·도서실 등 교수·학습활동에
　　　　직접 또는 간접적으로 필요한 시설물을 말하되, 병설유치원으로 사용되는 부
　　　　분은 제외한다. 이하 같다), 체육관, 학교급식법 제6조에 따른 급식시설, 합숙소
　　　　(학교의 운동부, 기능선수 등이 집단으로 숙식하는 장소를 말한다. 이하 같다)
　　2) 대학, 대학교, 그 밖에 이에 준하는 각종 학교: 교사 및 합숙소
　나. 교육원(연수원, 그 밖에 이와 비슷한 것을 포함한다)
　다. 직업훈련소
　라. 학원(바닥면적 500m²이상)(근린생활시설에 해당하는 것과 자동차운전학원·정
　　　비학원 및 무도학원은 제외한다)
　마. 연구소(연구소에 준하는 시험소와 계량계측소를 포함한다)
　바. 도서관
9. 노유자 시설
　가. 노인 관련 시설: 노인복지법에 따른 노인주거복지시설, 노인의료복지시설, 노인
　　　여가복지시설, 주·야간보호서비스나 단기보호서비스를 제공하는 재가노인복
　　　지시설(노인장기요양보험법에 따른 장기요양기관을 포함한다), 노인보호전문기
　　　관, 노인일자리지원기관, 학대피해노인 전용쉼터, 그 밖에 이와 비슷한 것
　나. 아동 관련 시설: 아동복지법에 따른 아동복지시설, 영유아보육법에 따른 어린이
　　　집, 유아교육법에 따른 유치원[제8호 가목 1)에 따른 학교의 교사 중 병설유치원
　　　으로 사용되는 부분을 포함한다], 그 밖에 이와 비슷한 것
　다. 장애인 관련 시설: 장애인복지법에 따른 장애인 거주시설, 장애인 지역사회재활
　　　시설(장애인 심부름센터, 한국수어통역센터, 점자도서 및 녹음서 출판시설 등
　　　장애인이 직접 그 시설 자체를 이용하는 것을 주된 목적으로 하지 않는 시설은
　　　제외한다), 장애인 직업재활시설, 그 밖에 이와 비슷한 것

▲ 급수탑

▲ 제연설비

▲ 연결송수관설비

▲ 연결살수설비

▲ 비상콘센트설비

▲ 무선통신보조설비

▲ 연소방지시설

라. 정신질환자 관련 시설: 정신건강증진 및 정신질환자 복지서비스 지원에 관한 법률에 따른 정신재활시설(생산품판매시설은 제외한다), 정신요양시설, 그 밖에 이와 비슷한 것

마. 노숙인 관련 시설: 노숙인 등의 복지 및 자립지원에 관한 법률 제2조 제2호에 따른 노숙인복지시설(노숙인일시보호시설, 노숙인자활시설, 노숙인재활시설, 노숙인요양시설 및 쪽방상담소만 해당한다), 노숙인종합지원센터 및 그 밖에 이와 비슷한 것

바. 가목부터 마목까지에서 규정한 것 외에 사회복지사업법에 따른 사회복지시설 중 결핵환자 또는 한센인 요양시설 등 다른 용도로 분류되지 않는 것

10. 수련시설

가. 생활권 수련시설: 청소년활동 진흥법에 따른 청소년수련관, 청소년문화의집, 청소년특화시설, 그 밖에 이와 비슷한 것

나. 자연권 수련시설: 청소년활동 진흥법에 따른 청소년수련원, 청소년야영장, 그 밖에 이와 비슷한 것

다. 청소년활동 진흥법에 따른 유스호스텔

11. 운동시설

가. 탁구장, 체육도장, 테니스장, 체력단련장, 에어로빅장, 볼링장, 당구장, 실내낚시터, 골프연습장, 물놀이형 시설, 그 밖에 이와 비슷한 것으로서 근린생활시설에 해당하지 않는 것(바닥면적 500m² 이상)

나. 체육관으로서 관람석이 없거나 관람석의 바닥면적이 1천m² 미만인 것(관람석 바닥면적 1천m² 이상 문화 및 집회)

다. 운동장: 육상장, 구기장, 볼링장, 수영장, 스케이트장, 롤러스케이트장, 승마장, 사격장, 궁도장, 골프장 등과 이에 딸린 건축물로서 관람석이 없거나 관람석의 바닥면적이 1천m² 미만인 것(관람석 바닥면적 1천m² 이상 문화 및 집회)

12. 업무시설

가. 공공업무시설: 국가 또는 지방자치단체의 청사와 외국공관의 건축물로서 근린생활시설에 해당하지 않는 것

나. 일반업무시설: 금융업소, 사무소, 신문사, 오피스텔[업무를 주로 하며, 분양하거나 임대하는 구획 중 일부의 구획에서 숙식을 할 수 있도록 한 건축물로서 건축법 시행령 별표 1 제14호 나목 2)에 따라 국토교통부장관이 고시하는 기준에 적합한 것을 말한다], 그 밖에 이와 비슷한 것으로서 근린생활시설에 해당하지 않는 것(바닥면적 500m² 이상)

다. 주민자치센터(동사무소), 경찰서, 지구대, 파출소, 소방서, 119안전센터, 우체국, 보건소, 공공도서관, 국민건강보험공단, 그 밖에 이와 비슷한 용도로 사용하는 것

라. 마을회관, 마을공동작업소, 마을공동구판장, 그 밖에 이와 유사한 용도로 사용되는 것

마. 변전소, 양수장, 정수장, 대피소, 공중화장실, 그 밖에 이와 유사한 용도로 사용되는 것

13. 숙박시설

가. 일반형 숙박시설: 공중위생관리법 시행령 제4조 제1호에 따른 숙박업의 시설

나. 생활형 숙박시설: 공중위생관리법 시행령 제4조 제2호에 따른 숙박업의 시설

다. 고시원(근린생활시설에 해당하지 않는 것을 말한다)(바닥면적 500m² 이상)

라. 그 밖에 가목부터 다목까지의 시설과 비슷한 것

14. 위락시설

가. 단란주점으로서 근린생활시설에 해당하지 않는 것(바닥면적 150m² 이상)

나. 유흥주점, 그 밖에 이와 비슷한 것

다. 관광진흥법에 따른 유원시설업(遊園施設業)의 시설, 그 밖에 이와 비슷한 시설 (근린생활시설에 해당하는 것은 제외한다)

라. 무도장 및 무도학원

마. 카지노영업소

15. 공장

물품의 제조·가공[세탁·염색·도장(塗裝)·표백·재봉·건조·인쇄 등을 포함한다] 또는 수리에 계속적으로 이용되는 건축물로서 근린생활시설, 위험물 저장 및 처리 시설, 항공기 및 자동차 관련 시설, 자원순환 관련 시설, 묘지 관련 시설 등으로 따로 분류되지 않는 것

16. 창고시설(위험물 저장 및 처리 시설 또는 그 부속용도에 해당하는 것은 제외한다)

가. 창고(물품저장시설로서 냉장·냉동 창고를 포함한다)

나. 하역장

다. 물류시설의 개발 및 운영에 관한 법률에 따른 물류터미널

라. 유통산업발전법 제2조 제15호에 따른 집배송시설

17. 위험물 저장 및 처리 시설

가. 제조소등

나. 가스시설: 산소 또는 가연성 가스를 제조·저장 또는 취급하는 시설 중 지상에 노출된 산소 또는 가연성 가스 탱크의 저장용량의 합계가 100톤 이상이거나 저장용량이 30톤 이상인 탱크가 있는 가스시설로서 다음의 어느 하나에 해당하는 것

1) **가스 제조시설**

가) 고압가스 안전관리법 제4조 제1항에 따른 고압가스의 제조허가를 받아야 하는 시설

나) 도시가스사업법 제3조에 따른 도시가스사업허가를 받아야 하는 시설

2) **가스 저장시설**

가) 고압가스 안전관리법 제4조 제5항에 따른 고압가스 저장소의 설치허가를 받아야 하는 시설

나) 액화석유가스의 안전관리 및 사업법 제8조 제1항에 따른 액화석유가스 저장소의 설치 허가를 받아야 하는 시설

3) **가스 취급시설**

액화석유가스의 안전관리 및 사업법 제5조에 따른 액화석유가스 충전사업 또는 액화석유가스 집단공급사업의 허가를 받아야 하는 시설

18. 항공기 및 자동차 관련 시설(건설기계 관련 시설을 포함한다)

가. 항공기 격납고

나. 차고, 주차용 건축물, 철골 조립식 주차시설(바닥면이 조립식이 아닌 것을 포함한다) 및 기계장치에 의한 주차시설

다. 세차장

라. 폐차장

마. 자동차 검사장

바. 자동차 매매장

사. 자동차 정비공장

아. 운전학원·정비학원

 영철쌤 tip

항공기 및 자동차 관련 시설

1. 항공기 격납고: 항공기 점검, 보수, 교체하는 장소

2. 주기장(駐機場): 항공기 주차장

자. 다음의 건축물을 제외한 건축물의 내부(건축법 시행령 제119조 제1항 제3호 다목에 따른 필로티와 건축물의 지하를 포함한다)에 설치된 주차장
   1) 건축법 시행령 별표 1 제1호에 따른 단독주택
   2) 건축법 시행령 별표 1 제2호에 따른 공동주택 중 50세대 미만인 연립주택 또는 50세대 미만인 다세대주택
차. 여객자동차 운수사업법, 화물자동차 운수사업법 및 건설기계관리법에 따른 차고 및 주기장(駐機場)

19. 동물 및 식물 관련 시설
가. 축사[부화장(孵化場)을 포함한다]
나. 가축시설: 가축용 운동시설, 인공수정센터, 관리사(管理舍), 가축용 창고, 가축시장, 동물검역소, 실험동물 사육시설, 그 밖에 이와 비슷한 것
다. 도축장
라. 도계장
마. 작물 재배사(栽培舍)
바. 종묘배양시설
사. 화초 및 분재 등의 온실
아. 식물과 관련된 마목부터 사목까지의 시설과 비슷한 것(동·식물원은 제외한다)

20. 자원순환 관련 시설
가. 하수 등 처리시설
나. 고물상
다. 폐기물재활용시설
라. 폐기물처분시설
마. 폐기물감량화시설

21. 교정 및 군사시설
가. 보호감호소, 교도소, 구치소 및 그 지소[●]
나. 보호관찰소, 갱생보호시설, 그 밖에 범죄자의 갱생·보호·교육·보건 등의 용도로 쓰는 시설
다. 치료감호시설
라. 소년원 및 소년분류심사원
마. 출입국관리법 제52조 제2항에 따른 보호시설
바. 경찰관 직무집행법 제9조에 따른 유치장
사. 국방·군사시설(국방·군사시설 사업에 관한 법률 제2조 제1호 가목부터 마목까지의 시설을 말한다)

22. 방송통신시설
가. 방송국(방송프로그램 제작시설 및 송신·수신·중계시설을 포함한다)
나. 전신전화국
다. 촬영소
라. 통신용 시설
마. 그 밖에 가목부터 라목까지의 시설과 비슷한 것

23. 발전시설
가. 원자력발전소
나. 화력발전소
다. 수력발전소(조력발전소를 포함한다)
라. 풍력발전소

마. 전기저장시설[20킬로와트시(kWh)를 초과하는 리튬·나트륨·레독스플로우 계열의 2차 전지를 이용한 전기저장장치의 시설을 말한다. 이하 같다]

바. 그 밖에 가목부터 마목까지의 시설과 비슷한 것(집단에너지 공급시설을 포함한다)

24. 묘지 관련 시설

    가. 화장시설

    나. 봉안당(제4호 나목의 봉안당❶은 제외한다)

    다. 묘지와 자연장지에 부수되는 건축물

    라. 동물화장시설, 동물건조장(乾燥葬)시설 및 동물 전용의 납골시설

25. 관광 휴게시설

    가. 야외음악당

    나. 야외극장

    다. 어린이회관

    라. 관망탑❷

    마. 휴게소

    바. 공원·유원지 또는 관광지에 부수되는 건축물

26. 장례시설

    가. 장례식장[의료시설의 부수시설(의료법 제36조 제1호에 따른 의료기관의 종류에 따른 시설을 말한다)은 제외한다]

    나. 동물 전용의 장례식장

27. 지하가

    지하의 인공구조물 안에 설치되어 있는 상점, 사무실, 그 밖에 이와 비슷한 시설이 연속하여 지하도에 면하여 설치된 것과 그 지하도를 합한 것

    가. 지하상가

    나. 터널: 차량(궤도차량용은 제외한다) 등의 통행을 목적으로 지하, 수저❸ 또는 산을 뚫어서 만든 것

28. 지하구

    가. 전력·통신용의 전선이나 가스·냉난방용의 배관 또는 이와 비슷한 것을 집합수용하기 위하여 설치한 지하 인공구조물로서 사람이 점검 또는 보수를 하기 위하여 출입이 가능한 것 중 다음의 어느 하나에 해당하는 것

        1) 전력 또는 통신사업용 지하 인공구조물로서 전력구(케이블 접속부가 없는 경우는 제외한다) 또는 통신구 방식으로 설치된 것

        2) 1) 외의 지하 인공구조물로서 폭이 1.8m 이상이고 높이가 2m 이상이며 길이가 50m 이상인 것

    나. 국토의 계획 및 이용에 관한 법률 제2조 제9호에 따른 공동구

29. 문화재

    문화재보호법 제2조 제3항에 따른 지정문화재 중 건축물

30. 복합건축물

    가. 하나의 건축물이 제1호(공동주택)부터 제27호(지하가)까지의 것 중 둘 이상의 용도로 사용되는 것. 다만, 다음의 어느 하나에 해당하는 경우에는 복합건축물로 보지 않는다.

        1) 관계 법령에서 주된 용도의 부수시설로서 그 설치를 의무화하고 있는 용도 또는 시설

영철쌤 tip

봉안당

제4호 나목의 봉안당은 제외한다. → 종교집회장이 있는 봉안당 제외

📖 용어사전

❶ 봉안당(奉安堂)[납골당(納骨堂)]: 시신을 화장하고 남은 유골(뼛가루)들을 모아 놓은 곳을 말한다.

❷ 관망탑: 멀리까지 바라볼 수 있도록 세운 탑. 즉, 공원에 있는 관망탑은 도시의 야경을 바라볼 수 있는 장소

❸ 수저터널: 바다, 하천, 호소 따위의 밑을 뚫어 만든 터널

공동구

예 여의도지하공동구, 동대문구지하공동구, 목동지하공동구

2) 주택법 제35조 제1항 제3호 및 제4호에 따라 주택 안에 부대시설 또는 복리시설이 설치되는 특정소방대상물

3) 건축물의 주된 용도의 기능에 필수적인 용도로서 다음의 어느 하나에 해당하는 용도

　　가) 건축물의 설비(제23호 마목의 전기저장시설을 포함한다), 대피 또는 위생을 위한 용도, 그 밖에 이와 비슷한 용도

　　나) 사무, 작업, 집회, 물품저장 또는 주차를 위한 용도, 그 밖에 이와 비슷한 용도

　　다) 구내식당, 구내세탁소, 구내운동시설 등 종업원후생복리시설(기숙사는 제외한다) 또는 구내소각시설의 용도, 그 밖에 이와 비슷한 용도

나. 하나의 건축물이 근린생활시설, 판매시설, 업무시설, 숙박시설 또는 위락시설의 용도와 주택의 용도로 함께 사용되는 것

비고

1. 내화구조로 된 하나의 특정소방대상물이 개구부 및 연소 확대 우려가 없는 내화구조의 바닥과 벽으로 구획되어 있는 경우에는 그 구획된 부분을 각각 별개의 특정소방대상물로 본다. 다만, 제9조에 따라 성능위주설계를 해야 하는 범위를 정할 때에는 하나의 특정소방대상물로 본다.

2. 둘 이상의 특정소방대상물이 다음 각 목의 어느 하나에 해당되는 구조의 복도 또는 통로(이하 이 표에서 "연결통로"라 한다)로 연결된 경우에는 이를 하나의 특정소방대상물로 본다.

가. 내화구조 된 연결통로가 다음의 어느 하나에 해당되는 경우

　1) 벽이 없는 구조로서 그 길이가 6m 이하인 경우

　2) 벽이 있는 구조로서 그 길이가 10m 이하인 경우. 다만, 벽 높이가 바닥에서 천장까지의 높이의 2분의 1 이상인 경우에는 벽이 있는 구조로 보고, 벽 높이가 바닥에서 천장까지의 높이의 2분의 1 미만인 경우에는 벽이 없는 구조로 본다.

나. 내화구조가 아닌 연결통로로 연결된 경우

다. 컨베이어로 연결되거나 플랜트설비의 배관 등으로 연결되어 있는 경우

라. 지하보도, 지하상가, 지하가로 연결된 경우

마. 자동방화셔터 또는 60분+방화문이 설치되지 않은 피트(전기설비 또는 배관설비 등이 설치되는 공간을 말한다)로 연결된 경우

바. 지하구로 연결된 경우

3. 제2호에도 불구하고 연결통로 또는 지하구와 특정소방대상물의 양쪽에 다음 각 목의 어느 하나에 해당하는 시설이 적합하게 설치된 경우에는 각각 별개의 특정소방대상물로 본다.

가. 화재 시 경보설비 또는 자동소화설비의 작동과 연동하여 자동으로 닫히는 자동방화셔터 또는 60분+ 방화문이 설치된 경우

나. 화재 시 자동으로 방수되는 방식의 드렌처설비❶ 또는 개방형 스프링클러헤드가 설치된 경우

4. 위 제1호부터 제30호까지의 특정소방대상물의 지하층이 지하가와 연결되어 있는 경우 해당 지하층의 부분을 지하가로 본다. 다만, 다음 지하가와 연결되는 지하층에 지하층 또는 지하가에 설치된 자동방화셔터 또는 60분+ 방화문이 화재 시 경보설비 또는 자동소화설비의 작동과 연동하여 자동으로 닫히는 구조이거나 그 윗부분에 드렌처설비가 설치된 경우에는 지하가로 보지 않는다.

F5	주택
F4	주택
F3	주택
F2	주택
F1	주택
B1	위락시설
B2	위락시설

GL (F1 우측 구분선)

1. 근린생활시설 + 주택: 복합건축물
2. 판매시설 + 주택: 복합건축물
3. 업무시설 + 주택: 복합건축물
4. 숙박시설 + 주택: 복합건축물
5. 위락시설 + 주택: 복합건축물

주택은 특정소방대상물이 아니지만 하나의 건축물 안에 함께 사용을 하면 특정소방대상물로 보아 주택에도 소방시설을 설치하여야 한다.

📖 용어사전

❶ 드렌처설비: 건물 밖에 설치하여 다른 건물로부터 불이 옮겨 붙는 것을 막는 소화설비

제6조(소방용품) 법 제2조 제1항 제7호에서 "대통령령으로 정하는 것"이란 별표 3의 제품 또는 기기를 말한다.

별표 3. 소방용품

1. 소화설비를 구성하는 제품 또는 기기
   가. 별표 1 제1호 가목의 소화기구(소화약제 외의 것을 이용한 간이소화용구는 제외한다)
   나. 별표 1 제1호 나목의 자동소화장치
   다. 소화설비를 구성하는 소화전, 관창(菅槍), 소방호스, 스프링클러헤드, 기동용 수압개폐장치, 유수제어밸브 및 가스관선택밸브

2. 경보설비를 구성하는 제품 또는 기기
   가. 누전경보기 및 가스누설경보기
   나. 경보설비를 구성하는 발신기, 수신기, 중계기, 감지기 및 음향장치(경종만 해당한다)

3. 피난구조설비를 구성하는 제품 또는 기기
   가. 피난사다리, 구조대, 완강기(지지대를 포함한다) 및 간이완강기(지지대를 포함한다)
   나. 공기호흡기(충전기를 포함한다)
   다. 피난구유도등, 통로유도등, 객석유도등 및 예비 전원이 내장된 비상조명등

4. 소화용으로 사용하는 제품 또는 기기
   가. 소화약제[별표 1 제1호 나목 2) 및 3)의 자동소화장치와 같은 호 마목 3)부터 9)까지의 소화설비용만 해당한다]
   나. 방염제(방염액 · 방염도료 및 방염성물질을 말한다)

5. 그 밖에 행정안전부령으로 정하는 소방 관련 제품 또는 기기

시행규칙 제2조(기술기준의 제정 · 개정 절차) ① 국립소방연구원장은 화재안전기준 중 기술기준(이하 "기술기준"이라 한다)을 제정 · 개정하려는 경우 제정안 · 개정안을 작성하여 소방시설 설치 및 관리에 관한 법률(이하 "법"이라 한다) 제18조 제1항에 따른 중앙소방기술심의위원회(이하 "중앙위원회"라 한다)의 심의 · 의결을 거쳐야 한다. 이 경우 제정안 · 개정안의 작성을 위해 소방 관련 기관 · 단체 및 개인 등의 의견을 수렴할 수 있다.

② 국립소방연구원장은 제1항에 따라 중앙위원회의 심의 · 의결을 거쳐 다음 각 호의 사항이 포함된 승인신청서를 소방청장에게 제출해야 한다.

1. 기술기준의 제정안 또는 개정안
2. 기술기준의 제정 또는 개정 이유
3. 기술기준의 심의 경과 및 결과

③ 제2항에 따라 승인신청서를 제출받은 소방청장은 제정안 또는 개정안이 화재안전기준 중 성능기준 등을 충족하는지를 검토하여 승인 여부를 결정하고 국립소방연구원장에게 통보해야 한다.

④ 제3항에 따라 승인을 통보받은 국립소방연구원장은 승인받은 기술기준을 관보에 게재하고, 국립소방연구원 인터넷 홈페이지를 통해 공개해야 한다.

⑤ 제1항부터 제4항까지에서 규정한 사항 외에 기술기준의 제정 · 개정을 위하여 필요한 사항은 국립소방연구원장이 정한다.

영철쌤 tip

소화약제 외의 것을 이용한 간이소화용구는 제외

마른 모래, 팽창질석, 팽창진주암

위치표시등, 시각경보장치는 성능인증제품이다.

▲ 예비 전원이 내장된 비상조명등

제3조(국가 및 지방자치단체의 책무)

① 국가와 지방자치단체는 소방시설등의 설치·관리와 소방용품의 품질 향상 등을 위하여 필요한 정책을 수립하고 시행하여야 한다.

② 국가와 지방자치단체는 새로운 소방 기술·기준의 개발 및 조사·연구, 전문인력 양성 등 필요한 노력을 하여야 한다.

③ 국가와 지방자치단체는 제1항 및 제2항에 따른 정책을 수립·시행하는 데 있어 필요한 행정적·재정적 지원을 하여야 한다.

제4조(관계인의 의무)

① 관계인(소방기본법 제2조 제3호에 따른 관계인을 말한다. 이하 같다)은 소방시설등의 기능과 성능을 보전·향상시키고 이용자의 편의와 안전성을 높이기 위하여 노력하여야 한다.

② 관계인은 매년 소방시설등의 관리에 필요한 재원을 확보하도록 노력하여야 한다.

③ 관계인은 국가 및 지방자치단체의 소방시설등의 설치 및 관리 활동에 적극 협조하여야 한다.

④ 관계인 중 점유자는 소유자 및 관리자의 소방시설등 관리 업무에 적극 협조하여야 한다.

제5조(다른 법률과의 관계)

특정소방대상물 가운데 위험물안전관리법에 따른 위험물 제조소등의 안전관리와 위험물 제조소등에 설치하는 소방시설등의 설치기준에 관하여는 위험물안전관리법에서 정하는 바에 따른다.

> 📖 **핵심정리** **특정소방대상물**(ⓑ: 바닥면적)
>
> 1. 공동주택
>   ① 아파트등: 주택으로 쓰이는 층수가 5층 이상인 주택
>   ② 기숙사
> 2. 근린생활시설

바닥면적	용도
–	휴게음식점, 제과점, 일반음식점, 기원, 노래연습장, 이용원, 미용원, 의원, 치과의원, 한의원, 침술원, 접골원, 조산원, 산후조리원, 안마원 등
ⓑ 150m² 미만	단란주점
ⓑ 300m² 미만	공연장, 종교집회장
ⓑ 500m² 미만	학원(자동차학원 및 무도학원 제외), 체육도장, 체력단련장, 금융업소, 사무소, 게임제공업, 고시원 등
ⓑ 1,000m² 미만	슈퍼마켓과 일용품 등의 소매점 등

3. 문화 및 집회시설
   ① 공연장: ⑭ 300m² 이상
   ② 집회장: ⑭ 300m² 이상(예식장, 공회당, 회의장 등)
   ③ 관람장: 경마장, 경륜장, 경정장, 자동차 경기장, 그 밖에 이와 비슷한 것
   　　　　　체육관 및 운동장으로서 관람석 → 관람석 ⑭ 1천m² 이상인 것
   ④ 전시장: 박물관, 미술관, 견본주택 등 그 밖에 이와 비슷한 것
   ⑤ 동·식물원

4. 종교시설
   ① 종교집회장: ⑭ 300m² 이상
   ② 종교집회장에 설치하는 봉안당

5. 판매시설: 도매시장, 소매시장, 전통시장, 상점(소매점: ⑭ 1천m² 이상, 게임 제공업: ⑭ 500m² 이상)

6. 운수시설: 여객자동차터미널, 철도 및 도시철도 공항시설(항공관제탑 포함), 항만 및 종합여객시설

7. 의료시설
   ① 병원: 종합병원, 병원, 치과병원, 한방병원, 요양병원
   ② 격리병원: 전염병원, 마약진료소, 그 밖에 이와 비슷한 것
   ③ 정신의료기관
   ④ 장애인 의료재활시설

8. 교육연구시설
   ① 학교
   　　㉠ 초등학교(병설유치원 제외), 중학교, 고등학교, 특수학교, 그 밖에 이에 준하는 학교
   　　㉡ 대학, 대학교, 그 밖에 이에 준하는 각종 학교: 교사 및 합숙소
   ② 교육원(연수원, 그 밖에 이와 비슷한 것을 포함)
   ③ 직업훈련소, 연구소, 도서관
   ④ 학원: ⑭ 500m² 이상(자동차운전학원·정비학원 및 무도학원은 제외)

9. 노유자시설: 노인관련시설, 아동관련시설(병설유치원 포함), 장애인 관련 시설, 정신질환자 관련시설, 노숙인 관련 시설

10. 수련시설
    ① 생활권 수련시설: 청소년수련관, 청소년문화의집, 청소년특화시설, 그 밖에 이와 비슷한 것
    ② 자연권 수련시설: 청소년수련원, 청소년야영장, 그 밖에 이와 비슷한 것
    ③ 유스호스텔

11. 운동시설
    ① 탁구장, 체육도장, 테니스장, 체력단련장, 에어로빅장, 볼링장, 당구장, 실내낚시터, 골프연습장, 물놀이형 시설, 그 밖에 이와 비슷한 것으로서 근린생활시설에 해당하지 않는 것: ⑭ 500m² 이상
    ② 체육관: 관람석이 없거나 관람석 ⑭ 1천m² 미만
    ③ 운동장: 육상장, 구기장, 볼링장, 수영장, 스케이트장, 롤러스케이트장, 승마장, 사격장, 궁도장, 골프장 등과 이에 딸린 건축물로 관람석이 없거나 관람석 ⑭ 1천m² 미만

12. 업무시설
    ① 공공업무시설: 국가 또는 지방자치단체의 청사와 외국공관의 건축물(⑭ 500m² 이상)
    ② 일반업무시설: 금융업소, 사무소, 신문사, 오피스텔
    ③ 주민자치센터(동사무소), 경찰서, 지구대, 파출소, 소방서, 119안전센터, 우체국, 보건소, 공공도서관, 국민건강보험공단, 마을회관, 마을공동작업소, 마을공동구판장, 변전소, 양수장, 정수장, 대피소, 공중화장실 등

13. 숙박시설: 일반형 숙박시설, 생활형 숙박시설, 고시원(⑭ 500m² 이상)

14. 위락시설: 단란주점(⑭ 150m² 이상), 유흥주점, 유원시설업의 시설, 무도장 및 무도학원, 카지노

15. 공장

16. **창고시설:** 창고(냉장 냉동 포함), 하역장, 물류터미널, 집배송시설

17. **위험물 저장 및 처리 시설**
　①위험물 제조소등
　② **가스시설:** 산소 또는 가연성 가스를 제조·저장 또는 취급하는 시설 중 지상에 노출된 산소 또는 가연성 가스 탱크의 저장용량의 합계가 100톤 이상이거나 저장용량이 30톤 이상인 탱크가 있는 가스시설로서 다음의 어느 하나에 해당하는 것
　　㉠ 가스 제조시설
　　㉡ 가스 저장시설
　　㉢ 가스 취급시설

18. **항공기 및 자동차 관련 시설:** 항공기격납고, 차고, 주차용 건축물, 철골 조립식 주차시설 및 기계장치에 의한 주차시설, 세차장, 폐차장, 자동차 검사장, 자동차 매매장, 자동차 정비공장, 운전학원·정비학원

19. **동물 및 식물 관련 시설(동·식물원 제외):** 축사 , 가축시설, 도축장, 도계장, 작물 재배사, 종묘배양시설, 화초 및 분재 등의 온실, 식물과 관련된 시설과 비슷한 것

20. **자원순환 관련 시설:** 하수 등 처리시설, 고물상, 폐기물재활용시설, 폐기물처분시설, 폐기물감량화시설 등

21. **교정 및 군사시설:** 보호감호소, 교도소, 구치소, 보호관찰소, 갱생보호시설, 치료감호시설, 소년원 및 소년분류심사원, 보호시설, 유치장, 국방·군사시설

22. **방송통신시설:** 방송국, 전신전화국, 촬영소 등

23. **발전시설:** 원자력, 화력, 수력(조력), 풍력 발전소 등

24. **묘지 관련 시설:** 화장시설, 봉안당(종교시설 부설 봉안당 제외), 묘지와 자연장지에 부수되는 건축물, 동물화장시설, 동물건조장시설 및 동물 전용의 납골시설

25. **관광 휴게시설:** 야외음악당, 야외극장, 어린이회관, 관망탑, 휴게소, 공원·유원지 또는 관광지에 부수되는 건축물

26. **장례시설:** 장례식장(의료시설의 부수시설 제외), 동물 전용의 장례식장

27. **지하가:** 지하의 인공구조물 안에 설치되어 있는 상점, 사무실, 그 밖에 이와 비슷한 시설이 연속하여 지하도에 면하여 설치된 것과 그 지하도를 합한 것
　① 지하상가
　② 터널: 차량(궤도차량용 제외) 등의 통행을 목적으로 지하, 해저 또는 산을 뚫어서 만든 것

28. **지하구**
　① 전력·통신용의 전선이나 가스·냉난방용의 배관 또는 이와 비슷한 것을 집합수용하기 위하여 설치한 지하 인공구조물로서 사람이 점검 또는 보수를 하기 위하여 출입이 가능한 것 중 다음의 어느 하나에 해당하는 것
　　㉠ 전력 또는 통신사업용 지하 인공구조물로서 전력구(케이블 접속부가 없는 경우 제외) 또는 통신구 방식으로 설치된 것
　　㉡ ㉠ 외의 지하 인공구조물로서 폭이 1.8미터 이상이고 높이가 2미터 이상이며 길이가 50미터 이상인 것
　② 공동구

29. **문화재:** 문화재로 지정된 건축물

30. **복합건축물**
　① 하나의 건축물이 둘 이상의 용도로 사용되는 것.
　② 하나의 건축물이 근린생활시설, 판매시설, 업무시설, 숙박시설 또는 위락시설의 용도와 주택의 용도로 함께 사용되는 것

비고
1. 내화구조로 된 하나의 특정소방대상물이 개구부 및 연소확대 우려가 없는 내화구조의 바닥과 벽으로 구획 시 각각 별개의 특정소방대상물로 봄
2. 둘 이상의 특정소방대상물이 다음 어느 하나에 해당되는 구조의 복도 또는 동로로 연결시 하나의 특정소방대상물로 봄
   ① 내화구조 된 연결통로가 다음의 어느 하나에 해당되는 경우
      ㉠ 벽이 없는 구조로서 그 길이가 6m 이하인 경우
      ㉡ 벽이 있는 구조로서 그 길이가 10m 이하인 경우. 다만, 벽 높이가 바닥에서 천장까지의 높이의 2분의 1 이상인 경우에는 벽이 있는 구조로 보고, 벽 높이가 바닥에서 천장까지의 높이의 2분의 1 미만인 경우에는 벽이 없는 구조로 본다.
   ② 내화구조가 아닌 연결통로로 연결된 경우
   ③ 컨베이어로 연결되거나 플랜트설비의 배관 등으로 연결되어 있는 경우
   ④ 지하보도, 지하상가, 지하가로 연결된 경우
   ⑤ 자동방화셔터 또는 60분 + 방화문이 설치되지 않은 피트로 연결된 경우
   ⑥ 지하구로 연결된 경우

📖 핵심정리 **소방용품**

소화설비 구성	• 소화기구(소화약제 외의 것 간이소화용구 제외), 자동소화장치 • **소화설비 구성품**: 소화전, 관창(啌槍), 소방호스, 스프링클러헤드, 기동용 수압개폐장치, 유수제어밸브 및 가스관선택밸브
경보설비 구성	• 누전경보기 및 가스누설경보기 • 경보설비를 구성품: 발신기, 수신기, 중계기, 감지기 및 음향장치(경종 해당)
피난구조설비 구성	• 피난사다리, 구조대, 완강기(간이완강기 및 지지대 포함) • 공기호흡기(충전기 포함) • 피난구유도등, 통로유도등, 객석유도등 및 예비 전원 내장 비상조명등
소화용 사용	• 소화약제(가스계 소화설비용 해당) • 방염제(방염액·방염도료 및 방염성물질)

01 소방시설법상 무창층이 되기 위한 개구부의 요건 중 일부를 나타낸 것이다. ( ) 안의 내용으로 옳은 것은?　19. 경채

> • 크기는 지름 (가)센티미터 이상의 원이 통과할 수 있을 것
> • 해당 층의 바닥면으로부터 개구부 (나)까지의 높이가 (다)미터 이내일 것

	(가)	(나)	(다)
①	50	윗부분	1.2
②	50	밑부분	1.2
③	50	밑부분	1.5
④	60	밑부분	1.2

02 다음 중 소화설비에 속하지 않는 것은?　15. 공채

① 고체에어로졸자동소화장치

② 소화수조

③ 자동확산소화기

④ 간이소화용구

03 소방시설법상 피난구조설비로 옳지 않은 것은?　20. 공채

① 구조대

② 방열복

③ 시각경보기

④ 비상조명등

04 소방시설법상 피난구조설비 중 인명구조기구로 옳지 않은 것은? 18. 하반기 경채

① 구조대

② 방열복

③ 공기호흡기

④ 인공소생기

05 소방시설법상 소방시설 중 소화활동설비로 옳지 않은 것은? 22. 공채

① 제연설비, 연결송수관설비

② 비상콘센트설비, 연결살수설비

③ 무선통신보조설비, 연소방지설비

④ 연결송수관설비, 비상조명등설비

정답 및 해설

01 무창층
· 크기는 지름 (50)센티미터 이상의 원이 통과할 수 있을 것
· 해당 층의 바닥면으로부터 개구부 (밑부분)까지의 높이가 (1.2)미터 이내일 것

02 소화설비
소화수조는 소화용수설비이다.

03 피난구조설비
시각경보기는 경보설비이다.

04 피난구조설비
구조대는 피난구조설비 중 피난기구의 종류이다.

05 소방시설
비상조명등설비 설비는 피난구조설비이다.

정답 01 ② **02** ② **03** ③ **04** ① **05** ④

06 소방시설법상 특정소방대상물 중 근린생활시설로 옳지 않은 것은? 21. 경채

① 같은 건축물에 금융업소로 쓰는 바닥면적의 합계가 200제곱미터인 것

② 같은 건축물에 단란주점으로 쓰는 바닥면적의 합계가 300제곱미터인 것

③ 같은 건축물에 골프연습장으로 쓰는 바닥면적의 합계가 450제곱미터인 것

④ 같은 건축물에 미용원으로 쓰는 바닥면적의 합계가 800제곱미터인 것

07 소방시설법상 의료시설에 해당되는 특정소방대상물을 모두 고른 것은? 20. 공채

ㄱ. 노인의료복지시설	ㄴ. 정신의료기관
ㄷ. 마약진료소	ㄹ. 한방의원

① ㄱ, ㄷ

② ㄱ, ㄹ

③ ㄴ, ㄷ

④ ㄷ, ㄹ

08 다음 중 특정소방대상물의 분류로서 옳지 않은 것은? 17. 하반기 경채

① 의원 – 근린생활시설

② 요양병원 – 노유자시설

③ 동물원 – 문화 및 집회시설

④ 공항시설(항공관제탑 포함) – 운수시설

09 다음 중 특정소방대상물의 종류가 옳은 것은? 17. 상반기 경채

① 교육연구시설: 도서관, 직업훈련소

② 의료시설: 치과의원, 격리병원, 요양병원

③ 운수시설: 자동차검사장, 여객자동차터미널

④ 묘지 관련 시설: 장례시설, 봉안당

10 소방시설법상 특정소방대상물의 분류로 옳지 않은 것은?

① 근린생활시설 - 한의원, 치과의원

② 문화 및 집회시설 - 동물원, 식물원

③ 항공기 및 자동차 관련시설 - 항공기격납고

④ 숙박시설 - 청소년활동 진흥법에 따른 유스호스텔

11 특정소방대상물의 구분으로 옳은 것은?

① 운동시설 - 관람석의 바닥면적의 합계가 1,000제곱미터 이상인 체육관

② 관광 휴게시설 - 어린이 회관

③ 교육연구시설 - 자동차운전학원

④ 동물 및 식물 관련시설 - 식물원

정답 및 해설

06 근린생활시설
같은 건축물에 단란주점으로 쓰는 바닥면적의 합계가 300제곱미터인 것
→ 단란주점의 바닥면적 합계가 150 제곱미터 이상이면 위락시설에 해당한다.

07 의료시설
ㄱ. 노인의료복지시설: 노유자시설
ㄹ. 한방의원: 근린생활시설

08 특정소방대상물
요양병원은 의료시설에 해당한다.

09 특정소방대상물
② 의료시설: 치과의원(→ 근린생활시설), 격리병원, 요양병원
③ 운수시설: 자동차검사장(→ 항공기 및 자동차관련시설), 여객자동차터미널
④ 묘지 관련 시설: 장례시설(→ 장례시설), 봉안당

10 특정소방대상물
유스호스텔은 수련시설이다.

11 특정소방대상물
① 운동시설 - 관람석의 바닥면적이 1천m² 미만인 체육관
③ 항공기 및 자동차 관련 시설 - 자동차운전학원
④ 동물 및 식물 관련 시설 - 동·식물원은 제외한다.

정답 **06** ② **07** ③ **08** ② **09** ① **10** ④ **11** ②

12 소방시설법 및 같은 법 시행령상 특정소방대상물에 관한 내용으로 옳은 것은? 20. 경채

① "특정소방대상물"이란 소방시설을 설치하여야 하는 소방대상물로서 행정안전부령으로 정하는 것을 말한다.

② 전력용의 전선배관을 집합수용하기 위하여 설치한 지하 인공구조물로서 사람이 점검 또는 보수를 하기 위하여 폭 1.5m, 높이 1.8m, 길이 300m인 것은 지하구에 해당한다.

③ 하나의 건축물이 근린생활시설, 판매시설, 업무시설, 숙박시설 또는 위락시설의 용도와 주택의 용도로 함께 사용되는 것은 복합건축물에 해당한다.

④ 다중이용업 중 고시원업의 시설로서 독립된 주거의 형태를 갖추지 않은 것으로서 같은 건축물에 해당 용도로 쓰는 바닥면적의 합계가 450m²인 고시원은 숙박시설에 해당한다.

13 소방시설법상 [보기]는 둘 이상의 특정소방대상물이 내화구조로 된 연결통로로 연결된 경우 이를 하나의 소방대상물로 보는 기준에 대한 설명이다. ( ) 안에 들어갈 내용으로 옳은 것은? 21. 경채

─────────── [보기] ───────────
- 벽이 없는 구조로서 그 길이가 (가) 이하인 경우
- 벽이 있는 구조로서 그 길이가 (나) 이하인 경우. 다만, 벽 높이가 바닥에서 천장까지의 높이의 (다) 이상인 경우에는 벽이 있는 구조로 보고, 벽 높이가 바닥에서 천장까지의 높이의 (다) 미만인 경우에는 벽이 없는 구조로 본다.

	(가)	(나)	(다)		(가)	(나)	(다)
①	6m	10m	2분의 1	②	7m	12m	3분의 1
③	8m	10m	2분의 1	④	9m	12m	3분의 1

14 소방시설 설치 및 관리에 관한 법률 시행령상 특정소방대상물 중 지하구에 관한 설명이다. ( ) 안에 들어갈 내용으로 옳은 것은? 24. 경채

전력·통신용의 전선이나 가스·냉난방용의 배관 또는 이와 비슷한 것을 집합 수용하기 위하여 설치한 지하 인공구조물로서 사람이 점검 또는 보수를 하기 위하여 출입이 가능한 것 중 다음의 어느 하나에 해당하는 것
1) 전력 또는 통신사업용 지하 인공구조물로서 전력구(케이블 접속부가 없는 경우는 제외한다) 또는 통신구 방식으로 설치된 것
2) 1) 외의 지하 인공구조물로서 폭이 (ㄱ)m 이상이고 높이가 (ㄴ)m 이상이며 길이가 (ㄷ)m 이상인 것

	ㄱ	ㄴ	ㄷ		ㄱ	ㄴ	ㄷ
①	1.2	1.5	50	②	1.2	1.5	100
③	1.8	2	50	④	1.8	2	100

15 소방시설법상 소방용품 중 경보설비를 구성하는 제품 또는 기기로 옳지 않은 것은?

① 수신기

② 감지기

③ 누전차단기

④ 가스누설경보기

16 소방시설 설치 및 관리에 관한 법률 시행령상 무창층의 개구부 요건을 설명한 것으로 옳지 않은 것은?

① 도로 또는 차량이 진입할 수 있는 빈터를 향해야 한다.

② 내부 또는 외부에서 쉽게 열리지 않는 구조여야 한다.

③ 크기는 지름 50센티미터 이상의 원이 통과할 수 있어야 한다.

④ 해당 층의 바닥면으로부터 개구부 밑부분까지의 높이가 1.2미터 이내여야 한다.

정답 및 해설

12 특정소방대상물

① "특정소방대상물"이란 소방시설을 설치하여야 하는 소방대상물로서 행정안전부령으로 정하는 것을 말한다. → 대통령령으로 정하는 것을 말한다.

② 전력용의 전선배관을 집합수용하기 위하여 설치한 지하 인공구조물로서 사람이 점검 또는 보수를 하기 위하여 폭 1.5m, 높이 1.8m, 길이 300m인 것은 지하구에 해당한다. → 폭이나 높이 길이 상관없이 지하구에 해당한다.

④ 다중이용업 중 고시원업의 시설로서 독립된 주거의 형태를 갖추지 않은 것으로서 같은 건축물에 해당 용도로 쓰는 바닥면적의 합계가 450m²인 고시원은 숙박시설에 해당한다. → 고시원은 바닥면적이 500m² 미만이면 근린생활시설로 분류한다.

13 특정소방대상물

· 벽이 없는 구조로서 그 길이가 (6m) 이하인 경우

· 벽이 있는 구조로서 그 길이가 (10m) 이하인 경우. 다만, 벽 높이가 바닥에서 천장까지의 높이의 (2분의 1) 이상인 경우에는 벽이 있는 구조로 보고, 벽 높이가 바닥에서 천장까지의 높이의 (2분의 1) 미만인 경우에는 벽이 없는 구조로 본다.

14 지하구

지하 인공구조물로서 폭이 1.8m 이상이고 높이가 2m 이상이며 길이가 50m 이상인 것

15 경보설비

누전경보기가 해당한다.

16 무층창

내부 또는 외부에서 쉽게 부수거나 열 수 있을 것

정답 12 ③ **13** ① **14** ③ **15** ③ **16** ②

제1절 건축허가등의 동의 등

📖 핵심정리

1. **제출서류 등:** 설계도서(건축, 소방), 소방시설 설치계획표, 임시소방시설 설치계획서, 설계업자등록증, 자격을 갖춘 설계기술인력, 계약서 등
2. **건축 허가청:** 일반적으로 시, 군, 구
3. **사용승인에 대한 동의:** 완공검사증명서 발급하는 것으로 동의를 갈음할 수 있다.
   ① 건축법 규정에 의한 허가의 권한을 가진 자: 시장, 군수, 구청장(지방공사 – SH, GH 등)
   ② 주택법 규정에 의한 허가의 권한을 가진 자: 국토교통부장관(국가공기업 – LH 등)
   ③ 학교시설사업 촉진법 규정에 의한 허가의 권한을 가진 자: 교육부장관(대학교), 교육감(초, 중, 고)

제6조(건축허가등의 동의 등)

① 건축물 등의 신축·증축·개축·재축(再築)·이전·용도변경 또는 대수선(大修繕)의 허가·협의 및 사용승인(주택법 제15조에 따른 승인 및 같은 법 제49조에 따른 사용검사, 학교시설사업 촉진법 제4조에 따른 승인 및 같은 법 제13조에 따른 사용승인을 포함하며, 이하 "건축허가등"이라 한다)의 권한이 있는 행정기관은 건축허가등을 할 때 미리 그 건축물 등의 시공지(施工地) 또는 소재지를 관할하는 소방본부장이나 소방서장의 동의를 받아야 한다.

② 건축물 등의 증축·개축·재축·용도변경 또는 대수선의 신고를 수리(受理)할 권한이 있는 행정기관은 그 신고를 수리하면 그 건축물 등의 시공지 또는 소재지를 관할하는 소방본부장이나 소방서장에게 지체 없이 그 사실을 알려야 한다.

 영철쌤 tip

1. 신축: 허가 → 동의
2. 그 외: 신고 → 수리

③ 제1항에 따른 건축허가등의 권한이 있는 행정기관과 제2항에 따른 신고를 수리할 권한이 있는 행정기관은 제1항에 따라 건축허가등의 동의를 받거나 제2항에 따른 신고를 수리한 사실을 알릴 때 관할 소방본부장이나 소방서장에게 건축허가등을 하거나 신고를 수리할 때 건축허가등을 받으려는 자 또는 신고를 한 자가 제출한 설계도서 중 건축물의 내부구조를 알 수 있는 설계도면을 제출하여야 한다. 다만, 국가안보상 중요하거나 국가기밀에 속하는 건축물을 건축하는 경우로서 관계 법령에 따라 행정기관이 설계도면을 확보할 수 없는 경우에는 그러하지 아니하다.

④ 소방본부장 또는 소방서장은 제1항에 따른 동의를 요구받은 경우 해당 건축물 등이 다음 각 호의 사항을 따르고 있는지를 검토하여 행정안전부령으로 정하는 기간 내에 해당 행정기관에 동의 여부를 알려야 한다.

1. 이 법 또는 이 법에 따른 명령
2. 소방기본법 제21조의2에 따른 소방자동차 전용구역의 설치

⑤ 소방본부장 또는 소방서장은 제4항에 따른 건축허가등의 동의 여부를 알릴 경우에는 원활한 소방활동 및 건축물 등의 화재안전성능을 확보하기 위하여 필요한 다음 각 호의 사항에 대한 검토 자료 또는 의견서를 첨부할 수 있다.

1. 건축법 제49조 제1항 및 제2항에 따른 피난시설, 방화구획(防火區劃)
2. 건축법 제49조 제3항에 따른 소방관 진입창
3. 건축법 제50조, 제50조의2, 제51조, 제52조, 제52조의2 및 제53조에 따른 방화벽, 마감재료 등(이하 "방화시설"이라 한다)
4. 그 밖에 소방자동차의 접근이 가능한 통로의 설치 등 대통령령으로 정하는 사항

⑥ 제1항에 따라 사용승인에 대한 동의를 할 때에는 소방시설공사업법 제14조 제3항에 따른 소방시설공사의 완공검사증명서를 발급하는 것으로 동의를 갈음할 수 있다. 이 경우 제1항에 따른 건축허가등의 권한이 있는 행정기관은 소방시설공사의 완공검사증명서를 확인하여야 한다.

⑦ 제1항에 따른 건축허가등을 할 때 소방본부장이나 소방서장의 동의를 받아야 하는 건축물 등의 범위는 대통령령으로 정한다.

⑧ 다른 법령에 따른 인가·허가 또는 신고 등(건축허가등과 제2항에 따른 신고는 제외하며, 이하 이 항에서 "인허가등"이라 한다)의 시설기준에 소방시설등의 설치·관리 등에 관한 사항이 포함되어 있는 경우 해당 인허가등의 권한이 있는 행정기관은 인허가등을 할 때 미리 그 시설의 소재지를 관할하는 소방본부장이나 소방서장에게 그 시설이 이 법 또는 이 법에 따른 명령을 따르고 있는지를 확인하여 줄 것을 요청할 수 있다. 이 경우 요청을 받은 소방본부장 또는 소방서장은 행정안전부령으로 정하는 기간 내에 확인 결과를 알려야 한다.

시행령 제7조(건축허가등의 동의대상물의 범위 등) ① 법 제6조 제1항에 따라 건축물 등의 신축·증축·개축·재축·이전·용도변경 또는 대수선의 허가·협의 및 사용승인(주택법 제15조에 따른 승인 및 같은 법 제49조에 따른 사용검사, 학교시설사업 촉진법 제4조에 따른 승인 및 같은 법 제13조에 따른 사용승인을 포함하며, 이하 "건축허가등"이라 한다)을 할 때 미리 소방본부장 또는 소방서장의 동의를 받아야 하는 건축물 등의 범위는 다음 각 호와 같다.

▲ 소방관 진입창

 영철쌤 tip

사용승인에 대한 동의
완공검사증명서 발급하는 것으로 동의를 갈음할 수 있다.
1. 학교시설사업 촉진법 규정에 의한 허가의 권한을 가진 자: 교육부장관(대학교), 교육감(초, 중, 고)
2. 건축법 규정에 의한 허가의 권한을 가진 자: 시장, 군수, 구청장(지방공사 – SH, GH 등)
3. 주택법 규정에 의한 허가의 권한을 가진 자: 국토교통부장관(국가공기업 – LH 등)

1. 연면적(건축법 시행령 제119조 제1항 제4호에 따라 산정된 면적을 말한다. 이하 같다)이 400제곱미터 이상인 건축물이나 시설. 다만, 다음 각 목의 어느 하나에 해당하는 건축물이나 시설은 해당 목에서 정한 기준 이상인 건축물이나 시설로 한다.

   가. 학교시설사업 촉진법 제5조의2 제1항에 따라 건축등을 하려는 학교시설: 100제곱미터

   나. 별표 2의 특정소방대상물 중 노유자(老幼者) 시설 및 수련시설: 200제곱미터

   다. 정신건강증진 및 정신질환자 복지서비스 지원에 관한 법률 제3조 제5호에 따른 정신의료기관(입원실이 없는 정신건강의학과 의원은 제외하며, 이하 "정신의료기관"이라 한다): 300제곱미터

   라. 장애인복지법 제58조 제1항 제4호에 따른 장애인 의료재활시설(이하 "의료재활시설"이라 한다): 300제곱미터

2. 지하층 또는 무창층이 있는 건축물로서 바닥면적이 150제곱미터(공연장의 경우에는 100제곱미터) 이상인 층이 있는 것

3. 차고·주차장 또는 주차 용도로 사용되는 시설로서 다음 각 목의 어느 하나에 해당하는 것

   가. 차고·주차장으로 사용되는 바닥면적이 200제곱미터 이상인 층이 있는 건축물이나 주차시설

   나. 승강기 등 기계장치에 의한 주차시설로서 자동차 20대 이상을 주차할 수 있는 시설

4. 층수(건축법 시행령 제119조 제1항 제9호에 따라 산정된 층수를 말한다. 이하 같다)가 6층 이상인 건축물

5. 항공기 격납고, 관망탑, 항공관제탑, 방송용 송수신탑

6. 별표 2의 특정소방대상물 중 의원(입원실이 있는 것으로 한정한다)·조산원·산후조리원, 위험물 저장 및 처리 시설, 발전시설 중 풍력발전소·전기저장시설, 지하구(地下溝)

7. 제1호 나목에 해당하지 않는 노유자 시설 중 다음 각 목의 어느 하나에 해당하는 시설. 다만, 가목 2) 및 나목부터 바목까지의 시설 중 건축법 시행령 별표 1의 단독주택 또는 공동주택에 설치되는 시설은 제외한다.

   가. 별표 2 제9호 가목에 따른 노인 관련 시설 중 다음의 어느 하나에 해당하는 시설

   1) 노인복지법 제31조 제1호에 따른 노인주거복지시설, 같은 조 제2호에 따른 노인의료복지시설 및 같은 조 제4호에 따른 재가노인복지시설

   2) 노인복지법 제31조 제7호에 따른 학대피해노인 전용쉼터

   나. 아동복지법 제52조에 따른 아동복지시설(아동상담소, 아동전용시설 및 지역아동센터는 제외한다)

   다. 장애인복지법 제58조 제1항 제1호에 따른 장애인 거주시설

   라. 정신질환자 관련 시설(정신건강증진 및 정신질환자 복지서비스 지원에 관한 법률 제27조 제1항 제2호에 따른 공동생활가정을 제외한 재활훈련시설과 같은 법 시행령 제16조 제3호에 따른 종합시설 중 24시간 주거를 제공하지 않는 시설은 제외한다)

   마. 별표 2 제9호 마목에 따른 노숙인 관련 시설 중 노숙인자활시설, 노숙인재활시설 및 노숙인요양시설

   바. 결핵환자나 한센인이 24시간 생활하는 노유자 시설

8. 의료법 제3조 제2항 제3호 라목에 따른 요양병원(이하 "요양병원"이라 한다). 다만, 의료재활시설은 제외한다.

9. 별표 2의 특정소방대상물 중 공장 또는 창고시설로서 화재의 예방 및 안전관리에 관한 법률 시행령 별표 2에서 정하는 수량의 750배 이상의 특수가연물을 저장·취급하는 것

10. 별표 2 제17호 나목에 따른 가스시설로서 지상에 노출된 탱크의 저장용량의 합계가 100톤 이상인 것

② 제1항에도 불구하고 다음 각 호의 어느 하나에 해당하는 특정소방대상물은 소방본부장 또는 소방서장의 건축허가등의 동의대상에서 제외한다.

1. 별표 4에 따라 특정소방대상물에 설치되는 소화기구, 자동소화장치, 누전경보기, 단독경보형감지기, 가스누설경보기 및 피난구조설비(비상조명등은 제외한다)가 화재안전기준에 적합한 경우 해당 특정소방대상물

2. 건축물의 증축 또는 용도변경으로 인하여 해당 특정소방대상물에 추가로 소방시설이 설치되지 않는 경우 해당 특정소방대상물

3. 소방시설공사업법 시행령 제4조에 따른 소방시설공사의 착공신고 대상에 해당하지 않는 경우 해당 특정소방대상물

③ 법 제6조 제1항에 따라 건축허가등의 권한이 있는 행정기관은 건축허가등의 동의를 받으려는 경우에는 동의요구서에 행정안전부령으로 정하는 서류를 첨부하여 해당 건축물 등의 소재지를 관할하는 소방본부장 또는 소방서장에게 동의를 요구해야 한다. 이 경우 동의 요구를 받은 소방본부장 또는 소방서장은 첨부서류 등이 미비한 경우에는 그 서류의 보완을 요구할 수 있다.

④ 법 제6조 제5항 제4호에서 "소방자동차의 접근이 가능한 통로의 설치 등 대통령령으로 정하는 사항"이란 다음 각 호의 사항을 말한다.

1. 소방자동차의 접근이 가능한 통로의 설치

2. 건축법 제64조 및 주택건설기준 등에 관한 규정 제15조에 따른 승강기의 설치

3. 주택건설기준 등에 관한 규정 제26조에 따른 주택단지 안 도로의 설치

4. 건축법 시행령 제40조 제2항에 따른 옥상광장, 같은 조 제3항에 따른 비상문자동개폐장치 또는 같은 조 제4항에 따른 헬리포트의 설치

5. 그 밖에 소방본부장 또는 소방서장이 소화활동 및 피난을 위해 필요하다고 인정하는 사항

시행규칙 제3조(건축허가등의 동의 요구) ① 법 제6조 제1항에 따른 건축물 등의 신축·증축·개축·재축·이전·용도변경 또는 대수선의 허가·협의 및 사용승인(주택법 제15조에 따른 승인 및 같은 법 제49조에 따른 사용검사, 학교시설사업 촉진법 제4조에 따른 승인 및 같은 법 제13조에 따른 사용승인을 포함하며, 이하 "건축허가등"이라 한다)의 동의 요구는 다음 각 호의 권한이 있는 행정기관이 소방시설 설치 및 관리에 관한 법률 시행령(이하 "영"이라 한다) 제7조 제1항 각 호에 따른 동의대상물의 시공지 또는 소재지를 관할하는 소방본부장 또는 소방서장에게 해야 한다.

1. 건축법 제11조에 따른 허가 및 같은 법 제29조 제2항에 따른 협의의 권한이 있는 행정기관

2. 주택법 제15조에 따른 승인 및 같은 법 제49조에 따른 사용검사의 권한이 있는 행정기관

3. 학교시설사업 촉진법 제4조에 따른 승인 및 같은 법 제13조에 따른 사용승인의 권한이 있는 행정기관

4. 고압가스 안전관리법 제4조에 따른 허가의 권한이 있는 행정기관

영철쌤 tip

별표 2 제17호 나목에 따른 가스시설 가연성가스, 산소가스를 말한다.

영철쌤 tip

비상조명등은 건축허가 동의 대상이다.

영철쌤 tip

헬리포트
헬리콥터가 이륙, 착륙하는 장소를 말한다.
건축허가등 동의대상물(6, 20, 100, 150, 200, 300, 400)

1. 층수 6층 이상
2. 자동차 20대 이상 주차
3. 100m² 이상: 학교시설, 지하층·무창층의 공연장
4. 150m² 이상: 지하층·무창층
5. 200m² 이상: 차고·주차장, 노유자시설, 수련시설
6. 300m² 이상: 정신의료기관, 장애인 의료재활시설
7. 400m² 이상인 건축물

건축허가등 동의대상물(용도)

1. 항공기 격납고, 관망탑, 항공관제탑, 방송용 송수신탑
2. 의원·조산원·산후조리원
3. 위험물 저장 및 처리
4. 발전시설 중 풍력발전소·전기저장시설
5. 지하구(地下溝)
6. 노유자 시설 중 생활시설, 요양병원
7. 공장 또는 창고시설로서 수량의 750배 이상의 특수가연물을 저장·취급
8. 가스시설로서 지상 노출 탱크 저장용량의 합계가 100톤 이상

건축허가등의 동의대상에서 제외

1. 소화기구, 자동소화장치, 누전경보기, 단독경보형감지기, 가스누설경보기 및 피난구조설비(비상조명등은 제외한다)
2. 증축 또는 용도변경으로 인하여 해당 특정소방대상물에 추가로 소방시설이 설치되지 않는 경우
3. 소방시설공사의 착공신고 대상에 해당하지 않는 경우

5. 도시가스사업법 제3조에 따른 허가의 권한이 있는 행정기관
6. 액화석유가스의 안전관리 및 사업법 제5조 및 제6조에 따른 허가의 권한이 있는 행정기관
7. 전기안전관리법 제8조에 따른 자가용전기설비의 공사계획의 인가의 권한이 있는 행정기관
8. 전기사업법 제61조에 따른 전기사업용전기설비의 공사계획에 대한 인가의 권한이 있는 행정기관
9. 국토의 계획 및 이용에 관한 법률 제88조 제2항에 따른 도시·군계획시설사업 실시계획 인가의 권한이 있는 행정기관

② 제1항 각 호의 어느 하나에 해당하는 기관은 영 제7조 제3항에 따라 건축허가등의 동의를 요구하는 경우에는 동의요구서(전자문서로 된 요구서를 포함한다)에 다음 각 호의 서류(전자문서를 포함한다)를 첨부해야 한다.

1. 건축법 시행규칙 제6조에 따른 건축허가신청서, 같은 법 시행규칙 제8조에 따른 건축허가서 또는 같은 법 시행규칙 제12조에 따른 건축·대수선·용도변경신고서 등 건축허가등을 확인할 수 있는 서류의 사본. 이 경우 동의 요구를 받은 담당 공무원은 특별한 사정이 있는 경우를 제외하고는 전자정부법 제36조 제1항에 따른 행정정보의 공동이용을 통하여 건축허가서를 확인함으로써 첨부서류의 제출을 갈음할 수 있다.

2. 다음 각 목의 설계도서. 다만, 가목 및 나목 2)·4)의 설계도서는 소방시설공사업법 시행령 제4조에 따른 소방시설공사 착공신고 대상에 해당되는 경우에만 제출한다.
   가. 건축물 설계도서
      1) 건축물 개요 및 배치도
      2) 주단면도 및 입면도(立面圖: 물체를 정면에서 본 대로 그린 그림을 말한다. 이하 같다)
      3) 층별 평면도(용도별 기준층 평면도를 포함한다. 이하 같다)
      4) 방화구획도(창호도를 포함한다)
      5) 실내·실외 마감재료표
      6) 소방자동차 진입 동선도 및 부서 공간 위치도(조경계획을 포함한다)
   나. 소방시설 설계도서
      1) 소방시설(기계·전기 분야의 시설을 말한다)의 계통도(시설별 계산서를 포함한다)
      2) 소방시설별 층별 평면도
      3) 실내장식물 방염대상물품 설치 계획(건축법 제52조에 따른 건축물의 마감재료는 제외한다)
      4) 소방시설의 내진설계 계통도 및 기준층 평면도(내진 시방서 및 계산서 등 세부 내용이 포함된 상세 설계도면은 제외한다)

3. 소방시설 설치계획표
4. 임시소방시설 설치계획서(설치시기·위치·종류·방법 등 임시소방시설의 설치와 관련된 세부 사항을 포함한다)
5. 소방시설공사업법 제4조 제1항에 따라 등록한 소방시설설계업등록증과 소방시설을 설계한 기술인력의 기술자격증 사본
6. 소방시설공사업법 제21조 및 제21조의3 제2항에 따라 체결한 소방시설설계 계약서 사본

③ 제1항에 따른 동의 요구를 받은 소방본부장 또는 소방서장은 법 제6조 제4항에 따라 건축허가등의 동의 요구서류를 접수한 날부터 5일(허가를 신청한 건축물 등이 화재의 예방 및 안전관리에 관한 법률 시행령 별표 4 제1호 가목의 어느 하나에 해당하는 경우에는 10일) 이내에 건축허가등의 동의 여부를 회신해야 한다.

④ 소방본부장 또는 소방서장은 제3항에도 불구하고 제2항에 따른 동의요구서 및 첨부서류의 보완이 필요한 경우에는 4일 이내의 기간을 정하여 보완을 요구할 수 있다. 이 경우 보완 기간은 제3항에 따른 회신 기간에 산입하지 않으며 보완 기간 내에 보완하지 않는 경우에는 동의요구서를 반려해야 한다.

⑤ 제1항에 따라 건축허가등의 동의를 요구한 기관이 그 건축허가등을 취소했을 때에는 취소한 날부터 7일 이내에 건축물 등의 시공지 또는 소재지를 관할하는 소방본부장 또는 소방서장에게 그 사실을 통보해야 한다.

⑥ 소방본부장 또는 소방서장은 제3항에 따라 동의 여부를 회신하는 경우에는 별지 제1호서식의 건축허가등의 동의대장에 이를 기록하고 관리해야 한다.

⑦ 법 제6조 제8항 후단에서 "행정안전부령으로 정하는 기간"이란 7일을 말한다.

📖 핵심정리 **건축허가 등의 동의**

1. **동의**: 신축·증축·개축·재축·이전·용도변경 또는 대수선의 허가·협의 및 사용승인 권한이 있는 행정기관은 건축허가 등을 할 때 시공지 또는 소재지 관할 소방본부장이나 소방서장의 동의 필요

2. 건축허가등의 동의를 받거나 신고를 수리한 사실을 알릴 때 관할 소방본부장이나 소방서장에게 건축허가등을 하거나 신고를 수리할 때 건축허가등을 받으려는 자 또는 신고를 한 자가 제출한 설계도서 중 건축물의 내부구조를 알 수 있는 설계도면을 제출

3. **건축허가등의 동의대상물 범위**(逆: 바닥면적)

대상	면적↑: 이상
학교시설	100m² ↑
노유자시설 및 수련시설	200m² ↑
장애인 의료재활시설, 정신의료기관 (입원실이 없는 정신건강의학과 의원 제외)	300m² ↑
-	연 400m² ↑
지하층, 무창층이 있는 건축물	逆150m² (공연장 100m²)↑인 층이 있는 것
차고, 주차장 또는 주차용도	逆 200m² ↑ 기계장치에 의한 주차시설 20대 ↑

① 층수 6층 이상, 항공기 격납고, 관망탑, 항공관제탑, 방송용 송수신탑, 의원(입원실 있는 것 한정), 조산원, 산후조리원, 노유자 시설 중 생활시설, 요양병원, 위험물 저장 및 처리
② 풍력발전소, 전기저장시설, 지하구, 공장 또는 창고시설 특수가연물 750배
③ 가스시설(지상 노출): 100t ↑

4. 건축허가등의 동의 제외
    ① 특정소방대상물에 설치되는 소화기구, 자동소화장치, 누전경보기, 단독경보형감지기, 가스누설경보기, 피난구조설비(비상조명등 제외)가 화재안전기준에 적합한 경우 그 특정소방대상물
    ② 건축물의 증축 또는 용도변경으로 인하여 해당 특정소방대상물에 추가로 소방시설이 설치되지 아니하는 경우 그 특정소방대상물
    ③ 착공신고 대상에 해당하지 않는 경우 그 특정소방대상물
5. 동의 기한: 5일 이내(특급소방대상물: 10일)
6. 건축허가등의 서류 보완: 4일 이내
7. 건축허가등 취소 시: 7일 이내

제7조(소방시설의 내진설계기준)

지진·화산재해대책법 제14조 제1항 각 호의 시설 중 대통령령으로 정하는 특정소방대상물에 대통령령으로 정하는 소방시설을 설치하려는 자는 지진이 발생할 경우 소방시설이 정상적으로 작동될 수 있도록 소방청장이 정하는 내진설계기준에 맞게 소방시설을 설치하여야 한다.

> **시행령 제8조(소방시설의 내진설계)** ① 법 제7조에서 "대통령령으로 정하는 특정소방대상물"이란 건축법 제2조 제1항 제2호에 따른 건축물로서 지진·화산재해대책법 시행령 제10조 제1항 각 호에 해당하는 시설을 말한다.
> ② 법 제7조에서 "대통령령으로 정하는 소방시설"이란 소방시설 중 옥내소화전설비, 스프링클러설비 및 물분무등소화설비를 말한다.

제8조(성능위주설계)

① 연면적·높이·층수 등이 일정 규모 이상인 대통령령으로 정하는 특정소방대상물(신축하는 것만 해당한다)에 소방시설을 설치하려는 자는 성능위주설계를 하여야 한다.
② 제1항에 따라 소방시설을 설치하려는 자가 성능위주설계를 한 경우에는 건축법 제11조에 따른 건축허가를 신청하기 전에 해당 특정소방대상물의 시공지 또는 소재지를 관할하는 소방서장에게 신고하여야 한다. 해당 특정소방대상물의 연면적·높이·층수의 변경 등 행정안전부령으로 정하는 사유로 신고한 성능위주설계를 변경하려는 경우에도 또한 같다.
③ 소방서장은 제2항에 따른 신고 또는 변경신고를 받은 경우 그 내용을 검토하여 이 법에 적합하면 신고를 수리하여야 한다.
④ 제2항에 따라 성능위주설계의 신고 또는 변경신고를 하려는 자는 해당 특정소방대상물이 건축법 제4조의2에 따른 건축위원회의 심의를 받아야 하는 건축물인 경우에는 그 심의를 신청하기 전에 성능위주설계의 기본설계도서(基本設計圖書) 등에 대해서 해당 특정소방대상물의 시공지 또는 소재지를 관할하는 소방서장의 사전검토를 받아야 한다.

영철쌤 tip

내진설계
내진설계는 소방시설 중 소화설비(옥외소화전 제외)만 한다. 즉 옥내소화전설비, 스프링클러설비 및 물분무등소화설비를 말한다.

▲ 내진공사

영철쌤 tip

성능위주설계는 신축만 해당된다.

⑤ 소방서장은 제2항 또는 제4항에 따라 성능위주설계의 신고, 변경신고 또는 사전검토 신청을 받은 경우에는 소방청 또는 관할 소방본부에 설치된 제9조 제1항에 따른 성능위주설계평가단의 검토·평가를 거쳐야 한다. 다만, 소방서장은 신기술·신공법 등 검토·평가에 고도의 기술이 필요한 경우에는 제18조 제1항에 따른 중앙소방기술심의위원회에 심의를 요청할 수 있다.

⑥ 소방서장은 제5항에 따른 검토·평가 결과 성능위주설계의 수정 또는 보완이 필요하다고 인정되는 경우에는 성능위주설계를 한 자에게 그 수정 또는 보완을 요청할 수 있으며, 수정 또는 보완 요청을 받은 자는 정당한 사유가 없으면 그 요청에 따라야 한다.

⑦ 제2항부터 제6항까지에서 규정한 사항 외에 성능위주설계의 신고, 변경신고 및 사전검토의 절차·방법 등에 필요한 사항과 성능위주설계의 기준은 행정안전부령으로 정한다.

시행령 제9조(성능위주설계를 해야 하는 특정소방대상물의 범위) 법 제8조 제1항에서 "대통령령으로 정하는 특정소방대상물"이란 다음 각 호의 어느 하나에 해당하는 특정소방대상물(신축하는 것만 해당한다)을 말한다.
1. 연면적 20만제곱미터 이상인 특정소방대상물. 다만, 별표 2 제1호 가목에 따른 아파트등(이하 "아파트등"이라 한다)은 제외한다.
2. 50층 이상(지하층은 제외한다)이거나 지상으로부터 높이가 200미터 이상인 아파트등
3. 30층 이상(지하층을 포함한다)이거나 지상으로부터 높이가 120미터 이상인 특정소방대상물(아파트등은 제외한다)
4. 연면적 3만제곱미터 이상인 특정소방대상물로서 다음 각 목의 어느 하나에 해당하는 특정소방대상물
   가. 별표 2 제6호 나목의 철도 및 도시철도 시설
   나. 별표 2 제6호 다목의 공항시설
5. 별표 2 제16호의 창고시설 중 연면적 10만제곱미터 이상인 것 또는 지하층의 층수가 2개 층 이상이고 지하층의 바닥면적의 합계가 3만제곱미터 이상인 것
6. 하나의 건축물에 영화 및 비디오물의 진흥에 관한 법률 제2조 제10호에 따른 영화상영관이 10개 이상인 특정소방대상물
7. 초고층 및 지하연계 복합건축물 재난관리에 관한 특별법 제2조 제2호에 따른 지하연계 복합건축물에 해당하는 특정소방대상물
8. 별표 2 제27호의 터널 중 수저(水底)터널 또는 길이가 5천미터 이상인 것

아파트등(아파트, 기숙사 제외) 면적을 고려하지 않고 층과 높이만 고려한다.

성능위주설계대상
1. 연면적 20만m² 이상인 특정소방대상물 (아파트등 제외)
2. 50층 이상, 높이가 200미터 이상(아파트등)
3. 30층 이상(지하층 포함), 높이가 120미터 이상(아파트등 제외)
4. 연면적 3만m² 이상인 철도, 도시철도시설, 공항시설
5. 창고시설 중 연면적 10만m² 이상, 지하층의 층수가 2개 층 이상이고 지하층의 바닥면적의 합계가 3만m² 이상인 것
6. 하나의 건축물에 영화상영관이 10개 이상
7. 지하연계 복합건축물
8. 수저(水底)터널 또는 길이가 5천미터 이상 터널

시행규칙 제4조(성능위주설계의 신고) ① 성능위주설계를 한 자는 법 제8조 제2항에 따라 건축법 제11조에 따른 건축허가를 신청하기 전에 별지 제2호서식의 성능위주설계 신고서(전자문서로 된 신고서를 포함한다)에 다음 각 호의 서류(전자문서를 포함한다)를 첨부하여 관할 소방서장에게 신고해야 한다. 이 경우 다음 각 호의 서류에는 사전검토 결과에 따라 보완된 내용을 포함해야 하며, 제7조 제1항에 따른 사전검토 신청 시 제출한 서류와 동일한 내용의 서류는 제외한다.
1. 다음 각 목의 사항이 포함된 설계도서
   가. 건축물의 개요(위치, 구조, 규모, 용도)
   나. 부지 및 도로의 설치 계획(소방차량 진입 동선을 포함한다)

다. 화재안전성능의 확보 계획

라. 성능위주설계 요소에 대한 성능평가(화재 및 피난 모의실험 결과를 포함한다)

마. 성능위주설계 적용으로 인한 화재안전성능 비교표

바. 다음의 건축물 설계도면

    1) 주단면도 및 입면도

    2) 층별 평면도 및 창호도

    3) 실내 · 실외 마감재료표

    4) 방화구획도(화재 확대 방지계획을 포함한다)

    5) 건축물의 구조 설계에 따른 피난계획 및 피난 동선도

사. 소방시설의 설치계획 및 설계 설명서

아. 다음의 소방시설 설계도면

    1) 소방시설 계통도 및 층별 평면도

    2) 소화용수설비 및 연결송수구 설치 위치 평면도

    3) 종합방재실 설치 및 운영계획

    4) 상용전원 및 비상전원의 설치계획

    5) 소방시설의 내진설계 계통도 및 기준층 평면도(내진 시방서 및 계산서 등 세부 내용이 포함된 상세 설계도면은 제외한다)

자. 소방시설에 대한 전기부하 및 소화펌프 등 용량계산서

2. 소방시설공사업법 시행령 별표 1의2에 따른 성능위주설계를 할 수 있는 자의 자격 · 기술인력을 확인할 수 있는 서류

3. 소방시설공사업법 제21조 및 제21조의3 제2항에 따라 체결한 성능위주설계 계약서 사본

② 소방서장은 제1항에 따라 성능위주설계 신고서를 받은 경우 성능위주설계 대상 및 자격 여부 등을 확인하고, 첨부서류의 보완이 필요한 경우에는 7일 이내의 기간을 정하여 성능위주설계를 한 자에게 보완을 요청할 수 있다.

제5조(신고된 성능위주설계에 대한 검토 · 평가) ① 제4조 제1항에 따라 성능위주설계의 신고를 받은 소방서장은 필요한 경우 같은 조 제2항에 따른 보완 절차를 거쳐 소방청장 또는 관할 소방본부장에게 법 제9조 제1항에 따른 성능위주설계 평가단(이하 "평가단"이라 한다)의 검토 · 평가를 요청해야 한다.

② 제1항에 따라 검토 · 평가를 요청받은 소방청장 또는 소방본부장은 요청을 받은 날부터 20일 이내에 평가단의 심의 · 의결을 거쳐 해당 건축물의 성능위주설계를 검토 · 평가하고, 별지 제3호서식의 성능위주설계 검토 · 평가 결과서를 작성하여 관할 소방서장에게 지체 없이 통보해야 한다.

③ 제4조 제1항에 따라 성능위주설계 신고를 받은 소방서장은 제1항에도 불구하고 신기술 · 신공법 등 검토 · 평가에 고도의 기술이 필요한 경우에는 중앙위원회에 심의를 요청할 수 있다.

④ 중앙위원회는 제3항에 따라 요청된 사항에 대하여 20일 이내에 심의 · 의결을 거쳐 별지 제3호서식의 성능위주설계 검토 · 평가 결과서를 작성하고 관할 소방서장에게 지체 없이 통보해야 한다.

⑤ 제2항 또는 제4항에 따라 성능위주설계 검토 · 평가 결과서를 통보받은 소방서장은 성능위주설계 신고를 한 자에게 별표 1에 따라 수리 여부를 통보해야 한다.

별표 1. 성능위주설계 평가단 및 중앙소방심의위원회의 검토·평가 구분 및 통보 시기

구분		성립요건	통보 시기
수리	원안 채택	신고서(도면 등) 내용에 수정이 없거나 경미한 경우 원안대로 수리	지체 없이
	보완	평가단 또는 중앙위원회에서 검토·평가한 결과 보완이 요구되는 경우로서 보완이 완료되면 수리	보완완료 후 지체 없이 통보
불수리	재검토	평가단 또는 중앙위원회에서 검토·평가한 결과 보완이 요구되나 단기간에 보완될 수 없는 경우	지체 없이
	부결	평가단 또는 중앙위원회에서 검토·평가한 결과 소방 관련 법령 및 건축 법령에 위반되거나 평가 기준을 충족하지 못한 경우	지체 없이

보완으로 결정된 경우 보완기간은 21일 이내로 부여하고 보완이 완료되면 지체 없이 수리 여부를 통보해야 한다.

제6조(성능위주설계의 변경신고) ① 법 제8조 제2항 후단에서 "해당 특정소방대상물의 연면적·높이·층수의 변경 등 행정안전부령으로 정하는 사유"란 특정소방대상물의 연면적·높이·층수의 변경이 있는 경우를 말한다. 다만, 건축법 제16조 제1항 단서 및 같은 조 제2항에 따른 경우는 제외한다.

② 성능위주설계를 한 자는 법 제8조 제2항 후단에 따라 해당 성능위주설계를 한 특정소방대상물이 제1항에 해당하는 경우 별지 제4호서식의 성능위주설계 변경 신고서(전자문서로 된 신고서를 포함한다)에 제4조 제1항 각 호의 서류(전자문서를 포함하며, 변경되는 부분만 해당한다)를 첨부하여 관할 소방서장에게 신고해야 한다.

③ 제2항에 따른 성능위주설계의 변경신고에 대한 검토·평가, 수리 여부 결정 및 통보에 관하여는 제5조 제2항부터 제5항까지의 규정을 준용한다. 이 경우 같은 조 제2항 및 제4항 중 "20일 이내"는 각각 "14일 이내"로 본다.

제7조(성능위주설계의 사전검토 신청) ① 성능위주설계를 한 자는 법 제8조 제4항에 따라 건축법 제4조의2에 따른 건축위원회의 심의를 받아야 하는 건축물인 경우에는 그 심의를 신청하기 전에 별지 제5호서식의 성능위주설계 사전검토 신청서(전자문서로 된 신청서를 포함한다)에 다음 각 호의 서류(전자문서를 포함한다)를 첨부하여 관할 소방서장에게 사전검토를 신청해야 한다.

1. 건축물의 개요(위치, 구조, 규모, 용도)
2. 부지 및 도로의 설치 계획(소방차량 진입 동선을 포함한다)
3. 화재안전성능의 확보 계획
4. 화재 및 피난 모의실험 결과
5. 다음 각 목의 건축물 설계도면
   가. 주단면도 및 입면도
   나. 층별 평면도 및 창호도
   다. 실내·실외 마감재료표
   라. 방화구획도(화재 확대 방지계획을 포함한다)
   마. 건축물의 구조 설계에 따른 피난계획 및 피난 동선도
6. 소방시설 설치계획 및 설계 설명서(소방시설 기계·전기 분야의 기본계통도를 포함한다)
7. 소방시설공사업법 시행령 별표 1의2에 따른 성능위주설계를 할 수 있는 자의 자격·기술인력을 확인할 수 있는 서류

8. 소방시설공사업법 제21조 및 제21조의3 제2항에 따라 체결한 성능위주설계 계약서 사본

② 소방서장은 제1항에 따른 성능위주설계 사전검토 신청서를 받은 경우 성능위주설계 대상 및 자격 여부 등을 확인하고, 첨부서류의 보완이 필요한 경우에는 7일 이내의 기간을 정하여 성능위주설계를 한 자에게 보완을 요청할 수 있다.

제8조(사전검토가 신청된 성능위주설계에 대한 검토·평가) ① 제7조 제1항에 따라 사전검토의 신청을 받은 소방서장은 필요한 경우 같은 조 제2항에 따른 보완 절차를 거쳐 소방청장 또는 관할 소방본부장에게 평가단의 검토·평가를 요청해야 한다.

② 제1항에 따라 검토·평가를 요청받은 소방청장 또는 소방본부장은 평가단의 심의·의결을 거쳐 해당 건축물의 성능위주설계를 검토·평가하고, 별지 제6호서식의 성능위주설계 사전검토 결과서를 작성하여 관할 소방서장에게 지체 없이 통보해야 한다.

③ 제1항에도 불구하고 제7조 제1항에 따라 성능위주설계 사전검토의 신청을 받은 소방서장은 신기술·신공법 등 검토·평가에 고도의 기술이 필요한 경우에는 중앙위원회에 심의를 요청할 수 있다.

④ 중앙위원회는 제3항에 따라 요청된 사항에 대하여 심의를 거쳐 별지 제6호서식의 성능위주설계 사전검토 결과서를 작성하고, 관할 소방서장에게 지체 없이 통보해야 한다.

⑤ 제2항 또는 제4항에 따라 성능위주설계 사전검토 결과서를 통보받은 소방서장은 성능위주설계 사전검토를 신청한 자 및 건축법 제4조에 따른 해당 건축위원회에 그 결과를 지체 없이 통보해야 한다.

제9조(성능위주설계 기준) ① 법 제8조 제7항에 따른 성능위주설계의 기준은 다음 각 호와 같다.
1. 소방자동차 진입(통로) 동선 및 소방관 진입 경로 확보
2. 화재·피난 모의실험을 통한 화재위험성 및 피난안전성 검증
3. 건축물의 규모와 특성을 고려한 최적의 소방시설 설치
4. 소화수 공급시스템 최적화를 통한 화재피해 최소화 방안 마련
5. 특별피난계단을 포함한 피난경로의 안전성 확보
6. 건축물의 용도별 방화구획의 적정성
7. 침수 등 재난상황을 포함한 지하층 안전확보 방안 마련

② 제1항에 따른 성능위주설계의 세부 기준은 소방청장이 정한다.

📖 **핵심정리** **성능위주설계**

연면적·높이·층수 등이 일정 규모 이상인 대통령령으로 정하는 특정소방대상물(신축하는 것만 해당한다)에 소방시설을 설치하려는 자는 성능위주설계를 하여야 한다.

성능위주 설계대상	① 연 20만m² ↑ (철도 또는 공항 연 3만m² ↑): 아파트 등 제외
	② 아파트 등: 50층↑ (지하 제외), 지상 200m↑
	③ 아파트 등 제외: 30층↑ (지하 포함), 지상 120m↑
	④ 창고: 연 10만m² ↑ 또는 지하 2층↑ + 지하층 바닥면적 합계 3만m² ↑
	⑤ 영화상영관 10개↑
	⑥ 지하연계 복합건축물, 수저터널 또는 5천m 이상 터널

제9조(성능위주설계평가단)

① 성능위주설계에 대한 전문적 · 기술적인 검토 및 평가를 위하여 **소방청** 또는 **소방본부**에 성능위주설계 평가단(이하 "평가단"이라 한다)을 둔다.

② 평가단에 소속되거나 소속되었던 사람은 평가단의 업무를 수행하면서 알게 된 비밀을 이 법에서 정한 목적 외의 용도로 사용하거나 다른 사람 또는 기관에 제공하거나 누설하여서는 아니 된다.

③ 평가단의 구성 및 운영 등에 필요한 사항은 행정안전부령으로 정한다.

> **시행규칙 제10조(평가단의 구성)** ① 평가단은 평가단장을 포함하여 50명 이내의 평가단원으로 성별을 고려하여 구성한다.
>
> ② 평가단장은 화재예방 업무를 담당하는 부서의 장 또는 제3항에 따라 임명 또는 위촉된 평가단원 중에서 학식 · 경험 · 전문성 등을 종합적으로 고려하여 **소방청장 또는 소방본부장**이 임명하거나 위촉한다.
>
> ③ 평가단원은 다음 각 호의 어느 하나에 해당하는 사람 중에서 소방청장 또는 관할 소방본부장이 임명하거나 위촉한다. 다만, 관할 소방서의 해당 업무 담당 과장은 당연직 평가단원으로 한다.
>
> 1. 소방공무원 중 다음 각 목의 어느 하나에 해당하는 사람
>   가. 소방기술사
>   나. 소방시설관리사
>   다. 다음의 어느 하나에 해당하는 자격을 갖춘 사람으로서 소방공무원 교육훈련 규정 제3조 제2항에 따른 중앙소방학교에서 실시하는 성능위주설계 관련 교육과정을 이수한 사람
>   1) 소방설비기사 이상의 자격을 가진 사람으로서 제3조에 따른 건축허가등의 동의 업무를 1년 이상 담당한 사람
>   2) 건축 또는 소방 관련 석사 이상의 학위를 취득한 사람으로서 제3조에 따른 건축허가등의 동의 업무를 1년 이상 담당한 사람
> 2. 건축 분야 및 소방방재 분야 전문가 중 다음 각 목의 어느 하나에 해당하는 사람
>   가. 위원회 위원 또는 법 제18조 제2항에 따른 지방소방기술심의위원회 위원
>   나. 고등교육법 제2조에 따른 학교 또는 이에 준하는 학교나 공인된 연구기관에서 부교수 이상의 직(職) 또는 이에 상당하는 직에 있거나 있었던 사람으로서 화재안전 또는 관련 법령이나 정책에 전문성이 있는 사람
>   다. 소방기술사
>   라. 소방시설관리사
>   마. 건축계획, 건축구조 또는 도시계획과 관련된 업종에 종사하는 사람으로서 건축사 또는 건축구조기술사 자격을 취득한 사람
>   바. 소방시설공사업법 제28조 제3항에 따른 특급감리원 자격을 취득한 사람으로 소방공사 현장 감리업무를 10년 이상 수행한 사람
>
> ④ 위촉된 평가단원의 임기는 2년으로 하되, 2회에 한정하여 연임할 수 있다.
>
> ⑤ 평가단장은 평가단을 대표하고 평가단의 업무를 총괄한다.
>
> ⑥ 평가단장이 부득이한 사유로 직무를 수행할 수 없을 때에는 평가단장이 미리 지정한 평가단원이 그 직무를 대리한다.

영철쌤 tip

성능위주설계평가단
1. 설치: 소방청, 소방본부
2. 구성: 평가단장1명 포함 50명 이내 단원
3. 평가단장: 소방청장 또는 관할소방본부장이 임명, 위촉
4. 임기: 평가단원 2년(2회에 한하여 연임)
5. 회의: 6명이상 8명 이하
6. 성능위주 설계 평가단 구성 및 운영: 행정안전부령

제11조(평가단의 운영) ① 평가단의 회의는 평가단장과 평가단장이 회의마다 지명하는 6명 이상 8명 이하의 평가단원으로 구성·운영하며, 과반수의 출석으로 개의(開議)하고 출석 평가단원 과반수의 찬성으로 의결한다. 다만, 제6조 제2항에 따른 성능위주설계의 변경신고에 대한 심의·의결을 하는 경우에는 제5조 제2항에 따라 건축물의 성능위주설계를 검토·평가한 평가단원 중 5명 이상으로 평가단을 구성·운영할 수 있다.

② 평가단의 회의에 참석한 평가단원에게는 예산의 범위에서 수당, 여비, 그 밖에 필요한 경비를 지급할 수 있다. 다만, 소방공무원인 평가단원이 소관 업무와 관련하여 평가단의 회의에 참석하는 경우에는 그렇지 않다.

③ 제1항 및 제2항에서 규정한 사항 외에 평가단의 운영에 필요한 세부적인 사항은 소방청장 또는 관할 소방본부장이 정한다.

제12조(평가단원의 제척·기피·회피) ① 평가단원이 다음 각 호의 어느 하나에 해당하는 경우에는 평가단의 심의·의결에서 제척(除斥)된다.

1. 평가단원 또는 그 배우자나 배우자였던 사람이 해당 안건의 당사자(당사자가 법인·단체 등인 경우에는 그 임원을 포함한다. 이하 이 호 및 제2호에서 같다)가 되거나 그 안건의 당사자와 공동권리자 또는 공동의무자인 경우
2. 평가단원이 해당 안건의 당사자와 친족인 경우
3. 평가단원이 해당 안건에 관하여 증언, 진술, 자문, 연구, 용역 또는 감정을 한 경우
4. 평가단원이나 평가단원이 속한 법인·단체 등이 해당 안건의 당사자의 대리인이거나 대리인이었던 경우

② 당사자는 제1항에 따른 제척사유가 있거나 평가단원에게 공정한 심의·의결을 기대하기 어려운 사정이 있는 경우에는 평가단에 기피신청을 할 수 있고, 평가단은 의결로 기피 여부를 결정한다. 이 경우 기피 신청의 대상인 평가단원은 그 의결에 참여하지 못한다.

③ 평가단원이 제1항 각 호의 사유에 해당하는 경우에는 스스로 해당 안건의 심의·의결에서 회피(回避)해야 한다.

제13조(평가단원의 해임·해촉) 소방청장 또는 관할 소방본부장은 평가단원이 다음 각 호의 어느 하나에 해당하는 경우에는 해당 평가단원을 해임하거나 해촉(解囑)할 수 있다.

1. 심신장애로 직무를 수행할 수 없게 된 경우
2. 직무와 관련된 비위사실이 있는 경우
3. 직무태만, 품위손상이나 그 밖의 사유로 평가단원으로 적합하지 않다고 인정되는 경우
4. 제12조 제1항 각 호의 어느 하나에 해당하는데도 불구하고 회피하지 않은 경우
5. 평가단원 스스로 직무를 수행하기 어렵다는 의사를 밝히는 경우

제10조(주택에 설치하는 소방시설)

① 다음 각 호의 주택의 소유자는 소화기 등 대통령령으로 정하는 소방시설(이하 "주택용소방시설"이라 한다)을 설치하여야 한다.

  1. 건축법 제2조 제2항 제1호의 단독주택

  2. 건축법 제2조 제2항 제2호의 공동주택(아파트 및 기숙사는 제외한다)

② 국가 및 지방자치단체는 주택용소방시설의 설치 및 국민의 자율적인 안전관리를 촉진하기 위하여 필요한 시책을 마련하여야 한다.

③ 주택용소방시설의 설치기준 및 자율적인 안전관리 등에 관한 사항은 특별시 · 광역시 · 특별자치시 · 도 또는 특별자치도(이하 "시 · 도"라 한다)의 조례로 정한다.

> **시행령 제10조(주택용소방시설)** 법 제10조 제1항 각 호 외의 부분에서 "소화기 등 대통령령으로 정하는 소방시설"이란 소화기 및 단독경보형 감지기를 말한다.

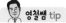

영철쌤 tip

주택용소방시설
1. 소화기 및 단독경보형감지기 설치
   · 단독주택
   · 공동주택(아파트 및 기숙사 제외)
2. 설치기준: 시 · 도 조례

제11조(자동차에 설치 또는 비치하는 소화기)

① 자동차관리법 제3조 제1항에 따른 자동차 중 다음 각 호의 어느 하나에 해당하는 자동차를 제작 · 조립 · 수입 · 판매하려는 자 또는 해당 자동차의 소유자는 차량용소화기를 설치하거나 비치하여야 한다.

  1. 5인승 이상의 승용자동차

  2. 승합자동차

  3. 화물자동차

  4. 특수자동차

② 제1항에 따른 차량용 소화기의 설치 또는 비치 기준은 행정안전부령으로 정한다.

③ 국토교통부장관은 자동차관리법 제43조 제1항에 따른 자동차검사 시 차량용 소화기의 설치 또는 비치 여부 등을 확인하여야 하며, 그 결과를 매년 12월 31일까지 소방청장에게 통보하여야 한다.

> **시행규칙 제14조(차량용 소화기의 설치 또는 비치 기준)** 법 제11조 제1항에 따른 차량용 소화기의 설치 또는 비치 기준은 별표 2와 같다.
>
> **별표 2. 차량용 소화기의 설치 또는 비치 기준**
> 자동차에는 법 제37조 제5항에 따라 형식승인을 받은 차량용 소화기를 다음 각 호의 기준에 따라 설치 또는 비치해야 한다.
> 1. 승용자동차: 법 제37조 제5항에 따른 능력단위(이하 "능력단위"라 한다) 1 이상의 소화기 1개 이상을 사용하기 쉬운 곳에 설치 또는 비치한다.
> 2. 승합자동차
>   가. **경형승합자동차**: 능력단위 1 이상의 소화기 1개 이상을 사용하기 쉬운 곳에 설치 또는 비치한다.
>   나. **승차정원 15인 이하**: 능력단위 2 이상인 소화기 1개 이상 또는 능력단위 1 이상인 소화기 2개 이상을 설치한다. 이 경우 승차정원 11인 이상 승합자동차는 운전석 또는 운전석과 옆으로 나란한 좌석 주위에 1개 이상을 설치한다.

영철쌤 tip

소화기 설치위치 및 수량
1. 11인 이상 승합자동차

설치위치	수량
운전석, 운전석과 옆으로 나란한 좌석 주위	1개 이상

2. 23인 초과 승합자동차로 너비 2.3m 초과

설치위치	수량
운전자 좌석 부근 가로 600mm, 세로 200mm 이상 공간 확보하고 설치	1개 이상

3. 그 밖의 자동차

설치위치	수량
사용하기 쉬운 위치	1개 이상

다. **승차정원 16인 이상 35인 이하**: 능력단위 2 이상인 소화기 2개 이상을 설치한다. 이 경우 승차정원 23인을 초과하는 승합자동차로서 너비 2.3미터를 초과하는 경우에는 운전자 좌석 부근에 가로 600밀리미터, 세로 200밀리미터 이상의 공간을 확보하고 1개 이상의 소화기를 설치한다.

라. **승차정원 36인 이상**: 능력단위 3 이상인 소화기 1개 이상 및 능력단위 2 이상인 소화기 1개 이상을 설치한다. 다만, 2층 대형승합자동차의 경우에는 위층 차실에 능력단위 3 이상인 소화기 1개 이상을 추가 설치한다.

3. **화물자동차(피견인자동차는 제외한다) 및 특수자동차**

가. **중형 이하**: 능력단위 1 이상인 소화기 1개 이상을 사용하기 쉬운 곳에 설치한다.

나. **대형 이상**: 능력단위 2 이상인 소화기 1개 이상 또는 능력단위 1 이상인 소화기 2개 이상을 사용하기 쉬운 곳에 설치한다.

4. 위험물안전관리법 시행령 제3조에 따른 지정수량 이상의 위험물 또는 고압가스 안전관리법 시행령 제2조에 따라 고압가스를 운송하는 특수자동차(피견인자동차를 연결한 경우에는 이를 연결한 견인자동차를 포함한다): 위험물안전관리법 시행규칙 제41조 및 별표 17 제3호 나목 중 이동탱크저장소 자동차용소화기의 설치기준란에 해당하는 능력단위와 수량 이상을 설치한다.

제12조(특정소방대상물에 설치하는 소방시설의 관리 등)

① 특정소방대상물의 관계인은 대통령령으로 정하는 소방시설을 화재안전기준에 따라 설치·관리하여야 한다. 이 경우 장애인·노인·임산부 등의 편의증진 보장에 관한 법률 제2조 제1호에 따른 장애인등이 사용하는 소방시설(경보설비 및 피난구조설비를 말한다)은 대통령령으로 정하는 바에 따라 장애인등에 적합하게 설치·관리하여야 한다.

② 소방본부장이나 소방서장은 제1항에 따른 소방시설이 화재안전기준에 따라 설치·관리되고 있지 아니할 때에는 해당 특정소방대상물의 관계인에게 필요한 조치를 명할 수 있다.

③ 특정소방대상물의 관계인은 제1항에 따라 소방시설을 설치·관리하는 경우 화재 시 소방시설의 기능과 성능에 지장을 줄 수 있는 폐쇄(잠금을 포함한다. 이하 같다)·차단 등의 행위를 하여서는 아니 된다. 다만, 소방시설의 점검·정비를 위하여 필요한 경우 폐쇄·차단은 할 수 있다.

④ 소방청장은 제3항 단서에 따라 특정소방대상물의 관계인이 소방시설의 점검·정비를 위하여 폐쇄·차단을 하는 경우 안전을 확보하기 위하여 필요한 행동요령에 관한 지침을 마련하여 고시하여야 한다.

⑤ 소방청장, 소방본부장 또는 소방서장은 제1항에 따른 소방시설의 작동정보 등을 실시간으로 수집·분석할 수 있는 시스템(이하 "소방시설정보관리시스템"이라 한다)을 구축·운영할 수 있다.

⑥ 소방청장, 소방본부장 또는 소방서장은 제5항에 따른 작동정보를 해당 특정소방대상물의 관계인에게 통보하여야 한다

⑦ 소방시설정보관리시스템 구축·운영의 대상은 화재의 예방 및 안전관리에 관한 법률 제24조 제1항 전단에 따른 소방안전관리대상물 중 소방안전관리의 취약성 등을 고려하여 대통령령으로 정하고, 그 밖에 운영방법 및 통보 절차 등에 필요한 사항은 행정안전부령으로 정한다.

> **시행령 제11조(특정소방대상물에 설치·관리해야 하는 소방시설)** ① 법 제12조 제1항 전단에 따라 특정소방대상물의 관계인이 특정소방대상물에 설치·관리해야 하는 소방시설의 종류는 별표 4와 같다.
> ② 법 제12조 제1항 후단에 따라 장애인·노인·임산부 등의 편의증진 보장에 관한 법률 제2조 제1호에 따른 장애인등이 사용하는 소방시설은 별표 4 제2호 및 제3호에 따라 장애인등에 적합하게 설치·관리해야 한다.

영철쌤 tip

특정소방대상물
1호 공동주택 ~ 30호 복합건축물

영철쌤 tip

소방시설의 관리
1. 설치·관리자: 관계인
2. 설치·관리기준: 화재안전기준(기술기준, 성능기준)
3. 행위금지: 소방시설의 폐쇄(잠금)·차단 등의 행위(5년 이하의 징역 또는 5천만 원 이하의 벌금)
4. 소방시설정보관리시스템 구축·운영: 소방관서장(청장, 본부장, 서장)

별표 4. 특정소방대상물의 관계인이 특정소방대상물에 설치·관리해야 하는 소방시설의 종류

1. 소화설비

가. 화재안전기준에 따라 소화기구를 설치해야 하는 특정소방대상물은 다음의 어느 하나에 해당하는 것으로 한다.
   1) 연면적 33m² 이상인 것. 다만, 노유자 시설의 경우에는 투척용 소화용구 등을 화재안전기준에 따라 산정된 소화기 수량의 2분의 1 이상으로 설치할 수 있다.
   2) 1)에 해당하지 않는 시설로서 가스시설, 발전시설 중 전기저장시설 및 문화재
   3) 터널
   4) 지하구

나. 자동소화장치를 설치해야 하는 특정소방대상물은 다음의 어느 하나에 해당하는 특정소방대상물 중 후드 및 덕트가 설치되어 있는 주방이 있는 특정소방대상물로 한다. 이 경우 해당 주방에 자동소화장치를 설치해야 한다.
   1) 주거용 주방자동소화장치를 설치해야 하는 것: 아파트등 및 오피스텔의 모든 층
   2) **상업용 주방자동소화장치를 설치해야 하는 것(2023년 12월 1일 시행)**
      가) 판매시설 중 유통산업발전법 제2조 제3호에 해당하는 대규모점포에 입점해 있는 일반음식점
      나) 식품위생법 제2조 제12호에 따른 집단급식소
   3) 캐비닛형 자동소화장치, 가스자동소화장치, 분말자동소화장치 또는 고체에어로졸자동소화장치를 설치해야 하는 것: 화재안전기준에서 정하는 장소

다. **옥내소화전설비를 설치해야 하는 특정소방대상물**은 다음의 어느 하나에 해당하는 것으로 한다. 다만, 위험물 저장 및 처리 시설 중 가스시설, 지하구 및 업무시설 중 무인변전소(방재실 등에서 스프링클러설비 또는 물분무등소화설비를 원격으로 조정할 수 있는 무인변전소로 한정한다)는 제외한다.
   1) 다음의 어느 하나에 해당하는 경우에는 모든 층
      가) 연면적 3천m² 이상인 것(지하가 중 터널은 제외한다)
      나) 지하층·무창층(축사는 제외한다)으로서 바닥면적이 600m² 이상인 층이 있는 것
      다) 층수가 4층 이상인 것 중 바닥면적이 600m² 이상인 층이 있는 것
   2) **1)에 해당하지 않는 근린생활시설, 판매시설, 운수시설, 의료시설, 노유자 시설, 업무시설, 숙박시설, 위락시설, 공장, 창고시설, 항공기 및 자동차 관련 시설, 교정 및 군사시설 중 국방·군사시설, 방송통신시설, 발전시설, 장례시설 또는 복합건축물로서 다음의 어느 하나에 해당하는 경우에는 모든 층**
      가) 연면적 1천5백m² 이상인 것
      나) 지하층·무창층으로서 바닥면적이 300m² 이상인 층이 있는 것
      다) 층수가 4층 이상인 것 중 바닥면적이 300m² 이상인 층이 있는 것
   3) 건축물의 옥상에 설치된 차고·주차장으로서 사용되는 면적이 200m² 이상인 경우 해당 부분
   4) 지하가 중 터널로서 다음에 해당하는 터널
      가) 길이가 1천m 이상인 터널
      나) 예상교통량, 경사도 등 터널의 특성을 고려하여 행정안전부령으로 정하는 터널
   5) 1) 및 2)에 해당하지 않는 공장 또는 창고시설로서 화재의 예방 및 안전관리에 관한 법률 시행령 별표 2에서 정하는 수량의 750배 이상의 특수가연물을 저장·취급하는 것

라. 스프링클러설비를 설치해야 하는 특정소방대상물(위험물 저장 및 처리 시설 중 가스시설 및 지하구는 제외한다)은 다음의 어느 하나에 해당하는 것으로 한다.

1) 층수가 6층 이상인 특정소방대상물의 경우에는 모든 층. 다만, 다음의 어느 하나에 해당하는 경우는 제외한다.

　가) 주택 관련 법령에 따라 기존의 아파트등을 리모델링하는 경우로서 건축물의 연면적 및 층의 높이가 변경되지 않는 경우. 이 경우 해당 아파트등의 사용검사 당시의 소방시설의 설치에 관한 대통령령 또는 화재안전기준을 적용한다.

　나) 스프링클러설비가 없는 기존의 특정소방대상물을 용도변경하는 경우. 다만, 2)부터 6)까지 및 9)부터 12)까지의 규정에 해당하는 특정소방대상물로 용도변경하는 경우에는 해당 규정에 따라 스프링클러설비를 설치한다.

2) 기숙사(교육연구시설·수련시설 내에 있는 학생 수용을 위한 것을 말한다) 또는 복합건축물로서 연면적 5천m² 이상인 경우에는 모든 층

3) 문화 및 집회시설(동·식물원은 제외한다), 종교시설(주요구조부가 목조인 것은 제외한다), 운동시설(물놀이형 시설 및 바닥이 불연재료이고 관람석이 없는 운동시설은 제외한다)로서 다음의 어느 하나에 해당하는 경우에는 모든 층

　가) 수용인원이 100명 이상인 것

　나) 영화상영관의 용도로 쓰는 층의 바닥면적이 지하층 또는 무창층인 경우에는 500m² 이상, 그 밖의 층의 경우에는 1천m² 이상인 것

　다) 무대부가 지하층·무창층 또는 4층 이상의 층에 있는 경우에는 무대부의 면적이 300m² 이상인 것

　라) 무대부가 다) 외의 층에 있는 경우에는 무대부의 면적이 500m² 이상인 것

4) 판매시설, 운수시설 및 창고시설(물류터미널로 한정한다)로서 바닥면적의 합계가 5천m² 이상이거나 수용인원이 500명 이상인 경우에는 모든 층

5) 다음의 어느 하나에 해당하는 용도로 사용되는 시설의 바닥면적의 합계가 600m² 이상인 것은 모든 층

　가) 근린생활시설 중 조산원 및 산후조리원

　나) 의료시설 중 정신의료기관

　다) 의료시설 중 종합병원, 병원, 치과병원, 한방병원 및 요양병원

　라) 노유자 시설

　마) 숙박이 가능한 수련시설

　바) 숙박시설

6) 창고시설(물류터미널은 제외한다)로서 바닥면적 합계가 5천m² 이상인 경우에는 모든 층

7) 특정소방대상물의 지하층·무창층(축사는 제외한다) 또는 층수가 4층 이상인 층으로서 바닥면적이 1천m² 이상인 층이 있는 경우에는 해당 층

8) 랙식 창고(rack warehouse): 랙(물건을 수납할 수 있는 선반이나 이와 비슷한 것을 말한다. 이하 같다)을 갖춘 것으로서 천장 또는 반자(반자가 없는 경우에는 지붕의 옥내에 면하는 부분을 말한다)의 높이가 10m를 초과하고, 랙이 설치된 층의 바닥면적의 합계가 1천5백m² 이상인 경우에는 모든 층

9) 공장 또는 창고시설로서 다음의 어느 하나에 해당하는 시설

　가) 화재의 예방 및 안전관리에 관한 법률 시행령 별표 2에서 정하는 수량의 1천 배 이상의 특수가연물을 저장·취급하는 시설

나) 원자력안전법 시행령 제2조 제1호에 따른 중·저준위방사성폐기물(이하 "중·저준위방사성폐기물"이라 한다)의 저장시설 중 소화수를 수집·처리하는 설비가 있는 저장시설

10) 지붕 또는 외벽이 불연재료가 아니거나 내화구조가 아닌 공장 또는 창고시설로서 다음의 어느 하나에 해당하는 것

　　가) 창고시설(물류터미널로 한정한다) 중 4)에 해당하지 않는 것으로서 바닥면적의 합계가 2천5백m² 이상이거나 수용인원이 250명 이상인 경우에는 모든 층

　　나) 창고시설(물류터미널은 제외한다) 중 6)에 해당하지 않는 것으로서 바닥면적의 합계가 2천5백m² 이상인 경우에는 모든 층

　　다) 공장 또는 창고시설 중 7)에 해당하지 않는 것으로서 지하층·무창층 또는 층수가 4층 이상인 것 중 바닥면적이 500m² 이상인 경우에는 모든 층

　　라) 랙식 창고 중 8)에 해당하지 않는 것으로서 바닥면적의 합계가 750m² 이상인 경우에는 모든 층

　　마) 공장 또는 창고시설 중 9) 가)에 해당하지 않는 것으로서 화재의 예방 및 안전관리에 관한 법률 시행령 별표 2에서 정하는 수량의 500배 이상의 특수가연물을 저장·취급하는 시설

11) 교정 및 군사시설 중 다음의 어느 하나에 해당하는 경우에는 해당 장소

　　가) 보호감호소, 교도소, 구치소 및 그 지소, 보호관찰소, 갱생보호시설, 치료감호시설, 소년원 및 소년분류심사원의 수용거실

　　나) 출입국관리법 제52조 제2항에 따른 보호시설(외국인보호소의 경우에는 보호대상자의 생활공간으로 한정한다. 이하 같다)로 사용하는 부분. 다만, 보호시설이 임차건물에 있는 경우는 제외한다.

　　다) 경찰관 직무집행법 제9조에 따른 유치장

12) 지하가(터널은 제외한다)로서 연면적 1천m² 이상인 것

13) 발전시설 중 전기저장시설

14) 1)부터 13)까지의 특정소방대상물에 부속된 보일러실 또는 연결통로 등

마. 간이스프링클러설비를 설치해야 하는 특정소방대상물은 다음의 어느 하나에 해당하는 것으로 한다.

1) 공동주택 중 연립주택 및 다세대주택(연립주택 및 다세대주택에 설치하는 간이스프링클러설비는 화재안전기준에 따른 주택전용 간이스프링클러설비를 설치한다)

2) 근린생활시설 중 다음의 어느 하나에 해당하는 것

　　가) 근린생활시설로 사용하는 부분의 바닥면적 합계가 1천m² 이상인 것은 모든 층

　　나) 의원, 치과의원 및 한의원으로서 입원실이 있는 시설

　　다) 조산원 및 산후조리원으로서 연면적 600m² 미만인 시설

3) 의료시설 중 다음의 어느 하나에 해당하는 시설

　　가) 종합병원, 병원, 치과병원, 한방병원 및 요양병원(의료재활시설은 제외한다)으로 사용되는 바닥면적의 합계가 600m² 미만인 시설

　　나) 정신의료기관 또는 의료재활시설로 사용되는 바닥면적의 합계가 300m² 이상 600m² 미만인 시설

다) 정신의료기관 또는 의료재활시설로 사용되는 바닥면적의 합계가 300m² 미만이고, 창살(철재·플라스틱 또는 목재 등으로 사람의 탈출 등을 막기 위하여 설치한 것을 말하며, 화재 시 자동으로 열리는 구조로 되어 있는 창살은 제외한다)이 설치된 시설

4) 교육연구시설 내에 합숙소로서 연면적 100m² 이상인 경우에는 모든 층

5) 노유자 시설로서 다음의 어느 하나에 해당하는 시설

　가) 제7조 제1항 제7호 각 목에 따른 시설[같은 호 가목 2) 및 같은 호 나목부터 바목까지의 시설 중 단독주택 또는 공동주택에 설치되는 시설은 제외하며, 이하 "노유자 생활시설"이라 한다]

　나) 가)에 해당하지 않는 노유자 시설로 해당 시설로 사용하는 바닥면적의 합계가 300m² 이상 600m² 미만인 시설

　다) 가)에 해당하지 않는 노유자 시설로 해당 시설로 사용하는 바닥면적의 합계가 300m² 미만이고, 창살(철재·플라스틱 또는 목재 등으로 사람의 탈출 등을 막기 위하여 설치한 것을 말하며, 화재 시 자동으로 열리는 구조로 되어 있는 창살은 제외한다)이 설치된 시설

6) 숙박시설로 사용되는 바닥면적의 합계가 300m² 이상 600m² 미만인 시설

7) 건물을 임차하여 출입국관리법 제52조 제2항에 따른 보호시설로 사용하는 부분

8) 복합건축물(별표 2 제30호 나목의 복합건축물만 해당한다)로서 연면적 1천m² 이상인 것은 모든 층

바. 물분무등소화설비를 설치해야 하는 특정소방대상물(위험물 저장 및 처리 시설 중 가스시설 및 지하구는 제외한다)은 다음의 어느 하나에 해당하는 것으로 한다.

1) 항공기 및 자동차 관련 시설 중 항공기 격납고

2) 차고, 주차용 건축물 또는 철골 조립식 주차시설. 이 경우 연면적 800m² 이상인 것만 해당한다.

3) 건축물의 내부에 설치된 차고·주차장으로서 차고 또는 주차의 용도로 사용되는 면적이 200m² 이상인 경우 해당 부분(50세대 미만 연립주택 및 다세대주택은 제외한다)

4) 기계장치에 의한 주차시설을 이용하여 20대 이상의 차량을 주차할 수 있는 시설

5) 특정소방대상물에 설치된 전기실·발전실·변전실(가연성 절연유를 사용하지 않는 변압기·전류차단기 등의 전기기기와 가연성 피복을 사용하지 않은 전선 및 케이블만을 설치한 전기실·발전실 및 변전실은 제외한다)·축전지실·통신기기실 또는 전산실, 그 밖에 이와 비슷한 것으로서 바닥면적이 300m² 이상인 것[하나의 방화구획 내에 둘 이상의 실(室)이 설치되어 있는 경우에는 이를 하나의 실로 보아 바닥면적을 산정한다]. 다만, 내화구조로 된 공정제어실 내에 설치된 주조정실로서 양압시설(외부 오염 공기 침투를 차단하고 내부의 나쁜 공기가 자연스럽게 외부로 흐를 수 있도록 한 시설을 말한다)이 설치되고 전기기기에 220볼트 이하인 저전압이 사용되며 종업원이 24시간 상주하는 곳은 제외한다.

6) 소화수를 수집·처리하는 설비가 설치되어 있지 않은 중·저준위방사성폐기물의 저장시설. 이 시설에는 이산화탄소소화설비, 할론소화설비 또는 할로겐화합물 및 불활성기체 소화설비를 설치해야 한다.

7) 지하가 중 예상 교통량, 경사도 등 터널의 특성을 고려하여 행정안전부령으로 정하는 터널. 이 시설에는 물분무소화설비를 설치해야 한다.

8) 문화재 중 문화재보호법 제2조 제3항 제1호 또는 제2호에 따른 지정문화재로서 소방청장이 문화재청장과 협의하여 정하는 것

사. 옥외소화전설비를 설치해야 하는 특정소방대상물(아파트등, 위험물 저장 및 처리시설 중 가스시설, 지하구 및 지하가 중 터널은 제외한다)은 다음의 어느 하나에 해당하는 것으로 한다.

1) 지상 1층 및 2층의 바닥면적의 합계가 9천m² 이상인 것. 이 경우 같은 구(區) 내의 둘 이상의 특정소방대상물이 행정안전부령으로 정하는 연소(延燒) 우려가 있는 구조인 경우에는 이를 하나의 특정소방대상물로 본다.

2) 문화재 중 문화재보호법 제23조에 따라 보물 또는 국보로 지정된 목조건축물

3) 1)에 해당하지 않는 공장 또는 창고시설로서 화재의 예방 및 안전관리에 관한 법률 시행령 별표 2에서 정하는 수량의 750배 이상의 특수가연물을 저장·취급하는 것

2. 경보설비

가. 단독경보형 감지기를 설치해야 하는 특정소방대상물은 다음의 어느 하나에 해당하는 것으로 한다. 이 경우 5)의 연립주택 및 다세대주택에 설치하는 단독경보형 감지기는 연동형으로 설치해야 한다.

1) 교육연구시설 내에 있는 기숙사 또는 합숙소로서 연면적 2천m² 미만인 것

2) 수련시설 내에 있는 기숙사 또는 합숙소로서 연면적 2천m² 미만인 것

3) 다목 7)(자탐 설치 대상이 아닌 것)에 해당하지 않는 수련시설(숙박시설이 있는 것만 해당한다)

4) 연면적 400m² 미만의 유치원

5) 공동주택 중 연립주택 및 다세대주택

나. 비상경보설비를 설치해야 하는 특정소방대상물(모래·석재 등 불연재료 공장 및 창고시설, 위험물 저장 및 처리 시설 중 가스시설, 사람이 거주하지 않거나 벽이 없는 축사 등 동물 및 식물 관련 시설 및 지하구는 제외한다)은 다음의 어느 하나에 해당하는 것으로 한다.

1) 연면적 400m² 이상인 것은 모든 층

2) 지하층 또는 무창층의 바닥면적이 150m²(공연장의 경우 100m²) 이상인 것은 모든 층

3) 지하가 중 터널로서 길이가 500m 이상인 것

4) 50명 이상의 근로자가 작업하는 옥내 작업장

다. 자동화재탐지설비를 설치해야 하는 특정소방대상물은 다음의 어느 하나에 해당하는 것으로 한다.

1) 공동주택 중 아파트등·기숙사 및 숙박시설의 경우에는 모든 층

2) 층수가 6층 이상인 건축물의 경우에는 모든 층

3) 근린생활시설(목욕장은 제외한다), 의료시설(정신의료기관 및 요양병원은 제외한다), 위락시설, 장례시설 및 복합건축물로서 연면적 600m² 이상인 경우에는 모든 층

4) 근린생활시설 중 목욕장, 문화 및 집회시설, 종교시설, 판매시설, 운수시설, 운동시설, 업무시설, 공장, 창고시설, 위험물 저장 및 처리 시설, 항공기 및 자동차 관련 시설, 교정 및 군사시설 중 국방·군사시설, 방송통신시설, 발전시설, 관광 휴게시설, 지하가(터널은 제외한다)로서 연면적 1천m² 이상인 경우에는 모든 층

5) 교육연구시설(교육시설 내에 있는 기숙사 및 합숙소를 포함한다), 수련시설(수련시설 내에 있는 기숙사 및 합숙소를 포함하며, 숙박시설이 있는 수련시설은 제외한다), 동물 및 식물 관련 시설(기둥과 지붕만으로 구성되어 외부와 기류가 통하는 장소는 제외한다), 자원순환 관련 시설, 교정 및 군사시설(국방·군사시설은 제외한다) 또는 묘지 관련 시설로서 연면적 2천m² 이상인 경우에는 모든 층

6) 노유자 생활시설의 경우에는 모든 층

7) 6)에 해당하지 않는 노유자 시설로서 연면적 400m² 이상인 노유자 시설 및 숙박시설이 있는 수련시설로서 수용인원 100명 이상인 경우에는 모든 층

8) **의료시설 중 정신의료기관 또는 요양병원으로서 다음의 어느 하나에 해당하는 시설**

　　가) 요양병원(의료재활시설은 제외한다)

　　나) 정신의료기관 또는 의료재활시설로 사용되는 바닥면적의 합계가 300m² 이상인 시설

　　다) 정신의료기관 또는 의료재활시설로 사용되는 바닥면적의 합계가 300m² 미만이고, 창살(철재·플라스틱 또는 목재 등으로 사람의 탈출 등을 막기 위하여 설치한 것을 말하며, 화재 시 자동으로 열리는 구조로 되어 있는 창살은 제외한다)이 설치된 시설

9) 판매시설 중 전통시장

10) 지하가 중 터널로서 길이가 1천m 이상인 것

11) 지하구

12) 3)에 해당하지 않는 근린생활시설 중 조산원 및 산후조리원

13) 4)에 해당하지 않는 공장 및 창고시설로서 화재의 예방 및 안전관리에 관한 법률 시행령 별표 2에서 정하는 수량의 500배 이상의 특수가연물을 저장·취급하는 것

14) 4)에 해당하지 않는 발전시설 중 전기저장시설

라. 시각경보기를 설치해야 하는 특정소방대상물은 다목에 따라 자동화재탐지설비를 설치해야 하는 특정소방대상물 중 다음의 어느 하나에 해당하는 것으로 한다.

1) 근린생활시설, 문화 및 집회시설, 종교시설, 판매시설, 운수시설, 의료시설, 노유자 시설

2) 운동시설, 업무시설, 숙박시설, 위락시설, 창고시설 중 물류터미널, 발전시설 및 장례시설

3) 교육연구시설 중 도서관, 방송통신시설 중 방송국

4) 지하가 중 지하상가

마. 화재알림설비를 설치해야 하는 특정소방대상물은 판매시설 중 전통시장으로 한다.

바. 비상방송설비를 설치해야 하는 특정소방대상물(위험물 저장 및 처리 시설 중 가스시설, 사람이 거주하지 않거나 벽이 없는 축사 등 동물 및 식물 관련 시설, 지하가 중 터널 및 지하구는 제외한다)은 다음의 어느 하나에 해당하는 것으로 한다.

1) 연면적 3천5백m² 이상인 것은 모든 층
2) 층수가 11층 이상인 것은 모든 층
3) 지하층의 층수가 3층 이상인 것은 모든 층

사. 자동화재속보설비를 설치해야 하는 특정소방대상물은 다음의 어느 하나에 해당하는 것으로 한다. 다만, 방재실 등 화재 수신기가 설치된 장소에 24시간 화재를 감시할 수 있는 사람이 근무하고 있는 경우에는 자동화재속보설비를 설치하지 않을 수 있다.
1) 노유자 생활시설
2) 노유자 시설로서 바닥면적이 500m² 이상인 층이 있는 것
3) 수련시설(숙박시설이 있는 것만 해당한다)로서 바닥면적이 500m² 이상인 층이 있는 것
4) 문화재 중 문화재보호법 제23조에 따라 보물 또는 국보로 지정된 목조건축물
5) 근린생활시설 중 다음의 어느 하나에 해당하는 시설
   가) 의원, 치과의원 및 한의원으로서 입원실이 있는 시설
   나) 조산원 및 산후조리원
6) 의료시설 중 다음의 어느 하나에 해당하는 것
   가) 종합병원, 병원, 치과병원, 한방병원 및 요양병원(의료재활시설은 제외한다)
   나) 정신병원 및 의료재활시설로 사용되는 바닥면적의 합계가 500m² 이상인 층이 있는 것
7) 판매시설 중 전통시장

아. 통합감시시설을 설치해야 하는 특정소방대상물은 지하구로 한다.

자. 누전경보기는 계약전류용량(같은 건축물에 계약 종류가 다른 전기가 공급되는 경우에는 그중 최대계약전류용량을 말한다)이 100암페어를 초과하는 특정소방대상물(내화구조가 아닌 건축물로서 벽·바닥 또는 반자의 전부나 일부를 불연재료 또는 준불연재료가 아닌 재료에 철망을 넣어 만든 것만 해당한다)에 설치해야 한다. 다만, 위험물 저장 및 처리 시설 중 가스시설, 지하가 중 터널 및 지하구의 경우에는 그렇지 않다.

차. 가스누설경보기를 설치해야 하는 특정소방대상물(가스시설이 설치된 경우만 해당한다)은 다음의 어느 하나에 해당하는 것으로 한다.
1) 문화 및 집회시설, 종교시설, 판매시설, 운수시설, 의료시설, 노유자 시설
2) 수련시설, 운동시설, 숙박시설, 창고시설 중 물류터미널, 장례시설

3. 피난구조설비
가. 피난기구는 특정소방대상물의 모든 층에 화재안전기준에 적합한 것으로 설치해야 한다. 다만, 피난층, 지상 1층, 지상 2층(노유자 시설 중 피난층이 아닌 지상 1층과 피난층이 아닌 지상 2층은 제외한다), 층수가 11층 이상인 층과 위험물 저장 및 처리시설 중 가스시설, 지하가 중 터널 및 지하구의 경우에는 그렇지 않다.
나. 인명구조기구를 설치해야 하는 특정소방대상물은 다음의 어느 하나에 해당하는 것으로 한다.
1) 방열복 또는 방화복(안전모, 보호장갑 및 안전화를 포함한다), 인공소생기 및 공기호흡기를 설치해야 하는 특정소방대상물: 지하층을 포함하는 층수가 7층 이상인 것 중 관광호텔 용도로 사용하는 층

2) 방열복 또는 방화복(안전모, 보호장갑 및 안전화를 포함한다) 및 공기호흡기를 설치해야 하는 특정소방대상물: 지하층을 포함하는 층수가 5층 이상인 것 중 병원 용도로 사용하는 층

3) 공기호흡기를 설치해야 하는 특정소방대상물은 다음의 어느 하나에 해당하는 것으로 한다.

　　가) 수용인원 100명 이상인 문화 및 집회시설 중 영화상영관

　　나) 판매시설 중 대규모점포

　　다) 운수시설 중 지하역사

　　라) 지하가 중 지하상가

　　마) 제1호 바목 및 화재안전기준에 따라 이산화탄소소화설비(호스릴이산화탄소소화설비는 제외한다)를 설치해야 하는 특정소방대상물

다. 유도등을 설치해야 하는 특정소방대상물은 다음의 어느 하나에 해당하는 것으로 한다.

1) 피난구유도등, 통로유도등 및 유도표지는 특정소방대상물에 설치한다. 다만, 다음의 어느 하나에 해당하는 경우는 제외한다.

　　가) 동물 및 식물 관련 시설 중 축사로서 가축을 직접 가두어 사육하는 부분

　　나) 지하가 중 터널

2) 객석유도등은 다음의 어느 하나에 해당하는 **특정소방대상물**에 설치한다.

　　가) 유흥주점영업시설(식품위생법 시행령 제21조 제8호 라목의 유흥주점영업 중 손님이 춤을 출 수 있는 무대가 설치된 카바레, 나이트클럽 또는 그 밖에 이와 비슷한 영업시설만 해당한다)

　　나) 문화 및 집회시설

　　다) 종교시설

　　라) 운동시설

3) 피난유도선은 화재안전기준에서 정하는 장소에 설치한다.

라. **비상조명등을 설치해야** 하는 **특정소방대상물**(창고시설 중 창고 및 하역장, 위험물 저장 및 처리 시설 중 가스시설 및 사람이 거주하지 않거나 벽이 없는 축사 등 동물 및 식물 관련 시설은 제외한다)은 다음의 어느 하나에 해당하는 것으로 한다.

1) 지하층을 포함하는 층수가 5층 이상인 건축물로서 연면적 3천m² 이상인 경우에는 모든 층

2) 1)에 해당하지 않는 특정소방대상물로서 그 지하층 또는 무창층의 바닥면적이 450m² 이상인 경우에는 해당 층

3) 지하가 중 터널로서 그 길이가 500m 이상인 것

마. **휴대용비상조명등을 설치해야** 하는 **특정소방대상물**은 다음의 어느 하나에 해당하는 것으로 한다.

1) 숙박시설

2) 수용인원 100명 이상의 영화상영관, 판매시설 중 대규모점포, 철도 및 도시철도 시설 중 지하역사, 지하가 중 지하상가

4. 소화용수설비

상수도소화용수설비를 설치해야 하는 특정소방대상물은 다음 각 목의 어느 하나에 해당하는 것으로 한다. 다만, 상수도소화용수설비를 설치해야 하는 특정소방대상물의 대지 경계선으로부터 180m 이내에 지름 75mm 이상인 상수도용 배수관이 설치되지 않은 지역의 경우에는 화재안전기준에 따른 소화수조 또는 저수조를 설치해야 한다.

가. 연면적 5천m² 이상인 것. 다만, 위험물 저장 및 처리 시설 중 가스시설, 지하가 중 터널 또는 지하구의 경우에는 제외한다.

나. 가스시설로서 지상에 노출된 탱크의 저장용량의 합계가 100톤 이상인 것

다. 자원순환 관련 시설 중 폐기물재활용시설 및 폐기물처분시설

5. 소화활동설비

가. 제연설비를 설치해야 하는 특정소방대상물은 다음의 어느 하나에 해당하는 것으로 한다.

1) 문화 및 집회시설, 종교시설, 운동시설 중 무대부의 바닥면적이 200m² 이상인 경우에는 해당 무대부

2) 문화 및 집회시설 중 영화상영관으로서 수용인원 100명 이상인 경우에는 해당 영화상영관

3) 지하층이나 무창층에 설치된 근린생활시설, 판매시설, 운수시설, 숙박시설, 위락시설, 의료시설, 노유자 시설 또는 창고시설(물류터미널로 한정한다)로서 해당 용도로 사용되는 바닥면적의 합계가 1천m² 이상인 경우 해당 부분

4) 운수시설 중 시외버스정류장, 철도 및 도시철도 시설, 공항시설 및 항만시설의 대기실 또는 휴게시설로서 지하층 또는 무창층의 바닥면적이 1천m² 이상인 경우에는 모든 층

5) 지하가(터널은 제외한다)로서 연면적 1천m² 이상인 것

6) 지하가 중 예상 교통량, 경사도 등 터널의 특성을 고려하여 행정안전부령으로 정하는 터널

7) 특정소방대상물(갓복도형 아파트등은 제외한다)에 부설된 특별피난계단, 비상용 승강기의 승강장 또는 피난용 승강기의 승강장

나. 연결송수관설비를 설치해야 하는 특정소방대상물(위험물 저장 및 처리 시설 중 가스시설 및 지하구는 제외한다)은 다음의 어느 하나에 해당하는 것으로 한다.

1) 층수가 5층 이상으로서 연면적 6천m² 이상인 경우에는 모든 층

2) 1)에 해당하지 않는 특정소방대상물로서 지하층을 포함하는 층수가 7층 이상인 경우에는 모든 층

3) 1) 및 2)에 해당하지 않는 특정소방대상물로서 지하층의 층수가 3층 이상이고 지하층의 바닥면적의 합계가 1천m² 이상인 경우에는 모든 층

4) 지하가 중 터널로서 길이가 1천m 이상인 것

다. 연결살수설비를 설치해야 하는 특정소방대상물(지하구는 제외한다)은 다음의 어느 하나에 해당하는 것으로 한다.

1) 판매시설, 운수시설, 창고시설 중 물류터미널로서 해당 용도로 사용되는 부분의 바닥면적의 합계가 1천m² 이상인 경우에는 해당 시설

2) 지하층(피난층으로 주된 출입구가 도로와 접한 경우는 제외한다)으로서 바닥면적의 합계가 150m² 이상인 경우에는 지하층의 모든 층. 다만, 주택법 시행령 제46조 제1항에 따른 국민주택규모 이하인 아파트등의 지하층(대피시설로 사용하는 것만 해당한다)과 교육연구시설 중 학교의 지하층의 경우에는 700m² 이상인 것으로 한다.

3) 가스시설 중 지상에 노출된 탱크의 용량이 30톤 이상인 탱크시설

4) 1) 및 2)의 특정소방대상물에 부속된 연결통로

라. 비상콘센트설비를 설치해야 하는 특정소방대상물(위험물 저장 및 처리 시설 중 가스시설 및 지하구는 제외한다)은 다음의 어느 하나에 해당하는 것으로 한다.

    1) 층수가 11층 이상인 특정소방대상물의 경우에는 11층 이상의 층

    2) 지하층의 층수가 3층 이상이고 지하층의 바닥면적의 합계가 1천m² 이상인 것은 지하층의 모든 층

    3) 지하가 중 터널로서 길이가 500m 이상인 것

마. 무선통신보조설비를 설치해야 하는 특정소방대상물(위험물 저장 및 처리 시설 중 가스시설은 제외한다)은 다음의 어느 하나에 해당하는 것으로 한다.

    1) 지하가(터널은 제외한다)로서 연면적 1천m² 이상인 것

    2) 지하층의 바닥면적의 합계가 3천m² 이상인 것 또는 지하층의 층수가 3층 이상이고 지하층의 바닥면적의 합계가 1천m² 이상인 것은 지하층의 모든 층

    3) 지하가 중 터널로서 길이가 500m 이상인 것

    4) 지하구 중 공동구

    5) 층수가 30층 이상인 것으로서 16층 이상 부분의 모든 층

바. 연소방지설비는 지하구(전력 또는 통신사업용인 것만 해당한다)에 설치해야 한다.

비고

1. 별표 2 제1호부터 제27호까지 중 어느 하나에 해당하는 시설(이하 이 호에서 "근린생활시설등"이라 한다)의 소방시설 설치기준이 복합건축물의 소방시설 설치기준보다 강화된 경우 복합건축물 안에 있는 해당 근린생활시설등에 대해서는 그 근린생활시설등의 소방시설 설치기준을 적용한다.

2. 원자력발전소 중 원자력안전법 제2조에 따른 원자로 및 관계시설에 설치하는 소방시설에 대해서는 원자력안전법 제11조 및 제21조에 따른 허가기준에 따라 설치한다.

3. 특정소방대상물의 관계인은 제8조 제1항에 따른 내진설계 대상 특정소방대상물 및 제9조에 따른 성능위주설계 대상 특정소방대상물에 설치·관리해야 하는 소방시설에 대해서는 법 제7조에 따른 소방시설의 내진설계기준 및 법 제8조에 따른 성능위주설계의 기준에 맞게 설치·관리해야 한다.

제12조(소방시설정보관리시스템 구축·운영 대상 등) ① 소방청장, 소방본부장 또는 소방서장이 법 제12조 제4항에 따라 소방시설의 작동정보 등을 실시간으로 수집·분석할 수 있는 시스템(이하 "소방시설정보관리시스템"이라 한다)을 구축·운영하는 경우 그 구축·운영 대상은 화재의 예방 및 안전관리에 관한 법률 제24조 제1항 전단에 따른 소방안전관리대상물 중 다음 각 호의 특정소방대상물로 한다.

1. 문화 및 집회시설

2. 종교시설

3. 판매시설

4. 의료시설

5. 노유자 시설

6. 숙박이 가능한 수련시설

7. 업무시설

8. 숙박시설

9. 공장

10. 창고시설

 영철쌤 tip

소방시설정보관리시스템 구축·운영의 대상
1. 문화 및 집회시설, 종교시설·판매시설
2. 의료시설, 노유자 시설, 숙박이 가능한 수련시설
3. 업무시설, 숙박시설
4. 공장, 창고시설
5. 위험물 저장 및 처리 시설
6. 지하가(地下街), 지하구
7. 소방청장, 소방본부장 또는 소방서장이 필요하다고 인정하는 대상

11. 위험물 저장 및 처리 시설

12. 지하가(地下街)

13. 지하구

14. 그 밖에 소방청장, 소방본부장 또는 소방서장이 소방안전관리의 취약성과 화재 위험성을 고려하여 필요하다고 인정하는 특정소방대상물

② 제1항 각 호에 따른 특정소방대상물의 관계인은 소방청장, 소방본부장 또는 소방서장이 법 제12조 제4항에 따라 소방시설정보관리시스템을 구축·운영하려는 경우 특별한 사정이 없으면 이에 협조해야 한다.

시행규칙 제15조(소방시설정보관리시스템 운영방법 및 통보 절차 등) ① 소방청장, 소방본부장 또는 소방서장은 법 제12조 제4항에 따른 소방시설의 작동정보 등을 실시간으로 수집·분석할 수 있는 시스템(이하 "소방시설정보관리시스템"이라 한다)으로 수집되는 소방시설의 작동정보 등을 분석하여 해당 특정소방대상물의 관계인에게 해당 소방시설의 정상적인 작동에 필요한 사항과 관리 방법 등 개선사항에 관한 정보를 제공할 수 있다.

② 소방청장, 소방본부장 또는 소방서장은 소방시설정보관리시스템을 통하여 소방시설의 고장 등 비정상적인 작동정보를 수집한 경우에는 해당 특정소방대상물의 관계인에게 그 사실을 알려주어야 한다.

③ 소방청장, 소방본부장 또는 소방서장은 소방시설정보관리시스템의 체계적·효율적·전문적인 운영을 위해 전담인력을 둘 수 있다.

④ 제1항부터 제3항까지에서 규정한 사항 외에 소방시설정보관리시스템의 운영방법 및 통보 절차 등에 관하여 필요한 세부 사항은 소방청장이 정한다.

제16조(소방시설을 설치해야 하는 터널) ① 영 별표 4 제1호 다목 4) 나)에서 "행정안전부령으로 정하는 터널"이란 도로의 구조·시설 기준에 관한 규칙 제48조에 따라 국토교통부장관이 정하는 도로의 구조 및 시설에 관한 세부 기준에 따라 옥내소화전설비를 설치해야 하는 터널을 말한다.

② 영 별표 4 제1호 바목 7) 전단에서 "행정안전부령으로 정하는 터널"이란 도로의 구조·시설 기준에 관한 규칙 제48조에 따라 국토교통부장관이 정하는 도로의 구조 및 시설에 관한 세부 기준에 따라 물분무소화설비를 설치해야 하는 터널을 말한다.

③ 영 별표 4 제5호 가목 6)에서 "행정안전부령으로 정하는 터널"이란 도로의 구조·시설 기준에 관한 규칙 제48조에 따라 국토교통부장관이 정하는 도로의 구조 및 시설에 관한 세부 기준에 따라 제연설비를 설치해야 하는 터널을 말한다.

제17조(연소 우려가 있는 건축물의 구조) 영 별표 4 제1호 사목 1) 후단에서 "행정안전부령으로 정하는 연소(延燒) 우려가 있는 구조"란 다음 각 호의 기준에 모두 해당하는 구조를 말한다.

1. 건축물대장의 건축물 현황도에 표시된 대지경계선 안에 둘 이상의 건축물이 있는 경우

2. 각각의 건축물이 다른 건축물의 외벽으로부터 수평거리가 1층의 경우에는 6미터 이하, 2층 이상의 층의 경우에는 10미터 이하인 경우

3. 개구부(영 제2조 제1호 각 목 외의 부분에 따른 개구부를 말한다)가 다른 건축물을 향하여 설치되어 있는 경우

영철쌤 tip

소방시설 설치 터널
옥내소화전설비, 물분무소화설비, 제연설비를 행정안전부령으로 정하는 터널에 설치한다.

영철쌤 tip

제18조(소방시설 규정의 정비) 소방청장은 법 제14조 제3항에 따라 다음 각 호의 연구과제에 대하여 건축 환경 및 화재위험 변화 추세를 체계적으로 연구하여 소방시설 규정의 정비를 위한 개선방안을 마련해야 한다.
1. 공모과제: 공모에 의하여 심의·선정된 과제
2. 지정과제: 소방청장이 필요하다고 인정하여 발굴·기획하고, 주관 연구기관 및 주관 연구책임자를 지정하는 과제

📖 **핵심정리** 특정소방대상물에 갖추어야 하는 소방시설의 종류

종류		설치대상 (↑: 이상, ↓: 미만, ⑭: 바닥면적, ⑭: 연면적, ㊬: 수용인원)	
소화 설비	소화기구	· ⑩ 33m² ↑ (다만, 노유자 시설의 경우 투척용 소화용구 등을 소화기 수량 2분의 1 이상으로 설치 가능) · 가스시설, 전기저장시설, 문화재, 터널, 지하구	
	주거용 주방 자동소화장치	아파트 등 및 오피스텔의 모든 층	
	옥내소화전설비 (가스시설 또는 무인변전소 제외)	· ⑩ 3천m² ↑ (터널 제외) → 전층에 설치 · 지하·무창(축사 제외) + ⑭ 600m² ↑ 층 · 층수 4층 ↑ 층 중 ⑭ 600m² ↑ 층 → 전층에 설치	근·생, 판매, 의료, 노유자, 복합 등 · ⑩ 1천5백m² ↑ → 전층에 설치 · 지하·무창(축사 제외) + ⑭ 300m² ↑ 층 · 층수 4층 ↑ 층 중+ ⑭ 300m² ↑ 층 → 전층에 설치
		· 건축물 옥상에 설치된 차고 주차장: ⑭ 200m² ↑ · 터널: 1천m ↑ · 특수가연물(공장 또는 창고): 750배 ↑	
	스프링클러설비 (가스시설 또는 지하구는 제외)	· 문화·집회(동·식물원 제외) · 종교(주요구조부 목조 제외) · 운동(물놀이형 시설 및 바닥 불연재료이고 관람석 없는 운동시설 제외) → 오른쪽 하나에 해당 시 전층에 설치	· ㊬ 100명 ↑ · 영화상영관 용도 – 지하 또는 무창 ⑭ 500m² ↑ – 그 밖: ⑭ 1천m² ↑ · 무대부 – 지하·무창 또는 4층 ↑: 무대 300m² ↑ – 그 밖의 층: 무대 500m² ↑
		판매, 운수, 창고(물류 한정)	⑭ 5천m² ↑ or ㊬ 500명 ↑ → 전층에 설치
		층수 6층 이상	전층에 설치
		정신의료기관, 종합병원, 병원, 치과병원, 한방병원, 요양병원 노유자, 숙박, 수련(숙박 가능) 조산원 및 산후조리	⑭ 600m² ↑ → 전층에 설치

종류		설치대상 (↑ : 이상, ↓ : 미만, ㉫ : 바닥면적, ㉥ : 연면적, ㉖ : 수용인원)	
소화 설비	스프링클러설비 (가스시설 또는 지하구는 제외)	창고(물류 제외)	㉫ 5천m² ↑ → 전층에 설치
		지하가(터널 제외)	연 1천m² ↑
		기숙사(교육연구시설 내) 또는 복합	연 5천m² ↑ → 전층에 설치
		· 특수가연물(공장 또는 창고): 1,000배 ↑ · 전기저장시설	
	간이스프링클러 설비	연립주택 및 다세대주택	–
		근 · 생	· ㉫ 1천m² ↑ → 전층에 설치 · 입원실이 있는 의원, 치과 의원 및 한의원 → 시설 설치 · 조산원 및 산후조리원 ㉥ 100m² ↓ → 시설 설치
		교육연구 내 합숙소	㉥ 100m² ↑ → 전층에 설치
		의료	· 병원, 종합병원, 치과병원 한방병원 및 요양병원(의료재활시설 제외): ㉫ 600m² ↓ · 정신의료기관 또는 의료재활시설: ㉫ 300m² ↑ ~ ㉫ 600 ↓ · 정신의료기관 또는 의료재활시설: ㉫ 300m² ↓ + 창살 → 시설 설치
		노유자	· 노유자 생활시설 · 노유자 시설(노유자 생활시설 제외): ㉫ 300m² ↑ ~ ㉫ 600 ↓ · 노유자 시설(노유자 생활시설 제외): ㉫ 300m² ↓ + 창살 → 시설 설치
		숙박	㉫ 300m² ↑ ~ ㉫ 600 ↓ → 시설 설치
		복합	㉥ 1,000m² ↑ → 전층에 설치
	물분무등 소화설비 (가스시설 또는 지하구 제외)	항공격납	–
		차고, 주차용 건축물 또는 철골 조립식 주차시설	연 800m² ↑
		건축물 내부 설치된 차고 또는 주차장	사용 면적 200m² ↑ → 해당 부분 설치
		기계장치 주차시설	20대 ↑ 차량 주차 시설 → 해당 부분 설치
		전기실 · 발전실 · 변전실 · 축전지실 · 통신기기실 · 전산실 등 비슷한 것	㉫ 300m² ↑ → 해당 실에 설치

소화 설비	옥외소화전설비 (아파트등, 가스시설 또는 지하구 또는 터널 제외)	지상 1층 및 2층	⑭ 9천m²↑
		보물 또는 국보로 지정된 목조건축물 특수가연물(공장 또는 창고): 750배↑	
경보 설비	비상경보설비 (불연재료 창고, 가스시설 제외)	· 연 400m²↑ (터널 제외) 또는 지하·무창 ⑭ 150m²↑ (공연장 ⑭ 100m²↑) → 전층에 설치 · 터널: 500m↑ · 50명 이상 근로자 작업하는 옥내작업장	
	비상방송설비 (가스시설, 터널 사람 거주 x 동식물, 지하구 제외)	· 연 3천5백m²↑ · 층수 11층↑ · 지하층 층수 3층↑ → 전층에 설치	
	누전경보기	계약전류 100A 초과	
	자동화재 탐지설비	· 공동주택 중 아파트등·기숙사 및 숙박시설의 경우 전층 설치 · 6층↑ 건축물 전층 설치	–
		근·생(목욕장 제외), 의료(정신의료 또는 요양병원 제외), 위락, 장례 및 복합	⑭ 600m²↑ → 전층에 설치
		근·생 중 목욕장, 문화 및 집회, 종교, 판매, 운수, 운동, 업무, 공장·창고, 위험물 저장 및 처리, 항공기 및 자동차, 국방·군사, 방송통신, 발전, 관광 휴게, 지하가(터널 제외)	⑭ 1천m²↑ → 전층에 설치
		교육연구(기숙사 및 합숙소 포함), 수련(기숙사 및 합숙소 포함 숙박있는 수련 제외), 동·식물(외부 기류 통하는 장소 제외), 자원순환시설, 교정 및 군사(국방·군사제외), 묘지관련	⑭ 2천m²↑ → 전층에 설치
		· 노유자 생활: 전층 · 터널길이: 1천m↑ · 판매시설 중 전통시장, 지하구, 근·생 중 조산원 및 산후조리원, 전기저장시설	
	자동화재 속보설비 (방재실 등 24시간 근무자 있는 경우 제외)	근·생	입원실이 있는 의원, 치과 의원 및 한의원, 조산원 및 산후조리원
		노유자 (노유자생활시설 제외)	⑭ 500m²↑인 층이 있는 것
		수련(숙박시설 있는 건축물)	⑭ 500m²↑인 층이 있는 것

종류		설치대상 (↑: 이상, ↓: 미만, ⓑ: 바닥면적, ⓔ: 연면적, ⓢ: 수용인원)	
경보설비	자동화재속보설비 (방재실 등 24시간 근무자 있는 경우 제외)	종합병원, 병원, 치과병원, 한방병원 및 요양병원(정신병원 및 의료재활시설 제외)	–
		정신병원 및 의료재활시설	ⓑ 500m²↑인 층이 있는 것
		판매시설 중 전통시장, 노유자 생활시설, 목조건축물(보물 또는 국보)	
	단독 경보형 감지기	· 연 400m²↓ 유치원 · 연 2천m²↓ 교육연구시설 또는 수련시설 내의 합숙소 또는 기숙사 · 수련시설(자·탐 설치대상이 아닌 것 중 숙박시설이 있는 것만 해당)	
	통합감시시설	지하구	
	비상방송설비 (가스시설, 터널 및 지하구 제외)	· ⓔ 3500↑: 전층 · 층수 11층↑: 전층 · 지하층 층수 3층↑: 전층	
피난구조설비	피난기구	· 모든 층에 설치(설치기준에 적합하게 설치) · 피난층, 지상 1층, 지상 2층 및 11층 이상 층은 제외(노유자시설 중 피난층이 아닌 지상 1층과 피난층이 아닌 지상 2층은 제외) · 가스시설, 터널, 지하구는 설치 제외	
	인명구조기구	방열복 또는 방화복, 인공소생기 및 공기호흡기	지하층 포함 층수 7층↑ 관광호텔 용도로 사용하는 층
		방열복 또는 방화복, 공기호흡기	지하층 포함 층수 5층↑병원 용도로 사용하는 층
		공기호흡기	· 수 100명↑ 영화상영관 · 대규모점포, 지하역사, 지하상가 · 이산화탄소 소화설비 설치(호스릴 제외)
		유도등	· 피난구 유도등·통로유도등 및 유도표지: 특정소방대상물에 설치(터널 및 축사 제외) · 객석유도등: 유흥주점, 문화집회, 종교, 운동 · 비상조명등(창고 및 하역장, 가스시설 제외) – 지하층 포함 층수 5층↑ + 연 3천m²↑: 모든 층 – 지하 또는 무창: ⓑ 450m²↑: 해당 층 – 터널: 500m↑ · 휴대용 비상조명등: 숙박, 수 100명 ↑영화상영관, 대규모점포, 지하역사, 지하상가
소화용수설비	상수도소화용수설비	· ⓔ 5천m²↑ (가스시설, 터널, 지하구 제외) · 지상노출 탱크 용량 합계 100t↑	

소화 활동 설비	제연설비	문화·집회, 종교, 운동	무대부 ㉾ 200m²↑ or 영화상영관 ㉧ 100명↑ → 해당 부분
		지하층 무창층에 설치: 근·생, 판매, 운수, 숙박, 위락, 의료, 노유자, 물류터미널	해당용도 ㉾ 1천m²↑인 층 → 해당 부분
		지하가(터널 제외)	㉮ 1천m²↑
		터널	행정안전부령으로 정하는 터널
	연결송수관 (가스시설 또는 지하구 제외)	① 층수 5층↑ and ㉮ 6천m²↑ → 전층 설치 ② ①에 해당하지 않는 지하층 포함 층수 7층↑ → 전층 설치 ③ ①, ②에 해당하지 않는 지하 층수 3층↑ + ㉾ 1천m²↑ → 전층 설치 ④ 터널: 1천m↑	
	연결살수 (지하구 제외)	· 판매, 운수, 물류터미널 ㉾ 1천m²↑ → 시설 설치 · 지하층: ㉾ 150m²↑(학교 지하층 700m²↑) → 전층 설치 · 지상노출탱크 용량 합계: 30t↑	
	비상콘센트 (가스시설 또는 지하구 제외)	· 층수 11층↑인 경우: 11층 이상의 층에 설치 · 지하층: 층수 3층↑ and ㉾ 1천m²↑ 지하층 모든 층 설치 · 터널: 500m↑	
	무선통신 보조설비 (가스시설 제외)	· 지하가: ㉮ 1천m²↑ · 지하층: ㉾ 3천m²↑ or 지하층의 층수 3층↑ and ㉾ 1천m²↑ 전층 설치 · 터널: 500m↑ · 공동구 · 30층↑: 16층↑인 모든층	
	연소방지설비	지하구(전력 또는 통신사업용만 해당)	

제13조(소방시설기준 적용의 특례)

① 소방본부장이나 소방서장은 제12조 제1항 전단에 따른 대통령령 또는 화재안전기준이 변경되어 그 기준이 강화되는 경우 기존의 특정소방대상물(건축물의 신축·개축·재축·이전 및 대수선 중인 특정소방대상물을 포함한다)의 소방시설에 대하여는 변경 전의 대통령령 또는 화재안전기준을 적용한다. 다만, 다음 각 호의 어느 하나에 해당하는 소방시설의 경우에는 대통령령 또는 화재안전기준의 변경으로 강화된 기준을 적용할 수 있다.

1. 다음 각 목의 소방시설 중 대통령령 또는 화재안전기준으로 정하는 것

   가. 소화기구

   나. 비상경보설비

   다. 자동화재탐지설비

   라. 자동화재속보설비

   마. 피난구조설비

 영철쌤 tip

1. 불소급: 법률의 시행 후에 생긴 사항에 대해서만 법률이 적용되고 시행 이전에 생긴 사항에 대해서는 적용되지 않는다는 것이다.
2. 소급: 시행 이전에 생긴 사항에 대해서도 적용한다.
3. 불소급은 원칙에 해당되고, 소급은 특례에 해당된다.

2. 다음 각 목의 특정소방대상물에 설치하는 소방시설 중 대통령령 또는 화재안전기준으로 정하는 것

　　가. 국토의 계획 및 이용에 관한 법률 제2조 제9호에 따른 공동구

　　나. 전력 및 통신사업용 지하구

　　다. 노유자(老幼者) 시설

　　라. 의료시설

② 소방본부장이나 소방서장은 특정소방대상물에 설치하여야 하는 소방시설 가운데 기능과 성능이 유사한 스프링클러설비, 물분무등소화설비, 비상경보설비 및 비상방송설비 등의 소방시설의 경우에는 대통령령으로 정하는 바에 따라 유사한 소방시설의 설치를 면제할 수 있다.

③ 소방본부장이나 소방서장은 기존의 특정소방대상물이 증축되거나 용도변경되는 경우에는 대통령령으로 정하는 바에 따라 증축 또는 용도변경 당시의 소방시설의 설치에 관한 대통령령 또는 화재안전기준을 적용한다.

④ 다음 각 호의 어느 하나에 해당하는 특정소방대상물 가운데 대통령령으로 정하는 특정소방대상물에는 제12조 제1항 전단에도 불구하고 대통령령으로 정하는 소방시설을 설치하지 아니할 수 있다.

1. 화재 위험도가 낮은 특정소방대상물

2. 화재안전기준을 적용하기 어려운 특정소방대상물

3. 화재안전기준을 다르게 적용하여야 하는 특수한 용도 또는 구조를 가진 특정소방대상물

4. 위험물안전관리법 제19조에 따른 자체소방대가 설치된 특정소방대상물

⑤ 제4항 각 호의 어느 하나에 해당하는 특정소방대상물에 구조 및 원리 등에서 공법이 특수한 설계로 인정된 소방시설을 설치하는 경우에는 제18조 제1항에 따른 중앙소방기술심의위원회의 심의를 거쳐 제12조 제1항 전단에 따른 화재안전기준을 적용하지 아니할 수 있다.

시행령 제13조(강화된 소방시설기준의 적용대상) 법 제13조 제1항 제2호 각 목 외의 부분에서 "대통령령으로 정하는 것"이란 다음 각 호의 소방시설을 말한다.

1. 국토의 계획 및 이용에 관한 법률 제2조 제9호에 따른 공동구에 설치하는 소화기, 자동소화장치, 자동화재탐지설비, 통합감시시설, 유도등 및 연소방지설비

2. 전력 및 통신사업용 지하구에 설치하는 소화기, 자동소화장치, 자동화재탐지설비, 통합감시시설, 유도등 및 연소방지설비

3. 노유자 시설에 설치하는 간이스프링클러설비, 자동화재탐지설비 및 단독경보형 감지기

4. 의료시설에 설치하는 스프링클러설비, 간이스프링클러설비, 자동화재탐지설비 및 자동화재속보설비

제14조(유사한 소방시설의 설치 면제의 기준) 법 제13조 제2항에 따라 소방본부장 또는 소방서장은 특정소방대상물에 설치해야 하는 소방시설 가운데 기능과 성능이 유사한 소방시설의 설치를 면제하려는 경우에는 별표 5의 기준에 따른다.

영철쌤 tip

설치면제의 특례

기능과 성능이 유사한 소방시설 설치를 면제하는 것을 말한다.

예 비상경보설비와 자동화재탐지설비 설치 대상이라면 기능과 성능이 유사한 비상경보설비를 면제할 수 있다.

영철쌤 tip

소방시설 설치하지 아니할 수 있는 경우

1. 위험도가 낮은 대상물(예 불연성 물질 등)

2. 기준을 적용하기 어려운 대상물(예 수영장 등)

3. 기준을 다르게 적용하여야 하는 소방대상물(예 원자력발전소 등)

4. 자체소방대가 설치된 대상물

영철쌤 tip

소급적용 특례 기준

1. 공동구, 전력 및 통신사업용 지하구에 설치하는 소화기, 자동소화장치, 자동화재탐지설비, 통합감시시설, 유도등 및 연소방지설비

2. 노유자 시설에 설치하는 간이스프링클러설비, 자동화재탐지설비 및 단독경보형 감지기

3. 의료시설에 설치하는 스프링클러설비, 간이스프링클러설비, 자동화재탐지설비 및 자동화재속보설비

별표 5. 특정소방대상물의 소방시설 설치의 면제 기준

설치가 면제되는 소방시설	설치가 면제되는 기준
1. 자동소화장치	자동소화장치(주거용 주방자동소화장치 및 상업용 주방자동소화장치는 제외한다)를 설치해야 하는 특정소방대상물에 물분무등소화설비를 화재안전기준에 적합하게 설치한 경우에는 그 설비의 유효범위(해당 소방시설이 화재를 감지·소화 또는 경보할 수 있는 부분을 말한다. 이하 같다)에서 설치가 면제된다.
2. 옥내소화전설비	소방본부장 또는 소방서장이 옥내소화전설비의 설치가 곤란하다고 인정하는 경우로서 호스릴 방식의 미분무소화설비 또는 옥외소화전설비를 화재안전기준에 적합하게 설치한 경우에는 그 설비의 유효범위에서 설치가 면제된다.
3. 스프링클러설비	가. 스프링클러설비를 설치해야 하는 특정소방대상물(발전시설 중 전기저장시설은 제외한다)에 적응성 있는 자동소화장치 또는 물분무등소화설비를 화재안전기준에 적합하게 설치한 경우에는 그 설비의 유효범위에서 설치가 면제된다. 나. 스프링클러설비를 설치해야 하는 전기저장시설에 소화설비를 소방청장이 정하여 고시하는 방법에 따라 설치한 경우에는 그 설비의 유효범위에서 설치가 면제된다.
4. 간이스프링클러설비	간이스프링클러설비를 설치해야 하는 특정소방대상물에 스프링클러설비, 물분무소화설비 또는 미분무소화설비를 화재안전기준에 적합하게 설치한 경우에는 그 설비의 유효범위에서 설치가 면제된다.
5. 물분무등소화설비	물분무등소화설비를 설치해야 하는 차고·주차장에 스프링클러설비를 화재안전기준에 적합하게 설치한 경우에는 그 설비의 유효범위에서 설치가 면제된다.
6. 옥외소화전설비	옥외소화전설비를 설치해야 하는 문화재인 목조건축물에 상수도소화용수설비를 화재안전기준에서 정하는 방수압력·방수량·옥외소화전함 및 호스의 기준에 적합하게 설치한 경우에는 설치가 면제된다.
7. 비상경보설비	비상경보설비를 설치해야 할 특정소방대상물에 단독경보형 감지기를 2개 이상의 단독경보형 감지기와 연동하여 설치한 경우에는 그 설비의 유효범위에서 설치가 면제된다.
8. 비상경보설비 또는 단독경보형 감지기	비상경보설비 또는 단독경보형 감지기를 설치해야 하는 특정소방대상물에 자동화재탐지설비 또는 화재알림설비를 화재안전기준에 적합하게 설치한 경우에는 그 설비의 유효범위에서 설치가 면제된다.
9. 자동화재탐지설비	자동화재탐지설비의 기능(감지·수신·경보기능을 말한다)과 성능을 가진 화재알림설비, 스프링클러설비 또는 물분무등소화설비를 화재안전기준에 적합하게 설치한 경우에는 그 설비의 유효범위에서 설치가 면제된다.
10. 화재알림설비	화재알림설비를 설치해야 하는 특정소방대상물에 자동화재탐지설비를 화재안전기준에 적합하게 설치한 경우에는 그 설비의 유효범위에서 설치가 면제된다.

설치가 면제되는 소방시설	설치가 면제되는 기준
11. 비상방송설비	비상방송설비를 설치해야 하는 특정소방대상물에 자동화재탐지설비 또는 비상경보설비와 같은 수준 이상의 음향을 발하는 장치를 부설한 방송설비를 화재안전기준에 적합하게 설치한 경우에는 그 설비의 유효범위에서 설치가 면제된다.
12. 자동화재속보설비	자동화재속보설비를 설치해야 하는 특정소방대상물에 화재알림설비를 화재안전기준에 적합하게 설치한 경우에는 그 설비의 유효범위에서 설치가 면제된다.
13. 누전경보기	누전경보기를 설치해야 하는 특정소방대상물 또는 그 부분에 아크경보기(옥내 배전선로의 단선이나 선로 손상 등으로 인하여 발생하는 아크를 감지하고 경보하는 장치를 말한다) 또는 전기 관련 법령에 따른 지락차단장치를 설치한 경우에는 그 설비의 유효범위에서 설치가 면제된다.
14. 피난구조설비	피난구조설비를 설치해야 하는 특정소방대상물에 그 위치·구조 또는 설비의 상황에 따라 피난상 지장이 없다고 인정되는 경우에는 화재안전기준에서 정하는 바에 따라 설치가 면제된다.
15. 비상조명등	비상조명등을 설치해야 하는 특정소방대상물에 피난구유도등 또는 통로유도등을 화재안전기준에 적합하게 설치한 경우에는 그 유도등의 유효범위에서 설치가 면제된다.
16. 상수도소화용수설비	가. 상수도소화용수설비를 설치해야 하는 특정소방대상물의 각 부분으로부터 수평거리 140m 이내에 공공의 소방을 위한 소화전이 화재안전기준에 적합하게 설치되어 있는 경우에는 설치가 면제된다. 나. 소방본부장 또는 소방서장이 상수도소화용수설비의 설치가 곤란하다고 인정하는 경우로서 화재안전기준에 적합한 소화수조 또는 저수조가 설치되어 있거나 이를 설치하는 경우에는 그 설비의 유효범위에서 설치가 면제된다.

17. 제연설비	가. 제연설비를 설치해야 하는 특정소방대상물[별표 4 제5호 가목 6)은 제외한다]에 다음의 어느 하나에 해당하는 설비를 설치한 경우에는 설치가 면제된다.
	  1) 공기조화설비를 화재안전기준의 제연설비기준에 적합하게 설치하고 공기조화설비가 화재 시 제연설비기능으로 자동전환되는 구조로 설치되어 있는 경우
	  2) 직접 외부 공기와 통하는 배출구의 면적의 합계가 해당 제연구역[제연경계(제연설비의 일부인 천장을 포함한다)에 의하여 구획된 건축물 내의 공간을 말한다] 바닥면적의 100분의 1 이상이고, 배출구부터 각 부분까지의 수평거리가 30m 이내이며, 공기유입구가 화재안전기준에 적합하게(외부 공기를 직접 자연 유입할 경우에 유입구의 크기는 배출구의 크기 이상이어야 한다) 설치되어 있는 경우
	나. 별표 4 제5호 가목 6)에 따라 제연설비를 설치해야 하는 특정소방대상물 중 노대(露臺)와 연결된 특별피난계단, 노대가 설치된 비상용 승강기의 승강장 또는 건축법 시행령 제91조 제5호의 기준에 따라 배연설비가 설치된 피난용 승강기의 승강장에는 설치가 면제된다.

18. 연결송수관설비	연결송수관설비를 설치해야 하는 소방대상물에 옥외에 연결송수구 및 옥내에 방수구가 부설된 옥내소화전설비, 스프링클러설비, 간이스프링클러설비 또는 연결살수설비를 화재안전기준에 적합하게 설치한 경우에는 그 설비의 유효범위에서 설치가 면제된다. 다만, 지표면에서 최상층 방수구의 높이가 70m 이상인 경우에는 설치해야 한다.
19. 연결살수설비	가. 연결살수설비를 설치해야 하는 특정소방대상물에 송수구를 부설한 스프링클러설비, 간이스프링클러설비, 물분무소화설비 또는 미분무소화설비를 화재안전기준에 적합하게 설치한 경우에는 그 설비의 유효범위에서 설치가 면제된다. 나. 가스 관계 법령에 따라 설치되는 물분무장치 등에 소방대가 사용할 수 있는 연결송수구가 설치되거나 물분무장치 등에 6시간 이상 공급할 수 있는 수원(水源)이 확보된 경우에는 설치가 면제된다.
20. 무선통신보조설비	무선통신보조설비를 설치해야 하는 특정소방대상물에 이동통신 구내 중계기 선로설비 또는 무선이동중계기(전파법 제58조의2에 따른 적합성평가를 받은 제품만 해당한다) 등을 화재안전기준의 무선통신보조설비기준에 적합하게 설치한 경우에는 설치가 면제된다.
21. 연소방지설비	연소방지설비를 설치해야 하는 특정소방대상물에 스프링클러설비, 물분무소화설비 또는 미분무소화설비를 화재안전기준에 적합하게 설치한 경우에는 그 설비의 유효범위에서 설치가 면제된다.

제15조(특정소방대상물의 증축 또는 용도변경 시의 소방시설기준 적용의 특례) ① 법 제13조 제3항에 따라 소방본부장 또는 소방서장은 특정소방대상물이 증축되는 경우에는 기존 부분을 포함한 특정소방대상물의 전체에 대하여 증축 당시의 소방시설의 설치에 관한 대통령령 또는 화재안전기준을 적용해야 한다. 다만, 다음 각 호의 어느 하나에 해당하는 경우에는 기존 부분에 대해서는 증축 당시의 소방시설의 설치에 관한 대통령령 또는 화재안전기준을 적용하지 않는다.

1. 기존 부분과 증축 부분이 내화구조(耐火構造)로 된 바닥과 벽으로 구획된 경우
2. 기존 부분과 증축 부분이 건축법 시행령 제46조 제1항 제2호에 따른 자동방화셔터(이하 "자동방화셔터"라 한다) 또는 같은 영 제64조 제1항 제1호에 따른 60분＋ 방화문(이하 "60분＋ 방화문"이라 한다)으로 구획되어 있는 경우
3. 자동차 생산공장 등 화재 위험이 낮은 특정소방대상물 내부에 연면적 33제곱미터 이하의 직원 휴게실을 증축하는 경우
4. 자동차 생산공장 등 화재 위험이 낮은 특정소방대상물에 캐노피(기둥으로 받치거나 매달아 놓은 덮개를 말하며, 3면 이상에 벽이 없는 구조의 것을 말한다)를 설치하는 경우

▲ 캐노피

방화문
1. 화재를 막기 위하여 설치한 문을 말한다.
2. 종류: 60분＋방화문, 60분 방화문, 30분 방화문
   · 60분＋방화문: 연기 및 불꽃을 차단할 수 있는 시간이 60분 이상이고, 열을 차단할 수 있는 시간이 30분 이상인 방화문을 말한다.
   · 60분 방화문: 연기 및 불꽃을 차단할 수 있는 시간이 60분 이상인 방화문을 말한다.
   · 30분 방화문: 연기 및 불꽃을 차단할 수 있는 시간이 30분 이상 60분 미만인 방화문을 말한다.

증축특례
1. 기존 부분과 증축 부분이 내화구조(耐火構造)로 된 바닥과 벽으로 구획된 경우
2. 기존 부분과 증축 부분이 자동방화셔터, 60분＋방화문으로 구획되어 있는 경우
3. 자동차 생산공장 등 내부에 연면적 33 제곱미터 이하의 직원 휴게실을 증축하는 경우
4. 자동차 생산공장 등 캐노피를 설치하는 경우

② 법 제13조 제3항에 따라 소방본부장 또는 소방서장은 특정소방대상물이 용도변경되는 경우에는 용도변경되는 부분에 대해서만 용도변경 당시의 소방시설의 설치에 관한 대통령령 또는 화재안전기준을 적용한다. 다만, 다음 각 호의 어느 하나에 해당하는 경우에는 특정소방대상물 전체에 대하여 용도변경 전에 해당 특정소방대상물에 적용되던 소방시설의 설치에 관한 대통령령 또는 화재안전기준을 적용한다.
1. 특정소방대상물의 구조 · 설비가 화재연소 확대 요인이 적어지거나 피난 또는 화재진압활동이 쉬워지도록 변경되는 경우
2. 용도변경으로 인하여 천장 · 바닥 · 벽 등에 고정되어 있는 가연성 물질의 양이 줄어드는 경우

제16조(소방시설을 설치하지 않을 수 있는 특정소방대상물의 범위) 법 제13조 제4항에 따라 소방시설을 설치하지 않을 수 있는 특정소방대상물 및 소방시설의 범위는 별표 6과 같다.

별표 6. 소방시설을 설치하지 않을 수 있는 특정소방대상물 및 소방시설의 범위

구분	특정소방대상물	설치하지 않을 수 있는 소방시설
1. 화재 위험도가 낮은 특정소방대상물	석재, 불연성금속, 불연성 건축재료 등의 가공공장 · 기계조립공장 또는 불연성 물품을 저장하는 창고	옥외소화전 및 연결살수설비
2. 화재안전기준을 적용하기 어려운 특정소방대상물	펄프공장의 작업장, 음료수 공장의 세정 또는 충전을 하는 작업장, 그 밖에 이와 비슷한 용도로 사용하는 것	· 스프링클러설비 · 상수도소화용수설비 · 연결살수설비
	정수장, 수영장, 목욕장, 농예 · 축산 · 어류양식용 시설, 그 밖에 이와 비슷한 용도로 사용되는 것	· 자동화재탐지설비 · 상수도소화용수설비 · 연결살수설비
3. 화재안전기준을 달리 적용해야 하는 특수한 용도 또는 구조를 가진 특정소방대상물	원자력발전소, 중 · 저준위방사성폐기물의 저장시설	연결송수관설비 및 연결살수설비
4. 위험물안전관리법 제19조에 따른 자체소방대가 설치된 특정소방대상물	자체소방대가 설치된 제조소 등에 부속된 사무실	· 옥내소화전설비 · 소화용수설비 · 연결살수설비 · 연결송수관설비

1. 법이나 기준이 변경되어 그 기준이 강화되는 경우 기존의 특정소방대상물의 소방시설은 변경전의 법이나 기준을 적용: 소방은 소급적용 하지 않음

2. 강화된 기준으로 소방시설을 설치하는 경우
   ① 소화기구, 비·경, 자·탐, 자·속, 피난구조
   ② 공동구, 지하구(전력 및 통신): 소화기, 자동소화장치, 자·탐, 통·감, 유도등 및 연·방
   ③ 노유자: 간이, 자·탐, 단·감
   ④ 의료: S/P, 간이, 자·탐, 자·속

3. 유사한 소방시설의 면제

설치가 면제되는 소방시설	설치면제 기준
자동소화장치	물분무등
S/P	자동소화장치 및 물분무등
물분무등	S/P(차고 및 주차장만 해당)
간이, 연·방	S/P, 물분무, 미분무
비·경, 단·경	자·탐
비·경	2개 이상의 단·감 연동
비·방	자·탐 또는 비·경과 같은 수준 이상의 음향을 발하는 장치 부설 방송설비
연·살	송수구 부설 S/P, 간이, 물분무 또는 미분무
비상조명등	피난구 유도등 또는 통로 유도등

4. 증축 또는 용도변경시의 특례
   ① 증축시: 기존 부분 포함 전체에 대해 증축 당시의 법이나 기준을 적용
      [다만, ⓐ 기존부분과 증축부분을 내화구조로 된 바닥과 벽으로 구획되거나, ⓑ 기존부분과 증축부분이 60분+방화문(방화셔터 포함)으로 구획되거나, ⓒ 자동차 생산공장 등 내부에 연면적 33제곱미터 이하의 직원 휴게실 증축 또는 캐노피(3면 이상 벽이 없는 구조)를 설치하는 경우에는 기존부분은 증축 당시의 법이나 기준을 적용하지 않음]
   ② 용도변경시: 용도변경 되는 부분에 대해서면 용도변경 당시의 법이나 기준을 적용
      [다만, ⓐ 특정소방대상물 구조나 설비가 화재연소 확대요인이 적어지거나 피난 또는 화재진압활동이 쉬워지도록 변경되는 경우, ⓑ 천장·바닥·벽 등에 고정되어 있는 가연성 물질의 양이 줄어드는 경우는 기존부분은 증축당시의 법이나 기준을 적용하지 않음]

5. 소방시설 설치하지 않을 수 있는 경우

구분	특정소방대상물	소방시설
화재 위험도 낮은	석재, 불연성~	옥외, 연·살
화재안전기준 적용하기 어려운	펄프공장 작업장 음료수 공장(세정 또는 충전)	S/P, 상수도, 연·살
	정수장, 수영장, 목욕장, 농예·축산·어류양식용 시설	자·탐, 상수도, 연·살
화재안전기준 달리 적용하는 특수한 용도 또는 구조	원자력, 방사성 폐기물	연·송, 연·살
자체 소방대 설치	자체소방대가 설치된 위험물 제조소등에 부속된 사무실	옥내, 소화용수, 연·송, 연·살

제14조(특정소방대상물별로 설치하여야 하는 소방시설의 정비 등)

① 제12조 제1항에 따라 대통령령으로 소방시설을 정할 때에는 특정소방대상물의 규모 · 용도 · 수용인원 및 이용자 특성 등을 고려하여야 한다.

② 소방청장은 건축 환경 및 화재위험특성 변화사항을 효과적으로 반영할 수 있도록 제1항에 따른 소방시설 규정을 3년에 1회 이상 정비하여야 한다.

③ 소방청장은 건축 환경 및 화재위험특성 변화 추세를 체계적으로 연구하여 제2항에 따른 정비를 위한 개선방안을 마련하여야 한다.

④ 제3항에 따른 연구의 수행 등에 필요한 사항은 행정안전부령으로 정한다.

시행령 제17조(특정소방대상물의 수용인원 산정) 법 제14조 제1항에 따른 특정소방대상물의 수용인원은 별표 7에 따라 산정한다.

별표 7. 수용인원의 산정 방법

1. 숙박시설이 있는 특정소방대상물
   가. 침대가 있는 숙박시설: 해당 특정소방대상물의 종사자 수에 침대 수(2인용 침대는 2개로 산정한다)를 합한 수
   나. 침대가 없는 숙박시설: 해당 특정소방대상물의 종사자 수에 숙박시설 바닥면적의 합계를 3m²로 나누어 얻은 수를 합한 수

2. 제1호 외의 특정소방대상물
   가. 강의실 · 교무실 · 상담실 · 실습실 · 휴게실 용도로 쓰는 특정소방대상물: 해당 용도로 사용하는 바닥면적의 합계를 1.9m²로 나누어 얻은 수
   나. 강당, 문화 및 집회시설, 운동시설, 종교시설: 해당 용도로 사용하는 바닥면적의 합계를 4.6m²로 나누어 얻은 수(관람석이 있는 경우 고정식 의자를 설치한 부분은 그 부분의 의자 수로 하고, 긴 의자의 경우에는 의자의 정면너비를 0.45m로 나누어 얻은 수로 한다)
   다. 그 밖의 특정소방대상물: 해당 용도로 사용하는 바닥면적의 합계를 3m²로 나누어 얻은 수

비고

1. 위 표에서 바닥면적을 산정할 때에는 복도(건축법 시행령 제2조 제11호에 따른 준불연재료 이상의 것을 사용하여 바닥에서 천장까지 벽으로 구획한 것을 말한다), 계단 및 화장실의 바닥면적을 포함하지 않는다.
2. 계산 결과 소수점 이하의 수는 반올림한다.

📖 **핵심정리** 수용인원의 산정

대상	용도	수용인원의 산정
숙박시설	침대가 있는 숙박시설	종사자 수 + 침대 수(2인용 2명 산정)
	침대가 없는 숙박시설	종사자 수 + 바닥면적의 합계 $m^2/3m^2$
그 외	강의실·교무실·상담실·실습실·휴게실 용도	바닥면적의 합계 $m^2/1.9m^2$
	강당, 문화 및 집회시설 운동시설, 종교시설	바닥면적의 합계 $m^2/4.6m^2$
		고정식 의자 수
		고정식 긴의자 정면너비 $m/0.45m$
	그 밖의 특정소방대상물	바닥면적의 합계 $m^2/3m^2$

1. 위 표에서 바닥면적을 산정할 때에는 복도, 계단 및 화장실의 바닥면적을 포함하지 않는다.
2. 계산 결과 소수점 이하의 수는 반올림한다.

영철쌤 tip

수용인원 계산방법 사례

예 침대가 있는 숙박시설
1. 종사자 수: 1인
2. 2인용 침대 1개가 있는 객실 수: 9실
3. 수용인원 계산: 종사자의 수 + 침대의수
   = 1 + (2인×9실) = 19인

예 침대가 없는 숙박시설
1. 종사자 수: 1인
2. 화장실을 제외한 1개 객실(바닥면적 4.5m²)의 수: 9실
3. 사무실 바닥면적: 3m²
4. 사무실: 그 밖의 소방대상물(바닥면적 ÷ 3m²)
5. 수용인원 계산: 종사자의 수 + (바닥면적 ÷ 3)
   = 1 + (4.5m²×9실 + 3m²) ÷ 3m².
   = 1 + (43.5 ÷ 3m²) = 1 + 14.5 = 15.5
   = 16인

제15조(건설현장의 임시소방시설 설치 및 관리)

① 건설산업기본법 제2조 제4호에 따른 건설공사를 하는 자(이하 "공사시공자"라 한다)는 특정소방대상물의 신축·증축·개축·재축·이전·용도변경·대수선 또는 설비 설치 등을 위한 공사 현장에서 인화성(引火性) 물품을 취급하는 작업 등 대통령령으로 정하는 작업(이하 "화재위험작업"이라 한다)을 하기 전에 설치 및 철거가 쉬운 화재대비시설(이하 "임시소방시설"이라 한다)을 설치하고 관리하여야 한다.

② 제1항에도 불구하고 소방시설공사업자가 화재위험작업 현장에 소방시설 중 임시소방시설과 기능 및 성능이 유사한 것으로서 대통령령으로 정하는 소방시설을 화재안전기준에 맞게 설치 및 관리하고 있는 경우에는 공사시공자가 임시소방시설을 설치하고 관리한 것으로 본다.

③ 소방본부장 또는 소방서장은 제1항이나 제2항에 따라 임시소방시설 또는 소방시설이 설치 및 관리되지 아니할 때에는 해당 공사시공자에게 필요한 조치를 명할 수 있다.

④ 제1항에 따라 임시소방시설을 설치하여야 하는 공사의 종류와 규모, 임시소방시설의 종류 등에 필요한 사항은 대통령령으로 정하고, 임시소방시설의 설치 및 관리 기준은 소방청장이 정하여 고시한다.

시행령 제18조(화재위험작업 및 임시소방시설 등) ① 법 제15조 제1항에서 "인화성(引火性) 물품을 취급하는 작업 등 대통령령으로 정하는 작업"이란 다음 각 호의 어느 하나에 해당하는 작업을 말한다.
1. 인화성·가연성·폭발성 물질을 취급하거나 가연성 가스를 발생시키는 작업
2. 용접·용단(금속·유리·플라스틱 따위를 녹여서 절단하는 일을 말한다) 등 불꽃을 발생시키거나 화기(火氣)를 취급하는 작업

임시소방시설
1. 설치, 관리: 공사시공자
2. 종류: 소화기, 간이소화장치, 비상경보장
   치, 간이피난유도선, 방화포, 비상조명등

▲ 소화기

▲ 간이소화장치

▲ 비상경보장치

▲ 간이피난유도선

▲ 가스누설경보기

▲ 방화포

▲ 비상조명등

3. 임시소방시설의 공사의 종류와 규모, 종류
   등에 필요한 사항은 대통령령, 임시소방시
   설의 설치 및 관리 기준은 소방청장이 정
   하여 고시한다.

3. 전열기구, 가열전선 등 열을 발생시키는 기구를 취급하는 작업
4. 알루미늄, 마그네슘 등을 취급하여 폭발성 부유분진(공기 중에 떠다니는 미세한 입자를 말한다)을 발생시킬 수 있는 작업
5. 그 밖에 제1호부터 제4호까지와 비슷한 작업으로 소방청장이 정하여 고시하는 작업

② 법 제15조 제1항에 따른 임시소방시설(이하 "임시소방시설"이라 한다)의 종류와 임시소방시설을 설치해야 하는 공사의 종류 및 규모는 별표 8 제1호 및 제2호와 같다.

③ 법 제15조 제2항에 따른 임시소방시설과 기능 및 성능이 유사한 소방시설은 별표 8 제3호와 같다.

별표 8. 임시소방시설의 종류와 설치기준 등

1. 임시소방시설의 종류

   가. 소화기

   나. 간이소화장치: 물을 방사(放射)하여 화재를 진화할 수 있는 장치로서 소방청장이 정하는 성능을 갖추고 있을 것

   다. 비상경보장치: 화재가 발생한 경우 주변에 있는 작업자에게 화재사실을 알릴 수 있는 장치로서 소방청장이 정하는 성능을 갖추고 있을 것

   라. 가스누설경보기: 가연성 가스가 누설되거나 발생된 경우 이를 탐지하여 경보하는 장치로서 법 제37조에 따른 형식승인 및 제품검사를 받은 것

   마. 간이피난유도선: 화재가 발생한 경우 피난구 방향을 안내할 수 있는 장치로서 소방청장이 정하는 성능을 갖추고 있을 것

   바. 비상조명등: 화재가 발생한 경우 안전하고 원활한 피난활동을 할 수 있도록 자동 점등되는 조명장치로서 소방청장이 정하는 성능을 갖추고 있을 것

   사. 방화포: 용접·용단 등의 작업 시 발생하는 불티로부터 가연물이 점화되는 것을 방지해주는 천 또는 불연성 물품으로서 소방청장이 정하는 성능을 갖추고 있을 것

2. 임시소방시설을 설치해야 하는 공사의 종류와 규모

   가. 소화기: 법 제6조 제1항에 따라 소방본부장 또는 소방서장의 동의를 받아야 하는 특정소방대상물의 신축·증축·개축·재축·이전·용도변경 또는 대수선 등을 위한 공사 중 법 제15조 제1항에 따른 화재위험작업의 현장(이하 이 표에서 "화재위험작업현장"이라 한다)에 설치한다.

   나. 간이소화장치: 다음의 어느 하나에 해당하는 공사의 화재위험작업현장에 설치한다.

      1) 연면적 3천m² 이상

      2) 지하층, 무창층 또는 4층 이상의 층. 이 경우 해당 층의 바닥면적이 600m² 이상인 경우만 해당한다.

   다. 비상경보장치: 다음의 어느 하나에 해당하는 공사의 화재위험작업현장에 설치한다.

      1) 연면적 400m² 이상

      2) 지하층 또는 무창층. 이 경우 해당 층의 바닥면적이 150m² 이상인 경우만 해당한다.

라. **가스누설경보기**: 바닥면적이 150m² 이상인 지하층 또는 무창층의 화재위험작업현장에 설치한다.

마. **간이피난유도선**: 바닥면적이 150m² 이상인 지하층 또는 무창층의 화재위험작업현장에 설치한다.

바. **비상조명등**: 바닥면적이 150m² 이상인 지하층 또는 무창층의 화재위험작업현장에 설치한다.

사. **방화포**: 용접·용단 작업이 진행되는 화재위험작업현장에 설치한다.

3. **임시소방시설과 기능 및 성능이 유사한 소방시설로서 임시소방시설을 설치한 것으로 보는 소방시설**

가. 간이소화장치를 설치한 것으로 보는 소방시설: 소방청장이 정하여 고시하는 기준에 맞는 소화기(연결송수관설비의 방수구 인근에 설치한 경우로 한정한다) 또는 옥내소화전설비

나. 비상경보장치를 설치한 것으로 보는 소방시설: 비상방송설비 또는 자동화재탐지설비

다. 간이피난유도선을 설치한 것으로 보는 소방시설: 피난유도선, 피난구유도등, 통로유도등 또는 비상조명등

📖 핵심정리 임시소방시설

1. **설치 장소**: 공사현장에서 인화성 물품을 취급하는 작업 등을 하는 장소(설치 및 철거가 쉬운 화재대비시설)

2. **화재위험 작업**
   ① 인화성·가연성·폭발성 물질을 취급하거나 가연성 가스를 발생시키는 작업
   ② 용접·용단 등 불꽃을 발생시키거나 화기(火氣)를 취급하는 작업
   ③ 전열기구, 가열전선 등 열을 발생시키는 기구를 취급하는 작업
   ④ 소방청장이 정하여 고시하는 폭발성 부유분진을 발생시킬 수 있는 작업
   ⑤ 그 밖에 ①부터 ④까지와 비슷한 작업으로 소방청장이 정하여 고시하는 작업

3. **임시소방시설의 종류**: 소화기, 간이소화장치, 비상경보장치, 가스누설경보기, 간이피난유도선, 비상조명등, 방화포

4. **설치 대상**
   ① 간이소화장치: 연 3천m² ↑, 지하·무창층 또는 층수 4층 ↑ +바닥면적 600m² ↑ (해당층)
   ② 비상경보장치: 연 400m² ↑, 지하·무창층 + 바닥면적 150m² ↑ (해당층)
   ③ 간이피난유도선, 가스누설경보기, 간이피난유도선, 비상조명등: 지하·무창층 바닥면적 150m² ↑ (작업현장)
   ④ 방화포: 용접 용단 작업 진행 작업현장에 설치

5. **유사한 소방시설로 임시소방시설로 봐주는 경우**
   ① 간이소화장치를 설치한 것으로 보는 소방시설: 옥내 또는 연·송 방수구 인근 소화기 설치시
   ② 비상경보장치를 설치한 것으로 보는 소방시설: 비·방 또는 자·탐
   ③ 간이피난유도선을 설치한 것으로 보는 소방시설: 피난유도선, 피난구유도등, 통로유도등 또는 비상조명등

강의실 화재 → 출입문 → 복도 → 계단 → 1층 또는 옥상광장으로 이동한다. 여기서, 복도, 계단, 옥상광장 등은 피난시설에 해당된다.

📖 **용어사전**
----

❶ 방화구획: 연소가 확대되는 것을 방지하기 위하여 면적별, 층별, 용도별로 구획한다.
❷ 방화시설: 방화문, 방화샷다 등을 말한다.

피난시설, 방화구획 및 방화시설 행위금지
1. 폐쇄하거나 훼손
2. 물건을 쌓아두거나 장애물을 설치
3. 용도에 장애, 소방활동에 지장

1. 소방용품: 분말형태의 소화약제를 사용하는 소화기
2. 내용연수: 10년

제16조(피난시설, 방화구획 및 방화시설의 관리)

① 특정소방대상물의 관계인은 건축법 제49조에 따른 피난시설, 방화구획 및 방화시설에 대하여 정당한 사유가 없는 한 다음 각 호의 행위를 하여서는 아니 된다.

1. 피난시설, 방화구획❶ 및 방화시설❷을 폐쇄하거나 훼손하는 등의 행위
2. 피난시설, 방화구획 및 방화시설의 주위에 물건을 쌓아두거나 장애물을 설치하는 행위
3. 피난시설, 방화구획 및 방화시설의 용도에 장애를 주거나 소방기본법 제16조에 따른 소방활동에 지장을 주는 행위
4. 그 밖에 피난시설, 방화구획 및 방화시설을 변경하는 행위

② 소방본부장이나 소방서장은 특정소방대상물의 관계인이 제1항 각 호의 어느 하나에 해당하는 행위를 한 경우에는 피난시설, 방화구획 및 방화시설의 관리를 위하여 필요한 조치를 명할 수 있다.

제17조(소방용품의 내용연수 등)

① 특정소방대상물의 관계인은 내용연수가 경과한 소방용품을 교체하여야 한다. 이 경우 내용연수를 설정하여야 하는 소방용품의 종류 및 그 내용연수 연한에 필요한 사항은 대통령령으로 정한다.

② 제1항에도 불구하고 행정안전부령으로 정하는 절차 및 방법 등에 따라 소방용품의 성능을 확인받은 경우에는 그 사용기한을 연장할 수 있다.

> 시행령 제19조(내용연수 설정대상 소방용품) ① 법 제17조 제1항 후단에 따라 내용연수를 설정해야 하는 소방용품은 분말형태의 소화약제를 사용하는 소화기로 한다.
> ② 제1항에 따른 소방용품의 내용연수는 10년으로 한다.

제18조(소방기술심의위원회)

① 다음 각 호의 사항을 심의하기 위하여 소방청에 중앙소방기술심의위원회(이하 "중앙위원회"라 한다)를 둔다.

1. 화재안전기준에 관한 사항
2. 소방시설의 구조 및 원리 등에서 공법이 특수한 설계 및 시공에 관한 사항
3. 소방시설의 설계 및 공사감리의 방법에 관한 사항
4. 소방시설공사의 하자를 판단하는 기준에 관한 사항
5. 제8조 제5항 단서에 따라 신기술·신공법 등 검토·평가에 고도의 기술이 필요한 경우로서 중앙위원회에 심의를 요청한 사항
6. 그 밖에 소방기술 등에 관하여 대통령령으로 정하는 사항

② 다음 각 호의 사항을 심의하기 위하여 시·도에 지방소방기술심의위원회(이하 "지방위원회"라 한다)를 둔다.

1. 소방시설에 하자가 있는지의 판단에 관한 사항

2. 그 밖에 소방기술 등에 관하여 **대통령령으로 정하는 사항**

③ 중앙위원회 및 지방위원회의 구성·운영 등에 필요한 사항은 대통령령으로 정한다.

시행령 제20조(소방기술심의위원회의 심의사항) ① 법 제18조 제1항 제6호에서 "대통령령으로 정하는 사항"이란 다음 각 호의 사항을 말한다.

1. 연면적 10만제곱미터 이상의 특정소방대상물에 설치된 소방시설의 설계·시공·감리의 하자 유무에 관한 사항

2. 새로운 소방시설과 소방용품 등의 도입 여부에 관한 사항

3. 그 밖에 소방기술과 관련하여 소방청장이 소방기술심의위원회의 심의에 부치는 사항

② 법 제18조 제2항 제2호에서 "대통령령으로 정하는 사항"이란 다음 각 호의 사항을 말한다.

1. 연면적 10만제곱미터 미만의 특정소방대상물에 설치된 소방시설의 설계·시공·감리의 하자 유무에 관한 사항

2. 소방본부장 또는 소방서장이 위험물안전관리법 제2조 제1항 제6호에 따른 제조소 등(이하 "제조소등"이라 한다)의 시설기준 또는 화재안전기준의 적용에 관하여 기술검토를 요청하는 사항

3. 그 밖에 소방기술과 관련하여 특별시장·광역시장·특별자치시장·도지사 또는 특별자치도지사(이하 "시·도지사"라 한다)가 소방기술심의위원회의 심의에 부치는 사항

제21조(소방기술심의위원회의 구성 등) ① 법 제18조 제1항에 따른 중앙소방기술심의위원회(이하 "중앙위원회"라 한다)는 위원장을 포함하여 60명 이내의 위원으로 성별을 고려하여 구성한다.

② 법 제18조 제2항에 따른 지방소방기술심의위원회(이하 "지방위원회"라 한다)는 위원장을 포함하여 5명 이상 9명 이하의 위원으로 구성한다.

③ 중앙위원회의 회의는 위원장과 위원장이 회의마다 지정하는 6명 이상 12명 이하의 위원으로 구성한다.

④ 중앙위원회는 분야별 소위원회를 구성·운영할 수 있다.

제22조(위원의 임명·위촉) ① 중앙위원회의 위원은 과장급 직위 이상의 소방공무원과 다음 각 호의 어느 하나에 해당하는 사람 중에서 소방청장이 임명하거나 성별을 고려하여 위촉한다.

1. 소방기술사

2. 석사 이상의 소방 관련 학위를 소지한 사람

3. 소방시설관리사

4. 소방 관련 법인·단체에서 소방 관련 업무에 5년 이상 종사한 사람

5. 소방공무원 교육기관, 대학교 또는 연구소에서 소방과 관련된 교육이나 연구에 5년 이상 종사한 사람

② 지방위원회의 위원은 해당 시·도 소속 소방공무원과 제1항 각 호의 어느 하나에 해당하는 사람 중에서 시·도지사가 임명하거나 성별을 고려하여 위촉한다.

③ 중앙위원회의 위원장은 소방청장이 해당 위원 중에서 위촉하고, 지방위원회의 위원장은 시·도지사가 해당 위원 중에서 위촉한다.

④ 중앙위원회 및 지방위원회의 위원 중 위촉위원의 임기는 2년으로 하되, 한 차례만 연임할 수 있다.

영철쌤 tip

지방소방기술심의위원회 심의 사항

1. 하자 판단

2. 소방기술 등에 관하여 대통령령으로 정하는 사항

· 연면적 10만제곱미터 미만의 하자 유무

· 소방본부장 또는 소방서장이 제조소 등의 시설기준 또는 화재안전기준의 적용에 관하여 기술검토 요청

· 그 밖에 소방기술과 관련하여 시·도지사가 심의에 부치는 사항

영철쌤 tip

1. 중앙소방기술심의위원회: 위원장을 포함한 60명 이내의 위원

2. 지방소방기술심의위원회: 위원장을 포함한 5명 이상 9명 이하의 위원

영철쌤 tip

위원의 자격

1. 소방기술사. 소방시설관리사

2. 석사 이상 학위

3. 소방관련업무 5년 이상

4. 소방공무원 교육기관, 대학교 또는 연구소에서 5년 이상

제23조(위원장 및 위원의 직무) ① 중앙위원회 및 지방위원회(이하 "위원회"라 한다)의 각 위원장(이하 "위원장"이라 한다)은 각각 위원회의 회의를 소집하고 그 의장이 된다.

② 위원장이 부득이한 사유로 직무를 수행할 수 없을 때에는 위원장이 지정한 위원이 그 직무를 대리한다.

제24조(위원의 제척·기피·회피) ① 위원회의 위원(이하 "위원"이라 한다)이 다음 각 호의 어느 하나에 해당하는 경우에는 위원회의 심의·의결에서 제척(除斥)된다.

1. 위원 또는 그 배우자나 배우자였던 사람이 해당 안건의 당사자(당사자가 법인·단체 등인 경우에는 그 임원을 포함한다. 이하 이 호 및 제2호에서 같다)가 되거나 그 안건의 당사자와 공동권리자 또는 공동의무자인 경우
2. 위원이 해당 안건의 당사자와 친족인 경우
3. 위원이 해당 안건에 관하여 증언, 진술, 자문, 연구, 용역 또는 감정을 한 경우
4. 위원이나 위원이 속한 법인·단체 등이 해당 안건의 당사자의 대리인이거나 대리인이었던 경우

② 당사자는 제1항에 따른 제척사유가 있거나 위원에게 공정한 심의·의결을 기대하기 어려운 사정이 있는 경우에는 위원회에 기피신청을 할 수 있고, 위원회는 의결로 기피 여부를 결정한다. 이 경우 기피신청의 대상인 위원은 그 의결에 참여하지 못한다.

③ 위원이 제1항 또는 제2항의 사유에 해당하는 경우에는 스스로 해당 안건의 심의·의결에서 회피(回避)해야 한다.

제25조(위원의 해임·해촉) 소방청장 또는 시·도지사는 위원이 다음 각 호의 어느 하나에 해당하는 경우에는 해당 위원을 해임하거나 해촉(解囑)할 수 있다.

1. 심신장애로 직무를 수행할 수 없게 된 경우
2. 직무와 관련된 비위사실이 있는 경우
3. 직무태만, 품위손상이나 그 밖의 사유로 위원으로 적합하지 않다고 인정되는 경우
4. 제24조 제1항 각 호의 어느 하나에 해당하는 데도 불구하고 회피하지 않은 경우
5. 위원 스스로 직무를 수행하기 어렵다는 의사를 밝히는 경우

제26조(시설 등의 확인 및 의견청취) 소방청장 또는 시·도지사는 위원회의 원활한 운영을 위하여 필요하다고 인정하는 경우 위원회 위원으로 하여금 관련 시설 등을 확인하게 하거나 해당 분야의 전문가 또는 이해관계자 등으로부터 의견을 청취하게 할 수 있다.

제27조(위원의 수당) 위원회의 위원에게는 예산의 범위에서 수당, 여비, 그 밖에 필요한 경비를 지급할 수 있다. 다만, 공무원이 그 소관 업무와 직접 관련하여 출석하는 경우에는 그렇지 않다.

제28조(운영세칙) 이 영에서 정한 것 외에 위원회의 운영에 필요한 사항은 소방청장 또는 시·도지사가 정한다.

영철쌤 tip

위원의 해임·해촉 사유
1. 심신장애
2. 직무와 관련된 비위사실
3. 직무태만, 품위손상
4. 제척해당 위원이 회피하지 않은 경우
5. 직무 수행하기 어렵다는 의사

핵심정리 중앙위원회 및 지방위원회

구분	중앙위원회	지방위원회
설치	소방청	시·도
심의 사항	· 화재안전기준에 관한 사항 · 소방시설의 구조 및 원리 등에서 공법이 특수한 설계 및 시공에 관한 사항 · 소방시설의 설계 및 공사감리의 방법에 관한 사항 · 소방시설공사의 하자를 판단하는 기준에 관한 사항 · 연면적 10만제곱미터 이상의 특정소방대상물에 설치된 소방시설의 설계·시공·감리의 하자 유무에 관한 사항 · 새로운 소방시설과 소방용품 등의 도입 여부에 관한 사항 · 소방청장이 심의에 부치는 사항	· 소방시설에 하자가 있는지의 판단에 관한 사항 · 연면적 10만제곱미터 미만의 특정소방대상물에 설치된 소방시설의 설계·시공·감리의 하자 유무에 관한 사항 · 소방본부장 또는 소방서장이 제조소 등의 시설기준 또는 화재안전기준 적용 기술검토 요청사항 · 시·도지사가 심의에 부치는 사항
위원 구성 등	· 성별을 고려하여 위원장을 포함한 60명 이내의 위원으로 구성 · 회의는 위원장과 위원장이 회의마다 지정하는 6명 이상 12명 이하의 위원으로 구성 · 소위원회를 구성·운영할 수 있다.	위원장 포함 5명 이상 9명 이하

제19조(화재안전기준의 관리·운영)

소방청장은 화재안전기준을 효율적으로 관리·운영하기 위하여 다음 각 호의 업무를 수행하여야 한다.

1. 화재안전기준의 제정·개정 및 운영
2. 화재안전기준의 연구·개발 및 보급
3. 화재안전기준의 검증 및 평가
4. 화재안전기준의 정보체계 구축
5. 화재안전기준에 대한 교육 및 홍보
6. 국외 화재안전기준의 제도·정책 동향 조사·분석
7. 화재안전기준 발전을 위한 **국제협력**
8. 그 밖에 화재안전기준 발전을 위하여 대통령령으로 정하는 사항

제20조(특정소방대상물의 방염 등)

① 대통령령으로 정하는 특정소방대상물에 실내장식 등의 목적으로 설치 또는 부착하는 물품으로서 대통령령으로 정하는 물품(이하 "**방염대상물품**"이라 한다)은 **방염성능기준 이상**의 것으로 설치하여야 한다.

② 소방본부장 또는 소방서장은 방염대상물품이 제1항에 따른 방염성능기준에 미치지 못하거나 제21조 제1항에 따른 방염성능검사를 받지 아니한 것이면 특정소방대상물의 관계인에게 방염대상물품을 제거하도록 하거나 방염성능검사를 받도록 하는 등 필요한 조치를 명할 수 있다.

③ 제1항에 따른 방염성능기준은 대통령령으로 정한다.

시행령 제30조(방염성능기준 이상의 실내장식물❶ 등을 설치해야 하는 특정소방대상물) 법 제20조 제1항에서 "대통령령으로 정하는 특정소방대상물"이란 다음 각 호의 것을 말한다.
1. 근린생활시설 중 의원, 조산원, 산후조리원, 체력단련장, 공연장 및 종교집회장
2. 건축물의 옥내에 있는 다음 각 목의 시설
   가. 문화 및 집회시설
   나. 종교시설
   다. 운동시설(수영장은 제외한다)
3. 의료시설
4. 교육연구시설 중 합숙소
5. 노유자 시설
6. 숙박이 가능한 수련시설
7. 숙박시설
8. 방송통신시설 중 방송국 및 촬영소
9. 다중이용업소의 안전관리에 관한 특별법 제2조 제1항 제1호에 따른 다중이용업의 영업소(이하 "다중이용업소"라 한다)
10. 제1호부터 제9호까지의 시설에 해당하지 않는 것으로서 층수가 11층 이상인 것(아파트등은 제외한다)

제31조(방염대상물품 및 방염성능기준) ① 법 제20조 제1항에서 "대통령령으로 정하는 물품"이란 다음 각 호의 것을 말한다.

1. 제조 또는 가공 공정에서 방염처리를 한 다음 각 목의 물품
    가. 창문에 설치하는 커튼류(블라인드를 포함한다)
    나. 카펫
    다. 벽지류(두께가 2밀리미터 미만인 종이벽지는 제외한다)
    라. 전시용 합판·목재 또는 섬유판, 무대용 합판·목재 또는 섬유판(합판·목재류의 경우 불가피하게 설치 현장에서 방염처리한 것을 포함한다)
    마. 암막·무대막(영화 및 비디오물의 진흥에 관한 법률 제2조 제10호에 따른 영화상영관에 설치하는 스크린과 다중이용업소의 안전관리에 관한 특별법 시행령 제2조 제7호의4에 따른 가상체험 체육시설업에 설치하는 스크린을 포함한다)
    바. 섬유류 또는 합성수지류 등을 원료로 하여 제작된 소파·의자(다중이용업소의 안전관리에 관한 특별법 시행령 제2조 제1호 나목 및 같은 조 제6호에 따른 단란주점영업, 유흥주점영업 및 노래연습장업의 영업장에 설치하는 것으로 한정한다)
2. 건축물 내부의 천장이나 벽에 부착하거나 설치하는 다음 각 목의 것. 다만, 가구류(옷장, 찬장, 식탁, 식탁용 의자, 사무용 책상, 사무용 의자, 계산대, 그 밖에 이와 비슷한 것을 말한다. 이하 이 조에서 같다)와 너비 10센티미터 이하인 반자돌림대 등과 건축법 제52조에 따른 내부 마감재료는 제외한다.
    가. 종이류(두께 2밀리미터 이상인 것을 말한다)·합성수지류 또는 섬유류를 주원료로 한 물품
    나. 합판이나 목재
    다. 공간을 구획하기 위하여 설치하는 간이 칸막이(접이식 등 이동 가능한 벽체나 천장 또는 반자가 실내에 접하는 부분까지 구획하지 않는 벽체를 말한다)
    라. 흡음(吸音)을 위하여 설치하는 흡음재(흡음용 커튼을 포함한다)
    마. 방음(防音)을 위하여 설치하는 방음재(방음용 커튼을 포함한다)
② 법 제20조 제3항에 따른 방염성능기준은 다음 각 호의 기준에 따르되, 제1항에 따른 방염대상물품의 종류에 따른 구체적인 방염성능기준은 다음 각 호의 기준의 범위에서 소방청장이 정하여 고시하는 바에 따른다.
1. 버너의 불꽃을 제거한 때부터 불꽃을 올리며 연소하는 상태가 그칠 때까지 시간은 20초 이내일 것
2. 버너의 불꽃을 제거한 때부터 불꽃을 올리지 않고 연소하는 상태가 그칠 때까지 시간은 30초 이내일 것
3. 탄화(炭化)한 면적은 50제곱센티미터 이내, 탄화한 길이는 20센티미터 이내일 것
4. 불꽃에 의하여 완전히 녹을 때까지 불꽃의 접촉 횟수는 3회 이상일 것
5. 소방청장이 정하여 고시한 방법으로 발연량(發煙量)을 측정하는 경우 최대연기밀도는 400 이하일 것
③ 소방본부장 또는 소방서장은 제1항에 따른 방염대상물품 외에 다음 각 호의 물품은 방염처리된 물품을 사용하도록 권장할 수 있다.
1. 다중이용업소, 의료시설, 노유자 시설, 숙박시설 또는 장례식장에서 사용하는 침구류·소파 및 의자
2. 건축물 내부의 천장 또는 벽에 부착하거나 설치하는 가구류

영철쌤 tip

1. 제조 또는 가공 공정에서 방염처리를 한 다음(선처리제품) 판매: 선처리제품의 검사권자는 소방청장이다.
2. 건축물 내부의 천장이나 벽에 부착하거나 설치할 때 방염처리(후처리제품): 후처리제품의 검사권자는 시·도지사이다.
3. 고정식이 아닌 이동식은 일반적으로 방염제품에서 제외이다.

용어사전

❶ 가상체험 체육시설업에 설치하는 스크린: 실내골프연습장 등을 말한다.
❷ 반자돌림대: 반자의 둘레에 대는 가늘고 긴 나뭇조각을 말한다.

영철쌤 tip

1. 간이 칸막이: 천장에 닿지 않은 것이다.

2. 흡음재와 방음재는 소음을 흡수하거나, 차단하는 역할을 말한다.

1. 잔염시간: 버너의 불꽃을 제거한 때부터 불꽃을 올리며 그칠 때까지 시간은 20초 이내
2. 잔신시간: 버너의 불꽃을 제거한 때부터 불꽃을 올리지 않고 그칠 때까지 시간은 30초 이내
3. 탄화면적: 50cm² 이내, 길이: 20cm² 이내
4. 불꽃의 접촉 횟수: 3회 이상
5. 발연량은 최대연기밀도: 400 이하

영철쌤 tip

방염성능검사를 할 때에 거짓 시료(試料)를 제출, 합격 표시 등 위조 또는 변조할 경우 300만 원 이하의 벌금에 처한다.

제21조(방염성능의 검사)

① 제20조 제1항에 따른 특정소방대상물에 사용하는 방염대상물품은 소방청장이 실시하는 방염성능검사를 받은 것이어야 한다. 다만, 대통령령으로 정하는 방염대상물품의 경우에는 특별시장·광역시장·특별자치시장·도지사 또는 특별자치도지사(이하 "시·도지사"라 한다)가 실시하는 방염성능검사를 받은 것이어야 한다.

② 소방시설공사업법 제4조에 따라 방염처리업의 등록을 한 자는 제1항에 따른 방염성능검사를 할 때에 거짓 시료(試料)를 제출하여서는 아니 된다.

③ 제1항에 따른 방염성능검사의 방법과 검사 결과에 따른 합격 표시 등에 필요한 사항은 행정안전부령으로 정한다.

> **시행령 제32조(시·도지사가 실시하는 방염성능검사)** 법 제21조 제1항 단서에서 "대통령령으로 정하는 방염대상물품"이란 다음 각 호의 것을 말한다.
> 1. 제31조 제1항 제1호 라목의 전시용 합판·목재 또는 무대용 합판·목재 중 설치 현장에서 방염처리를 하는 합판·목재류
> 2. 제31조 제1항 제2호에 따른 방염대상물품 중 설치 현장에서 방염처리를 하는 합판·목재류

🔖 핵심정리 방염

1. 방염성능기준 이상의 실내장식물을 설치해야 하는 특정소방대상물
   ① 근·생 중 의원, 조산원, 산후조리원, 체력단련장, 공연장, 종교집회장
   ② 옥내시설: 문화 및 집회시설, 종교시설, 운동시설(수영장 제외)
   ③ 의료시설
   ④ 교육연구시설 중 합숙소
   ⑤ 노유자시설
   ⑥ 숙박 가능 수련시설
   ⑦ 숙박시설
   ⑧ 방송국 및 촬영소
   ⑨ 다중이용업소
   ⑩ 위에 해당하지 않는 것중 11층 이상(아파트 방염은 26년 12월 이후 시행)

2. 방염대상물품
   ① 제조 또는 가공: 창문 설치 커튼(블라인드포함), 카펫, 벽지(두께 2mm 미만 종이벽지 제외), 전시용 합판·목재 또는 섬유판, 무대용 함판·목재 또는 섬유판, 암막·무대막(영화상영관 스크린, 가상체험 스크린 포함), 섬유류 합성수지 원료 제작된 소파·의자(단란주점, 유흥주점, 노래연습장 설치하는 것으로 한정)
   ② 건축물 내부 천장이나 벽에 부착하거나 설치(가구류와 너비 10센티미터 이하 반자돌림대 및 내부 마감재료 제외): 종이류(2mm 이상인 것)·합성수지류 또는 섬유류 주원료 물품, 합판이나 목재, 공간 구획 간이 칸막이, 흡음재(커튼 포함), 방음재(커튼 포함)

3. 방염성능기준
   ① 잔염 시간(불꽃 올리며): 20초 이내일 것
   ② 잔신(잔진)시간(불꽃 올리지 아니하며): 30초 이내일 것
   ③ 탄화한 면적: 50제곱센티미터 이내
   ④ 탄화한 길이: 20센티미터 이내
   ⑤ 불꽃의 접촉 횟수: 3회 이상
   ⑥ 최대연기밀도: 400 이하일 것

4. 방염성능 검사: 소방청장(설치현장에서 방염처리 하는 합판·목재는 시·도지사)

01 건축허가등의 동의 등에 대한 설명으로 옳지 않은 것은?　　　　　　　　　　　　　　　20. 경채

① 건축허가등의 권한이 있는 행정기관은 건축허가등을 할 때 미리 그 건축물 등의 시공지 또는 소재지를 관할하는 소방본부장이나 소방서장의 동의를 받아야 한다.

② 건축허가등을 할 때에 소방본부장이나 소방서장의 동의를 받아야 하는 건축물 등의 범위는 행정안전부령으로 정한다.

③ 사용승인에 대한 동의를 할 때에는 소방시설공사의 완공검사증명서를 발급하는 것으로 동의를 갈음할 수 있다. 이 경우 제건축허가등의 권한이 있는 행정기관은 소방시설공사의 완공검사증명서를 확인하여야 한다.

④ 관할 소방본부장이나 소방서장에게 건축허가등을 하거나 신고를 수리할 때 건축물의 내부구조를 알 수 있는 설계 도면을 제출하여야 한다.

02 건축허가등의 동의대상물의 범위에 해당되는 것으로 옳은 것은?　　　　　　　　　　　　19. 경채

> ㄱ. 항공기격납고, 관망탑, 방송용 송수신탑
> ㄴ. 학교시설사업 촉진법 제5조의2 제1항에 따라 건축 등을 하려는 학교시설은 100제곱미터 이상인 건축물
> ㄷ. 차고·주차장으로 사용되는 바닥면적이 150제곱미터 이상인 층이 있는 건축물이나 주차시설
> ㄹ. 승강기 등 기계장치에 의한 주차시설로서 자동차 20대 이상 주차할수 있는 시설

① ㄱ, ㄴ ,ㄷ　　　　　　　　　　　　　　② ㄱ, ㄴ, ㄹ

③ ㄱ, ㄷ, ㄹ　　　　　　　　　　　　　　④ ㄴ, ㄷ, ㄹ

정답 및 해설

01 건축허가등의 동의
건축허가등을 할 때에 소방본부장이나 소방서장의 동의를 받아야 하는 건축물 등의 범위는 대통령령으로 정한다.

02 건축허가등의 동의대상물
ㄷ. 차고·주차장으로 사용되는 바닥면적이 200제곱미터 이상인 층이 있는 건축물이나 주차시설

정답 01 ② **02** ②

03 건축허가등을 할 때 미리 소방본부장 또는 소방서장의 동의를 받아야 하는 건축물 등의 범위로 옳지 않은 것은?

18. 하반기 공채

① 노유자 및 수련시설로서 연면적이 100제곱미터 이상인 건축물이나 시설

② 지하층 또는 무창층이 있는 건축물로서 바닥면적이 150제곱미터(공연장의 경우에는 100제곱미터) 이상인 층이 있는 것

③ 차고 · 주차장으로 사용되는 바닥면적이 200제곱미터 이상인 층이 있는 건축물이나 주차시설

④ 결핵환자나 한센인이 24시간 생활하는 노유자시설(단독주택 또는 공동주택에 설치되는 시설은 제외)

04 소방시설 설치 및 관리에 관한 법률 시행령상 건축허가등의 동의대상물에 해당하지 않는 것은?

24. 공채 · 경채

① 층수가 6층인 건축물

② 연면적 400제곱미터인 건축물

③ 지하층이 있는 건축물로서 바닥면적이 150제곱미터 이상인 층이 있는 것

④ 특정소방대상물 중 노유자(老幼者)시설로서 연면적 100제곱미터인 건축물

05 특정소방대상물에 지진이 발생할 경우 소방시설이 정상적으로 작동될 수 있도록 소방청장이 정하는 내진설계기준에 맞게 설치하여야 하는 소방시설의 종류로 옳지 않은 것은?

22. 경채

① 물분무등소화설비   ② 스프링클러설비

③ 옥내소화전설비   ④ 연결송수관설비

06 특정소방대상물에 소방시설을 설치하려는 자는 지진이 발생한 경우 소방시설이 정상적으로 작동될 수 있도록 소방청장이 정하는 내진설계기준에 맞게 소방시설을 설치하여야 한다. 이에 해당되는 소방시설로 옳은 것은?

18. 하반기 공채

① 자동화재탐지설비, 옥외소화전설비, 스프링클러설비

② 자동화재탐지설비, 옥내소화전설비, 스프링클러설비

③ 옥내소화전설비, 옥외소화전설비, 물분무등소화설비

④ 옥내소화전설비, 스프링클러설비, 물분무등소화설비

07 소방시설 설치 및 관리에 관한 법률 및 같은 법 시행령상 소방청장이 정하는 내진설계 기준에 맞게 설치해야 하는 소방시설로 옳은 것만을 나열한 것은? 24. 공채·경채

① 옥내소화전설비, 옥외소화전설비

② 스프링클러설비, 간이스프링클러설비

③ 포소화설비, 이산화탄소소화설비

④ 연결송수관설비, 연결살수설비

08 성능위주설계를 해야 하는 특정소방대상물의 범위로 옳지 않은 것은? 22. 공채

① 연면적 3만제곱미터 이상인 공항시설에 해당하는 특정소방대상물

② 하나의 건축물에 영화 및 비디오물의 진흥에 관한 법률 제2조 제10호에 따른 영화상영관이 10개 이상인 특정소방대상물

③ 50층 이상(지하층은 제외한다)이거나 지상으로부터 높이가 200미터 이상인 아파트등

④ 30층 이상(지하층을 포함한다)이거나 지상으로부터 높이가 100미터 이상인 특정소방대상물(아파트등은 제외한다)

정답 및 해설

03 건축허가등
노유자 및 수련시설으로서 연면적이 200제곱미터 이상인 건축물이나 시설

04 건축허가등의 동의대상물
특정소방대상물 중 노유자(老幼者)시설 및 수련시설 연면적 200제곱미터인 건축물

05 소방시설
내진설계를 적용해야 하는 소방시설의 종류에는 옥내소화전설비, 스프링클러설비, 물분무등소화설비가 있다.

06 소방시설
내진설계를 적용해야 하는 소방시설의 종류에는 옥내소화전설비, 스프링클러설비, 물분무등소화설비가 있다.

07 내진설계 기준
소방청장이 정하는 내진설계 기준에 맞게 설치해야 하는 소방시설: 옥내소화전설비, 스프링클러설비 및 물분무등소화설비를 말한다.

08 특정소방대상물
30층 이상(지하층을 포함한다)이거나 지상으로부터 높이가 120미터 이상인 특정소방대상물(아파트등은 제외한다)

정답 03 ① **04** ④ **05** ④ **06** ④ **07** ③ **08** ④

09 소방시설법상 성능위주설계를 하여야 하는 특정소방대상물로 옳은 것은? (단, 신축하는 것만 해당한다) 21. 경채

① 지상으로부터 높이 120미터인 아파트

② 연면적 2만제곱미터인 철도역사

③ 연면적 10만제곱미터인 특정소방대상물(단, 아파트등은 제외)

④ 하나의 건축물에 영화 및 비디오물의 진흥에 관한 법률 제2조 제10호에 따른 영화상영관이 10개인 특정소방대상물

10 단독주택이나 공동주택(아파트 및 기숙사는 제외한다)의 소유자가 의무적으로 설치하여야 하는 소방시설로 옳은 것을 [보기]에서 있는 대로 고른 것은? 18. 하반기 공채

─────── [보기] ───────
ㄱ. 소화기	ㄴ. 주거용 주방자동소화장치
ㄷ. 가스자동소화장치	ㄹ. 단독경보형 감지기
ㅁ. 가스누설경보기	

① ㄱ, ㄹ

② ㄴ, ㅁ

③ ㄱ, ㄴ, ㄹ

④ ㄴ, ㄷ, ㅁ

11 소방시설법상 특정소방대상물의 관계인이 특정소방대상물의 규모·용도 및 수용인원 등을 고려하여 갖추어야 하는 소방시설의 기준에 대한 내용으로 옳은 것은? 22. 공채

① 지하가 중 터널로서 길이가 500m인 터널에는 옥내소화전설비를 설치하여야 한다.

② 아파트등 및 오피스텔의 모든 층에는 주거용 주방자동소화장치를 설치하여야 한다.

③ 물류터미널을 제외한 창고시설로 바닥면적 합계가 3천m²인 경우에는 모든 층에 스프링클러설비를 설치하여야 한다.

④ 근린생활시설 중 조산원 및 산후조리원으로서 연면적 500m² 이상인 시설은 간이스프링클러설비를 설치하여야 한다.

12 판매시설에 스프링클러설비를 설치하여야 하는 기준에 해당하는 것은? 17. 상반기 경채

① 연면적 5천m² 이상 수용인원 300인 이상의 모든 층

② 바닥면적 5천m² 이상 수용인원 500인 이상의 모든 층

③ 연면적 1천m² 이상 수용인원 100인 이상의 모든 층

④ 바닥면적 1천m² 이상 수용인원 100인 이상의 모든 층

13 간이스프링클러설비를 설치하여야 하는 특정소방대상물로 옳지 않은 것은? 21. 공채 변형

① 교육연구시설 내에 합숙소로서 연면적 100m² 이상인 것

② 근린생활시설 중 의원, 치과의원 및 한의원으로서 입원실이 있는 시설

③ 근린생활시설 중 근린생활시설로 사용하는 부분의 바닥면적 합계가 1천m² 이상인 것은 모든 층

④ 숙박시설로 사용되는 바닥면적 합계가 600m² 이상인 것

14 소방시설 설치 및 관리에 관한 법률 시행령상 특정소방대상물의 간이스프링클러설비 설치면제 기준이다. ( ) 안에 들어갈 설비에 해당하지 않는 것은? 24. 공채·경채

> 간이스프링클러설비를 설치해야 하는 특정소방대상물에 ( ), ( ) 또는 ( )를 화재안전기준에 적합하게 설치한 경우에는 그 설비의 유효범위에서 설치가 면제된다.

① 옥내소화전설비　　　　　　　　② 스프링클러설비

③ 물분무소화설비　　　　　　　　④ 미분무소화설비

정답 및 해설

09 특정소방대상물
① 지상으로부터 높이 120미터인 아파트 → 아파트 200미터 이상일 때 해당한다.
② 연면적 2만제곱미터인 철도역사 → 연면적이 3만제곱미터 이상인 철도역사가 해당한다.
③ 연면적 10만제곱미터인 특정소방대상물(단, 아파트 등은 제외) → 연면적이 20만제곱미터 이상일 때 해당한다.

10 소방시설
ㄱ. 소화기와 ㄹ. 단독경보형 감지기를 설치한다.

11 소방시설의 기준
① 지하가 중 터널로서 길이가 500m인 터널에는 옥내소화전설비를 설치하여야 한다. → 1,000m 이상일 때 설치한다.
③ 물류터미널을 제외한 창고시설로 바닥면적 합계가 3천m²인 경우에는 모든 층에 스프링클러설비를 설치하여야 한다. → 창고시설은 바닥면적 합계가 5천m² 이상인 경우 스프링클러를 설치한다.
④ 근린생활시설 중 조산원 및 산후조리원으로서 연면적 500m² 이상인 시설은 간이스프링클러설비를 설치하여야 한다. → 조산원 및 산후조리원은 연면적이 600m² 미만인 시설에만 간이스프링클러를 설치한다.

12 스프링클러설비
판매시설의 바닥면적이 5천m² 이상이거나 수용인원 500인 이상의 모든 층에는 스프링클러를 설치한다.

13 간이스프링클러설비
숙박시설로 사용되는 바닥면적합계가 300m² 이상 600m² 미만인 시설에 간이스프링클러를 설치한다.

14 간이스프링클러설비 설치면제기준
옥내소화전설비는 해당사항 없다. 간이스프링클러설비를 설치해야 하는 특정소방대상물에 스프링클러설비, 물분무소화설비 또는 미분무소화설비를 화재안전기준에 적합하게 설치한 경우에는 그 설비의 유효범위에서 설치가 면제된다.

정답 09 ④ 10 ① 11 ② 12 ② 13 ④ 14 ①

15 물분무등소화설비를 설치하여야 하는 특정소방대상물로 옳지 않은 것은? 18. 하반기 경채

① 항공기격납고

② 연면적 600m² 이상인 주차용 건축물

③ 특정소방대상물에 설치된 바닥면적 300m² 이상인 전산실

④ 20대 이상의 차량을 주차할 수 있는 기계장치에 의한 주차시설

16 특정소방대상물에 설치하는 소방시설 중 단독경보형 감지기에 관한 설치기준으로 옳지 않은 것은? 22. 경채

① 자동화재 탐지설비가 설치되지 않은 숙박시설이 있는 수련시설

② 교육연구시설 내에 있는 기숙사 또는 합숙소로서 연면적 2,000m² 미만인 것

③ 연면적 600m² 미만의 유치원

④ 수련시설 내에 있는 기숙사 또는 합숙소로서 연면적 2,000m² 미만인 것

17 피난구조설비 중 공기호흡기를 설치하여야 하는 특정소방대상물로 옳지 않은 것은? 21. 경채

① 지하가 중 지하상가

② 운수시설 중 지하역사

③ 판매시설 중 대규모점포

④ 호스릴이산화탄소소화설비를 설치하여야 하는 특정소방대상물

18 다음 중 인명구조기구를 설치해야 하는 소방대상물 중 방열복 또는 방화복, 인공소생기 및 공기호흡기를 모두 설치해야 하는 대상물로서 옳은 것은? 18. 상반기 경채

① 지하 포함 7층 이상 관광호텔

② 지하 포함 5층 이상 병원

③ 운수시설 중 지하역사

④ 판매시설 중 대규모점포

19 제연설비를 설치해야 하는 특정소방대상물에 대한 내용이다. ( ) 안에 들어갈 숫자로 옳은 것은? 22. 경채

> 가. 지하가(터널은 제외한다)로서 연면적 (ㄱ)m² 이상인 것
>
> 나. 문화 및 집회시설, 종교시설, 운동시설로서 무대부의 바닥면적이 (ㄴ)m² 이상 또는 문화 및 집회시설 중 영화상영관으로서 수용인원 (ㄷ)명 이상인 것

	ㄱ	ㄴ	ㄷ
①	1,000	200	100
②	1,000	400	100
③	2,000	200	50
④	2,000	400	50

20 다음 중 무선통신보조설비 설치기준으로 옳지 않은 것은? 17. 하반기 경채

① 지하가로서 연면적 1천m² 이상인 것

② 지하층의 바닥면적의 합계가 3천m² 이상인 것

③ 지하가 중 터널로서 길이가 5백m 이상인 것

④ 층수가 20층 이상인 것으로서 16층 이상 부분의 모든 층

정답 및 해설

15 물분무등소화설비
연면적 800m² 이상인 주차용 건축물에 물분무등소화설비를 설치한다.

16 단독경보형 감지기
연면적 400m² 미만의 유치원에는 단독경보형 감지기를 설치한다.

17 피난구조설비
호스릴이산화탄소소화설비에는 공기호흡기를 설치하지 않는다.

18 인명구조기구
지하층을 포함한 층수가 7층 이상인 관광호텔에는 방열복, 방화복, 인공소생기 및 공기호흡기를 모두 설치한다.

19 지연설비
가. 지하가(터널은 제외한다)로서 연면적 (1,000)m² 이상인 것

나. 문화 및 집회시설, 종교시설, 운동시설로서 무대부의 바닥면적이 (200)m² 이상 또는 문화 및 집회시설 중 영화상영관으로서 수용인원 (100)명 이상인 것

20 무선통신보조설비
층수가 30층 이상인 것으로서 16층 이상 부분의 모든 층에는 무선통신보조설비를 설치한다.

정답 15 ② 16 ③ 17 ④ 18 ① 19 ① 20 ④

21 노유자시설 및 의료시설의 경우 강화된 소방시설기준의 적용대상이다. 이에 해당하는 소방설비의 연결이 옳지 않은 것은? 19. 경채

① 노유자시설에 설치하는 간이스프링클러설비

② 노유자시설에 설치하는 비상방송설비

③ 의료시설에 설치하는 스프링클러설비

④ 의료시설에 설치하는 자동화재탐지설비

22 화재안전기준이 변경되어 그 기준이 강화되는 경우 강화된 기준을 적용하여야 하는 소방시설로 옳은 것은? 18. 상반기 공채

ㄱ. 소화기구
ㄴ. 비상경보설비
ㄷ. 비상콘센트설비
ㄹ. 노유자시설에 설치하는 스프링클러설비 및 자동화재탐지설비
ㅁ. 의료시설에 설치하는 스프링클러설비, 간이스프링클러설비와 자동화재탐지설비, 자동화재속보설비

① ㄱ, ㄴ, ㄷ　　　　　　　　　　　　② ㄱ, ㄴ, ㄹ
③ ㄱ, ㄴ, ㅁ　　　　　　　　　　　　④ ㄱ, ㄴ, ㄷ, ㄹ, ㅁ

23 특정소방대상물의 소방시설 설치면제 기준으로 옳지 않은 것은? 20. 경채

① 간이스프링클러설비를 설치하여야 하는 특정소방대상물에 분말소화설비를 화재안전기준에 적합하게 설치한 경우에는 그 설비의 유효범위에서 설치가 면제된다.

② 비상경보설비를 설치하여야 할 특정소방대상물에 단독경보형 감지기를 2개 이상의 단독경보형 감지기와 연동하여 설치하는 경우에는 그 설비의 유효범위에서 설치가 면제된다.

③ 비상조명등을 설치하여야 하는 특정소방대상물에 피난구유도등 또는 통로유도등을 화재안전기준에 적합하게 설치한 경우에는 그 유도등의 유효범위에서 설치가 면제된다.

④ 누전경보기를 설치하여야 하는 특정소방대상물 또는 그 부분에 아크경보기 또는 전기 관련 법령에 따른 지락차단장치를 설치한 경우에는 그 설비의 유효범위에서 설치가 면제된다.

24 특정소방대상물의 증축 또는 용도변경 시의 소방시설기준 적용의 특례에 관한 설명으로 옳지 않은 것은? 22. 경채

① 기존 부분과 증축 부분이 건축법 시행령 제46조 제1항 제2호에 따른 자동방화셔터(이하 "자동방화셔터"라 한다) 또는 같은 영 제64조 제1항 제1호에 따른 60분 + 방화문(이하 "60분 + 방화문"이라 한다)으로 구획되어 있는 경우, 기존 부분에 대해서는 증축 당시의 소방시설의 설치에 관한 대통령령 또는 화재안전기준을 적용하지 않는다.

② 기존 부분과 증축 부분이 내화구조(耐火構造)로 된 바닥과 벽으로 구획된 경우, 기존 부분에 대해서는 증축 당시의 소방시설의 설치에 관한 대통령령 또는 화재안전기준을 적용하지 않는다.

③ 특정소방대상물의 구조·설비가 화재연소 확대 요인이 적어지거나 피난 또는 화재진압활동이 쉬워지도록 변경되는 경우에는 특정소방대상물 전체에 대하여 용도변경 전에 해당 특정소방대상물에 적용되던 소방시설의 설치에 관한 대통령령 또는 화재안전기준을 적용한다.

④ 용도변경으로 인하여 천장·바닥·벽 등에 고정되어 있는 가연성 물질의 양이 늘어나는 경우 용도변경되는 부분에 대해서만 용도변경 당시의 소방시설의 설치에 관한 대통령령 또는 화재안전기준을 적용한다.

정답 및 해설

21 강화된 기준을 적용하는 설비
· 노유자 시설에 설치하는 간이스프링클러설비, 자동화재탐지설비 및 단독경보형 감지기
· 의료시설에 설치하는 스프링클러설비, 간이스프링클러설비, 자동화재탐지설비 및 자동화재속보설비

22 화재안전기준
ㄱ. 소화기구, ㄴ. 비상경보설비, ㅁ. 의료시설에 설치하는 스프링클러설비, 간이스프링클러설비, 자동화재탐지설비 및 자동화재속보설비가 해당한다.

23 소방시설 설치면제 기준
간이스프링클러설비를 설치해야 하는 특정소방대상물에 스프링클러설비, 물분무소화설비 또는 미분무소화설비를 화재안전기준에 적합하게 설치한 경우에는 그 설비의 유효범위에서 설치가 면제된다.

24 소방시설기준 적용의 특례
용도변경으로 인하여 천장·바닥·벽 등에 고정되어 있는 가연성 물질의 양이 줄어드는 경우 특정소방대상물 전체에 대하여 용도변경 전에 해당 특정소방대상물에 적용되던 소방시설의 설치에 관한 대통령령 또는 화재안전기준을 적용한다.

정답 21 ② **22** ③ **23** ① **24** ④

25 특정소방대상물이 증축되는 경우, 원칙적으로 소방시설기준 적용에 관한 설명으로 옳은 것은? 20. 공채

① 기존 부분을 포함한 특정소방대상물의 전체에 대하여 증축 전 소방시설의 설치에 관한 대통령령 또는 화재 안전기준을 적용하여야 한다.

② 기존 부분은 증축 전에 적용되던 소방시설의 설치에 관한 대통령령 또는 화재안전기준을 적용하고 증축 부분은 증축 당시의 소방시설의 설치에 관한 대통령령 또는 화재안전기준을 적용하여야 한다.

③ 증축 부분은 증축 전에 적용되던 소방시설의 설치에 관한 대통령령 또는 화재안전기준을 적용하고 기존 부분은 증축 당시의 소방시설의 설치에 관한 대통령령 또는 화재안전기준을 적용하여야 한다.

④ 기존 부분을 포함한 특정소방대상물의 전체에 대하여 증축 당시의 소방시설의 설치에 관한 대통령령 또는 화재안전기준을 적용하여야 한다.

26 다음 중 정수장, 수영장, 목욕장, 그 밖에 이와 비슷한 용도로 사용되는 특정소방대상물에 소방시설을 설치하지 아니할 수 있는 소방시설로서 옳은 것은? 18. 상반기 경채

① 옥내소화전   ② 옥외소화전

③ 연결살수설비   ④ 연결송수관

27 소방시설을 설치하지 아니할 수 있는 특정소방대상물 및 소방시설의 범위에서 음료수 공장의 세정 또는 충전하는 작업장 등의 구분은? 17. 하반기 공채

① 화재위험도가 낮은 대상물

② 화재안전기준을 적용하기 어려운 대상물

③ 화재안전기준을 다르게 적용하는 특수용도와 구조대상물

④ 제4류 위험물이 설치된 대상물

28 수용인원의 산정방법에 따라 다음의 특정소방대상물에 대한 수용인원을 옳게 산정한 것은?

> 바닥면적이 95m²인 강의실[단, 바닥면적을 산정할 때에는 복도(건축법 시행령 제2조 제11호에 따른 준불연재료 이상의 것을 사용하여 바닥에서 천장까지 벽으로 구획한 것을 말한다), 계단 및 화장실의 바닥면적을 포함하지 않으며, 계산 결과 소수점 이하의 수는 반올림한다]

① 21명　　　　　　　　　　② 32명
③ 50명　　　　　　　　　　④ 60명

정답 및 해설

25 소방시설기준 적용
원칙적으로 소방본부장 또는 소방서장은 특정소방대상물이 증축되는 경우에는 기존 부분을 포함한 특정소방대상물의 전체에 대하여 증축 당시의 소방시설의 설치에 관한 대통령령 또는 화재안전기준을 적용해야 한다.

26 소방시설
자동화재탐지설비, 상수도소화용수설비, 연결살수설비를 설치하지 아니할 수 있다.

27 작업장
화재안전기준을 적용하기 어려운 특정소방대상물에 해당한다.

28 수용인원
법에 의해 강의실 바닥면적 95를 1.9로 나눠 준다. $\frac{95}{1.9} = 50$명으로 계산할 수 있다.

정답 25 ④　26 ③　27 ②　28 ③

29 수용인원 산정방법으로 옳지 않은 것은?

① 침대가 있는 숙박시설은 해당 특정소방물의 종사자수에 침대 수(2인용 침대는 2개로 산정)를 합한 수로 한다.

② 침대가 없는 숙박시설은 해당 특정소방대상물의 종사자수에 바닥면적의 합계를 3m²로 나누어 얻은 수를 합한 수로 한다.

③ 강의실 용도로 쓰이는 특정소방대상물은 해당 용도로 사용하는 바닥면적의 합계를 1.9m²로 나누어 얻은 수로 한다.

④ 문화 및 집회시설은 해당 용도로 사용하는 바닥면적의 합계를 3m²로 나누어 얻은 수로 한다.

30 특정소방대상물별로 설치하여야 하는 소방시설의 정비 등에 대한 설명이다. (   ) 안에 들어갈 내용으로 옳은 것은?

• 대통령령으로 소방시설을 정할 때에는 특정소방대상물의 (가) 등을 고려하여야 한다.
• 소방청장은 건축 환경 및 화재위험특성 변화사항을 효과적으로 반영할 수 있도록 소방시설 규정을 (나) 이상 정비하여야 한다.

	(가)	(나)
①	규모·용도 및 수용인원	3년에 1회
②	위치·구조 및 수용인원	4년에 1회
③	규모·용도 및 가연물의 종류 및 양	5년에 1회
④	위치·구조 및 가연물의 종류 및 양	10년에 1회

31 임시소방시설의 기준에서 화재위험작업으로 옳지 않은 것은?　　　　　　　　　　

① 알루미늄, 마그네슘 등 인화성 부유분진을 발생시킬 수 있는 작업

② 전열기구, 가열전선 등 열을 발생시키는 기구를 취급하는 작업

③ 용접·용단 등 불을 발생시키거나 화기를 취급하는 작업

④ 인화성·가연성·폭발성 물질을 취급하거나 가연성 가스를 발생시키는 작업

32 다음 중 임시소방시설 종류로서 옳지 않은 것은?　　　　　　　　　　

① 소화기　　　　　　　　　　　　② 스프링클러설비

③ 비상경보장치　　　　　　　　　　④ 간이피난유도선

정답 및 해설

29 수용인원
문화 및 집회시설은 해당 용도로 사용하는 바닥면적의 합계를 4.6㎡로 나누어 얻은 수로 한다.

30 소방시설의 정비
· 대통령령으로 소방시설을 정할 때에는 특정소방대상물의 (규모, 용도, 수용인원) 등을 고려하여야 한다(현재는 이용자 특성도 추가되었다).
· 소방청장은 건축 환경 및 화재위험특성 변화사항을 효과적으로 반영할 수 있도록 소방시설 규정을 (3년에 1회) 이상 정비하여야 한다.

31 화재위험작업
알루미늄, 마그네슘 등 폭발성 부유분진을 발생시킬 수 있는 작업을 화재위험작업이라고 한다.

32 임시소방시설
임시소방시설의 종류에는 소화기, 간이소화장치, 비상경보장치. 가스누설경보기, 간이피난유도선, 비상조명등, 방화포가 있다.

정답 29 ④ **30** ① **31** ① **32** ②

33 연면적 2,500m²인 신축공사 작업현장의 바닥면적 200m²인 지하층에서 용접작업을 하려고 한다. 해당 작업 현장에 설치하여야 할 임시소방시설로 옳지 않은 것은? 20. 경채

① 소화기 　　　　　　　　　　　　　② 간이소화장치

③ 비상경보장치 　　　　　　　　　　④ 간이피난유도선

34 임시소방시설을 설치하여야 하는 공사와 임시소방시설의 설치기준으로 옳지 않은 것은? 20. 경채

① 특정소방대상물의 용도변경을 위한 공사를 시공하는 자는 공사 현장에서 인화성(引火性) 물품을 취급하는 작업을 하기 전에 설치 및 철거가 쉬운 임시소방시설을 설치하고 유지·관리하여야 한다.

② 옥내소화전이 설치된 특정소방대상물의 용도변경을 위한 내부 인테리어 변경공사를 시공하는 자는 간이 소화장치를 설치해야만 한다.

③ 무창층으로서 바닥면적 150m²의 증축 작업현장에는 간이피난유도선을 설치해야 한다.

④ 소방서장은 용접·용단 등 불꽃을 발생시키거나 화기(火氣)를 취급하는 작업현장에 임시소방시설 또는 소방시설이 설치 또는 유지·관리되지 아니할 때에는 해당 시공자에게 필요한 조치를 하도록 명할 수 있다.

35 소방용품인 분말형태의 소화약제를 사용하는 소화기의 내용연수로 옳은 것은? 18. 하반기 공채

① 10년 　　　　　　　　　　　　　　② 15년

③ 20년 　　　　　　　　　　　　　　④ 25년

36 소방시설 설치 및 관리에 관한 법률 및 같은 법 시행령상 내용연수 설정대상 소방용품에 관한 설명이다. ( ) 안에 들어갈 내용으로 옳은 것은?

24. 경채

특정소방대상물의 관계인은 내용연수가 경과한 소방용품을 교체해야 한다. 이 경우 내용연수를 설정해야 하는 소방용품은 (ㄱ)를 사용하는 소화기로 하며, 내용연수는 (ㄴ)년으로 한다.

ㄱ	ㄴ
① 분말형태의 소화약제	10
② 강화액 소화약제	10
③ 분말형태의 소화약제	7
④ 강화액 소화약제	7

37 지방소방기술심의위원회의 심의사항으로 옳은 것은?

19. 경채

① 화재안전기준에 관한 사항

② 소방시설의 구조 및 원리 등에서 공법이 특수한 설계및 시공에 관한 사항

③ 소방시설의 설계 및 공사감리의 방법에 관한 사항

④ 연면적 10만제곱미터 미만의 특정소방대상물에 설치된 소방시설의 설계·시공·감리의 하자 유무에 관한 사항

정답 및 해설

33 임시소방시설
연면적 3천m² 이상인 화재위험 작업현장에만 간이소화장치를 설치한다.

34 임시소방시설
건물에 옥내소화전이 설치되어 있으면 간이 소화장치는 면제가 가능하다.

35 소화기
분말소화기의 내용연수는 10년으로 정해져 있다.

36 내용연수 설정대상 소방용품
1. 법 제17조 제1항 후단에 따라 내용연수를 설정해야 하는 소방용품은 분말형태의 소화약제를 사용하는 소화기로 한다.
2. 제1항에 따른 소방용품의 내용연수는 10년으로 한다.

37 지방소방기술심의위원회
①, ②, ③ 중앙소방기술심의위원회의 심의사항이다.

정답 33 ② **34** ② **35** ① **36** ① **37** ④

38 방염성능기준 이상의 실내장식물 등을 설치하여야 하는 특정소방대상물을 모두 고른 것은? 20. 경채

> ㄱ. 근린생활시설 중 의원
>
> ㄴ. 방송통신시설 중 방송국 및 촬영소
>
> ㄷ. 근린생활시설 중 체력단련장

① ㄱ   ② ㄱ, ㄴ

③ ㄴ, ㄷ   ④ ㄱ, ㄴ, ㄷ

39 다음 중 방염대상물품이 아닌 것은? 18. 상반기 경채

① 영화상영관에 설치된 섬유류, 합성수지류 원료로 제작된 소파나 의자

② 다중이용업소의 안전관리에 관한 특별법 시행령에 따른 골프 연습장에 설치하는 스크린

③ 카펫, 벽지류(두께 2밀리미터 미만인 종이벽지는 제외한다)

④ 창문에 설치하는 커튼류(블라인드를 포함한다)

40 소방시설 설치·유지 및 안전관리에 관한 법률 시행령상 방염성능기준으로 옳지 않은 것은? 22. 공채

① 불꽃에 의하여 완전히 녹을 때까지 불꽃의 접촉 횟수는 3회 이상일 것

② 탄화(炭化)한 면적은 50제곱센티미터 이내, 탄화한 길이는 20센티미터 이내일 것

③ 소방청장이 정하여 고시한 방법으로 발연량(發煙量)을 측정하는 경우 최대연기밀도는 500 이하일 것

④ 버너의 불꽃을 제거한 때부터 불꽃을 올리며 연소하는 상태가 그칠 때까지 시간은 20초 이내이며, 버너의 불꽃을 제거한 때부터 불꽃을 올리지 아니하고 연소하는 상태가 그칠 때까지 시간은 30초 이내일 것

41 다음 중 방염성능기준에 대한 설명 중 빈칸에 들어갈 말로 옳은 것을 고르면?

ㄱ. 버너에 불꽃을 제거한 때부터 불꽃을 올리며 연소하는 상태가 그칠 때까지 시간은 (   ) 이내

ㄴ. 버너에 불꽃을 제거한 때부터 불꽃을 올리지 아니하고 연소하는 상태가 그칠 때까지 시간은 (   ) 이내

ㄷ. 탄화한 면적은 (   ) 이내, 탄화된 길이는 (   ) 이내

ㄹ. 소방청장이 정하여 고시하는 방법으로 발연량을 측정하는 경우 최대연기밀도는 (   ) 이하

① 30초, 20초, 50cm², 10cm, 200

② 20초, 30초, 50cm², 20cm, 400

③ 20초, 20초, 50cm², 10cm, 200

④ 30초, 30초, 50cm², 10cm, 400

정답 및 해설

38 실내장식물
모두 방염성능기준 이상의 실내장식물을 설치하여야 하는 특정소방대상물이다.

39 방염대상물품
섬유류 합성수지류를 원료로 제작된 소파나 의자는 단란주점영업, 유흥주점영업, 노래연습장의 영업장에 설치되는 것만 방염대상물품이다.

40 방염성능기준
소방청장이 정하여 고시한 방법으로 발연량(發煙量)을 측정하는 경우 최대연기밀도는 400 이하일 것

41 방염승녕기준

ㄱ. 버너에 불꽃을 제거한 때부터 불꽃을 올리며 연소하는 상태가 그칠 때까지 시간은 (20초) 이내

ㄴ. 버너에 불꽃을 제거한 때부터 불꽃을 올리지 아니하고 연소하는 상태가 그칠 때까지 시간은 (30초) 이내

ㄷ. 탄화한 면적은 (50cm²) 이내, 탄화된 길이는 (20cm) 이내

ㄹ. 소방청장이 정하여 고시하는 방법으로 발연량을 측정하는 경우 최대연기밀도는 (400) 이하

정답 38 ④ **39** ① **40** ③ **41** ②

42 특정소방대상물의 바닥면적이 다음과 같을 때 소방시설 설치 및 관리에 관한 법률 시행령에 따른 수용인원은 총 몇 명인가? (단, 바닥면적을 산정할 때에는 복도, 계단 및 화장실을 포함하지 않으며, 계산 결과 소수점 이하의 수는 반올림한다)

23. 공채 · 경채

- 관람석이 없는 강당 1개, 바닥면적 460m²
- 강의실 10개, 각 바닥면적 57m²
- 휴게실 1개, 바닥면적 38m²

① 380　　　　　　　　　　② 400

③ 420　　　　　　　　　　④ 440

43 소방시설 설치 및 관리에 관한 법률 시행령상 스프링클러설비를 설치해야 하는 특정소방대상물에 해당하는 것만을 [보기]에서 고른 것은?

23. 공채 · 경채

[보기]

ㄱ. 수련시설 내에 있는 학생 수용을 위한 기숙사로서 연면적 5천m²인 경우
ㄴ. 교육연구시설 내에 있는 합숙소로서 연면적 100m²인 경우
ㄷ. 숙박시설로 사용되는 바닥면적의 합계가 500m²인 경우
ㄹ. 영화상영관의 용도로 쓰는 4층의 바닥면적이 1천m²인 경우

① ㄱ, ㄴ　　　　　　　　② ㄱ, ㄹ

③ ㄴ, ㄷ　　　　　　　　④ ㄷ, ㄹ

44 소방시설 설치 및 관리에 관한 법률 시행령상 건축물 등의 신축·증축·개축·재축·이전·용도변경 또는 대수선의 허가·협의 및 사용승인을 할 때 미리 소방본부장 또는 소방서장의 동의를 받아야 하는 건축물 등의 범위로 옳지 않은 것은?

23. 공채·경채

① 연면적 100제곱미터 이상인 특정소방대상물 중 노유자(老幼者) 시설 및 수련시설

② 학교시설사업 촉진법에 따라 건축등을 하려는 연면적 100제곱미터 이상의 학교시설

③ 지하층 또는 무창층이 있는 건축물로서 바닥면적이 150제곱미터(공연장의 경우에는 100제곱미터) 이상인 층이 있는 것

④ 차고·주차장 또는 주차 용도로 사용되는 시설로서 차고·주차장으로 사용되는 바닥면적이 200제곱미터 이상인 층이 있는 건축물이나 주차시설

45 소방시설 설치 및 관리에 관한 법률상 중앙소방기술심의위원회의 심의사항으로 옳지 않은 것은?

23. 공채·경채

① 화재안전기준에 관한 사항

② 소방시설에 하자가 있는지의 판단에 관한 사항

③ 소방시설의 설계 및 공사감리의 방법에 관한 사항

④ 소방시설의 구조 및 원리 등에서 공법이 특수한 설계 및 시공에 관한 사항

정답 및 해설

42 수용인원
· 관람석이 없는 강당 1개, 바닥면적 460m² ÷ 4.6m² = 100명
· 강의실 10개, 각 바닥면적 57m² ÷ 1.9m² = 30명 × 10개 = 300명
· 휴게실 1개, 바닥면적 38m² ÷ 1.9m² = 20명
∴ 100 + 300 + 20 = 420명

43 스프링클러설비
ㄴ. 교육연구시설 내에 있는 학생 수용을 위한 기숙사로서 연면적 5천m²인 경우
ㄷ. 숙박시설로 사용되는 바닥면적의 합계가 600m²인 경우

44 건축물
연면적 200제곱미터 이상인 특정소방대상물 중 노유자(老幼者) 시설 및 수련시설

45 중앙소방기술심의위원회
소방시설에 하자가 있는지의 판단에 관한 사항은 지방소방기술심의위원회의 심의사항에 해당된다.

정답 42 ③ **43** ② **44** ① **45** ②

CHAPTER 3 소방시설등의 자체점검

 영철쌤 tip

1. 소방시설등의 자체점검: 관계인, 관리업자 등[소방시설관리업자가 업무대행, 행정안전부령으로 정하는 기술자격자(소방안전관리자로 선임된 소방기술사,소방시설관리사)]가 한다.
2. 관리업자 등이 점검한 경우: 점검결과를 관계인에게 제출

1. 자체점검 구분: 최초점검(60일 이내), 작동점검, 종합점검
2. 행정안전부령으로 정하는 기간: 작동점검, 종합점검은 연 1회 이상(단, 특급소방대상물은 반기별 1회 이상)
3. 종합점검대상
   · 스프링클러설비 설치
   · 물분무등소화설비가 설치된 연면적 5,000m² 이상(위험물 제조소등 제외)
   · 공공기관으로서 연면적 1,000m² 이상 (옥내소화전, 자동화재탐지설비)
   · 다중이용업소(안마시술소, 산후조리원, 고시원, 노래연습장, 단란주점, 유흥주점, 영화상영관, 비디오물감상실업으로서 연면적 2,000m² 이상)
   · 터널(제연설비)

관리업자등의 점검대가는 행정안전부령으로 정하는 방식에 따라 산정한다. 즉, 실비정액 가산방식을 의미한다.

용어사전

❶ 도산: 재산을 모두 잃고 망한 상태(회생, 파산)

제22조(소방시설등의 자체점검)

① 특정소방대상물의 관계인은 그 대상물에 설치되어 있는 소방시설등이 이 법이나 이 법에 따른 명령 등에 적합하게 설치·관리되고 있는지에 대하여 다음 각 호의 구분에 따른 기간 내에 스스로 점검하거나 제34조에 따른 점검능력 평가를 받은 관리업자 또는 행정안전부령으로 정하는 기술자격자(이하 "관리업자등"이라 한다)로 하여금 정기적으로 점검(이하 "자체점검"이라 한다)하게 하여야 한다. 이 경우 관리업자등이 점검한 경우에는 그 점검 결과를 행정안전부령으로 정하는 바에 따라 관계인에게 제출하여야 한다.
   1. 해당 특정소방대상물의 소방시설등이 신설된 경우: 건축법 제22조에 따라 건축물을 사용할 수 있게 된 날부터 60일
   2. 제1호 외의 경우: 행정안전부령으로 정하는 기간
② 자체점검의 구분 및 대상, 점검인력의 배치기준, 점검자의 자격, 점검 장비, 점검 방법 및 횟수 등 자체점검 시 준수하여야 할 사항은 행정안전부령으로 정한다.
③ 제1항에 따라 관리업자등으로 하여금 자체점검하게 하는 경우의 점검 대가는 엔지니어링산업 진흥법 제31조에 따른 엔지니어링사업의 대가 기준 가운데 행정안전부령으로 정하는 방식에 따라 산정한다.
④ 제3항에도 불구하고 소방청장은 소방시설등 자체점검에 대한 품질확보를 위하여 필요하다고 인정하는 경우에는 특정소방대상물의 규모, 소방시설등의 종류 및 점검인력 등에 따라 관계인이 부담하여야 할 자체점검 비용의 표준이 될 금액(이하 "표준자체점검비"라 한다)을 정하여 공표하거나 관리업자등에게 이를 소방시설등 자체점검에 관한 표준가격으로 활용하도록 권고할 수 있다.
⑤ 표준자체점검비의 공표 방법 등에 관하여 필요한 사항은 소방청장이 정하여 고시한다.
⑥ 관계인은 천재지변이나 그 밖에 대통령령으로 정하는 사유로 자체점검을 실시하기 곤란한 경우에는 대통령령으로 정하는 바에 따라 소방본부장 또는 소방서장에게 면제 또는 연기 신청을 할 수 있다. 이 경우 소방본부장 또는 소방서장은 그 면제 또는 연기 신청 승인 여부를 결정하고 그 결과를 관계인에게 알려주어야 한다.

> **시행령 제33조(소방시설등의 자체점검 면제 또는 연기)** ① 법 제22조 제6항 전단에서 "대통령령으로 정하는 사유"란 다음 각 호의 어느 하나에 해당하는 사유를 말한다.
>   1. 재난 및 안전관리 기본법 제3조 제1호에 해당하는 재난이 발생한 경우
>   2. 경매 등의 사유로 소유권이 변동 중이거나 변동된 경우
>   3. 관계인의 질병, 사고, 장기출장의 경우
>   4. 그 밖에 관계인이 운영하는 사업에 부도 또는 도산❶ 등 중대한 위기가 발생하여 자체점검을 실시하기 곤란한 경우

② 법 제22조 제1항에 따른 자체점검(이하 "자체점검"이라 한다)의 면제 또는 연기를 신청하려는 관계인은 행정안전부령으로 정하는 면제 또는 연기신청서에 면제 또는 연기의 사유 및 기간 등을 적어 소방본부장 또는 소방서장에게 제출해야 한다. 이 경우 제1항 제1호에 해당하는 경우에만 면제를 신청할 수 있다.

③ 제2항에 따른 면제 또는 연기의 신청 및 신청서의 처리에 필요한 사항은 행정안전부령으로 정한다.

시행규칙 제19조(기술자격자의 범위) 법 제22조 제1항 각 호 외의 부분 전단에서 "행정안전부령으로 정하는 기술자격자"란 화재의 예방 및 안전관리에 관한 법률 제24조 제1항 전단에 따라 소방안전관리자(이하 "소방안전관리자"라 한다)로 선임된 소방시설관리사 및 소방기술사를 말한다.

제20조(소방시설등 자체점검의 구분 및 대상 등) ① 법 제22조 제1항에 따른 자체점검(이하 "자체점검"이라 한다)의 구분 및 대상, 점검자의 자격, 점검 장비, 점검 방법 및 횟수 등 자체점검 시 준수해야 할 사항은 별표 3과 같고, 점검인력의 배치기준은 별표 4와 같다.

② 법 제29조에 따라 소방시설관리업을 등록한 자(이하 "관리업자"라 한다)는 제1항에 따라 자체점검을 실시하는 경우 점검 대상과 점검 인력 배치상황을 점검인력을 배치한 날 이후 자체점검이 끝난 날부터 5일 이내에 법 제50조 제5항에 따라 관리업자에 대한 점검능력 평가 등에 관한 업무를 위탁받은 법인 또는 단체(이하 "평가기관"이라 한다)에 통보해야 한다.

③ 제1항의 자체점검 구분에 따른 점검사항, 소방시설등점검표, 점검인원 배치상황 통보 및 세부 점검방법 등 자체점검에 필요한 사항은 소방청장이 정하여 고시한다.

별표 3. 소방시설등 자체점검의 구분 및 대상, 점검자의 자격, 점검 장비, 점검 방법 및 횟수 등 자체점검 시 준수해야 할 사항

1. 소방시설등에 대한 자체점검은 다음과 같이 구분한다.

가. 작동점검: 소방시설등을 인위적으로 조작하여 소방시설이 정상적으로 작동하는지를 소방청장이 정하여 고시하는 소방시설등 작동점검표에 따라 점검하는 것을 말한다.

나. 종합점검: 소방시설등의 작동점검을 포함하여 소방시설등의 설비별 주요 구성 부품의 구조기준이 화재안전기준과 건축법 등 관련 법령에서 정하는 기준에 적합한지 여부를 소방청장이 정하여 고시하는 소방시설등 종합점검표에 따라 점검하는 것을 말하며, 다음과 같이 구분한다.

1) 최초점검: 법 제22조 제1항 제1호에 따라 소방시설이 새로 설치되는 경우 건축법 제22조에 따라 건축물을 사용할 수 있게 된 날부터 60일 이내 점검하는 것을 말한다.

2) 그 밖의 종합점검: 최초점검을 제외한 종합점검을 말한다.

2. 작동점검은 다음의 구분에 따라 실시한다.

가. 작동점검은 영 제5조에 따른 특정소방대상물을 대상으로 한다. 다만, 다음의 어느 하나에 해당하는 특정소방대상물은 제외한다.

1) 특정소방대상물 중 화재의 예방 및 안전관리에 관한 법률 제24조 제1항에 해당하지 않는 특정소방대상물(소방안전관리자를 선임하지 않는 대상을 말한다)

2) 위험물안전관리법 제2조 제6호에 따른 제조소등(이하 "제조소등"이라 한다)

3) 화재의 예방 및 안전관리에 관한 법률 시행령 별표 4 제1호 가목의 특급소방
안전관리대상물

나. 작동점검은 다음의 분류에 따른 기술인력이 점검할 수 있다. 이 경우 별표 4에
따른 점검인력 배치기준을 준수해야 한다.

1) 영 별표 4 제1호 마목의 간이스프링클러설비(주택전용 간이스프링클러설비는
제외한다) 또는 같은 표 제2호 다목의 자동화재탐지설비가 설치된 특정소방대
상물

가) 관계인

나) 관리업에 등록된 기술인력 중 소방시설관리사

다) 소방시설공사업법 시행규칙 별표 4의2에 따른 특급점검자

라) 소방안전관리자로 선임된 소방시설관리사 및 소방기술사

2) 1)에 해당하지 않는 특정소방대상물

가) 관리업에 등록된 소방시설관리사

나) 소방안전관리자로 선임된 소방시설관리사 및 소방기술사

다. 작동점검은 연 1회 이상 실시한다.

라. 작동점검의 점검 시기는 다음과 같다.

1) 종합점검 대상은 종합점검을 받은 달부터 6개월이 되는 달에 실시한다.

2) 1)에 해당하지 않는 특정소방대상물은 특정소방대상물의 사용승인일(건축물
의 경우에는 건축물관리대장 또는 건물 등기사항증명서에 기재되어 있는 날,
시설물의 경우에는 시설물의 안전 및 유지관리에 관한 특별법 제55조 제1항
에 따른 시설물통합정보관리체계에 저장·관리되고 있는 날을 말하며, 건축
물관리대장, 건물 등기사항증명서 및 시설물통합정보관리체계를 통해 확인
되지 않는 경우에는 소방시설완공검사증명서에 기재된 날을 말한다)이 속하
는 달의 말일까지 실시한다. 다만, 건축물관리대장 또는 건물 등기사항증명서
등에 기입된 날이 서로 다른 경우에는 건축물관리대장에 기재되어 있는 날을 기
준으로 점검한다.

3. 종합점검은 다음의 구분에 따라 실시한다.

가. 종합점검은 다음의 어느 하나에 해당하는 특정소방대상물을 대상으로 한다.

1) 법 제22조 제1항 제1호에 해당하는 특정소방대상물(신설된 경우)

2) 스프링클러설비가 설치된 특정소방대상물

3) 물분무등소화설비[호스릴(hose reel) 방식의 물분무등소화설비만을 설치한
경우는 제외한다]가 설치된 연면적 5,000m² 이상인 특정소방대상물(제조소
등은 제외한다)

4) 다중이용업소의 안전관리에 관한 특별법 시행령 제2조 제1호 나목, 같은 조
제2호(비디오물소극장업은 제외한다)·제6호·제7호·제7호의2 및 제7호의5
의 다중이용업의 영업장이 설치된 특정소방대상물로서 연면적이 2,000m² 이
상인 것

5) 제연설비가 설치된 터널

6) 공공기관의 소방안전관리에 관한 규정 제2조에 따른 공공기관 중 연면적
(터널·지하구의 경우 그 길이와 평균 폭을 곱하여 계산된 값을 말한다)이
1,000m² 이상인 것으로서 옥내소화전설비 또는 자동화재탐지설비가 설치된
것. 다만, 소방기본법 제2조 제5호에 따른 소방대가 근무하는 공공기관은 제
외한다.

나. 종합점검은 다음 어느 하나에 해당하는 기술인력이 점검할 수 있다. 이 경우 별표 4에 따른 점검인력 배치기준을 준수해야 한다.

   1) 관리업에 등록된 소방시설관리사

   2) 소방안전관리자로 선임된 소방시설관리사 및 소방기술사

다. 종합점검의 점검 횟수는 다음과 같다.

   1) 연 1회 이상(화재의 예방 및 안전에 관한 법률 시행령 별표 4 제1호 가목의 특급 소방안전관리대상물은 반기에 1회 이상) 실시한다.

   2) 1)에도 불구하고 소방본부장 또는 소방서장은 소방청장이 소방안전관리가 우수하다고 인정한 특정소방대상물에 대해서는 3년의 범위에서 소방청장이 고시하거나 정한 기간 동안 종합점검을 면제할 수 있다. 다만, 면제기간 중 화재가 발생한 경우는 제외한다.

라. 종합점검의 점검 시기는 다음과 같다.

   1) 가목 1)에 해당하는 특정소방대상물은 건축법 제22조에 따라 건축물을 사용할 수 있게 된 날부터 60일 이내 실시한다.

   2) 1)을 제외한 특정소방대상물은 건축물의 사용승인일이 속하는 달에 실시한다. 다만, 공공기관의 안전관리에 관한 규정 제2조 제2호 또는 제5호에 따른 학교의 경우에는 해당 건축물의 사용승인일이 1월에서 6월 사이에 있는 경우에는 6월 30일까지 실시할 수 있다.

   3) 건축물 사용승인일 이후 가목 3)에 따라 종합점검 대상에 해당하게 된 경우에는 그 다음 해부터 실시한다.

   4) 하나의 대지경계선 안에 2개 이상의 자체점검 대상 건축물 등이 있는 경우에는 그 건축물 중 사용승인일이 가장 빠른 연도의 건축물의 사용승인일을 기준으로 점검할 수 있다.

4. 제1호에도 불구하고 공공기관의 소방안전관리에 관한 규정 제2조에 따른 공공기관의 장은 공공기관에 설치된 소방시설등의 유지·관리상태를 맨눈 또는 신체감각을 이용하여 점검하는 외관점검을 월 1회 이상 실시(작동점검 또는 종합점검을 실시한 달에는 실시하지 않을 수 있다)하고, 그 점검 결과를 2년간 자체 보관해야 한다. 이 경우 외관점검의 점검자는 해당 특정소방대상물의 관계인, 소방안전관리자 또는 관리업자(소방시설관리사를 포함하여 등록된 기술인력을 말한다)로 해야 한다.

5. 제1호 및 제4호에도 불구하고 공공기관의 장은 해당 공공기관의 전기시설물 및 가스시설에 대하여 다음 각 목의 구분에 따른 점검 또는 검사를 받아야 한다.

가. 전기시설물의 경우: 전기사업법 제63조에 따른 사용전검사

나. 가스시설의 경우: 도시가스사업법 제17조에 따른 검사, 고압가스 안전관리법 제16조의2 및 제20조 제4항에 따른 검사 또는 액화석유가스의 안전관리 및 사업법 제37조 및 제44조 제2항·제4항에 따른 검사

6. 공동주택(아파트등으로 한정한다) 세대별 점검방법은 다음과 같다.

가. 관리자(관리소장, 입주자대표회의 및 소방안전관리자를 포함한다. 이하 같다) 및 입주민(세대 거주자를 말한다)은 2년 이내 모든 세대에 대하여 점검을 해야 한다.

나. 가목에도 불구하고 아날로그감지기 등 특수감지기가 설치되어 있는 경우에는 수신기에서 원격 점검할 수 있으며, 점검할 때마다 모든 세대를 점검해야 한다. 다만, 자동화재탐지설비의 선로 단선이 확인되는 때에는 단선이 난 세대 또는 그 경계구역에 대하여 현장점검을 해야 한다.

다. 관리자는 수신기에서 원격 점검이 불가능한 경우 매년 작동점검만 실시하는 공동주택은 1회 점검 시 마다 전체 세대수의 50퍼센트 이상, 종합점검을 실시하는 공동주택은 1회 점검 시 마다 전체 세대수의 30퍼센트 이상 점검하도록 자체점검 계획을 수립·시행해야 한다.

라. 관리자 또는 해당 공동주택을 점검하는 관리업자는 입주민이 세대 내에 설치된 소방시설등을 스스로 점검할 수 있도록 소방청 또는 사단법인 한국소방시설관리협회의 홈페이지에 게시되어 있는 공동주택 세대별 점검 동영상을 입주민이 시청할 수 있도록 안내하고, 점검서식(별지 제36호서식 소방시설 외관점검표를 말한다)을 사전에 배부해야 한다.

마. 입주민은 점검서식에 따라 스스로 점검하거나 관리자 또는 관리업자로 하여금 대신 점검하게 할 수 있다. 입주민이 스스로 점검한 경우에는 그 점검 결과를 관리자에게 제출하고 관리자는 그 결과를 관리업자에게 알려주어야 한다.

바. 관리자는 관리업자로 하여금 세대별 점검을 하고자 하는 경우에는 사전에 점검 일정을 입주민에게 사전에 공지하고 세대별 점검 일자를 파악하여 관리업자에게 알려주어야 한다. 관리업자는 사전 파악된 일정에 따라 세대별 점검을 한 후 관리자에게 점검 현황을 제출해야 한다.

사. 관리자는 관리업자가 점검하기로 한 세대에 대하여 입주민의 사정으로 점검을 하지 못한 경우 입주민이 스스로 점검할 수 있도록 다시 안내해야 한다. 이 경우 입주민이 관리업자로 하여금 다시 점검받기를 원하는 경우 관리업자로 하여금 추가로 점검하게 할 수 있다.

아. 관리자는 세대별 점검현황(입주민 부재 등 불가피한 사유로 점검을 하지 못한 세대 현황을 포함한다)을 작성하여 자체점검이 끝난 날부터 2년간 자체 보관해야 한다.

7. 자체점검은 다음의 점검 장비를 이용하여 점검해야 한다.

소방시설	점검 장비	규격
모든 소방시설	방수압력측정계, 절연저항계 (절연저항측정기), 전류전압 측정계	
소화기구	저울	
· 옥내소화전설비 · 옥외소화전설비	소화전밸브압력계	
· 스프링클러설비 · 포소화설비	헤드결합렌치(볼트, 너트, 나사 등을 죄거나 푸는 공구)	
· 이산화탄소소화설비 · 분말소화설비 · 할론소화설비 · 할로겐화합물 및 불활성기체 소화설비	검량계, 기동관누설시험기, 그 밖에 소화약제의 저장량을 측정할 수 있는 점검기구	
· 자동화재탐지설비 · 시각경보기	열감지기시험기, 연(煙)감지기시험기, 공기주입시험기, 감지기시험기연결막대, 음량계	
누전경보기	누전계	누전전류 측정용

무선통신보조설비	무선기	통화시험용
제연설비	풍속풍압계, 폐쇄력측정기, 차압계(압력차 측정기)	
· 통로유도등 · 비상조명등	조도계(밝기 측정기)	최소눈금이 0.1럭스 이하인 것

비고
1. 신축·증축·개축·재축·이전·용도변경 또는 대수선 등으로 소방시설이 새로 설치된 경우에는 해당 특정소방대상물의 소방시설 전체에 대하여 실시한다.
2. 작동점검 및 종합점검(최초점검은 제외한다)은 건축물 사용승인 후 그 다음 해부터 실시한다.
3. 특정소방대상물이 증축·용도변경 또는 대수선 등으로 사용승인일이 달라지는 경우 사용승인일이 빠른 날을 기준으로 자체점검을 실시한다.

별표 4. 소방시설등의 자체점검 시 점검인력의 배치기준

1. 점검인력 1단위는 다음과 같다.
   가. 관리업자가 점검하는 경우에는 소방시설관리사 또는 특급점검자 1명과 영 별표 9에 따른 보조 기술인력 2명을 점검인력 1단위로 하되, 점검인력 1단위에 2명(같은 건축물을 점검할 때는 4명) 이내의 보조 기술인력을 추가할 수 있다.
   나. 소방안전관리자로 선임된 소방시설관리사 및 소방기술사가 점검하는 경우에는 소방시설관리사 또는 소방기술사 중 1명과 보조 기술인력 2명을 점검인력 1단위로 하되, 점검인력 1단위에 2명 이내의 보조 기술인력을 추가할 수 있다. 다만, 보조 기술인력은 해당 특정소방대상물의 관계인 또는 소방안전관리보조자로 할 수 있다.
   다. 관계인 또는 소방안전관리자가 점검하는 경우에는 관계인 또는 소방안전관리자 1명과 보조 기술인력 2명을 점검인력 1단위로 하되, 보조 기술인력은 해당 특정소방대상물의 관리자, 점유자 또는 소방안전관리보조자로 할 수 있다.

2. 관리업자가 점검하는 경우 특정소방대상물의 규모 등에 따른 점검인력의 배치기준은 다음과 같다.

구분	주된 기술인력	보조 기술인력
가. 50층 이상 또는 성능위주설계를 한 특정소방대상물	소방시설관리사 경력 5년 이상 1명 이상	고급점검자 이상 1명 이상 및 중급점검자 이상 1명 이상
나. 화재의 예방 및 안전관리에 관한 법률 시행령 별표 4 제1호에 따른 특급 소방안전관리대상물(가목의 특정소방대상물은 제외한다)	소방시설관리사 경력 3년 이상 1명 이상	고급점검자 이상 1명 이상 및 초급점검자 이상 1명 이상
다. 화재의 예방 및 안전관리에 관한 법률 시행령 별표 4 제2호 및 제3호에 따른 1급 또는 2급 소방안전관리대상물	소방시설관리사 1명 이상	중급점점검자 이상 1명 이상 및 초급점검자 이상 1명 이상
라. 화재의 예방 및 안전관리에 관한 법률 시행령 별표 4 제4호에 따른 3급 소방안전관리대상물	소방시설관리사 1명 이상	초급점검자 이상의 기술인력 2명 이상

영철쌤 tip

점검한도면적
1. 작동점검: 10,000m² (보조 기술인력 1명씩 추가할 경우: 2,500m² + 점검한도면적)
2. 종합점검: 8,000m² (보조 기술인력 1명씩 추가할 경우: 2,000m² + 점검한도면적)

점검한도세대수
1. 작동점검: 250세대 (보조 기술인력 1명씩 추가할 경우: 60세대 + 점검한도세대수)
2. 종합점검: 250세대 (보조 기술인력 1명씩 추가할 경우: 60세대 + 점검한도세대수)

비고

1. 라목에는 주된 기술인력으로 특급점검자를 배치할 수 있다.
2. 보조 기술인력의 등급구분(특급점검자, 고급점검자, 중급점검자, 초급점검자)은 소방시설 공사업법 시행규칙 별표 4의2에서 정하는 기준에 따른다.
3. 점검인력 1단위가 하루 동안 점검할 수 있는 특정소방대상물의 연면적(이하 "점검한도 면적"이라 한다)은 다음 각 목과 같다.
   가. **종합점검**: 8,000m²
   나. **작동점검**: 10,000m²
4. 점검인력 1단위에 보조 기술인력을 1명씩 추가할 때마다 종합점검의 경우에는 2,000m², 작동점검의 경우에는 2,500m²씩을 점검한도 면적에 더한다. 다만, 하루에 2개 이상의 특정소방대상물을 배치할 경우 1일 점검 한도면적은 특정소방대상물별로 투입된 점검인력에 따른 점검한도 면적의 평균값으로 적용하여 계산한다.
5. 점검인력은 하루에 5개의 특정소방대상물에 한하여 배치할 수 있다. 다만 2개 이상의 특정소방대상물을 2일 이상 연속하여 점검하는 경우에는 배치기한을 초과해서는 안 된다.
6. 관리업자등이 하루 동안 점검한 면적은 실제 점검면적(지하구는 그 길이에 폭의 길이 1.8m를 곱하여 계산된 값을 말하며, 터널은 3차로 이하인 경우에는 그 길이에 폭의 길이 3.5m를 곱하고, 4차로 이상인 경우에는 그 길이에 폭의 길이 7m를 곱한 값을 말한다. 다만, 한쪽 측벽에 소방시설이 설치된 4차로 이상인 터널의 경우에는 그 길이와 폭의 길이 3.5m를 곱한 값을 말한다. 이하 같다)에 다음의 각 목의 기준을 적용하여 계산한 면적(이하 "점검면적"이라 한다)으로 하되, 점검면적은 점검한도 면적을 초과해서는 안 된다.
   가. 실제 점검면적에 다음의 가감계수를 곱한다.

구분	대상용도	가감 계수
1류	문화 및 집회시설, 종교시설, 판매시설, 의료시설, 노유자시설, 수련시설, 숙박시설, 위락시설, 창고시설, 교정시설, 발전시설, 지하가, 복합건축물	1.1
2류	공동주택, 근린생활시설, 운수시설, 교육연구시설, 운동시설, 업무시설, 방송통신시설, 공장, 항공기 및 자동차 관련 시설, 군사시설, 관광휴게시설, 장례시설, 지하구	1.0
3류	위험물 저장 및 처리시설, 문화재, 동물 및 식물 관련 시설, 자원순환 관련 시설, 묘지 관련 시설	0.9

   나. 점검한 특정소방대상물이 다음의 어느 하나에 해당할 때에는 다음에 따라 계산된 값을 가목에 따라 계산된 값에서 뺀다.
      1) 영 별표 4 제1호 라목에 따라 스프링클러설비가 설치되지 않은 경우: 가목에 따라 계산된 값에 0.1을 곱한 값
      2) 영 별표 4 제1호 바목에 따라 물분무등소화설비(호스릴 방식의 물분무등소화설비는 제외한다)가 설치되지 않은 경우: 가목에 따라 계산된 값에 0.1을 곱한 값
      3) 영 별표 4 제5호 가목에 따라 제연설비가 설치되지 않은 경우: 가목에 따라 계산된 값에 0.1을 곱한 값
   다. 2개 이상의 특정소방대상물을 하루에 점검하는 경우에는 특정소방대상물 상호간의 좌표 최단거리 5km마다 점검 한도면적에 0.02를 곱한 값을 점검한도 면적에서 뺀다.

7. 제3호부터 제6호까지의 규정에도 불구하고 아파트등(공용시설, 부대시설 또는 복리시설은 포함하고, 아파트등이 포함된 복합건축물의 아파트등 외의 부분은 제외한다. 이하 이 표에서 같다)를 점검할 때에는 다음 각 목의 기준에 따른다.

　가. 점검인력 1단위가 하루 동안 점검할 수 있는 아파트등의 세대수(이하 "점검한도 세대수"라 한다)는 종합점검 및 작동점검에 관계없이 250세대로 한다.

　나. 점검인력 1단위에 보조 기술인력을 1명씩 추가할 때마다 60세대씩을 점검한도 세대수에 더한다.

　다. 관리업자등이 하루 동안 점검한 세대수는 실제 점검 세대수에 다음의 기준을 적용하여 계산한 세대수(이하 "점검세대수"라 한다)로 하되, 점검세대수는 점검한도 세대수를 초과해서는 안 된다.

　　1) 점검한 아파트등이 다음의 어느 하나에 해당할 때에는 다음에 따라 계산된 값을 실제 점검 세대수에서 뺀다.

　　　가) 영 별표 4 제1호 라목에 따라 스프링클러설비가 설치되지 않은 경우: 실제 점검 세대수에 0.1을 곱한 값

　　　나) 영 별표 4 제1호 바목에 따라 물분무등소화설비(호스릴 방식의 물분무등소화설비는 제외한다)가 설치되지 않은 경우: 실제 점검 세대수에 0.1을 곱한 값

　　　다) 영 별표 4 제5호 가목에 따라 제연설비가 설치되지 않은 경우: 실제 점검 세대수에 0.1을 곱한 값

　　2) 2개 이상의 아파트를 하루에 점검하는 경우에는 아파트 상호간의 좌표 최단거리 5km마다 점검 한도세대수에 0.02를 곱한 값을 점검한도 세대수에서 뺀다.

8. 아파트등과 아파트등 외 용도의 건축물을 하루에 점검할 때에는 종합점검의 경우 제7호에 따라 계산된 값에 32, 작동점검의 경우 제7호에 따라 계산된 값에 40을 곱한 값을 점검대상 연면적으로 보고 제2호 및 제3호를 적용한다.

9. 종합점검과 작동점검을 하루에 점검하는 경우에는 작동점검의 점검대상 연면적 또는 점검대상 세대수에 0.8을 곱한 값을 종합점검 점검대상 연면적 또는 점검대상 세대수로 본다.

10. 제3호부터 제9호까지의 규정에 따라 계산된 값은 소수점 이하 둘째 자리에서 반올림한다.

제21조(소방시설등의 자체점검 대가) 법 제22조 제3항에서 "행정안전부령으로 정하는 방식"이란 엔지니어링산업 진흥법 제31조에 따라 산업통상자원부장관이 고시한 엔지니어링사업의 대가 기준 중 **실비정액가산방식**을 말한다.

제22조(소방시설등의 자체점검 면제 또는 연기 등) ① 법 제22조 제6항 및 영 제33조 제2항에 따라 자체점검의 면제 또는 연기를 신청하려는 특정소방대상물의 관계인은 자체점검의 실시 만료일 3일 전까지 별지 제7호서식의 소방시설등의 자체점검 면제 또는 연기신청서(전자문서로 된 신청서를 포함한다)에 자체점검을 실시하기 곤란함을 증명할 수 있는 서류(전자문서를 포함한다)를 첨부하여 소방본부장 또는 소방서장에게 제출해야 한다.

② 제1항에 따른 자체점검의 면제 또는 연기 신청서를 제출받은 소방본부장 또는 소방서장은 면제 또는 연기의 신청을 받은 날부터 3일 이내에 자체점검의 면제 또는 연기 여부를 결정하여 별지 제8호서식의 자체점검 면제 또는 연기 신청 결과 통지서를 면제 또는 연기 신청을 한 자에게 통보해야 한다.

관리업자 등이 점검한 경우 → 점검결과를 관계인에게 10일 이내 제출 → 관계인은 5일 이내 소방본부장 또는 소방서장에게 보고한 다. 즉, 관계인은 자체점검이 끝난 날부터 15 일 이내 보고해야 한다. → 소방본부장 또는 소방서장은 자체점검 실시결과보고서를 점검 이 끝난 날부터 2년간 보관하여야 한다.

제23조(소방시설등의 자체점검 결과의 조치 등) ① 관리업자 또는 소방안전관리자로 선임된 소방시설관리사 및 소방기술사(이하 "관리업자등"이라 한다)는 자체점검을 실시한 경우에는 법 제22조 제1항 각 호 외의 부분 후단에 따라 그 점검이 끝난 날부터 10일 이내에 별지 제9호서식의 소방시설등 자체점검 실시결과 보고서(전자문서로 된 보고서를 포함한다)에 소방청장이 정하여 고시하는 소방시설등점검표를 첨부하여 관계인에게 제출해야 한다.

② 제1항에 따른 자체점검 실시결과 보고서를 제출받거나 스스로 자체점검을 실시한 관계인은 법 제23조 제3항에 따라 자체점검이 끝난 날부터 15일 이내에 별지 제9호서식의 소방시설등 자체점검 실시결과 보고서(전자문서로 된 보고서를 포함한다)에 다음 각 호의 서류를 첨부하여 소방본부장 또는 소방서장에게 서면이나 소방청장이 지정하는 전산망을 통하여 보고해야 한다.

1. 점검인력 배치확인서(관리업자가 점검한 경우만 해당한다)

2. 별지 제10호서식의 소방시설등의 자체점검 결과 이행계획서

③ 제1항 및 제2항에 따른 자체점검 실시결과의 보고기간에는 공휴일 및 토요일은 산입하지 않는다.

④ 제2항에 따라 소방본부장 또는 소방서장에게 자체점검 실시결과 보고를 마친 관계인은 소방시설등 자체점검 실시결과 보고서(소방시설등점검표를 포함한다)를 점검이 끝난 날부터 2년간 자체 보관해야 한다.

⑤ 제2항에 따라 소방시설등의 자체점검 결과 이행계획서를 보고받은 소방본부장 또는 소방서장은 다음 각 호의 구분에 따라 이행계획의 완료 기간을 정하여 관계인에게 통보해야 한다. 다만, 소방시설등에 대한 수리·교체·정비의 규모 또는 절차가 복잡하여 다음 각 호의 기간 내에 이행을 완료하기가 어려운 경우에는 그 기간을 달리 정할 수 있다.

1. 소방시설등을 구성하고 있는 기계·기구를 수리하거나 정비하는 경우: 보고일부터 10일 이내

2. 소방시설등의 전부 또는 일부를 철거하고 새로 교체하는 경우: 보고일부터 20일 이내

⑥ 제5항에 따른 완료기간 내에 이행계획을 완료한 관계인은 이행을 완료한 날부터 10일 이내에 별지 제11호서식의 소방시설등의 자체점검 결과 이행완료 보고서(전자문서로 된 보고서를 포함한다)에 다음 각 호의 서류(전자문서를 포함한다)를 첨부하여 소방본부장 또는 소방서장에게 보고해야 한다.

1. 이행계획 건별 전·후 사진 증명자료

2. 소방시설공사 계약서

⑦ 영 별표 4 제5호 가목 6)에서 "행정안전부령으로 정하는 터널"이란 도로의 구조·시설 기준에 관한 규칙 제48조에 따라 국토교통부장관이 정하는 도로의 구조 및 시설에 관한 세부 기준에 따라 제연설비를 설치해야 하는 터널을 말한다.

구분	작동점검	종합점검
정의	· 인위적으로 조작 · 정상 작동 점검	작동점검 포함 법령 적합 점검 여부(종합점검표) [건축물 사용할 수 있게 된 날부터 60일 이내(소방시설이 새로 설치되는 경우): 최초 종합점검 실시]
자체점검자	· 관계인, 특급점검자(간이 또는 자탐 설치한 곳만 가능) · 소방안전관리자 선임 소방시설관리사 또는 소방기술사 · 소방시설관리사	· 소방시설관리사 · 소방안전관리자로 선임된 소방시설관리사 및 소방기술사
대상	간이 스프링클러 또는 자동화재탐지설비를 설치하는 특정소방대상물 (소방안전관자 없는곳, 위험물제조소등, 특급소방안전관리 대상물은 작동점검 제외)	· 신설된 건축물(60일 이내 최초 종합점검 실시) · 스프링클러 설치 · 물분무등(호스릴 제외) + 연면적 5천 m^2 ↑ (위험물제조소등 제외) · 다중 + 연면적 2천m^2 ↑ · 제연 설치 터널 · 공공기관 중 연면적 1천m^2 ↑ + 옥내 또는 자·탐 설치(소방대 근무 제외)
횟수	연 1회 이상 실시 (종합점검 대상 시 종합점검 받은 달부터 6개월 되는 달 실시)	건축물 사용승인일 속하는 달에 연 1회 이상(우수한 특정소방대상물 3년의 범위에서 종합 면제) (최초는 건축물 사용날부터 60일 이내 실시)
점검한도 면적	· 연면적 12,000m^2 (소 3,500m^2) +3500m^2(보조 추가 시) · 아파트 350세대 (소 90세대) +90세대(보조 추가 시)	· 연면적 10,000m^2 + 3000m^2(보조 추가 시) · 아파트 300세대 + 70세대(보조 추가 시)
점검결과 보고서의 제출	· 관리업자 등이 관계인에게 10일 이내 자체점검 결과보고서 제출 · 제출받은 관계인은 15일 이내 본부장 또는 서장에게 보고(자체점검 결과보고서 + 이행계획서) · 이행계획 완료 기간 - 소방시설등을 구성하고 있는 기계·기구를 수리하거나 정비하는 경우: 보고일로부터 10일 이내 - 소방시설등의 전부 또는 일부를 철거하고 새로 교체하는 경우: 보고일로부터 20일 이내 · 이행계획 완료시 10일 이내 본부장이나 서장에게 보고: 점검결과 점검 끝날 날부터 2년간 자체보관	

제23조(소방시설등의 자체점검 결과의 조치 등)

① 특정소방대상물의 관계인은 제22조 제1항에 따른 자체점검 결과 소화펌프 고장 등 대통령령으로 정하는 중대위반사항(이하 이 조에서 "중대위반사항"이라 한다)이 발견된 경우에는 지체 없이 수리 등 필요한 조치를 하여야 한다.

② 관리업자등은 자체점검 결과 중대위반사항을 발견한 경우 즉시 관계인에게 알려야 한다. 이 경우 관계인은 지체 없이 수리 등 필요한 조치를 하여야 한다.

③ 특정소방대상물의 관계인은 제22조 제1항에 따라 자체점검을 한 경우에는 그 점검 결과를 행정안전부령으로 정하는 바에 따라 소방시설등에 대한 수리·교체·정비에 관한 이행계획(중대위반사항에 대한 조치사항을 포함한다. 이하 이 조에서 같다)을 첨부하여 소방본부장 또는 소방서장에게 보고하여야 한다. 이 경우 소방본부장 또는 소방서장은 점검 결과 및 이행계획이 적합하지 아니하다고 인정되는 경우에는 관계인에게 보완을 요구할 수 있다.

④ 특정소방대상물의 관계인은 제3항에 따른 이행계획을 행정안전부령으로 정하는 바에 따라 기간 내에 완료하고, 소방본부장 또는 소방서장에게 이행계획 완료 결과를 보고하여야 한다. 이 경우 소방본부장 또는 소방서장은 이행계획 완료 결과가 거짓 또는 허위로 작성되었다고 판단되는 경우에는 해당 특정소방대상물을 방문하여 그 이행계획 완료 여부를 확인할 수 있다.

⑤ 제4항에도 불구하고 특정소방대상물의 관계인은 천재지변이나 그 밖에 대통령령으로 정하는 사유로 제3항에 따른 이행계획을 완료하기 곤란한 경우에는 소방본부장 또는 소방서장에게 대통령령으로 정하는 바에 따라 이행계획 완료를 연기하여 줄 것을 신청할 수 있다. 이 경우 소방본부장 또는 소방서장은 연기 신청 승인 여부를 결정하고 그 결과를 관계인에게 알려주어야 한다.

⑥ 소방본부장 또는 소방서장은 관계인이 제4항에 따라 이행계획을 완료하지 아니한 경우에는 필요한 조치의 이행을 명할 수 있고, 관계인은 이에 따라야 한다.

시행령 제34조(소방시설등의 자체점검 결과의 조치 등) 법 제23조 제1항에서 "소화펌프 고장 등 대통령령으로 정하는 중대위반사항"이란 다음 각 호의 어느 하나에 해당하는 경우를 말한다.

1. 소화펌프(가압송수장치를 포함한다. 이하 같다), 동력·감시 제어반 또는 소방시설용 전원(비상전원을 포함한다)의 고장으로 소방시설이 작동되지 않는 경우
2. 화재 수신기의 고장으로 화재경보음이 자동으로 울리지 않거나 화재 수신기와 연동된 소방시설의 작동이 불가능한 경우
3. 소화배관 등이 폐쇄·차단되어 소화수(消火水) 또는 소화약제가 자동 방출되지 않는 경우
4. 방화문 또는 자동방화셔터가 훼손되거나 철거되어 본래의 기능을 못하는 경우

영철쌤 tip

자체점검 결과 중대위반사항
1. 소화펌프(가압송수장치), 동력·감시 제어반, 소방시설용 전원(비상전원)의 고장
2. 화재 수신기의 고장
3. 소화배관 등이 폐쇄·차단
4. 방화문 또는 자동방화셔터가 훼손되거나 철거

제35조(자체점검 결과에 따른 이행계획 완료의 연기) ① 법 제23조 제5항 전단에서 "대통령령으로 정하는 사유"란 다음 각 호의 어느 하나에 해당하는 사유를 말한다.

1. 재난 및 안전관리 기본법 제3조 제1호에 해당하는 재난이 발생한 경우
2. 경매 등의 사유로 소유권이 변동 중이거나 변동된 경우
3. 관계인의 질병, 사고, 장기출장 등의 경우
4. 그 밖에 관계인이 운영하는 사업에 부도 또는 도산 등 중대한 위기가 발생하여 이행계획을 완료하기 곤란한 경우

② 법 제23조 제5항에 따라 이행계획 완료의 연기를 신청하려는 관계인은 행정안전부령으로 정하는 바에 따라 연기신청서에 연기의 사유 및 기간 등을 적어 소방본부장 또는 소방서장에게 제출해야 한다.

③ 제2항에 따른 연기의 신청 및 연기신청서의 처리에 필요한 사항은 행정안전부령으로 정한다.

시행규칙 제24조(이행계획 완료의 연기 신청 등) ① 법 제23조 제5항 및 영 제35조 제2항에 따라 이행계획 완료의 연기를 신청하려는 관계인은 제23조 제5항에 따른 완료기간 만료일 3일 전까지 별지 제12호서식의 소방시설등의 자체점검 결과 이행계획 완료 연기신청서(전자문서로 된 신청서를 포함한다)에 기간 내에 이행계획을 완료하기 곤란함을 증명할 수 있는 서류(전자문서를 포함한다)를 첨부하여 소방본부장 또는 소방서장에게 제출해야 한다.

② 제1항에 따른 이행계획 완료의 연기 신청서를 제출받은 소방본부장 또는 소방서장은 연기 신청을 받은 날부터 3일 이내에 제23조 제5항에 따른 완료기간의 연기 여부를 결정하여 별지 제13호서식의 소방시설등의 자체점검 결과 이행계획 완료 연기신청 결과 통지서를 연기 신청을 한 자에게 통보해야 한다.

제24조(점검기록표 게시 등)

① 제23조 제3항에 따라 자체점검 결과 보고를 마친 관계인은 관리업자등, 점검일시, 점검자 등 자체점검과 관련된 사항을 점검기록표에 기록하여 특정소방대상물의 출입자가 쉽게 볼 수 있는 장소에 게시하여야 한다. 이 경우 점검기록표의 기록 등에 필요한 사항은 행정안전부령으로 정한다.

② 소방본부장 또는 소방서장은 다음 각 호의 사항을 제48조에 따른 전산시스템 또는 인터넷 홈페이지 등을 통하여 국민에게 공개할 수 있다. 이 경우 공개 절차, 공개 기간 및 공개 방법 등 필요한 사항은 대통령령으로 정한다.

1. 자체점검 기간 및 점검자
2. 특정소방대상물의 정보 및 자체점검 결과
3. 그 밖에 소방본부장 또는 소방서장이 특정소방대상물을 이용하는 불특정다수인의 안전을 위하여 공개가 필요하다고 인정하는 사항

시행령 제36조(자체점검 결과 공개) ① 소방본부장 또는 소방서장은 법 제24조 제2항에 따라 자체점검 결과를 공개하는 경우 30일 이상 법 제48조에 따른 전산시스템 또는 인터넷 홈페이지 등을 통해 공개해야 한다.

② 소방본부장 또는 소방서장은 제1항에 따라 자체점검 결과를 공개하려는 경우 공개 기간, 공개 내용 및 공개 방법을 해당 특정소방대상물의 관계인에게 미리 알려야 한다.

③ 특정소방대상물의 관계인은 제2항에 따라 공개 내용 등을 통보받은 날부터 10일 이내에 관할 소방본부장 또는 소방서장에게 이의신청을 할 수 있다.

④ 소방본부장 또는 소방서장은 제3항에 따라 이의신청을 받은 날부터 10일 이내에 심사·결정하여 그 결과를 지체 없이 신청인에게 알려야 한다.

⑤ 자체점검 결과의 공개가 제3자의 법익을 침해하는 경우에는 제3자와 관련된 사실을 제외하고 공개해야 한다.

별표 5. 소방시설등 자체점검기록표

소방시설등 자체점검기록표

- 대상물명 :
- 주　　소 :
- 점검구분 :　　　　　　[ ] 작동점검　　　　　　[ ] 종합점검
- 점 검 자 :
- 점검기간 :　　　　　년　월　일　~　년　월　일
- 불량사항 : [ ] 소화설비　　[ ] 경보설비　　[ ] 피난구조설비
　　　　　　　[ ] 소화용수설비 [ ] 소화활동설비 [ ] 기타설비　[ ] 없음
- 정비기간 :　　　　　년　월　일　~　년　월　일

　　　　　　　　　　　　　　　　　　　　　　　년　월　일

「소방시설 설치 및 관리에 관한 법률」 제24조제1항 및 같은 법 시행규칙 제25조에 따라 소방시설등 자체점검결과를 게시합니다.

비고 점검기록표의 규격은 다음과 같다.

가. 규격: A4 용지(가로 297mm × 세로 210mm)

나. 재질: 아트지(스티커) 또는 종이

다. 외측 테두리: 파랑색(RGB 65, 143, 222)

라. 내측 테두리: 하늘색(RGB 193, 214, 237)

마. 글씨체(색상)
　1) 소방시설 점검기록표: HY헤드라인M, 45포인트(외측 테두리와 동일)
　2) 본문 제목: 윤고딕230, 20포인트(외측 테두리와 동일)
　　 본문 내용: 윤고딕230, 20포인트(검정색)
　3) 하단 내용: 윤고딕240, 20포인트(법명은 파랑색, 그 외 검정색)

01 종합정밀점검(= 종합점검)에 대한 설명으로 옳은 것은?　　　　21. 공채

① 소방시설관리업자만 할 수 있다.

② 소방시설등의 작동기능점검(= 작동점검)은 포함하지 않는다.

③ 건축물의 사용승인일이 속하는 다음 달에 실시한다.

④ 스프링클러설비가 설치된 특정소방대상물은 종합정밀 점검을 받아야 한다.

02 다음 중 종합점검의 대상으로 옳은 것은?　　　　18. 상반기 공채

① 물분무등소화설비가 설치된 연면적 3,000m² 이상인 특정소방대상물

② 아파트는 연면적 5,000m² 이상 또는 7층 이상일 때 실시

③ 공공기관의 소방안전관리에 관한 규정에 따른 공공기관 중 연면적이 600m² 이상인 것으로 옥내소화전설비 또는 자동화재탐지설비가 설치된 것

④ 제연설비가 설치된 터널

정답 및 해설

01 종합정밀점검

① 소방시설관리업자만 할 수 있다. → 소방안전관리자로 선임된 소방시설관리사나 소방기술사도 가능하다.

② 소방시설등의 작동기능점검(= 작동점검)은 포함하지 않는다. → 작동점검도 포함된다.

③ 건축물의 사용승인일이 속하는 다음 달에 실시한다. → 사용승인일이 속하는 달에 실시한다.

02 종합점검

① 물분무등소화설비가 설치된 연면적 3,000m² 이상 특정소방대상물 → 5,000m² 이상일 때만 해당한다.

② 아파트는 연면적 5,000m² 이상 또는 7층 이상일 때 실시 → 아파트는 무조건 해당한다.

③ 공공기관의 소방안전관리에 관한 규정에 따른 공공기관 중 연면적이 600m² 이상인 것으로 옥내소화전설비 또는 자동화재탐지설비가 설치된 것 → 연면적이 1,000m² 이상일 때 설치된 것

정답 01 ④ **02** ④

03 점검인력 1단위가 하루 동안 작동기능점검을 할 수 있는 특정소방대상물의 연면적(점검한도면적)은?

① 6,000m²

② 9,000m²

③ 12,000m²

④ 15,000m²

04 소방시설 설치 및 관리에 관한 법률 시행령상 소화펌프 고장 등 대통령령으로 정하는 중대위반사항으로 옳지 않은 것은?

24. 공채·경채

① 화재수신기의 고장으로 화재경보음이 자동으로 울리지 않거나 화재수신기와 연동된 소방시설의 작동이 불가능한 경우

② 소화배관 등이 폐쇄·차단되어 소화수(消火水) 또는 소화약제가 자동 방출되지 않는 경우

③ 소화용수설비 주변 불법 주정차로 인하여 화재를 진압하는 데 필요한 물을 공급하기 어려운 경우

④ 방화문 또는 자동방화셔터가 훼손되거나 철거되어 본래의 기능을 못 하는 경우

정답 및 해설

03 점검한도면적

작동점검 연면적기준이 12,000m²이 점검한도면적이다(종합점검 연면적기준이 10,000m²이다).

04 중대위반사항

소화펌프 고장 등 대통령령으로 정하는 중대위반사항"이란 다음의 어느 하나에 해당하는 경우를 말한다.

1. 소화펌프(가압송수장치를 포함한다. 이하 같다), 동력·감시 제어반 또는 소방시설용 전원(비상전원을 포함한다)의 고장으로 소방시설이 작동되지 않는 경우
2. 화재 수신기의 고장으로 화재경보음이 자동으로 울리지 않거나 화재 수신기와 연동된 소방시설의 작동이 불가능한 경우
3. 소화배관 등이 폐쇄·차단되어 소화수(消火水) 또는 소화약제가 자동 방출되지 않는 경우
4. 방화문 또는 자동방화셔터가 훼손되거나 철거되어 본래의 기능을 못 하는 경우

정답 03 ③ **04** ③

CHAPTER 4 소방시설관리사 및 소방시설관리업

제1절 소방시설관리사

제25조(소방시설관리사)

① 소방시설관리사(이하 "관리사"라 한다)가 되려는 사람은 소방청장이 실시하는 관리사시험에 합격하여야 한다.

② 제1항에 따른 관리사시험의 응시자격, 시험방법, 시험과목, 시험위원, 그 밖에 관리사시험에 필요한 사항은 대통령령으로 정한다.

③ 관리사시험의 최종 합격자 발표일을 기준으로 제27조의 결격사유에 해당하는 사람은 관리사 시험에 응시할 수 없다.

④ 소방기술사 등 대통령령으로 정하는 사람에 대하여는 대통령령으로 정하는 바에 따라 제2항에 따른 관리사시험 과목 가운데 일부를 면제할 수 있다.

⑤ 소방청장은 제1항에 따른 관리사시험에 합격한 사람에게는 행정안전부령으로 정하는 바에 따라 소방시설관리사증을 발급하여야 한다.

⑥ 제5항에 따라 소방시설관리사증을 발급받은 사람이 소방시설관리사증을 잃어버렸거나 못 쓰게 된 경우에는 행정안전부령으로 정하는 바에 따라 소방시설관리사증을 재발급받을 수 있다.

⑦ 관리사는 제5항 또는 제6항에 따라 발급 또는 재발급받은 소방시설관리사증을 다른 사람에게 빌려주거나 빌려서는 아니 되며, 이를 알선하여서도 아니 된다.

⑧ 관리사는 동시에 둘 이상의 업체에 취업하여서는 아니 된다.

⑨ 제22조 제1항에 따른 기술자격자 및 제29조 제2항에 따라 관리업의 기술인력으로 등록된 관리사는 이 법과 이 법에 따른 명령에 따라 성실하게 자체점검 업무를 수행하여야 한다.

시행령 제37조(소방시설관리사시험의 응시자격) [2026.12.31. 이후 적용]

법 제25조 제1항에 따른 소방시설관리사시험(이하 "관리사시험"이라 한다)에 응시할 수 있는 사람은 다음 각 호와 같다.

1. 소방기술사·건축사·건축기계설비기술사·건축전기설비기술사 또는 공조냉동기계기술사
2. 위험물기능장
3. 소방설비기사
4. 국가과학기술 경쟁력 강화를 위한 이공계지원 특별법 제2조 제1호에 따른 이공계 분야의 박사학위를 취득한 사람
5. 소방청장이 정하여 고시하는 소방안전 관련 분야의 석사 이상의 학위를 취득한 사람

 영철쌤 tip

소방시설관리사
1. 실시자: 관리사는 국가전문자격증이므로 소방청장이 실시
2. 시험 필요사항: 대통령령
3. 의무사항: 자격증을 빌려주거나, 빌리거나, 알선, 둘 이상 업체 취업금지

6. 소방설비산업기사 또는 소방공무원 등 소방청장이 정하여 고시하는 사람 중 소방에 관한 실무경력(자격 취득 후의 실무경력으로 한정한다)이 3년 이상인 사람

[현행 시행령 제37조]

1. 소방기술사·위험물기능장·건축사·건축기계설비기술사·건축전기설비기술사 또는 공조냉동기계기술사

2. 소방설비기사 자격을 취득한 후 2년 이상 소방청장이 정하여 고시하는 소방에 관한 실무경력(이하 "소방실무경력"이라 한다)이 있는 사람

3. 소방설비산업기사 자격을 취득한 후 3년 이상 소방실무경력이 있는 사람

4. 국가과학기술 경쟁력 강화를 위한 이공계지원 특별법 제2조 제1호에 따른 이공계(이하 "이공계"라 한다) 분야를 전공한 사람으로서 다음 각 목의 어느 하나에 해당하는 사람
   가. 이공계 분야의 박사학위를 취득한 사람
   나. 이공계 분야의 석사학위를 취득한 후 2년 이상 소방실무경력이 있는 사람
   다. 이공계 분야의 학사학위를 취득한 후 3년 이상 소방실무경력이 있는 사람

5. 소방안전공학(소방방재공학, 안전공학을 포함한다) 분야를 전공한 후 다음 각 목의 어느 하나에 해당하는 사람
   가. 해당 분야의 석사학위 이상을 취득한 사람
   나. 2년 이상 소방실무경력이 있는 사람

6. 위험물산업기사 또는 위험물기능사 자격을 취득한 후 3년 이상 소방실무경력이 있는 사람

7. 소방공무원으로 5년 이상 근무한 경력이 있는 사람

8. 소방안전 관련 학과의 학사학위를 취득한 후 3년 이상 소방실무경력이 있는 사람

9. 산업안전기사 자격을 취득한 후 3년 이상 소방실무경력이 있는 사람

10. 다음 각 목의 어느 하나에 해당하는 사람
    가. 특급 소방안전관리대상물의 소방안전관리자로 2년 이상 근무한 실무경력이 있는 사람
    나. 1급 소방안전관리대상물의 소방안전관리자로 3년 이상 근무한 실무경력이 있는 사람
    다. 2급 소방안전관리대상물의 소방안전관리자로 5년 이상 근무한 실무경력이 있는 사람
    라. 3급 소방안전관리대상물의 소방안전관리자로 7년 이상 근무한 실무경력이 있는 사람
    마. 10년 이상 소방실무경력이 있는 사람

제38조(시험의 시행방법) ① 관리사시험은 제1차시험과 제2차시험으로 구분하여 시행한다. 이 경우 소방청장은 제1차시험과 제2차시험을 같은 날에 시행할 수 있다.

② 제1차시험은 선택형을 원칙으로 하고, 제2차시험은 논문형을 원칙으로 하되, 제2차시험에는 기입형을 포함할 수 있다.

③ 제1차시험에 합격한 사람에 대해서는 다음 회의 관리사시험만 제1차시험을 면제한다. 다만, 면제받으려는 시험의 응시자격을 갖춘 경우로 한정한다.

④ 제2차시험은 제1차시험에 합격한 사람만 응시할 수 있다. 다만, 제1항 후단에 따라 제1차시험과 제2차시험을 병행하여 시행하는 경우에 제1차시험에 불합격한 사람의 제2차시험 응시는 무효로 한다.

제39조(시험 과목) [2026.12.31. 이후 적용]

① 관리사시험의 제1차시험 및 제2차시험 과목은 다음 각 호와 같다.

1. 제1차시험

　가. 소방안전관리론(소방 및 화재의 기초이론으로 연소이론, 화재현상, 위험물 및 소방안전관리 등의 내용을 포함한다)

　나. 소방기계 점검실무(소방시설 기계 분야 점검의 기초이론 및 실무능력을 측정하기 위한 과목으로 소방유체역학, 소방 관련 열역학, 소방기계 분야의 화재안전기준을 포함한다)

　다. 소방전기 점검실무(소방시설 전기·통신 분야 점검의 기초이론 및 실무능력을 측정하기 위한 과목으로 전기회로, 전기기기, 제어회로, 전자회로 및 소방전기 분야의 화재안전기준을 포함한다)

　라. 다음의 소방 관계 법령

　　1) 소방시설 설치 및 관리에 관한 법률 및 그 하위법령

　　2) 화재의 예방 및 안전관리에 관한 법률 및 그 하위법령

　　3) 소방기본법 및 그 하위법령

　　4) 다중이용업소의 안전관리에 관한 특별법 및 그 하위법령

　　5) 건축법 및 그 하위법령(소방 분야로 한정한다)

　　6) 초고층 및 지하연계 복합건축물 재난관리에 관한 특별법 및 그 하위법령

2. 제2차시험

　가. 소방시설등 점검실무(소방시설등의 점검에 필요한 종합적 능력을 측정하기 위한 과목으로 소방시설등의 현장점검 시 점검절차, 성능확인, 이상판단 및 조치 등의 내용을 포함한다)

　나. 소방시설등 관리실무(소방시설등 점검 및 관리 관련 행정업무 및 서류작성 등의 업무능력을 측정하기 위한 과목으로 점검보고서의 작성, 인력 및 장비 운용 등 실제 현장에서 요구되는 사무 능력을 포함한다)

② 제1항에 따른 관리사시험 과목의 세부 항목은 행정안전부령으로 정한다.

[현행 시행령 제39조]

1. 제1차시험

　가. 소방안전관리론(연소 및 소화, 화재예방관리, 건축물소방안전기준, 인원수용 및 피난계획에 관한 부분으로 한정한다) 및 화재역학[화재의 성질·상태, 화재하중(火災荷重), 열전달, 화염 확산, 연소속도, 구획화재, 연소생성물 및 연기의 생성·이동에 관한 부분으로 한정한다]

　나. 소방수리학, 약제화학 및 소방전기(소방 관련 전기공사재료 및 전기제어에 관한 부분으로 한정한다)

　다. 다음의 소방 관련 법령

　　1) 소방기본법, 같은 법 시행령 및 같은 법 시행규칙

　　2) 소방시설공사업법, 같은 법 시행령 및 같은 법 시행규칙

　　3) 소방시설 설치 및 관리에 관한 법률, 같은 법 시행령 및 같은 법 시행규칙

4) 화재의 예방 및 안전관리에 관한 법률, 같은 법 시행령 및 같은 법 시행규칙

5) 위험물안전관리법, 같은 법 시행령 및 같은 법 시행규칙

6) 다중이용업소의 안전관리에 관한 특별법, 같은 법 시행령 및 같은 법 시행규칙

라. 위험물의 성질·상태 및 시설기준

마. 소방시설의 구조 원리(고장진단 및 정비를 포함한다)

2. 제2차시험

가. 소방시설의 점검실무행정(점검절차 및 점검기구 사용법을 포함한다)

나. 소방시설의 설계 및 시공

영철쌤 tip

시험위원
1. 소방기술사, 소방시설관리사
2. 소방 관련 분야의 박사학위 취득
3. 소방위 이상의 소방공무원
4. 소방안전 관련 학과 조교수 이상으로 2년 이상 재직

제40조(시험위원의 임명·위촉) ① 소방청장은 법 제25조 제2항에 따라 관리사시험의 출제 및 채점을 위하여 다음 각 호의 어느 하나에 해당하는 사람 중에서 시험위원을 임명하거나 위촉해야 한다.

1. 소방 관련 분야의 박사학위를 취득한 사람
2. 대학에서 소방안전 관련 학과 조교수 이상으로 2년 이상 재직한 사람
3. 소방위 이상의 소방공무원
4. 소방시설관리사
5. 소방기술사

② 제1항에 따른 시험위원의 수는 다음 각 호의 구분에 따른다.

1. 출제위원: 시험 과목별 3명
2. 채점위원: 시험 과목별 5명 이내(제2차시험의 경우로 한정한다)

③ 제1항에 따라 시험위원으로 임명되거나 위촉된 사람은 소방청장이 정하는 시험문제 등의 출제 시 유의사항 및 서약서 등에 따른 준수사항을 성실히 이행해야 한다.

④ 제1항에 따라 임명되거나 위촉된 시험위원과 시험감독 업무에 종사하는 사람에게는 예산의 범위에서 수당과 여비를 지급할 수 있다.

제41조(시험 과목의 일부 면제) [2026.12.31. 이후 적용]

법 제25조 제4항에 따라 관리사시험의 제1차시험 과목 가운데 일부를 면제받을 수 있는 사람과 그 면제 과목은 다음 각 호의 구분에 따른다. 다만, 다음 각 호 중 둘 이상에 해당하는 경우에는 본인이 선택한 호의 과목만 면제받을 수 있다.

1. 소방기술사 자격을 취득한 사람: 제39조 제1항 제1호 가목부터 다목까지의 과목
2. 소방공무원으로 15년 이상 근무한 경력이 있는 사람으로서 5년 이상 소방청장이 정하여 고시하는 소방 관련 업무 경력이 있는 사람: 제39조 제1항 제1호 나목부터 라목까지의 과목
3. 다음 각 목의 어느 하나에 해당하는 사람: 제39조 제1항 제1호 나목·다목의 과목

가. 소방설비기사(기계 또는 전기) 자격을 취득한 후 8년 이상 소방기술과 관련된 경력(소방시설공사업법 제28조 제3항에 따른 소방기술과 관련된 경력을 말한다)이 있는 사람

나. 소방설비산업기사(기계 또는 전기) 자격을 취득한 후 법 제29조에 따른 소방시설관리업에서 10년 이상 자체점검 업무를 수행한 사람

[현행 시행령 제41조]

- 법 제25조 제4항에 따라 관리사시험의 제1차시험 과목 가운데 일부를 면제받을 수 있는 사람과 그 면제과목은 제41조의 개정규정에도 불구하고 2026년 12월 31일까지는 다음 각 호의 구분에 따른다. 다만, 제1호 및 제2호에 모두 해당하는 사람은 본인이 선택한 한 과목만 면제받을 수 있다.

  1. 소방기술사 자격을 취득한 후 15년 이상 소방실무경력이 있는 사람: 제2항 제1호 나목의 과목

  2. 소방공무원으로 15년 이상 근무한 경력이 있는 사람으로서 5년 이상 소방청장이 정하여 고시하는 소방 관련 업무 경력이 있는 사람: 제2항 제1호 다목의 과목

- 법 제25조 제4항에 따라 관리사시험의 제2차시험 과목 가운데 일부를 면제받을 수 있는 사람과 그 면제과목은 제41조의 개정규정에도 불구하고 2026년 12월 31일까지는 다음 각 호의 구분에 따른다. 다만, 제1호 및 제2호에 모두 해당하는 사람은 본인이 선택한 한 과목만 면제받을 수 있다.

  1. 제1항 제1호에 해당하는 사람: 제2항 제2호 나목의 과목

  2. 제1항 제7호에 해당하는 사람: 제2항 제2호 가목의 과목

제42조(시험의 시행 및 공고) ① 관리사시험은 매년 1회 시행하는 것을 원칙으로 하되, 소방청장이 필요하다고 인정하는 경우에는 그 횟수를 늘리거나 줄일 수 있다.

② 소방청장은 관리사시험을 시행하려면 응시자격, 시험 과목, 일시·장소 및 응시 절차 등을 모든 응시 희망자가 알 수 있도록 관리사시험 시행일 90일 전까지 인터넷 홈페이지에 공고해야 한다.

제43조(응시원서 제출 등) ① 관리사시험에 응시하려는 사람은 행정안전부령으로 정하는 바에 따라 관리사시험 응시원서를 소방청장에게 제출해야 한다.

② 제41조에 따라 시험 과목의 일부를 면제받으려는 사람은 제1항에 따른 응시원서에 면제 과목과 그 사유를 적어야 한다.

③ 관리사시험에 응시하는 사람은 제37조에 따른 응시자격에 관한 증명서류를 소방청장이 정하는 원서 접수기간 내에 제출해야 하며, 증명서류는 해당 자격증(국가기술자격법에 따른 국가기술자격 취득자의 자격증은 제외한다) 사본과 행정안전부령으로 정하는 경력·재직증명서 또는 소방시설공사업법 시행령 제20조 제4항에 따른 수탁기관이 발행하는 경력증명서로 한다. 다만, 국가·지방자치단체, 공공기관의 운영에 관한 법률 제4조에 따른 공공기관, 지방공기업법에 따른 지방공사 또는 지방공단이 증명하는 경력증명원은 해당 기관에서 정하는 서식에 따를 수 있다.

④ 제1항에 따라 응시원서를 받은 소방청장은 전자정부법 제36조 제1항에 따른 행정정보의 공동이용을 통하여 다음 각 호의 서류를 확인해야 한다. 다만, 응시자가 확인에 동의하지 않는 경우에는 그 사본을 첨부하게 해야 한다.

1. 응시자의 해당 국가기술자격증

2. 국민연금가입자가입증명 또는 건강보험자격득실확인서

제44조(시험의 합격자 결정 등) ① 제1차시험에서는 과목당 100점을 만점으로 하여 모든 과목의 점수가 40점 이상이고, 전 과목 평균 점수가 60점 이상인 사람을 합격자로 한다.

② 제2차시험에서는 과목당 100점을 만점으로 하되, 시험위원의 채점점수 중 최고점수와 최저점수를 제외한 점수가 모든 과목에서 40점 이상, 전 과목에서 평균 60점 이상인 사람을 합격자로 한다.

③ 소방청장은 제1항과 제2항에 따라 관리사시험 합격자를 결정했을 때에는 이를 인터넷 홈페이지에 공고해야 한다.

시행규칙 제26조(소방시설관리사증의 발급) 영 제48조 제3항 제2호에 따라 소방시설관리사증의 발급·재발급에 관한 업무를 위탁받은 법인 또는 단체(이하 "소방시설관리사증발급자"라 한다)는 법 제25조 제5항에 따라 소방시설관리사 시험에 합격한 사람에게 합격자 공고일부터 1개월 이내에 별지 제14호서식의 소방시설관리사증을 발급해야 하며, 이를 별지 제15호서식의 소방시설관리사증 발급대장에 기록하고 관리해야 한다.

제27조(소방시설관리사증의 재발급) ① 법 제25조 제6항에 따라 소방시설관리사가 소방시설관리사증을 잃어버렸거나 못 쓰게 되어 소방시설관리사증의 재발급을 신청하는 경우에는 별지 제16호서식의 소방시설관리사증 재발급 신청서(전자문서로 된 신청서를 포함한다)에 다음 각 호의 서류를 첨부하여 소방시설관리사증발급자에게 제출해야 한다.

1. 소방시설관리사증(못 쓰게 된 경우만 해당한다)
2. 신분증 사본
3. 사진(3센티미터 × 4센티미터) 1장

② 소방시설관리사증발급자는 제1항에 따라 재발급신청서를 제출받은 경우에는 3일 이내에 소방시설관리사증을 재발급해야 한다.

제28조(소방시설관리사시험 과목의 세부 항목 등) 영 제39조 제2항에 따른 소방시설관리사시험 과목의 세부 항목은 별표 6과 같다.

별표 6. 소방시설관리사시험 과목의 세부 항목

1. 제1차시험 과목의 세부 항목

과목명	주요 항목	세부 항목
소방안전 관리론	연소이론	연소 및 연소현상
	화재현상	화재 및 화재현상
		건축물의 화재현상
	위험물	위험물 안전관리
	소방안전	소방안전관리
		소화론
		소화약제

소방기계 점검실무	소방유체역학	유체의 기본적 성질
		유체정역학
		유체유동의 해석
		관내의 유동
		펌프 및 송풍기의 성능 특성
	소방 관련 열역학	열역학 기초 및 열역학 법칙
		상태변화
		이상기체 및 카르노사이클
		열전달 기초
	소방기계설비 및 화재안전기준	소화기구
		옥내소화전설비, 옥외소화전설비
		스프링클러설비(간이스프링클러설비 및 조기진압형스프링클러설비를 포함한다)
		물분무등소화설비
		피난기구 및 인명구조기구
		소화용수설비
		제연설비
		연결송수관설비
		연결살수설비
		연소방지설비
		기타 소방기계 관련 설비
	비고: 각 소방시설별 점검절차 및 점검방법을 포함한다.	
소방 관계 법령	소방시설 설치 및 관리에 관한 법률, 같은 법 시행령 및 시행규칙	
	화재의 예방 및 안전관리에 관한 법률, 같은 법 시행령 및 시행규칙	
	소방기본법, 같은 법 시행령 및 시행규칙	
	다중이용업소의 안전관리에 관한 특별법, 같은 법 시행령 및 시행규칙	
	건축법, 같은 법 시행령 및 시행규칙(건축물의 피난·방화구조 등의 기준에 관한 규칙, 건축물의 설비기준 등에 관한 규칙, 건축물의 구조기준 등에 관한 규칙을 포함한다)	
	초고층 및 지하연계 복합건축물재난관리에 관한 특별법, 같은 법 시행령 및 시행규칙	
	비고 1. 소방 관계 법령의 개정 이력을 포함한다. 2. 건축법령은 방화구획, 내화구조, 건축물의 마감재료, 직통계단, 피난계단, 특별피난계단, 비상용승강기, 피난용승강기, 피난안전구역, 배연창 등 피난시설, 방화구획 및 방화시설 등 소방시설등 자체점검과 관련된 사항으로 한정한다.	

2. 제2차시험 과목

과목명	주요 항목	세부 항목
소방시설등 점검실무	소방대상물 확인 및 분석	대상물 분석하기
		소방시설 구성요소 분석
		소방시설 설계계산서 분석
	소방시설 점검	현황자료 검토
		소방시설 시공상태 점검
		소방시설 작동 및 종합 점검
	소방시설 유지관리	소방시설의 운용 및 유지관리
		소방시설의 유지보수 및 일상점검
소방시설등 관리실무	관련 서류의 작성	소방계획서의 작성
		재난예방 및 피해경감계획서 작성
		각종 소방시설등 점검표의 작성
	유지관리계획의 수립	소방시설 유지관리계획서 작성
		인력 및 장비 운영

제29조(소방시설관리사시험 응시원서 등) ① 영 제43조 제1항에 따른 소방시설관리사시험 응시원서는 별지 제17호서식 또는 별지 제18호서식과 같다.

② 영 제43조 제3항 본문에 따른 경력·재직증명서는 별지 제19호서식과 같다.

제26조(부정행위자에 대한 제재)

소방청장은 시험에서 부정한 행위를 한 응시자에 대하여는 그 시험을 정지 또는 무효로 하고, 그 처분이 있은 날부터 2년간 시험 응시자격을 정지한다.

제27조(관리사의 결격사유)

다음 각 호의 어느 하나에 해당하는 사람은 관리사가 될 수 없다

1. 피성년후견인

2. 이 법, 소방기본법, 화재의 예방 및 안전관리에 관한 법률, 소방시설공사업법 또는 위험물안전관리법을 위반하여 금고 이상의 실형을 선고받고 그 집행이 끝나거나(집행이 끝난 것으로 보는 경우를 포함한다) 집행이 면제된 날부터 2년이 지나지 아니한 사람

3. 이 법, 소방기본법, 화재의 예방 및 안전관리에 관한 법률, 소방시설공사업법 또는 위험물안전관리법을 위반하여 금고 이상의 형의 집행유예를 선고받고 그 유예기간 중에 있는 사람

4. 제28조에 따라 자격이 취소(이 조 제1호에 해당하여 자격이 취소된 경우는 제외한다)된 날부터 2년이 지나지 아니한 사람

 영철쌤 tip

결격사유
1. 무능력자: 피성년후견인
2. 일정한 전과 사실이 있는 자
3. 자격 취소처분을 받은 자

제28조(자격의 취소·정지)

소방청장은 관리사가 다음 각 호의 어느 하나에 해당할 때에는 행정안전부령으로 정하는 바에 따라 그 자격을 취소하거나 1년 이내의 기간을 정하여 그 자격의 정지를 명할 수 있다. 다만, 제1호, 제4호, 제5호 또는 제7호에 해당하면 그 자격을 취소하여야 한다.

1. 거짓이나 그 밖의 부정한 방법으로 시험에 합격한 경우
2. 화재의 예방 및 안전관리에 관한 법률 제25조 제2항에 따른 대행인력의 배치기준·자격·방법 등 준수사항을 지키지 아니한 경우
3. 제22조에 따른 점검을 하지 아니하거나 거짓으로 한 경우
4. 제25조 제7항을 위반하여 소방시설관리사증을 다른 사람에게 빌려준 경우
5. 제25조 제8항을 위반하여 **동시에 둘 이상의 업체에 취업한 경우**
6. 제25조 제9항을 위반하여 성실하게 자체점검 업무를 수행하지 아니한 경우
7. 제27조 각 호의 어느 하나에 따른 **결격사유에 해당하게 된 경우**

영철쌤 tip

자격취소
1. 거짓, 부정한 방법으로 시험에 합격한 경우
2. 빌려준 경우
3. 동시에 둘 이상의 업체에 취업한 경우
4. 결격사유에 해당하는 경우

제2절 소방시설관리업

제29조(소방시설관리업의 등록 등)

① 소방시설등의 점검 및 관리를 업으로 하려는 자 또는 화재의 예방 및 안전관리에
관한 법률 제25조에 따른 소방안전관리업무의 대행을 하려는 자는 대통령령으로
정하는 업종별로 시·도지사에게 소방시설관리업(이하 "관리업"이라 한다) 등록을
하여야 한다.
② 제1항에 따른 업종별 기술인력 등 관리업의 등록기준 및 영업범위 등에 필요한 사항
은 대통령령으로 정한다.
③ 관리업의 등록신청과 등록증·등록수첩의 발급·재발급 신청, 그 밖에 관리업의
등록에 필요한 사항은 행정안전부령으로 정한다.

시행령 제45조(소방시설관리업의 등록기준 등) ① 법 제29조 제1항에 따른 소방시설
관리업의 업종별 등록기준 및 영업범위는 별표 9와 같다.
② 시·도지사는 법 제29조 제1항에 따른 등록신청이 다음 각 호의 어느 하나에 해당
하는 경우를 제외하고는 등록을 해 주어야 한다.
1. 제1항에 따른 등록기준에 적합하지 않은 경우
2. 등록을 신청한 자가 법 제30조 각 호의 어느 하나에 해당하는 경우
3. 그 밖에 이 법 또는 제39조 제1항 제1호 라목의 소방 관계 법령에 따른 제한에 위
   배되는 경우

별표 9. 소방시설관리업의 업종별 등록기준 및 영업범위

업종별 \ 기술인력 등	기술인력	영업범위

전문
소방시설관리업
	가. 주된 기술인력
	  1) 소방시설관리사 자격을 취득한 후 소방
	     관련 실무경력이 5년 이상인 사람 1명
	     이상
	  2) 소방시설관리사 자격을 취득한 후 소방
	     관련 실무경력이 3년 이상인 사람 1명
	     이상
	나. 보조 기술인력
	  1) 고급점검자 이상의 기술인력: 2명 이상
	  2) 중급점검자 이상의 기술인력: 2명 이상
	  3) 초급점검자 이상의 기술인력: 2명 이상
		모든
		특정소방대상물

일반
소방시설관리업
	가. 주된 기술인력: 소방시설관리사 자격을 취
	   득한 후 소방 관련 실무경력이 1년 이상인
	   사람 1명 이상
	나. 보조 기술인력
	  1) 중급점검자 이상의 기술인력: 1명 이상
	  2) 초급점검자 이상의 기술인력: 1명 이상
		특정소방대상물 중
		화재의 예방 및 안
		전관리에 관한 법
		률 시행령 별표 4
		에 따른 1급, 2급,
		3급 소방안전관리
		대상물

비고

1. "소방 관련 실무경력"이란 소방시설공사업법 제28조 제3항에 따른 소방기술과 관련된 경력을 말한다.
2. 보조 기술인력의 종류별 자격은 소방시설공사업법 제28조 제3항에 따라 소방기술과 관련된 자격·학력 및 경력을 가진 사람 중에서 행정안전부령으로 정한다.

시행규칙 제30조(소방시설관리업의 등록신청 등) ① 소방시설관리업을 하려는 자는 법 제29조 제1항에 따라 별지 제20호서식의 소방시설관리업 등록신청서(전자문서로 된 신청서를 포함한다)에 별지 제21호서식의 소방기술인력대장 및 기술자격증(경력수첩을 포함한다)을 첨부하여 특별시장·광역시장·특별자치시장·도지사 또는 특별자치도지사 (이하 "시·도지사"라 한다)에게 제출(전자문서로 제출하는 경우를 포함한다)해야 한다.

② 제1항에 따른 신청서를 제출받은 담당 공무원은 전자정부법 제36조 제1항에 따라 행정정보의 공동이용을 통하여 법인등기부 등본(법인인 경우만 해당한다)과 제1항에 따라 제출하는 소방기술인력대장에 기록된 소방기술인력의 국가기술자격증을 확인해야 한다. 다만, 신청인이 국가기술자격증의 확인에 동의하지 않는 경우에는 그 사본을 제출하도록 해야 한다.

제31조(소방시설관리업의 등록증 및 등록수첩 발급 등) ① 시·도지사는 제30조에 따른 소방시설관리업의 등록신청 내용이 영 제45조 제1항 및 별표 9에 따른 소방시설관리업의 업종별 등록기준에 적합하다고 인정되면 신청인에게 별지 제22호서식의 소방시설관리업 등록증과 별지 제23호서식의 소방시설관리업 등록수첩을 발급하고, 별지 제24호서식의 소방시설관리업 등록대장을 작성하여 관리해야 한다. 이 경우 시·도지사는 제30조 제1항에 따라 제출된 소방기술인력의 기술자격증(경력수첩을 포함한다)에 해당 소방기술인력이 그 관리업자 소속임을 기록하여 내주어야 한다.

② 시·도지사는 제30조 제1항에 따라 제출된 서류를 심사한 결과 다음 각 호의 어느 하나에 해당하는 경우에는 10일 이내의 기간을 정하여 이를 보완하게 할 수 있다.

1. 첨부서류가 미비되어 있는 경우
2. 신청서 및 첨부서류의 기재내용이 명확하지 않은 경우

③ 시·도지사는 제1항에 따라 소방시설관리업 등록증을 발급하거나 법 제35조에 따라 등록을 취소한 경우에는 이를 시·도의 공보에 공고해야 한다.

④ 영 별표 9에 따른 소방시설관리업의 업종별 등록기준 중 보조 기술인력의 종류별 자격은 소방시설공사업법 시행규칙 별표 4의2에서 정하는 기준에 따른다.

제32조(소방시설관리업의 등록증·등록수첩의 재발급 및 반납) ① 관리업자는 소방시설관리업 등록증 또는 등록수첩을 잃어버렸거나 소방시설관리업등록증 또는 등록수첩이 헐어 못 쓰게 된 경우에는 법 제29조 제3항에 따라 시·도지사에게 소방시설관리업 등록증 또는 등록수첩의 재발급을 신청할 수 있다.

② 관리업자는 제1항에 따라 재발급을 신청하는 경우에는 별지 제25호서식의 소방시설관리업 등록증(등록수첩) 재발급 신청서(전자문서로 된 신청서를 포함한다)에 못 쓰게 된 소방시설관리업 등록증 또는 등록수첩(잃어버린 경우는 제외한다)을 첨부하여 시·도지사에게 제출해야 한다.

③ 시·도지사는 제2항에 따른 재발급 신청서를 제출받은 경우에는 3일 이내에 소방시설관리업 등록증 또는 등록수첩을 재발급해야 한다.

④ 관리업자는 다음 각 호의 어느 하나에 해당하는 경우에는 지체 없이 시·도지사에게 그 소방시설관리업 등록증 및 등록수첩을 반납해야 한다.

 영철쌤 tip

소방시설관리업의 등록 등

1. 등록대상: 소방시설등의 점검 및 관리를 업으로 하려는 자, 소방안전관리업무의 대행을 하려는 자
2. 대통령령: 업종별 기술인력 등 관리업무의 등록기준 및 영업범위
3. 행정안전부령: 관리업의 등록신청과 등록증·등록수첩의 발급·재발급 신청

1. 법 제35조에 따라 등록이 취소된 경우
2. 소방시설관리업을 폐업한 경우
3. 제1항에 따라 재발급을 받은 경우. 다만, 등록증 또는 등록수첩을 잃어버리고 재발급을 받은 경우에는 이를 다시 찾은 경우로 한정한다.

제30조(등록의 결격사유)

다음 각 호의 어느 하나에 해당하는 자는 관리업의 등록을 할 수 없다.

1. 피성년후견인
2. 이 법, 소방기본법, 화재의 예방 및 안전관리에 관한 법률, 소방시설공사업법 또는 위험물안전관리법을 위반하여 금고 이상의 실형을 선고받고 그 집행이 끝나거나(집행이 끝난 것으로 보는 경우를 포함한다) 집행이 면제된 날부터 2년이 지나지 아니한 사람
3. 이 법, 소방기본법, 화재의 예방 및 안전관리에 관한 법률, 소방시설공사업법 또는 위험물안전관리법을 위반하여 금고 이상의 형의 집행유예를 선고받고 그 유예기간 중에 있는 사람
4. 제35조 제1항에 따라 관리업의 등록이 취소(제1호에 해당하여 등록이 취소된 경우는 제외한다)된 날부터 2년이 지나지 아니한 자
5. 임원 중에 제1호부터 제4호까지의 어느 하나에 해당하는 사람이 있는 법인

제31조(등록사항의 변경신고)

관리업자(관리업의 등록을 한 자를 말한다. 이하 같다)는 제29조에 따라 등록한 사항 중 행정안전부령으로 정하는 중요 사항이 변경되었을 때에는 행정안전부령으로 정하는 바에 따라 시·도지사에게 변경사항을 신고하여야 한다.

> **시행규칙 제33조(등록사항의 변경신고 사항)** 법 제31조에서 "행정안전부령으로 정하는 중요 사항"이란 다음 각 호의 어느 하나에 해당하는 사항을 말한다.
> 1. 명칭·상호 또는 영업소 소재지
> 2. 대표자
> 3. 기술인력
>
> **제34조(등록사항의 변경신고 등)** ① 관리업자는 등록사항 중 제33조 각 호의 사항이 변경됐을 때에는 법 제31조에 따라 변경일부터 30일 이내에 별지 제26호서식의 소방시설관리업 등록사항 변경신고서(전자문서로 된 신고서를 포함한다)에 그 변경사항별로 다음 각 호의 구분에 따른 서류(전자문서를 포함한다)를 첨부하여 시·도지사에게 제출해야 한다.
> 1. 명칭·상호 또는 영업소 소재지가 변경된 경우: 소방시설관리업 등록증 및 등록수첩
> 2. 대표자가 변경된 경우: 소방시설관리업 등록증 및 등록수첩
> 3. 기술인력이 변경된 경우
>   가. 소방시설관리업 등록수첩

나. 변경된 기술인력의 기술자격증(경력수첩을 포함한다)

다. 별지 제21호서식의 소방기술인력대장

② 제1항에 따라 신고서를 제출받은 담당 공무원은 전자정부법 제36조 제1항에 따라 법인등기부 등본(법인인 경우만 해당한다), 사업자등록증(개인인 경우만 해당한다) 및 국가기술자격증을 확인해야 한다. 다만, 신고인이 확인에 동의하지 않는 경우에는 이를 첨부하도록 해야 한다.

③ 시·도지사는 제1항에 따라 변경신고를 받은 경우 5일 이내에 소방시설관리업 등록증 및 등록수첩을 새로 발급하거나 제1항에 따라 제출된 소방시설관리업 등록증 및 등록수첩과 기술인력의 기술자격증(경력수첩을 포함한다)에 그 변경된 사항을 적은 후 내주어야 한다. 이 경우 별지 제24호서식의 소방시설관리업 등록대장에 변경사항을 기록하고 관리해야 한다.

제32조(관리업자의 지위승계)❶

① 다음 각 호의 어느 하나에 해당하는 자는 종전의 관리업자의 지위를 승계한다.

1. 관리업자가 사망한 경우 그 상속인

2. 관리업자가 그 영업을 양도❷한 경우 그 양수❸인

3. 법인인 관리업자가 합병❹한 경우 합병 후 존속하는 법인이나 합병으로 설립되는 법인

② 민사집행법에 따른 경매, 채무자 회생 및 파산에 관한 법률에 따른 환가, 국세징수법, 관세법 또는 지방세징수법에 따른 압류재산의 매각과 그 밖에 이에 준하는 절차에 따라 관리업의 시설 및 장비의 전부를 인수한 자는 종전의 관리업자의 지위를 승계한다.

③ 제1항이나 제2항에 따라 종전의 관리업자의 지위를 승계한 자는 행정안전부령으로 정하는 바에 따라 시·도지사에게 신고하여야 한다.

④ 제1항이나 제2항에 따라 지위를 승계한 자의 결격사유에 관하여는 제30조를 준용한다. 다만, 상속인이 제30조 각 호의 어느 하나에 해당하는 경우에는 상속받은 날부터 3개월 동안은 그러하지 아니하다.

시행규칙 제35조(지위승계 신고 등) ① 법 제32조 제1항 제1호·제2호 또는 같은 조 제2항에 따라 관리업자의 지위를 승계한 자는 같은 조 제3항에 따라 그 지위를 승계한 날부터 30일 이내에 별지 제27호서식의 소방시설관리업 지위승계 신고서(전자문서로 된 신고서를 포함한다)에 다음 각 호의 서류(전자문서를 포함한다)를 첨부하여 시·도지사에게 제출해야 한다.

1. 소방시설관리업 등록증 및 등록수첩

2. 계약서 사본 등 지위승계를 증명하는 서류

3. 별지 제21호서식의 소방기술인력대장 및 기술자격증(경력수첩을 포함한다)

② 법 제32조 제1항 제3호에 따라 관리업자의 지위를 승계한 자는 같은 조 제3항에 따라 그 지위를 승계한 날부터 30일 이내에 별지 제28호서식의 소방시설관리업 합병 신고서(전자문서로 된 신고서를 포함한다)에 제1항 각 호의 서류(전자문서를 포함한다)를 첨부하여 시·도지사에게 제출해야 한다.

🔖 용어사전

❶ 승계: 다른 사람의 권리나 의무를 뒤이어 물려받음

❷ 양도: 권리나 법률상의 지위 따위를 남에게 넘겨줌

❸ 양수: 권리나 법률상의 지위 따위를 남에게 넘겨받음

❹ 합병: 기업과 기업이 하나로 합침

  1. 합병 후 존속하는 법인: ㈜A와 ㈜B가 합병하면 ㈜A 또는 ㈜B를 상호명칭으로 사용하겠다.

  2. 합병으로 설립되는 법인: ㈜A와 ㈜B가 합병하면 다른 상호명칭으로 사용하겠다(예 ㈜C).

 영철쌤 tip

지위승계 원인

1. 관리업자의 사망에 따라 상속한 때

2. 관리업자의 영업의 양도로 인하여 영업을 양수한 때

3. 관리업자의 합병 또는 합병에 의하여 설립된 법인일 때

4. 경매, 환가, 압류재산의 매각으로 인하여 관리업 시설의 전부를 인수한 때

지위승계 사유

1. 사망

2. 영업 양도

3. 법인 합병

4. 전부인수(환가, 경매, 압류재산 매각)

 영철쌤 tip

승계절차

지위를 승계한 날로부터 30일 이내에 시·도지사에게 신고한다.

③ 제1항 또는 제2항에 따라 신고서를 제출받은 담당 공무원은 전자정부법 제36조 제1항에 따라 행정정보의 공동이용을 통하여 다음 각 호의 서류를 확인해야 한다. 다만, 신고인이 사업자등록증 및 국가기술자격증의 확인에 동의하지 않는 경우에는 그 사본을 첨부하도록 해야 한다.

1. 법인등기부 등본(지위승계인이 법인인 경우만 해당한다)
2. 사업자등록증(지위승계인이 개인인 경우만 해당한다)
3. 제30조 제1항에 따라 제출하는 소방기술인력대장에 기록된 소방기술인력의 국가기술자격증

④ 시·도지사는 제1항 또는 제2항에 따라 신고를 받은 경우에는 소방시설관리업 등록증 및 등록수첩을 새로 발급하고, 기술인력의 자격증 및 경력수첩에 그 변경사항을 적은 후 내주어야 하며, 별지 제24호서식의 소방시설관리업 등록대장에 지위승계에 관한 사항을 기록하고 관리해야 한다.

영철쌤 tip

관리업을 운영
1. 등록증, 등록수첩을 다른 자에게 빌려주거나 빌려서는 아니 되며, 이를 알선하여서도 아니 된다.
2. 관리업자와 관계인간의 계약이므로 지위를 승계, 등록취소 또는 영업정지, 휴업 또는 폐업하는 경우 관리업자는 지체없이 관계인에게 알려야 한다.
3. 자체점검, 소방안전관리업무 대행 시 행정안전부령으로 정하는 소속 기술인력을 참여시킬 것

제33조(관리업의 운영)

① 관리업자는 이 법이나 이 법에 따른 명령 등에 맞게 소방시설등을 점검하거나 관리하여야 한다.

② 관리업자는 관리업의 등록증이나 등록수첩을 다른 자에게 빌려주거나 빌려서는 아니 되며, 이를 알선하여서도 아니 된다.

③ 관리업자는 다음 각 호의 어느 하나에 해당하는 경우에는 화재의 예방 및 안전관리에 관한 법률 제25조에 따라 소방안전관리업무를 대행하게 하거나 제22조 제1항에 따라 소방시설등의 점검업무를 수행하게 한 특정소방대상물의 관계인에게 지체 없이 그 사실을 알려야 한다.

1. 제32조에 따라 관리업자의 지위를 승계한 경우
2. 제35조 제1항에 따라 관리업의 등록취소 또는 영업정지 처분을 받은 경우
3. 휴업 또는 폐업을 한 경우

④ 관리업자는 제22조 제1항 및 제2항에 따라 자체점검을 하거나 화재의 예방 및 안전관리에 관한 법률 제25조에 따른 소방안전관리업무의 대행을 하는 때에는 행정안전부령으로 정하는 바에 따라 소속 기술인력을 참여시켜야 한다.

⑤ 제35조 제1항에 따라 등록취소 또는 영업정지 처분을 받은 관리업자는 그 날부터 소방안전관리업무를 대행하거나 소방시설등에 대한 점검을 하여서는 아니 된다. 다만, 영업정지처분의 경우 도급계약이 해지되지 아니한 때에는 대행 또는 점검 중에 있는 특정소방대상물의 소방안전관리업무 대행과 자체점검은 할 수 있다.

시행규칙 제36조(기술인력 참여기준) 법 제33조 제4항에 따라 관리업자가 자체점검 또는 소방안전관리업무의 대행을 할 때 참여시켜야 하는 기술인력의 자격 및 배치기준은 다음 각 호와 같다.

1. 자체점검: 별표 3 및 별표 4에 따른 점검인력의 자격 및 배치기준
2. 소방안전관리업무의 대행: 화재의 예방 및 안전관리에 관한 법률 시행규칙 별표 1에 따른 대행인력의 자격 및 배치기준

제34조(점검능력 평가 및 공시 등)

① 소방청장은 특정소방대상물의 관계인이 적정한 관리업자를 선정할 수 있도록 하기 위하여 관리업자의 신청이 있는 경우 해당 관리업자의 점검능력을 종합적으로 평가하여 공시하여야 한다.

② 제1항에 따라 점검능력 평가를 신청하려는 관리업자는 소방시설등의 점검실적을 증명하는 서류 등을 행정안전부령으로 정하는 바에 따라 소방청장에게 제출하여야 한다.

③ 제1항에 따른 점검능력 평가 및 공시방법, 수수료 등 필요한 사항은 행정안전부령으로 정한다.

④ 소방청장은 제1항에 따른 점검능력을 평가하기 위하여 관리업자의 기술인력, 장비 보유현황, 점검실적 및 행정처분 이력 등 필요한 사항에 대하여 데이터베이스를 구축·운영할 수 있다.

영철쌤 tip

관계인은 관리업체를 잘 모르기 때문에 관리업체를 선정하기가 어려우므로 관리업자가 신청하는 경우 소방청장이 관리업체의 점검능력을 평가하여 공시하면 관계인이 관리업체를 선정할 때 도움이 된다.

일반적으로 수수료 등 필요한 사항은 행정안전부령으로 정한다. 그러나 소방안전교육사의 수수료 등 필요한 사항은 대통령령으로 정한다.

시행규칙 제37조(점검능력 평가의 신청 등) ① 법 제34조 제2항에 따라 점검능력을 평가받으려는 관리업자는 별지 제29호서식의 소방시설등 점검능력 평가신청서(전자문서로 된 신청서를 포함한다)에 다음 각 호의 서류(전자문서를 포함한다)를 첨부하여 평가기관에 매년 2월 15일까지 제출해야 한다.

1. 소방시설등의 점검실적을 증명하는 서류로서 다음 각 목의 구분에 따른 서류
   가. 국내 소방시설등에 대한 점검실적: 발주자가 별지 제30호서식에 따라 발급한 소방시설등의 점검실적 증명서 및 세금계산서(공급자 보관용을 말한다) 사본
   나. 해외 소방시설등에 대한 점검실적: 외국환은행이 발행한 외화입금증명서 및 재외공관장이 발행한 해외점검실적 증명서 또는 점검계약서 사본
   다. 주한 외국군의 기관으로부터 도급받은 소방시설등에 대한 점검실적: 외국환은행이 발행한 외화입금증명서 및 도급계약서 사본
2. 소방시설관리업 등록수첩 사본
3. 별지 제31호서식의 소방기술인력 보유 현황 및 국가기술자격증 사본 등 이를 증명할 수 있는 서류
4. 별지 제32호서식의 신인도평가 가점사항 확인서 및 가점사항을 확인할 수 있는 다음 각 목의 해당 서류
   가. 품질경영인증서(ISO 9000 시리즈) 사본
   나. 소방시설등의 점검 관련 표창 사본
   다. 특허증 사본
   라. 소방시설관리업 관련 기술 투자를 증명할 수 있는 서류

② 제1항에 따른 신청을 받은 평가기관의 장은 제1항 각 호의 서류가 첨부되어 있지 않은 경우에는 신청인에게 15일 이내의 기간을 정하여 보완하게 할 수 있다.

③ 제1항에도 불구하고 다음 각 호의 어느 하나에 해당하는 자는 상시 점검능력 평가를 신청할 수 있다. 이 경우 신청서·첨부서류의 제출 및 보완에 관하여는 제1항 및 제2항에 따른다.

1. 법 제29조에 따라 신규로 소방시설관리업의 등록을 한 자
2. 법 제32조 제1항 또는 제2항에 따라 관리업자의 지위를 승계한 자
3. 제38조 제3항에 따라 점검능력 평가 공시 후 다시 점검능력 평가를 신청하는 자

④ 제1항부터 제3항까지에서 규정한 사항 외에 점검능력 평가 등 업무수행에 필요한 세부 규정은 평가기관이 정하되, 소방청장의 승인을 받아야 한다.

점검능력 평가·고시

1. 목적: 관계인이 적정한 관리업자를 선정
   하기 위함
2. 평가·고지자: 소방청장
3. 유효기간: 1년
4. 점검능력 평가 및 공시방법, 수수료: 행정
   안전부령

용어사전

❶ 신인도: 믿고 인정하여 의심하지 않는 정도

제38조(점검능력의 평가) ① 법 제34조 제1항에 따른 점검능력 평가의 항목은 다음 각 호와 같고, 점검능력 평가의 세부 기준은 별표 7과 같다

1. 실적
   가. 점검실적(법 제22조 제1항에 따른 소방시설등에 대한 자체점검 실적을 말한다). 이 경우 점검실적(제37조 제1항 제1호 나목 및 다목에 따른 점검실적은 제외한다)은 제20조 제1항 및 별표 4에 따른 점검인력 배치기준에 적합한 것으로 확인된 것만 인정한다.
   나. 대행실적(화재의 예방 및 안전관리에 관한 법률 제25조 제1항에 따라 소방안 전관리 업무를 대행하여 수행한 실적을 말한다)
2. 기술력
3. 경력
4. 신인도❶
② 평가기관은 제1항에 따른 점검능력 평가 결과를 지체 없이 소방청장 및 시·도지사에게 통보해야 한다.
③ 평가기관은 제37조 제1항에 따른 점검능력 평가 결과는 매년 7월 31일까지 평가 기관의 인터넷 홈페이지를 통하여 공시하고, 같은 조 제3항에 따른 점검능력 평가 결과는 소방청장 및 시·도지사에게 통보한 날부터 3일 이내에 평가기관의 인터넷 홈페이지를 통하여 공시해야 한다.
④ 점검능력 평가의 유효기간은 제3항에 따라 점검능력 평가 결과를 공시한 날부터 1년간으로 한다.

별표 7. 소방시설관리업자의 점검능력 평가의 세부 기준

관리업자의 점검능력 평가는 다음 계산식으로 산정하되, 1천원 미만의 숫자는 버린다. 이 경우 산정기준일은 평가를 하는 해의 전년도 말일을 기준으로 한다.

> 점검능력평가액 = 실적평가액 + 기술력평가액 + 경력평가액 ± 신인도평가액

1. 실적평가액은 다음 계산식으로 산정한다.

> 실적평가액 = (연평균점검실적액 + 연평균대행실적액) × 50/100

가. 점검실적액(발주자가 공급하는 자재비를 제외한다) 및 대행실적액은 해당 업체 의 수급금액 중 하수급금액은 포함하고 하도급금액은 제외한다.
   1) 종합점검과 작동점검 또는 소방안전관리업무 대행을 일괄하여 수급한 경우 에는 그 일괄수급금액에 0.55를 곱하여 계산된 금액을 종합점검 실적액으로, 0.45를 곱하여 계산된 금액을 작동점검 또는 소방안전관리업무 대행 실적액 으로 본다. 다만, 다른 입증자료가 있는 경우에는 그 자료에 따라 배분한다.
   2) 작동점검과 소방안전관리업무 대행을 일괄하여 수급한 경우에는 그 일괄수 급금액에 0.5를 곱하여 계산된 금액을 각각 작동점검 및 소방안전관리업무 대행 실적액으로 본다. 다만, 다른 입증자료가 있는 경우에는 그 자료에 따라 배분한다.
   3) 종합점검, 작동점검 및 소방안전관리업무 대행을 일괄하여 수급한 경우에는 그 일괄수급금액에 0.38을 곱하여 계산된 금액을 종합점검 실적액으로, 각각 0.31을 곱하여 계산된 금액을 각각 작동점검 및 소방안전관리업무 대행 실적 액으로 본다. 다만, 다른 입증자료가 있는 경우에는 그 자료에 따라 배분한다.

나. 소방시설관리업을 경영한 기간이 산정일을 기준으로 3년 이상인 경우에는 최근 3년간의 점검실적액 및 대행실적액을 합산하여 3으로 나눈 금액을 각각 연평균 점검실적액 및 연평균대행실적액으로 한다.

다. 소방시설관리업을 경영한 기간이 산정일을 기준으로 1년 이상 3년 미만인 경우에는 그 기간의 점검실적액 및 대행실적액을 합산한 금액을 그 기간의 개월수로 나눈 금액에 12를 곱한 금액을 각각 연평균점검실적액 및 연평균대행실적액으로 한다.

라. 소방시설관리업을 경영한 기간이 산정일을 기준으로 1년 미만인 경우에는 그 기간의 점검실적액 및 대행실적액을 각각 연평균점검실적액 및 연평균대행실적액으로 한다.

마. 법 제32조 제1항 각 호 및 제2항에 따라 지위를 승계한 관리업자는 종전 관리업자의 실적액과 관리업을 승계한 자의 실적액을 합산한다.

2. 기술력평가액은 다음 계산식으로 산정한다.

> 기술력평가액 = 전년도 기술인력 가중치 1단위당 평균 점검실적액
> × 보유기술인력 가중치합계 × 40/100

가. 전년도 기술인력 가중치 1단위당 평균 점검실적액은 점검능력 평가를 신청한 관리업자의 국내 총 기성액을 해당 관리업자가 보유한 기술인력의 가중치 총합으로 나눈 금액으로 한다. 이 경우 국내 총 기성액 및 기술인력 가중치 총합은 평가기관이 법 제34조 제4항에 따라 구축·관리하고 있는 데이터베이스(보유 기술인력의 경력관리를 포함한다)에 등록된 정보를 기준으로 한다(전년도 기술인력 1단위당 평균 점검실적액이 산출되지 않는 경우에는 전전년도 기술인력 1단위당 평균 점검실적액을 적용한다).

나. 보유 기술인력 가중치의 계산은 다음의 방법에 따른다.

1) 보유 기술인력은 해당 관리업체에 소속되어 6개월 이상 근무한 사람(등록·양도·합병 후 관리업을 한 기간이 6개월 미만인 경우에는 등록신청서·양도신고서·합병신고서에 기재된 기술인력으로 한다)만 해당한다.

2) 보유 기술인력은 주된 기술인력과 보조 기술인력으로 구분하되, 기술등급 구분의 기준은 소방시설공사업법 시행규칙 별표 4의2에 따른다. 이 경우 1인이 둘 이상의 자격, 학력 또는 경력을 가지고 있는 경우 대표되는 하나의 것만 적용한다.

3) 보유 기술인력의 등급별 가중치는 다음 표와 같다.

보유기술 인력	주된 기술인력		보조 기술인력			
	관리사 (경력 5년 이상)	관리사	특급 점검자	고급 점검자	중급 점검자	초급 점검자
가중치	3.5	3.0	2.5	2	1.5	1

3. 경력평가액은 다음 계산식으로 산정한다.

> 경력평가액 = 실적평가액 × 관리업 경영기간 평점 × 10/100

가. 소방시설관리업 경영기간은 등록일·양도신고일 또는 합병신고일부터 산정기준일까지로 한다.

나. 종전 관리업자의 관리업 경영기간과 관리업을 승계한 자의 관리업 경영기간의 합산에 관하여는 제1호 마목을 준용한다.

다. 관리업 경영기간 평점은 다음 표에 따른다.

관리업 경영기간	2년 미만	2년 이상 4년 미만	4년 이상 6년 미만	6년 이상 8년 미만	8년 이상 10년 미만
평점	0.5	0.55	0.6	0.65	0.7

10년 이상 12년 미만	12년 이상 14년 미만	14년 이상 16년 미만	16년 이상 18년 미만	18년 이상 20년 미만	20년 이상
0.75	0.8	0.85	0.9	0.95	1.0

4. 신인도평가액은 다음 계산식으로 산정하되, 신인도평가액은 실적평가액·기술력평가액·경력평가액을 합친 금액의 ±10%의 범위를 초과할 수 없으며, 가점요소와 감점요소가 있는 경우에는 이를 상계한다.

> 신인도평가액 = (실적평가액 + 기술력평가액 + 경력평가액) × 신인도 반영비율 합계

가. 신인도 반영비율 가점요소는 다음과 같다.
  1) 최근 3년간 국가기관·지방자치단체 또는 공공기관으로부터 소방 및 화재안전과 관련된 표창을 받은 경우
    - 대통령 표창: +3%
    - 장관 이상 표창, 소방청장 또는 광역자치단체장 표창: +2%
    - 그 밖의 표창: +1%
  2) 소방시설관리에 관한 국제품질경영인증(ISO)을 받은 경우: +2%
  3) 소방에 관한 특허를 보유한 경우: +1%
  4) 전년도 기술개발투자액: 조세특례제한법 시행령 별표 6에 규정된 비용 중 소방시설관리업 분야에 실제로 사용된 금액으로 다음 기준에 따른다.
    - 실적평가액의 1%이상 3%미만: +0.5%
    - 실적평가액의 3%이상 5%미만: +1%
    - 실적평가액의 5%이상 10%미만: +1.5%
    - 실적평가액의 10%이상: +2%

나. 신인도 반영비율 감점요소는 아래와 같다.
  1) 최근 1년간 법 제35조에 따른 영업정지 처분 및 법 제36조에 따른 과징금 처분을 받은 사실이 있는 경우
    - 1개월 이상 3개월 이하: -2%
    - 3개월 초과: -3%
  2) 최근 1년간 국가기관·지방자치단체 또는 공공기관으로부터 부정당업자로 제재처분을 받은 사실이 있는 경우: -2%
  3) 최근 1년간 이 법에 따른 과태료처분을 받은 사실이 있는 경우: -2%
  4) 최근 1년간 이 법에 따라 소방시설관리사가 행정처분을 받은 사실이 있는 경우: -2%
  5) 최근 1년간 부도가 발생한 사실이 있는 경우: -2%

5. 제1호부터 제4호까지의 규정에도 불구하고 신규업체의 점검능력 평가는 다음 계산식으로 산정한다.

> 점검능력평가액 = (전년도 전체 평가업체의 평균 실적액 × 10/100)
+ (기술인력 가중치 1단위당 평균 점검면적액
× 보유기술인력가중치합계 × 50/100)

제35조(등록의 취소와 영업정지 등)

① 시·도지사는 관리업자가 다음 각 호의 어느 하나에 해당하는 경우에는 행정안전부령으로 정하는 바에 따라 그 등록을 취소하거나 6개월 이내의 기간을 정하여 이의 시정이나 그 영업의 정지를 명할 수 있다. 다만, 제1호·제4호 또는 제5호에 해당할 때에는 등록을 취소하여야 한다.

1. 거짓이나 그 밖의 부정한 방법으로 등록을 한 경우

2. 제22조에 따른 점검을 하지 아니하거나 거짓으로 한 경우

3. 제29조 제2항에 따른 등록기준에 미달하게 된 경우

4. 제30조 각 호의 어느 하나에 해당하게 된 경우. 다만, 제30조 제5호에 해당하는 법인으로서 결격사유에 해당하게 된 날부터 2개월 이내에 그 임원을 결격사유가 없는 임원으로 바꾸어 선임한 경우는 제외한다.

5. 제33조 제2항을 위반하여 등록증 또는 등록수첩을 빌려준 경우

6. 제34조 제1항에 따른 점검능력 평가를 받지 아니하고 자체점검을 한 경우

② 제32조에 따라 관리업자의 지위를 승계한 상속인이 제30조 각 호의 어느 하나에 해당하는 경우에는 상속을 개시한 날부터 6개월 동안은 제1항 제4호를 적용하지 아니한다.

시행규칙 제39조(행정처분의 기준) 법 제28조에 따른 소방시설관리사 자격의 취소 및 정지 처분과 법 제35조에 따른 소방시설관리업의 등록취소 및 영업정지 처분 기준은 별표 8과 같다.

별표 8. 행정처분 기준

1. 일반기준

　가. 위반행위가 둘 이상이면 그 중 무거운 처분기준(무거운 처분기준이 동일한 경우에는 그 중 하나의 처분기준을 말한다. 이하 같다)에 따른다. 다만, 둘 이상의 처분기준이 모두 영업정지이거나 사용정지인 경우에는 각 처분기준을 합산한 기간을 넘지 않는 범위에서 무거운 처분기준에 각각 나머지 처분기준의 2분의 1 범위에서 가중한다.

　나. 영업정지 또는 사용정지 처분기간 중 영업정지 또는 사용정지에 해당하는 위반사항이 있는 경우에는 종전의 처분기간 만료일의 다음 날부터 새로운 위반사항에 따른 영업정지 또는 사용정지의 행정처분을 한다.

　다. 위반행위의 횟수에 따른 행정처분의 기준은 최근 1년간 같은 위반행위로 행정처분을 받은 경우에 적용한다. 이 경우 적용일은 위반행위에 대한 행정처분일과 그 처분 후에 한 위반행위가 다시 적발된 날을 기준으로 한다.

영철쌤 tip

등록취소
1. 거짓, 부정한 방법
2. 결격사유(제30조 각 호의 어느 하나에 해당하게 된 경우)
3. 빌려준 경우

라. 다목에 따라 가중된 부과처분을 하는 경우 가중처분의 적용 차수는 그 위반행위 전 부과처분 차수(다목에 따른 기간 내에 행정처분이 둘 이상 있었던 경우에는 높은 차수를 말한다)의 다음 차수로 한다.

마. 처분권자는 위반행위의 동기·내용·횟수 및 위반 정도 등 다음에 해당하는 사유를 고려하여 그 처분을 가중하거나 감경할 수 있다. 이 경우 그 처분이 영업정지 또는 자격정지인 경우에는 그 처분기준의 2분의 1의 범위에서 가중하거나 감경할 수 있고, 등록취소 또는 자격취소인 경우에는 등록취소 또는 자격취소 전 차수의 행정처분이 영업정지 또는 자격정지이면 그 처분기준의 2배 이하의 영업정지 또는 자격정지로 감경(법 제28조 제1호·제4호·제5호·제7호 및 법 제35조 제1항 제1호·제4호·제5호를 위반하여 등록취소 또는 자격취소된 경우는 제외한다)할 수 있다.

1) 가중 사유
   가) 위반행위가 사소한 부주의나 오류가 아닌 고의나 중대한 과실에 의한 것으로 인정되는 경우
   나) 위반의 내용·정도가 중대하여 관계인에게 미치는 피해가 크다고 인정되는 경우

2) 감경 사유
   가) 위반행위가 사소한 부주의나 오류 등 과실로 인한 것으로 인정되는 경우
   나) 위반의 내용·정도가 경미하여 관계인에게 미치는 피해가 적다고 인정되는 경우
   다) 위반 행위자가 처음 해당 위반행위를 한 경우로서 5년 이상 소방시설관리사의 업무, 소방시설관리업 등을 모범적으로 해 온 사실이 인정되는 경우
   라) 그 밖에 다음의 경미한 위반사항에 해당되는 경우
      (1) 스프링클러설비 헤드가 살수반경에 미치지 못하는 경우
      (2) 자동화재탐지설비 감지기 2개 이하가 설치되지 않은 경우
      (3) 유도등이 일시적으로 점등되지 않는 경우
      (4) 유도표지가 정해진 위치에 붙어 있지 않은 경우

바. 처분권자는 고의 또는 중과실이 없는 위반행위자가 소상공인기본법 제2조에 따른 소상공인인 경우에는 다음의 사항을 고려하여 제2호 나목의 개별기준에 따른 처분을 감경할 수 있다. 이 경우 그 처분이 영업정지인 경우에는 그 처분기준의 100분의 70 범위에서 감경할 수 있고, 그 처분이 등록취소(법 제35조 제1항 제1호·제4호·제5호를 위반하여 등록취소된 경우는 제외한다)인 경우에는 3개월의 영업정지 처분으로 감경할 수 있다. 다만, 마목에 따른 감경과 중복하여 적용하지 않는다.

1) 해당 행정처분으로 위반행위자가 더 이상 영업을 영위하기 어렵다고 객관적으로 인정되는지 여부
2) 경제위기 등으로 위반행위자가 속한 시장·산업 여건이 현저하게 변동되거나 지속적으로 악화된 상태인지 여부

2. 개별기준

가. 소방시설관리사에 대한 행정처분기준

위반사항	근거 법조문	행정처분기준		
		1차 위반	2차 위반	3차 이상 위반
1) 거짓이나 그 밖의 부정한 방법으로 시험에 합격한 경우	법 제28조 제1호	자격취소		
2) 화재의 예방 및 안전관리에 관한 법률 제25조 제2항에 따른 대행인력의 배치기준·자격·방법 등 준수사항을 지키지 않은 경우	법 제28조 제2호	경고 (시정명령)	자격정지 6개월	자격취소
3) 법 제22조에 따른 점검을 하지 않거나 거짓으로 한 경우	법 제28조 제3호			
가) 점검을 하지 않은 경우		자격정지 1개월	자격정지 6개월	자격취소
나) 거짓으로 점검한 경우		경고 (시정명령)	자격정지 6개월	자격취소
4) 법 제25조 제7항을 위반하여 소방시설관리사증을 다른 사람에게 빌려준 경우	법 제28조 제4호	자격취소		
5) 법 제25조 제8항을 위반하여 동시에 둘 이상의 업체에 취업한 경우	법 제28조 제5호	자격취소		
6) 법 제25조 제9항을 위반하여 성실하게 자체점검 업무를 수행하지 않은 경우	법 제28조 제6호	경고 (시정명령)	자격정지 6개월	자격취소
7) 법 제27조 각 호의 어느 하나의 결격사유에 해당하게 된 경우	법 제28조 제7호	자격취소		

나. 소방시설관리업자에 대한 행정처분기준

위반사항	근거 법조문	행정처분기준		
		1차 위반	2차 위반	3차 이상 위반
1) 거짓이나 그 밖의 부정한 방법으로 등록을 한 경우	법 제35조 제1항 제1호	등록취소		
2) 법 제22조에 따른 점검을 하지 않거나 거짓으로 한 경우	법 제35조 제1항 제2호			
가) 점검을 하지 않은 경우		영업정지 1개월	영업정지 3개월	등록취소

위반사항	근거 법조문	행정처분기준		
		1차 위반	2차 위반	3차 이상 위반
나) 거짓으로 점검한 경우		경고 (시정명령)	영업정지 3개월	등록취소
3) 법 제29조 제2항에 따른 등록기준에 미달하게 된 경우. 다만, 기술인력이 퇴직하거나 해임되어 30일 이내에 재선임하여 신고한 경우는 제외한다.	법 제35조 제1항 제3호	경고 (시정명령)	영업정지 3개월	등록취소
4) 법 제30조 각 호의 어느 하나의 등록의 결격사유에 해당하게 된 경우. 다만, 제30조 제5호에 해당하는 법인으로서 결격사유에 해당하게 된 날부터 2개월 이내에 그 임원을 결격사유가 없는 임원으로 바꾸어 선임한 경우는 제외한다.	법 제35조 제1항 제4호	등록취소		
5) 법 제33조 제2항을 위반하여 등록증 또는 등록수첩을 빌려준 경우	법 제35조 제1항 제5호	등록취소		
6) 법 제34조 제1항에 따른 점검능력 평가를 받지 않고 자체점검을 한 경우	법 제35조 제1항 제6호	영업정지 1개월	영업정지 3개월	등록취소

영철쌤 tip

과징금과 과태료 구분

구분	과징금	과태료
처벌 대상	개인 또는 법인(행위로 이익을 얻은 개인 또는 기업체)	개인 또는 법인(규제를 지키지 않은 개인 또는 기업체)
처벌 방식	법적 처벌	행정적 처벌
금액 결정	법원에서 결정	행정기관에서 결정
납부 방식	법 원 에 직접 납부	행정기관에 직접 납부

예 이동통신회사가 가격 담합을 해서 시·도지사가 영업정지를 명하면 이용자에게 불편을 주기 때문에 영업정지 대신 과징금(금전적 제재)으로 부과한다.

과징금
1. 부과대상: 영업정지가 이용자에게 불편을 주거나 공익을 해칠 우려가 있는 경우
2. 부과징수자: 시·도지사
3. 금액: 2억 원 이하(단, 관리업은 3천만 원 이하)
4. 필요한 사항: 행정안전부령(과태료는 대통령령)

제36조(과징금처분)

① 시·도지사는 제35조 제1항에 따라 영업정지를 명하는 경우로서 그 영업정지가 이용자에게 불편을 주거나 그 밖에 공익을 해칠 우려가 있을 때에는 영업정지처분을 갈음하여 3천만 원 이하의 과징금을 부과할 수 있다.

② 제1항에 따른 과징금을 부과하는 위반행위의 종류와 위반 정도 등에 따른 과징금의 금액, 그 밖에 필요한 사항은 행정안전부령으로 정한다.

③ 시·도지사는 제1항에 따른 과징금을 내야 하는 자가 납부기한까지 내지 아니하면 지방행정제재·부과금의 징수 등에 관한 법률에 따라 징수한다.

④ 시·도지사는 제1항에 따른 과징금의 부과를 위하여 필요한 경우에는 다음 각 호의 사항을 적은 문서로 관할 세무관서의 장에게 국세기본법 제81조의13에 따른 과세정보의 제공을 요청할 수 있다.

1. 납세자의 인적사항
2. 과세정보의 사용 목적
3. 과징금의 부과 기준이 되는 매출액

시행규칙 제40조(과징금의 부과기준 등) ① 법 제36조 제1항에 따라 과징금을 부과하는 위반행위의 종류와 위반 정도 등에 따른 과징금의 부과기준은 별표 9와 같다.

② 법 제36조 제1항에 따른 과징금의 징수절차에 관하여는 국고금관리법 시행규칙을 준용한다.

별표 9. 과징금의 부과기준

1. 일반기준

가. 영업정지 1개월은 30일로 계산한다.

나. 과징금 산정은 영업정지기간(일)에 제2호 나목의 영업정지 1일에 해당하는 금액을 곱한 금액으로 한다.

다. 위반행위가 둘 이상 발생한 경우 과징금 부과를 위한 영업정지기간(일) 산정은 제2호 가목의 개별기준에 따른 각각의 영업정지 처분기간을 합산한 기간으로 한다.

라. 영업정지에 해당하는 위반사항으로서 위반행위의 동기·내용·횟수 또는 그 결과를 고려하여 그 처분기준의 2분의 1까지 감경한 경우 과징금 부과에 의한 영업정지기간(일) 산정은 감경한 영업정지기간으로 한다.

마. 연간 매출액은 해당 업체에 대한 처분일이 속한 연도의 전년도의 1년간 위반사항이 적발된 업종의 각 매출금액을 기준으로 한다. 다만, 신규사업·휴업 등으로 인하여 1년간의 위반사항이 적발된 업종의 각 매출금액을 산출할 수 없거나 1년간의 위반사항이 적발된 업종의 각 매출금액을 기준으로 하는 것이 불합리하다고 인정되는 경우에는 분기별·월별 또는 일별 매출금액을 기준으로 산출 또는 조정한다.

바. 가목부터 마목까지의 규정에도 불구하고 과징금 산정금액이 3천만 원을 초과하는 경우 3천만 원으로 한다.

2. 개별기준

가. 과징금을 부과할 수 있는 위반행위의 종류

위반사항	근거 법조문	행정처분기준		
		1차 위반	2차 위반	3차 이상 위반
1) 법 제22조에 따른 점검을 하지 않거나 거짓으로 한 경우	법 제35조 제1항 제2호	영업정지 1개월	영업정지 3개월	
2) 법 제29조 제2항에 따른 등록기준에 미달하게 된 경우. 다만, 기술인력이 퇴직하거나 해임되어 30일 이내에 재선임하여 신고한 경우는 제외한다.	법 제35조 제1항 제3호		영업정지 3개월	
3) 법 제34조 제1항에 따른 점검능력 평가를 받지 않고 자체점검을 한 경우	법 제35조 제1항 제6호	영업정지 1개월	영업정지 3개월	

영철쌤 tip

과징금

1. 과징금 = 연간 매출액에 따른 영업정지 1일에 해당 금액×영업정지일수
2. 만약, 과징금이 3천만 원 초과했더라도 3천만 원으로 한다.
3. 연간 매출액은 관한 세무서에 요청할 수 있다.

나. 과징금 금액 산정기준

등급	연간매출액(단위: 백만 원)	영업정지 1일에 해당되는 금액(단위: 원)
1	10 이하	25,000
2	10 초과 ~ 30 이하	30,000
3	30 초과 ~ 50 이하	35,000
4	50 초과 ~ 100 이하	45,000
5	100 초과 ~ 150 이하	50,000
6	150 초과 ~ 200 이하	55,000
7	200 초과 ~ 250 이하	65,000
8	250 초과 ~ 300 이하	80,000
9	300 초과 ~ 350 이하	95,000
10	350 초과 ~ 400 이하	110,000
11	400 초과 ~ 450 이하	125,000
12	450 초과 ~ 500 이하	140,000
13	500 초과 ~ 750 이하	160,000
14	750 초과 ~ 1,000 이하	180,000
15	1,000 초과 ~ 2,500 이하	210,000
16	2,500 초과 ~ 5,000 이하	240,000
17	5,000 초과 ~ 7,500 이하	270,000
18	7,500 초과 ~ 10,000 이하	300,000
19	10,000 초과	330,000

📖 핵심정리 소방시설관리업의 등록

1. **소방시설관리업의 업무:** 소방안전관리 업무의 대행 또는 소방시설등의 점검 및 유지 · 관리업

2. **등록:** 시 · 도지사

3. **등록기준**
   ① 전문 소방시설관리업: 모든 특정소방대상물 가능
      ㉠ 주인력: 소방시설관리사 실무 5년 이상 1명 이상, 소방시설관리사 실무 3년 이상 1명 이상
      ㉡ 보조인력: 고급, 중급, 초급 각각 2명 이상
   ② 일반 소방시설관리업: 1급, 2급, 3급 소방안전관리대상물
      ㉠ 주인력: 소방시설관리사 실무 1년 이상 1명 이상
      ㉡ 보조인력: 중급, 초급 각각 1명 이상

4. **서류의 보완:** 서류 미비 시 또는 첨부 서류 내용이 미비 시 10일 이내의 기간을 정하여 이를 보완

5. **재발급 및 반납**
   ① 분실 또는 헐어 못쓰게 되는 경우 시 · 도지사에게 재발급을 신청
      (3일 이내에 소방시설관리업 등록증 또는 등록수첩 재발급)
   ② 등록수첩 지체없이 시 · 도지사에게 반납해야 하는 경우
      ㉠ 등록이 취소된 때
      ㉡ 소방시설관리업을 폐업한 때
      ㉢ ①의 규정에 의하여 재발급를 받은 때. 다만, 등록증 또는 등록수첩을 잃어버리고 재교부를 받은 경우에는 이를 다시 찾은 때에 한한다.

1. 소방시설관리업 등록의 결격사유
① 피성년후견인
② 소방법에 따른 금고 이상의 실형을 선고받고 그 집행이 끝나거나(집행이 끝난 것으로 보는 경우를 포함한다) 집행이 면제된 날부터 2년이 지나지 아니한 사람
③ 소방법에 따른 금고 이상의 형의 집행유예를 선고받고 그 유예기간 중에 있는 사람
④ 관리업의 등록이 취소된 날부터 2년이 지나지 아니한 자
⑤ 임원 중에 ①부터 ④까지의 어느 하나에 해당하는 사람이 있는 법인

2. 관리사의 등록 결격사유
① 피성년후견인
② 소방법에 따른 금고 이상의 실형을 선고받고 그 집행이 끝나거나(집행이 끝난 것으로 보는 경우를 포함한다) 집행이 면제된 날부터 2년이 지나지 아니한 사람
③ 소방법에 따른 금고 이상의 형의 집행유예를 선고받고 그 유예기간 중에 있는 사람
④ 자격이 취소된 날로부터 2년이 지나지 아니한 사람

📖 **핵심정리** 소방시설관리업의 등록사항 변경신고

1. 관리업자는 등록한 사항 중 중요 사항이 변경되었을 때에는 시·도지사에게 변경사항을 신고

2. 변경사항 신고사항
① 명칭·상호 또는 영업소소재지
② 대표자
③ 기술인력

3. 등록사항의 변경신고: 30일 이내에 서류 첨부하여 시·도지사에게 제출

4. 시·도지사는 변경된 사항 기재하여 5일 이내 교부

📖 **핵심정리** 소방시설관리업자의 지위승계

1. 지위 승계
① 관리업자가 사망한 경우 그 상속인
② 관리업자가 그 영업을 양도한 경우 그 양수인
③ 법인인 관리업자가 합병한 경우 합병 후 존속하는 법인이나 합병으로 설립되는 법인

2. 지위 승계 신고: 시·도지사(30일 이내)

📖 **핵심정리** 소방시설관리업의 운영 및 등록취소 사항

1. 소방시설관리업의 운영
① 관리업자는 관리업의 등록증이나 등록수첩을 다른 자에게 대여 금지(알선 금지)
② 관리업자가 관계인에게 지체없이 통보하여야 하는 사항
　㉠ 관리업자의 지위를 승계한 경우
　㉡ 관리업의 등록취소 또는 영업정지처분을 받은 경우
　㉢ 휴업 또는 폐업을 한 경우

2. 소방시설관리업 등록의 취소와 영업정지 등 - 등록취소 사항
① 거짓이나 그 밖의 부정한 방법으로 등록을 한 경우
② 결격사유에 해당하게 된 경우
③ 다른 자에게 등록증이나 등록수첩을 빌려준 경우
* 소방시설관리사: 이중 취업 추가

 영철쌤 tip

과징금 처분(시·도지사)
시·도지사는 제34조 제1항에 따라 영업정지를 명하는 경우로서 그 영업정지가 국민에게 심한 불편을 주거나 그 밖에 공익을 해칠 우려가 있을 때에는 영업정지처분을 갈음하여 3천만 원 이하의 과징금을 부과할 수 있다.

01 다음 중 관리사 결격사유로서 옳지 않은 것은?

17. 하반기 공채

① 피성년후견인

② 금고 이상의 실형을 선고받고 그 집행이 끝나거나 면제된 날부터 2년이 지나지 아니한 사람

③ 금고 이상의 형의 집행유예를 선고받고 그 유예기간 중에 있는 사람

④ 자격이 취소된 날부터 1년이 지나지 아니한 사람

02 소방시설관리사의 자격의 취소·정지 사유로 옳지 않은 것은?

19. 공채

① 동시에 둘 이상의 업체에 취업한 경우

② 등록사항의 변경신고를 하지 아니한 경우

③ 소방시설관리사증을 다른 자에게 빌려준 경우

④ 자체점검 업무를 하지 아니하거나 거짓으로 한 경우

03 소방시설관리업의 등록을 반드시 취소하여야 하는 사유로 옳지 않은 것은?

21. 경채

① 자체점검 등을 하지 아니한 경우

② 소방시설관리업자가 피성년후견인인 경우

③ 거짓이나 그 밖의 부정한 방법으로 등록한 경우

④ 다른 자에게 등록증이나 등록수첩을 빌려준 경우

04 소방시설 설치 및 관리에 관한 법률 시행령상 전문소방시설관리업의 보조 기술인력 등록기준으로 옳은 것은?

23. 공채·경채

① 특급점검자 이상의 기술인력: 2명 이상

② 중급·고급점검자 이상의 기술인력: 각 1명 이상

③ 초급·중급점검자 이상의 기술인력: 각 1명 이상

④ 초급·중급·고급점검자 이상의 기술인력: 각 2명

05 소방시설 설치 및 관리에 관한 법률 시행규칙상 행정처분 시 감경사유로 옳지 <u>않은</u> 것은? 23. 공채 · 경채

① 경미한 위반사항으로, 유도등이 일시적으로 점등되지 않는 경우

② 경미한 위반사항으로, 스프링클러설비 헤드가 살수반경에 미치지 못하는 경우

③ 위반행위가 사소한 부주의나 오류가 아닌 고의에 의한 것으로 인정되는 경우

④ 위반 행위자가 처음 해당 위반행위를 한 경우로서 5년 이상 소방시설관리사의 업무, 소방시설관리업 등을 모범적으로 해 온 사실이 인정되는 경우

정답 및 해설

01 관리사 결격사유

자격이 취소된 날부터 2년이 지나지 아니한 사람이 법적인 결격 사유이다.

02 소방시설관리사의 자격

① 동시에 둘 이상의 업체에 취업한 경우 → 즉시 자격취소

③ 소방시설관리사증을 다른 자에게 빌려준 경우 → 즉시 자격취소

④ 자체점검업무를 하지 아니하거나 거짓으로 한 경우 → 자격의 취소 · 정지 사유

03 소방시설관리업의 등록 취소

자체점검을 안했을때에는 1차 영업정지 1개월, 2차 영업정지 3개월, 3차 등록취소에 해당한다.

04 보조 기술인력

· 전문소방시설관리업의 보조 기술인력 등록기준: 초급 · 중급 · 고급점검자 이상의 기술인력 각 2명

· 일반소방시설관리업의 보조 기술인력 등록기준: 초급 · 중급 이상의 기술인력 각 1명

05 행정처분 시 감경사유

· 위반행위가 사소한 부주의나 오류 등 과실로 인한 것으로 인정되는 경우

· 위반의 내용 · 정도가 경미하여 관계인에게 미치는 피해가 적다고 인정되는 경우

· 위반 행위자가 처음 해당 위반행위를 한 경우로서 5년 이상 소방시설관리사의 업무, 소방시설관리업 등을 모범적으로 해 온 사실이 인정되는 경우

· 그 밖에 다음의 경미한 위반사항에 해당되는 경우

  - 스프링클러설비 헤드가 살수반경에 미치지 못하는 경우

  - 자동화재탐지설비 감지기 2개 이하가 설치되지 않은 경우

  - 유도등이 일시적으로 점등되지 않는 경우

  - 유도표지가 정해진 위치에 붙어 있지 않은 경우

정답 **01** ④ **02** ② **03** ① **04** ④ **05** ③

CHAPTER 5 소방용품의 품질관리

 영철쌤 tip

1. 소방용품: 형식승인(의무), 성능인증(요청자에 한함), 우수품질인증(신청자에 한함)은 소방청장 고시로 한다. → 전문기관(한국소방산업기술원)에게 위탁할 수 있다.
2. 제품의 형식승인 등 받으려는 자 실험을 갖추고 → 소방청장에게 심사 → 제조 또는 수입 → 제품검사 → 유통(진열, 판매, 공사 사용) → 소방청장이 수집 → 검사 → 결과(준법, 위법)
3. 만약, 위법이라면 소방관서장이 수거, 교체, 폐기를 명할 수 있다.

📖 용어사전

❶ 형상등: 물건의 형상, 구조, 재질, 성분, 성능 등을 말한다.

영철쌤 tip

1. 주한외국공관: 대사관, 영사관 등
2. 주한외국군 부대: UN부대 등

▲ P형 수신기(형식승인)

▲ P형 수신기 내부 예비전원 축전지(성능인증)
하나의 형식승인으로 할 수 있다.

제37조(소방용품의 형식승인 등)

① 대통령령으로 정하는 소방용품을 제조하거나 수입하려는 자는 소방청장의 형식승인을 받아야 한다. 다만, 연구개발 목적으로 제조하거나 수입하는 소방용품은 그러하지 아니하다.

② 제1항에 따른 형식승인을 받으려는 자는 행정안전부령으로 정하는 기준에 따라 형식승인을 위한 시험시설을 갖추고 소방청장의 심사를 받아야 한다. 다만, 소방용품을 수입하는 자가 판매를 목적으로 하지 아니하고 자신의 건축물에 직접 설치하거나 사용하려는 경우 등 행정안전부령으로 정하는 경우에는 시험시설을 갖추지 아니할 수 있다.

③ 제1항과 제2항에 따라 형식승인을 받은 자는 그 소방용품에 대하여 소방청장이 실시하는 제품검사를 받아야 한다.

④ 제1항에 따른 형식승인의 방법·절차 등과 제3항에 따른 제품검사의 구분·방법·순서·합격표시 등에 필요한 사항은 행정안전부령으로 정한다.

⑤ 소방용품의 형상·구조·재질·성분·성능 등(이하 "형상등"❶이라 한다)의 형식승인 및 제품검사의 기술기준 등에 필요한 사항은 소방청장이 정하여 고시한다.

⑥ 누구든지 다음 각 호의 어느 하나에 해당하는 소방용품을 판매하거나 판매 목적으로 진열하거나 소방시설공사에 사용할 수 없다.
1. 형식승인을 받지 아니한 것
2. 형상등❶을 임의로 변경한 것
3. 제품검사를 받지 아니하거나 합격표시를 하지 아니한 것

⑦ 소방청장, 소방본부장 또는 소방서장은 제6항을 위반한 소방용품에 대하여는 그 제조자·수입자·판매자 또는 시공자에게 수거·폐기 또는 교체 등 행정안전부령으로 정하는 필요한 조치를 명할 수 있다.

⑧ 소방청장은 소방용품의 작동기능, 제조방법, 부품 등이 제5항에 따라 소방청장이 고시하는 형식승인 및 제품검사의 기술기준에서 정하고 있는 방법이 아닌 새로운 기술이 적용된 제품의 경우에는 관련 전문가의 평가를 거쳐 행정안전부령으로 정하는 바에 따라 제4항에 따른 방법 및 절차와 다른 방법 및 절차로 형식승인을 할 수 있으며, 외국의 공인기관으로부터 인정받은 신기술 제품은 형식승인을 위한 시험 중 일부를 생략하여 형식승인을 할 수 있다.

⑨ 다음 각 호의 어느 하나에 해당하는 소방용품의 형식승인 내용에 대하여 공인기관의 평가 결과가 있는 경우 형식승인 및 제품검사 시험 중 일부만을 적용하여 형식승인 및 제품검사를 할 수 있다.
1. 군수품관리법 제2조에 따른 군수품
2. 주한외국공관 또는 주한외국군 부대에서 사용되는 소방용품

3. 외국의 차관이나 국가 간의 협약 등에 따라 건설되는 공사에 사용되는 소방용
   품으로서 사전에 합의된 것
4. 그 밖에 특수한 목적으로 사용되는 소방용품으로서 소방청장이 인정하는 것

⑩ 하나의 소방용품에 두 가지 이상의 형식승인 사항 또는 형식승인과 성능인증 사항
   이 결합된 경우에는 두 가지 이상의 형식승인 또는 형식승인과 성능인증 시험을
   함께 실시하고 하나의 형식승인을 할 수 있다.

⑪ 제9항 및 제10항에 따른 형식승인의 방법 및 절차 등에 필요한 사항은 행정안전부
   령으로 정한다.

제38조(형식승인의 변경)

① 제37조 제1항 및 제10항에 따른 형식승인을 받은 자가 해당 소방용품에 대하여 형
   상등의 일부를 변경하려면 소방청장의 변경승인을 받아야 한다.

② 제1항에 따른 변경승인의 대상·구분·방법 및 절차 등에 필요한 사항은 행정안전
   부령으로 정한다.

제39조(형식승인의 취소 등)

① 소방청장은 소방용품의 형식승인을 받았거나 제품검사를 받은 자가 다음 각 호의
   어느 하나에 해당할 때에는 행정안전부령으로 정하는 바에 따라 그 형식승인을 취
   소하거나 6개월 이내의 기간을 정하여 제품검사의 중지를 명할 수 있다. 다만, 제1호·
   제3호 또는 제5호의 경우에는 해당 소방용품의 형식승인을 취소하여야 한다.
   1. 거짓이나 그 밖의 부정한 방법으로 제37조 제1항 및 제10항에 따른 형식승인을 받
      은 경우
   2. 제37조 제2항에 따른 시험시설의 시설기준에 미달되는 경우
   3. 거짓이나 그 밖의 부정한 방법으로 제37조 제3항에 따른 제품검사를 받은 경우
   4. 제품검사 시 제37조 제5항에 따른 기술기준에 미달되는 경우
   5. 제38조에 따른 변경승인을 받지 아니하거나 거짓이나 그 밖의 부정한 방법으로 변경
      승인을 받은 경우

② 제1항에 따라 소방용품의 형식승인이 취소된 자는 그 취소된 날부터 2년 이내에는
   형식승인이 취소된 소방용품과 동일한 품목에 대하여 형식승인을 받을 수 없다.

 영철쌤 tip

형식승인

소방용품의 설계에 대한 검사로서 제품이 생
산되기 전에 그 견품이 각종 기준에 적합한가
의 여부를 시험하여 이들 기준에 적합한 경우
한국소방산업기술원에서 그 적합성을 승인
하는 것을 말한다.
1. 사전제품검사: 제품 출고 전에 개개의 소
   방용품의 형상등이 이미 형식승인을 얻은
   소방용품의 형상등과 동일한가의 여부를
   검사하는 것을 말한다.
2. 사후제품검사: 유통 중에 있는 제품에서
   시험재료를 임의로 수거하여 이미 형식승
   인을 얻은 소방용품의 형상등과 동일한가
   의 여부를 검사하는 것을 말한다.

형식승인 제외
연구개발 목적으로 제조하거나 수입하는 소
방용품은 제외한다.

시험시설 설치 제외
1. 소방용품을 수입하는 자가 판매를 목적으
   로 하지 아니하는 경우
2. 자신의 건축물에 직접 설치하거나 사용하
   는 경우

 영철쌤 tip

형식승인의 취소등에는 형식승인은 제품이므
로 결격사유, 빌려줌 등은 해당사항 없다.

1. 형식승인 및 제품검사: 소방청장

2. 소방용품을 판매하거나 판매 목적으로 진열하거나 소방시설공사에 사용할 수 없는 경우
   ① 형식승인을 받지 아니한 것
   ② 형상등을 임의로 변경한 것
   ③ 제품검사를 받지 아니하거나 합격표시를 하지 아니한 것

3. 형식승인의 변경: 소방청장

4. 형식승인의 취소
   ① 거짓이나 그 밖의 부정한 방법으로 형식승인을 받은 경우
   ② 거짓이나 그 밖의 부정한 방법으로 제품검사를 받은 경우
   ③ 변경승인을 받지 아니하거나 거짓이나 그 밖의 부정한 방법으로 변경승인을 받은 경우

제40조(소방용품의 성능인증 등)

① 소방청장은 제조자 또는 수입자 등의 요청이 있는 경우 소방용품에 대하여 성능인증을 할 수 있다.

② 제1항에 따라 성능인증을 받은 자는 그 소방용품에 대하여 소방청장의 제품검사를 받아야 한다.

③ 제1항에 따른 성능인증의 대상·신청·방법 및 성능인증서 발급에 관한 사항과 제2항에 따른 제품검사의 구분·대상·절차·방법·합격표시 및 수수료 등에 필요한 사항은 행정안전부령으로 정한다.

④ 제1항에 따른 성능인증 및 제2항에 따른 제품검사의 기술기준 등에 필요한 사항은 소방청장이 정하여 고시한다.

⑤ 제2항에 따른 제품검사에 합격하지 아니한 소방용품에는 성능인증을 받았다는 표시를 하거나 제품검사에 합격하였다는 표시를 하여서는 아니 되며, 제품검사를 받지 아니하거나 합격표시를 하지 아니한 소방용품을 판매 또는 판매 목적으로 진열하거나 소방시설공사에 사용하여서는 아니 된다.

⑥ 하나의 소방용품에 성능인증 사항이 두 가지 이상 결합된 경우에는 해당 성능인증 시험을 모두 실시하고 하나의 성능인증을 할 수 있다.

⑦ 제6항에 따른 성능인증의 방법 및 절차 등에 필요한 사항은 행정안전부령으로 정한다.

제41조(성능인증의 변경)

① 제40조 제1항 및 제6항에 따른 성능인증을 받은 자가 해당 소방용품에 대하여 형상등의 일부를 변경하려면 소방청장의 변경인증을 받아야 한다.

② 제1항에 따른 변경인증의 대상·구분·방법 및 절차 등에 필요한 사항은 행정안전부령으로 정한다.

제42조(성능인증의 취소 등)

① 소방청장은 소방용품의 성능인증을 받았거나 제품검사를 받은 자가 다음 각 호의 어느 하나에 해당하는 때에는 행정안전부령으로 정하는 바에 따라 해당 소방용품의 성능인증을 취소하거나 6개월 이내의 기간을 정하여 해당 소방용품의 제품검사 중지를 명할 수 있다. 다만, 제1호·제2호 또는 제5호에 해당하는 경우에는 해당 소방용품의 성능인증을 취소하여야 한다.

1. 거짓이나 그 밖의 부정한 방법으로 제40조 제1항 및 제6항에 따른 성능인증을 받은 경우

2. 거짓이나 그 밖의 부정한 방법으로 제40조 제2항에 따른 제품검사를 받은 경우

3. 제품검사 시 제40조 제4항에 따른 기술기준에 미달되는 경우

4. 제40조 제5항을 위반한 경우

5. 제41조에 따라 변경인증을 받지 아니하고 해당 소방용품에 대하여 형상등의 일부를 변경하거나 거짓이나 그 밖의 부정한 방법으로 변경인증을 받은 경우

② 제1항에 따라 소방용품의 성능인증이 취소된 자는 그 취소된 날부터 2년 이내에는 성능인증이 취소된 소방용품과 동일한 품목에 대하여는 성능인증을 받을 수 없다.

제43조(우수품질 제품에 대한 인증)

① 소방청장은 제37조에 따른 형식승인의 대상이 되는 소방용품 중 품질이 우수하다고 인정하는 소방용품에 대하여 인증(이하 "우수품질인증"이라 한다)을 할 수 있다.

② 우수품질인증을 받으려는 자는 행정안전부령으로 정하는 바에 따라 소방청장에게 신청하여야 한다.

③ 우수품질인증을 받은 소방용품에는 우수품질인증 표시를 할 수 있다.

④ 우수품질인증의 유효기간은 5년의 범위에서 행정안전부령으로 정한다.

⑤ 소방청장은 다음 각 호의 어느 하나에 해당하는 경우에는 우수품질인증을 취소할 수 있다. 다만, 제1호에 해당하는 경우에는 우수품질인증을 취소하여야 한다.

1. 거짓이나 그 밖의 부정한 방법으로 우수품질인증을 받은 경우

2. 우수품질인증을 받은 제품이 발명진흥법 제2조 제4호에 따른 산업재산권 등 타인의 권리를 침해하였다고 판단되는 경우

⑥ 제1항부터 제5항까지에서 규정한 사항 외에 우수품질인증을 위한 기술기준, 제품의 품질관리 평가, 우수품질인증의 갱신, 수수료, 인증표시 등 우수품질인증에 필요한 사항은 행정안전부령으로 정한다.

제44조(우수품질인증 소방용품에 대한 지원 등)

다음 각 호의 어느 하나에 해당하는 기관 및 단체는 건축물의 신축·증축 및 개축 등으로 소방용품을 변경 또는 신규 비치하여야 하는 경우 우수품질인증 소방용품을 우선 구매·사용하도록 노력하여야 한다.

1. 중앙행정기관

2. 지방자치단체

3. 공공기관의 운영에 관한 법률 제4조에 따른 공공기관(이하 "공공기관"이라 한다)

4. 그 밖에 대통령령으로 정하는 기관

> 시행령 제47조(우수품질인증 소방용품 우선 구매·사용 기관) 법 제44조 제4호에서 "대통령령으로 정하는 기관"이란 다음 각 호의 기관을 말한다.
> 1. 지방공기업법 제49조에 따라 설립된 지방공사 및 같은 법 제76조에 따라 설립된 지방공단
> 2. 지방자치단체 출자·출연 기관의 운영에 관한 법률 제2조에 따른 출자·출연 기관

영철쌤 tip

우수품질인증
1. 인증자: 소방청장
2. 유효기간: 5년
3. 취소 사유: 거짓, 부정한 방법으로 우수품질인증을 받은 경우
4. 지원: 공공기관 등

영철쌤 tip

형식승인, 성능인증, 우수품질인증 필요한 사항은 행정안전부령으로 정한다.

제45조(소방용품의 제품검사 후 수집검사 등)

① 소방청장은 소방용품의 품질관리를 위하여 필요하다고 인정할 때에는 유통 중인 소방용품을 수집하여 검사할 수 있다.

② 소방청장은 제1항에 따른 수집검사 결과 행정안전부령으로 정하는 중대한 결함이 있다고 인정되는 소방용품에 대하여는 그 제조자 및 수입자에게 행정안전부령으로 정하는 바에 따라 회수·교환·폐기 또는 판매중지를 명하고, 형식승인 또는 성능인증을 취소할 수 있다.

③ 제2항에 따라 소방용품의 회수·교환·폐기 또는 판매중지 명령을 받은 제조자 및 수입자는 해당 소방용품이 이미 판매되어 사용 중인 경우 행정안전부령으로 정하는 바에 따라 구매자에게 그 사실을 알리고 회수 또는 교환 등 필요한 조치를 하여야 한다.

④ 소방청장은 제2항에 따라 회수·교환·폐기 또는 판매중지를 명하거나 형식승인 또는 성능인증을 취소한 때에는 행정안전부령으로 정하는 바에 따라 그 사실을 소방청 홈페이지 등에 공표하여야 한다.

01 형식승인에 대한 내용으로 옳은 것은?

17. 하반기 공채

> 누구든지 형식승인을 받지 아니한 소방용품을 (   )하거나 (   )으로 (   )하거나 소방시설공사에 사용할 수 없다.

① 판매, 판매 목적, 진열

② 판매, 공사 목적, 진열

③ 진열, 판매 목적, 진열

④ 진열, 공사 목적, 진열

02 소방시설 설치 및 관리에 관한 법률 및 같은 법 시행령상 소방청장의 형식승인을 받아야 하는 소방용품으로 옳지 않은 것은?

24. 경채

① 분말자동소화장치

② 주거용 주방자동소화장치

③ 상업용 주방자동소화장치

④ 캐비닛형 자동소화장치

정답 및 해설

01 형식승인

누구든지 형식승인을 받지 아니한 소방용품을 (판매)하거나 (판매 목적)으로 (진열)하거나 소방시설공사에 사용할 수 없다.

02 형식승인 대상 소방용품

법 제37조 제1항 본문에서 "대통령령으로 정하는 소방용품"이란 별표 3의 소방용품(같은 표 제1호나목의 자동소화장치 중 상업용 주방자동소화장치는 제외한다)을 말한다.

정답 01 ① **02** ③

CHAPTER 6 보칙

 영철쌤 tip

제품검사 전문기관
1. 지정자: 소방청장
2. 지정방법 및 절차 등 필요 사항: 행정안전
   부령
3. 현재 제품검사 전문기관은 한국소방산업
   기술원 밖에 없다.

제46조(제품검사 전문기관의 지정 등)

① 소방청장은 제37조 제3항 및 제40조 제2항에 따른 제품검사를 전문적·효율적으로 실시하기 위하여 다음 각 호의 요건을 모두 갖춘 기관을 제품검사 전문기관(이하 "전문기관"이라 한다)으로 지정할 수 있다.

  1. 다음 각 목의 어느 하나에 해당하는 기관일 것

     가. 과학기술분야 정부출연연구기관 등의 설립·운영 및 육성에 관한 법률 제8조에 따라 설립된 연구기관

     나. 공공기관

     다. 소방용품의 시험·검사 및 연구를 주된 업무로 하는 비영리 법인

  2. 국가표준기본법 제23조에 따라 인정을 받은 시험·검사기관일 것

  3. 행정안전부령으로 정하는 검사인력 및 검사설비를 갖추고 있을 것

  4. 기관의 대표자가 제27조 제1호부터 제3호까지의 어느 하나에 해당하지 아니할 것

  5. 제47조에 따라 전문기관의 지정이 취소된 경우 그 지정이 취소된 날부터 2년이 경과하였을 것

② 전문기관 지정의 방법 및 절차 등에 필요한 사항은 행정안전부령으로 정한다.

③ 소방청장은 제1항에 따라 전문기관을 지정하는 경우에는 소방용품의 품질 향상, 제품검사의 기술개발 등에 드는 비용을 부담하게 하는 등 필요한 조건을 붙일 수 있다. 이 경우 그 조건은 공공의 이익을 증진하기 위하여 필요한 최소한도에 그쳐야 하며, 부당한 의무를 부과하여서는 아니 된다.

④ 전문기관은 행정안전부령으로 정하는 바에 따라 제품검사 실시 현황을 소방청장에게 보고하여야 한다.

⑤ 소방청장은 전문기관을 지정한 경우에는 행정안전부령으로 정하는 바에 따라 전문기관의 제품검사 업무에 대한 평가를 실시할 수 있으며, 제품검사를 받은 소방용품에 대하여 확인검사를 할 수 있다.

⑥ 소방청장은 제5항에 따라 전문기관에 대한 평가를 실시하거나 확인검사를 실시한 때에는 그 평가 결과 또는 확인검사 결과를 행정안전부령으로 정하는 바에 따라 공표할 수 있다.

⑦ 소방청장은 제5항에 따른 확인검사를 실시하는 때에는 행정안전부령으로 정하는 바에 따라 전문기관에 대하여 확인검사에 드는 비용을 부담하게 할 수 있다.

제47조(전문기관의 지정취소 등)

소방청장은 전문기관이 다음 각 호의 어느 하나에 해당할 때에는 그 지정을 취소하거나 6개월 이내의 기간을 정하여 그 업무의 정지를 명할 수 있다. 다만, 제1호에 해당할 때에는 그 지정을 취소하여야 한다.

1. 거짓이나 그 밖의 부정한 방법으로 지정을 받은 경우
2. 정당한 사유 없이 1년 이상 계속하여 제품검사 또는 실무교육 등 지정받은 업무를 수행하지 아니한 경우
3. 제46조 제1항 각 호의 요건을 갖추지 못하거나 제46조 제3항에 따른 조건을 위반한 경우
4. 제52조 제1항 제7호에 따른 감독 결과 이 법이나 다른 법령을 위반하여 전문기관으로서의 업무를 수행하는 것이 부적당하다고 인정되는 경우

제48조(전산시스템 구축 및 운영)

① 소방청장, 소방본부장 또는 소방서장은 특정소방대상물의 체계적인 안전관리를 위하여 다음 각 호의 정보가 포함된 전산시스템을 구축·운영하여야 한다.
  1. 제6조 제3항에 따라 제출받은 설계도면의 관리 및 활용
  2. 제23조 제3항에 따라 보고받은 자체점검 결과의 관리 및 활용
  3. 그 밖에 소방청장, 소방본부장 또는 소방서장이 필요하다고 인정하는 자료의 관리 및 활용
② 소방청장, 소방본부장 또는 소방서장은 제1항에 따른 전산시스템의 구축·운영에 필요한 자료의 제출 또는 정보의 제공을 관계 행정기관의 장에게 요청할 수 있다. 이 경우 자료의 제출이나 정보의 제공을 요청받은 관계 행정기관의 장은 정당한 사유가 없으면 이에 따라야 한다.

제49조(청문)

소방청장 또는 시·도지사는 다음 각 호의 어느 하나에 해당하는 처분을 하려면 청문을 하여야 한다.

1. 제28조에 따른 관리사 자격의 취소 및 정지
2. 제35조 제1항에 따른 관리업의 등록취소 및 영업정지
3. 제39조에 따른 소방용품의 형식승인 취소 및 제품검사 중지
4. 제42조에 따른 성능인증의 취소
5. 제43조 제5항에 따른 우수품질인증의 취소
6. 제47조에 따른 전문기관의 지정취소 및 업무정지

 영철쌤 tip

청문
1. 취소, 정지 때문에 청문을 하여야 한다.
2. 청문자: 소방청장, 시·도지사
3. 대상
   · 관리사 자격의 취소 및 정지
   · 관리업의 등록취소 및 영업정지
   · 소방용품의 형식승인 취소 및 제품검사 중지
   · 성능인증의 취소
   · 우수품질인증의 취소
   · 전문기관의 지정취소 및 업무정지

제50조(권한 또는 업무의 위임·위탁 등)

① 이 법에 따른 소방청장 또는 시·도지사의 권한은 대통령령으로 정하는 바에 따라 그 일부를 소속 기관의 장, 시·도지사, 소방본부장 또는 소방서장에게 위임할 수 있다.

② 소방청장은 다음 각 호의 업무를 소방산업의 진흥에 관한 법률 제14조에 따른 한국 소방산업기술원(이하 "기술원"이라 한다)에 위탁할 수 있다. 이 경우 소방청장은 기 술원에 소방시설 및 소방용품에 관한 기술개발·연구 등에 필요한 경비의 일부를 보조할 수 있다.

   1. 제21조에 따른 방염성능검사 중 대통령령으로 정하는 검사

   2. 제37조 제1항·제2항 및 제8항부터 제10항까지의 규정에 따른 소방용품의 형식 승인

   3. 제38조에 따른 형식승인의 변경승인

   4. 제39조 제1항에 따른 형식승인의 취소

   5. 제40조 제1항·제6항에 따른 성능인증 및 제42조에 따른 성능인증의 취소

   6. 제41조에 따른 성능인증의 변경인증

   7. 제43조에 따른 우수품질인증 및 그 취소

③ 소방청장은 제37조 제3항 및 제40조 제2항에 따른 제품검사 업무를 기술원 또는 전문기관에 위탁할 수 있다.

④ 제2항 및 제3항에 따라 위탁받은 업무를 수행하는 기술원 및 전문기관이 갖추어 야 하는 시설기준 등에 관하여 필요한 사항은 행정안전부령으로 정한다.

⑤ 소방청장은 다음 각 호의 업무를 대통령령으로 정하는 바에 따라 소방기술과 관련 된 법인 또는 단체에 위탁할 수 있다.

   1. 표준자체점검비의 산정 및 공표

   2. 제25조 제5항 및 제6항에 따른 소방시설관리사증의 발급·재발급

   3. 제34조 제1항에 따른 점검능력 평가 및 공시

   4. 제34조 제4항에 따른 데이터베이스 구축·운영

⑥ 소방청장은 제14조 제3항에 따른 건축 환경 및 화재위험특성 변화 추세 연구에 관 한 업무를 대통령령으로 정하는 바에 따라 화재안전 관련 전문연구기관에 위탁할 수 있다. 이 경우 소방청장은 연구에 필요한 경비를 지원할 수 있다.

⑦ 제2항부터 제6항까지의 규정에 따라 위탁받은 업무에 종사하고 있거나 종사하였 던 사람은 업무를 수행하면서 알게 된 비밀을 이 법에서 정한 목적 외의 용도로 사 용하거나 다른 사람 또는 기관에 제공하거나 누설하여서는 아니 된다.

> **시행령 제48조(권한 또는 업무의 위임·위탁 등)** ① 소방청장은 법 제50조 제1항에 따 라 화재안전기준 중 기술기준에 대한 법 제19조 각 호에 따른 관리·운영 권한을 국립 소방연구원장에게 위임한다.
> ② 법 제50조 제2항 제1호에서 "대통령령으로 정하는 검사"란 제31조 제1항에 따른 방염대상물품에 대한 방염성능검사(제32조 각 호에 따라 설치 현장에서 방염처리를 하는 합판·목재류에 대한 방염성능검사는 제외한다)를 말한다.

영철쌤 tip

1. 기준[화재안전성능기준(소방청고시), 화 재안전기술기준(소방청공고)] 중 화재안 전기술기준만 국립소방연구원장에게 위임 한다.

2. 방염대상물품에 대한 방염성능검사(선처 리제품, 후처리제품) 중 선처리제품만 한 국소방산업기술원에게 위임한다. 후처리 제품은 시·도지사가 한다.

③ 소방청장은 법 제50조 제5항에 따라 다음 각 호의 업무를 소방청장의 허가를 받아 설립한 소방기술과 관련된 법인 또는 단체 중 해당 업무를 처리하는 데 필요한 관련 인력과 장비를 갖춘 법인 또는 단체에 위탁한다. 이 경우 소방청장은 위탁받는 기관의 명칭·주소·대표자 및 위탁 업무의 내용을 고시해야 한다.

1. 표준자체점검비의 산정 및 공표
2. 법 제25조 제5항 및 제6항에 따른 소방시설관리사증의 발급·재발급
3. 법 제34조 제1항에 따른 점검능력 평가 및 공시
4. 법 제34조 제4항에 따른 데이터베이스 구축·운영

제51조(벌칙 적용에서 공무원 의제)

다음 각 호의 어느 하나에 해당하는 자는 형법 제129조부터 제132조까지의 규정을 적용할 때에는 공무원으로 본다.

1. 평가단의 구성원 중 공무원이 아닌 사람
2. 중앙위원회 및 지방위원회의 위원 중 공무원이 아닌 사람
3. 제50조 제2항부터 제6항까지의 규정에 따라 위탁받은 업무를 수행하는 기술원, 전문기관, 법인 또는 단체, 화재안전 관련 전문연구기관의 담당 임직원

제52조(감독)

① 소방청장, 시·도지사, 소방본부장 또는 소방서장은 다음 각 호의 어느 하나에 해당하는 자, 사업체 또는 소방대상물 등의 감독을 위하여 필요하면 관계인에게 필요한 보고 또는 자료제출을 명할 수 있으며, 관계 공무원으로 하여금 소방대상물·사업소·사무소 또는 사업장에 출입하여 관계 서류·시설 및 제품 등을 검사하게 하거나 관계인에게 질문하게 할 수 있다.

1. 제22조에 따라 관리업자등이 점검한 특정소방대상물
2. 제25조에 따른 관리사
3. 제29조 제1항에 따른 등록한 관리업자
4. 제37조 제1항부터 제3항까지 및 제10항에 따른 소방용품의 형식승인, 제품검사 또는 시험시설의 심사를 받은 자
5. 제38조 제1항에 따라 변경승인을 받은 자
6. 제40조 제1항, 제2항 및 제6항에 따라 성능인증 및 제품검사를 받은 자
7. 제46조 제1항에 따라 지정을 받은 전문기관
8. 소방용품을 판매하는 자

② 제1항에 따라 출입·검사 업무를 수행하는 관계 공무원은 그 권한을 표시하는 증표를 지니고 이를 관계인에게 내보여야 한다.

③ 제1항에 따라 출입·검사 업무를 수행하는 관계 공무원은 관계인의 정당한 업무를 방해하거나 출입·검사 업무를 수행하면서 알게 된 비밀을 다른 사람에게 누설하여서는 아니 된다.

제53조(수수료 등)

다음 각 호의 어느 하나에 해당하는 자는 **행정안전부령**으로 정하는 수수료를 내야 한다.

1. 제21조에 따른 방염성능검사를 받으려는 자
2. 제25조 제1항에 따른 관리사시험에 응시하려는 사람
3. 제25조 제5항 및 제6항에 따라 소방시설관리사증을 발급받거나 재발급받으려는 자
4. 제29조 제1항에 따른 관리업의 등록을 하려는 자
5. 제29조 제3항에 따라 관리업의 등록증이나 등록수첩을 재발급 받으려는 자
6. 제32조 제3항에 따라 관리업자의 지위승계를 신고하려는 자
7. 제34조 제1항에 따라 점검능력 평가를 받으려는 자
8. 제37조 제1항 및 제10항에 따라 소방용품의 형식승인을 받으려는 자
9. 제37조 제2항에 따라 시험시설의 심사를 받으려는 자
10. 제37조 제3항에 따라 형식승인을 받은 소방용품의 제품검사를 받으려는 자
11. 제38조 제1항에 따라 형식승인의 변경승인을 받으려는 자
12. 제40조 제1항 및 제6항에 따라 소방용품의 성능인증을 받으려는 자
13. 제40조 제2항에 따라 성능인증을 받은 소방용품의 제품검사를 받으려는 자
14. 제41조 제1항에 따른 성능인증의 변경인증을 받으려는 자
15. 제43조 제1항에 따른 우수품질인증을 받으려는 자
16. 제46조에 따라 전문기관으로 지정을 받으려는 자

시행규칙 제41조(수수료) ① 법 제53조에 따른 수수료 및 납부방법은 별표 10과 같다.
② 별표 10의 수수료를 반환하는 경우에는 다음 각 호의 구분에 따라 반환해야 한다.
1. 수수료를 과오납한 경우: 그 과오납한 금액의 전부
2. 시험시행기관에 책임이 있는 사유로 시험에 응시하지 못한 경우: 납입한 수수료의 전부
3. 직계 가족의 사망, 본인의 사고 또는 질병, 격리가 필요한 감염병이나 예견할 수 없는 기상상황 등으로 시험에 응시하지 못한 경우(해당 사실을 증명하는 서류 등을 제출한 경우로 한정한다): 납입한 수수료의 전부
4. 원서접수기간에 접수를 철회한 경우: 납입한 수수료의 전부
5. 시험시행일 20일 전까지 접수를 취소하는 경우: 납입한 수수료의 전부
6. 시험시행일 10일 전까지 접수를 취소하는 경우: 납입한 수수료의 100분의 50

제54조(조치명령등의 기간연장)

① 다음 각 호에 따른 조치명령 또는 이행명령(이하 "조치명령등"이라 한다)을 받은 관계인 등은 천재지변이나 그 밖에 대통령령으로 정하는 사유로 조치명령등을 그 기간 내에 이행할 수 없는 경우에는 조치명령등을 명령한 소방청장, 소방본부장 또는 소방서장에게 대통령령으로 정하는 바에 따라 조치명령등을 연기하여 줄 것을 신청할 수 있다.

1. 제12조 제2항에 따른 소방시설에 대한 조치명령
2. 제16조 제2항에 따른 피난시설, 방화구획 또는 방화시설에 대한 조치명령
3. 제20조 제2항에 따른 방염대상물품의 제거 또는 방염성능검사 조치명령
4. 제23조 제6항에 따른 소방시설에 대한 이행계획 조치명령
5. 제37조 제7항에 따른 형식승인을 받지 아니한 소방용품의 수거·폐기 또는 교체 등의 조치명령
6. 제45조 제2항에 따른 중대한 결함이 있는 소방용품의 회수·교환·폐기 조치명령

② 제1항에 따라 연기신청을 받은 소방청장, 소방본부장 또는 소방서장은 연기 신청 승인 여부를 결정하고 그 결과를 조치명령등의 이행 기간 내에 관계인 등에게 알려주어야 한다.

> **시행령 제49조(조치명령등의 기간연장)** ① 법 제54조 제1항 각 호 외의 부분에서 "대통령령으로 정하는 사유"란 다음 각 호의 어느 하나에 해당하는 사유를 말한다.
> 1. 재난 및 안전관리 기본법 제3조 제1호에 해당하는 재난이 발생한 경우
> 2. 경매 등의 사유로 소유권이 변동 중이거나 변동된 경우
> 3. 관계인의 질병, 사고, 장기출장의 경우
> 4. 시장·상가·복합건축물 등 소방대상물의 관계인이 여러 명으로 구성되어 법 제54조 제1항 각 호에 따른 조치명령 또는 이행명령(이하 "조치명령등"이라 한다)의 이행에 대한 의견을 조정하기 어려운 경우
> 5. 그 밖에 관계인이 운영하는 사업에 부도 또는 도산 등 중대한 위기가 발생하여 조치명령등을 그 기간 내에 이행할 수 없는 경우
> ② 법 제54조 제1항에 따라 조치명령등의 연기를 신청하려는 관계인 등은 행정안전부령으로 정하는 연기신청서에 연기의 사유 및 기간 등을 적어 소방청장, 소방본부장 또는 소방서장에게 제출해야 한다.
> ③ 제2항에 따른 연기의 신청 및 연기신청서의 처리에 필요한 사항은 행정안전부령으로 정한다.

> **제50조(고유식별정보의 처리)** 소방청장(제48조에 따라 소방청장의 업무를 위탁받은 자를 포함한다), 시·도지사(해당 권한 또는 업무가 위임되거나 위탁된 경우에는 그 권한 또는 업무를 위임받거나 위탁받은 자를 포함한다), 소방본부장 또는 소방서장은 다음 각 호의 사무를 수행하기 위하여 불가피한 경우 개인정보 보호법 시행령 제19조 제1호 또는 제4호에 따른 주민등록번호 또는 외국인등록번호가 포함된 자료를 처리할 수 있다.
> 1. 법 제6조에 따른 건축허가등의 동의에 관한 사무
> 2. 법 제12조에 따른 특정소방대상물에 설치하는 소방시설의 설치·관리 등에 관한 사무
> 3. 법 제20조에 따른 특정소방대상물의 방염 등에 관한 사무

영철쌤 tip

조치명령 연기사유
1. 재난 발생
2. 소유권 변동 중, 변동
3. 질병, 사고, 장기출장
4. 관계인이 여러 명으로 구성
5. 사업에 부도 또는 도산 등 중대한 위기가 발생하여 이행할 수 없는 경우

연기
1. 조치명령 또는 이행명령(조치명령등)은 대통령령으로 정하는 바에 따라 조치명령등을 연기하여 줄 것을 신청할 수 있다.
2. 연기의 신청 및 연기신청서의 처리에 필요한 사항은 행정안전부령으로 정한다.

4. 법 제25조에 따른 소방시설관리사시험 및 소방시설관리사증 발급 등에 관한 사무

5. 법 제26조에 따른 부정행위자에 대한 제재에 관한 사무

6. 법 제28조에 따른 자격의 취소·정지에 관한 사무

7. 법 제29조에 따른 소방시설관리업의 등록 등에 관한 사무

8. 법 제31조에 따른 등록사항의 변경신고에 관한 사무

9. 법 제32조에 따른 관리업자의 지위승계에 관한 사무

10. 법 제34조에 따른 점검능력 평가 및 공시 등에 관한 사무

11. 법 제35조에 따른 등록의 취소와 영업정지 등에 관한 사무

12. 법 제36조에 따른 과징금처분에 관한 사무

13. 법 제39조에 따른 형식승인의 취소 등에 관한 사무

14. 법 제46조에 따른 전문기관의 지정 등에 관한 사무

15. 법 제47조에 따른 전문기관의 지정취소 등에 관한 사무

16. 법 제49조에 따른 청문에 관한 사무

17. 법 제52조에 따른 감독에 관한 사무

18. 법 제53조에 따른 수수료 등 징수에 관한 사무

제51조(규제의 재검토) 소방청장은 다음 각 호의 사항에 대하여 해당 호에서 정하는 날을 기준일로 하여 3년마다(매 3년이 되는 해의 기준일과 같은 날 전까지를 말한다) 그 타당성을 검토하여 개선 등의 조치를 해야 한다.

1. 제7조에 따른 건축허가등의 동의대상물의 범위 등: 2022년 12월 1일

2. 제8조에 따른 내진설계기준에 맞게 설치해야 하는 소방시설: 2022년 12월 1일

3. 제11조 및 별표 4에 따른 특정소방대상물의 규모, 용도, 수용인원 및 이용자 특성 등을 고려하여 설치·관리해야 하는 소방시설: 2022년 12월 1일

4. 제13조에 따른 강화된 소방시설기준의 적용대상: 2022년 12월 1일

5. 제15조에 따른 특정소방대상물의 증축 또는 용도변경 시의 소방시설기준 적용의 특례: 2022년 12월 1일

6. 제18조 및 별표 8에 따른 임시소방시설의 종류 및 설치기준 등: 2022년 12월 1일

7. 제30조에 따른 방염성능기준 이상의 실내장식물 등을 설치해야 하는 특정소방대상물: 2022년 12월 1일

8. 제31조에 따른 방염성능기준: 2022년 12월 1일

시행규칙 제42조(조치명령등의 연기 신청) ① 법 제54조 제1항에 따라 조치명령 또는 이행명령(이하 "조치명령등"이라 한다)의 연기를 신청하려는 관계인 등은 영 제49조 제2항에 따라 조치명령등의 이행기간 만료일 5일 전까지 별지 제33호서식에 따른 조치명령등의 연기신청서(전자문서로 된 신청서를 포함한다)에 조치명령등을 그 기간 내에 이행할 수 없음을 증명할 수 있는 서류(전자문서를 포함한다)를 첨부하여 소방청장, 소방본부장 또는 소방서장에게 제출해야 한다.

② 제1항에 따른 신청서를 제출받은 소방청장, 소방본부장 또는 소방서장은 신청받은 날부터 3일 이내에 조치명령등의 연기 신청 승인 여부를 결정하여 별지 제34호서식의 조치명령등의 연기 통지서를 관계인 등에게 통지해야 한다.

제55조(위반행위의 신고 및 신고포상금의 지급)

① 누구든지 소방본부장 또는 소방서장에게 다음 각 호의 어느 하나에 해당하는 행위를 한 자를 신고할 수 있다.

   1. 제12조 제1항을 위반하여 소방시설을 설치 또는 관리한 자

   2. 제12조 제3항을 위반하여 폐쇄·차단 등의 행위를 한 자

   3. 제16조 제1항 각 호의 어느 하나에 해당하는 행위를 한 자

② 소방본부장 또는 소방서장은 제1항에 따른 신고를 받은 경우 신고 내용을 확인하여 이를 신속하게 처리하고, 그 처리결과를 행정안전부령으로 정하는 방법 및 절차에 따라 신고자에게 통지하여야 한다.

③ 소방본부장 또는 소방서장은 제1항에 따른 신고를 한 사람에게 예산의 범위에서 포상금을 지급할 수 있다.

④ 제3항에 따른 신고포상금의 지급대상, 지급기준, 지급절차 등에 필요한 사항은 시·도의 조례로 정한다.

> **시행규칙 제43조(위반행위 신고 내용 처리결과의 통지 등)** ① 소방본부장 또는 소방서장은 법 제55조 제2항에 따라 위반행위의 신고 내용을 확인하여 이를 처리한 경우에는 처리한 날부터 10일 이내에 별지 제35호서식의 위반행위 신고 내용 처리결과 통지서를 신고자에게 통지해야 한다.
> ② 제1항에 따른 통지는 우편, 팩스, 정보통신망, 전자우편 또는 휴대전화 문자메시지 등의 방법으로 할 수 있다.
>
> **제44조(규제의 재검토)** 소방청장은 다음 각 호의 사항에 대하여 해당 호에서 정하는 날을 기준일로 하여 3년마다(매 3년이 되는 해의 기준일과 같은 날 전까지를 말한다) 그 타당성을 검토하여 개선 등의 조치를 해야 한다.
> 1. 제19조에 따른 소방시설등 자체점검 기술자격자의 범위: 2022년 12월 1일
> 2. 제20조 및 별표 3에 따른 소방시설등 자체점검의 구분 및 대상: 2022년 12월 1일
> 3. 제20조 및 별표 4에 따른 소방시설등 자체점검 시 점검인력 배치기준: 2022년 12월 1일
> 4. 제34조에 따른 소방시설관리업 등록사항의 변경신고 시 첨부서류: 2022년 12월 1일
> 5. 제39조 및 별표 8에 따른 행정처분 기준: 2022년 12월 1일

 영철쌤 tip

위반행위의 신고 및 신고포상금 지급
1. 신고처: 소방본부장, 소방서장(소방청장 없음)
2. 신고대상
  · 소방시설 설치 또는 관리위반
  · 소방시설 폐쇄·차단 등의 행위위반
  · 피난시설, 방화구획, 방화시설 행위 위반 (제16조 제1항)
3. 포상금 지급: 소방본부장, 소방서장
4. 신고포상금 지급대상, 지급기준, 지급절차 등: 시·도조례

01 소방시설법상 청문 사유로 옳지 않은 것은?

21. 경채

① 성능인증의 취소

② 전문기관의 지정취소 및 업무정지

③ 소방용품의 형식승인 취소 및 제품검사 중지

④ 소방시설 설계업 및 방염업의 등록취소 및 영업정지

02 소방시설법상 청문대상이 아닌 것은?

16. 공채

① 관리사 자격의 취소 및 정지

② 관리업의 등록취소 및 영업정지

③ 우수품질인증의 자격정지

④ 소방용품 성능인증 취소

정답 및 해설

01 청문
관리업의 등록취소 및 영업정지가 청문 사유에 해당한다.

02 청문
우수품질인증의 취소만 청문대상에 해당한다.

정답 01 ④ **02** ③

CHAPTER 7 벌칙

제56조(벌칙)

① 제12조 제3항 본문을 위반하여 소방시설에 폐쇄·차단 등의 행위를 한 자는 5년 이하의 징역 또는 5천만 원 이하의 벌금에 처한다.

② 제1항의 죄를 범하여 사람을 상해에 이르게 한 때에는 7년 이하의 징역 또는 7천만 원 이하의 벌금에 처하며, 사망에 이르게 한 때에는 10년 이하의 징역 또는 1억 원 이하의 벌금에 처한다.

 영철쌤 tip

소방시설에 폐쇄·차단 등(5년 이하 징역, 5천만 원 이하 벌금) → 사람을 상해(7년 이하 징역, 7천만 원 이하 벌금) → 사망(10년 이하 징역, 1억 원 이하 벌금)

제57조(벌칙)

다음 각 호의 어느 하나에 해당하는 자는 3년 이하의 징역 또는 3천만 원 이하의 벌금에 처한다.

1. 제12조 제2항, 제15조 제3항, 제16조 제2항, 제20조 제2항, 제23조 제6항, 제37조 제7항 또는 제45조 제2항에 따른 명령을 정당한 사유 없이 위반한 자
2. 제29조 제1항을 위반하여 관리업의 등록을 하지 아니하고 영업을 한 자
3. 제37조 제1항, 제2항 및 제10항을 위반하여 소방용품의 형식승인을 받지 아니하고 소방용품을 제조하거나 수입한 자 또는 거짓이나 그 밖의 부정한 방법으로 형식승인을 받은 자
4. 제37조 제3항을 위반하여 제품검사를 받지 아니한 자 또는 거짓이나 그 밖의 부정한 방법으로 제품검사를 받은 자
5. 제37조 제6항을 위반하여 소방용품을 판매·진열하거나 소방시설공사에 사용한 자
6. 제40조 제1항 및 제2항을 위반하여 거짓이나 그 밖의 부정한 방법으로 성능인증 또는 제품검사를 받은 자
7. 제40조 제5항을 위반하여 제품검사를 받지 아니하거나 합격표시를 하지 아니한 소방용품을 판매·진열하거나 소방시설공사에 사용한 자
8. 제45조 제3항을 위반하여 구매자에게 명령을 받은 사실을 알리지 아니하거나 필요한 조치를 하지 아니한 자
9. 거짓이나 그 밖의 부정한 방법으로 제46조 제1항에 따른 전문기관으로 지정을 받은 자

 영철쌤 tip

3년 이하 징역, 3천만 원 이하 벌금
1. 조치명령위반
2. 미등록
3. 소방용품관련 형식승인, 성능인증, 제품검사 받지 않은 자[단, 소방용품관련 형식승인, 성능인증의 변경승인은 받지 아니한 자는 제외(1년 이하 징역, 1천만 원 이하 벌금)]

제58조(벌칙)

다음 각 호의 어느 하나에 해당하는 자는 1년 이하의 징역 또는 1천만 원 이하의 벌금에 처한다.

1. 제22조 제1항을 위반하여 소방시설등에 대하여 스스로 점검을 하지 아니하거나 관리업자등으로 하여금 정기적으로 점검하게 하지 아니한 자
2. 제25조 제7항을 위반하여 소방시설관리사증을 다른 사람에게 빌려주거나 빌리거나 이를 알선한 자
3. 제25조 제8항을 위반하여 동시에 둘 이상의 업체에 취업한 자
4. 제28조에 따라 자격정지처분을 받고 그 자격정지기간 중에 관리사의 업무를 한 자
5. 제33조 제2항을 위반하여 관리업의 등록증이나 등록수첩을 다른 자에게 빌려주거나 빌리거나 이를 알선한 자
6. 제35조 제1항에 따라 영업정지처분을 받고 그 영업정지기간 중에 관리업의 업무를 한 자
7. 제37조 제3항에 따른 제품검사에 합격하지 아니한 제품에 합격표시를 하거나 합격표시를 위조 또는 변조하여 사용한 자
8. 제38조 제1항을 위반하여 형식승인의 변경승인을 받지 아니한 자
9. 제40조 제5항을 위반하여 제품검사에 합격하지 아니한 소방용품에 성능인증을 받았다는 표시 또는 제품검사에 합격하였다는 표시를 하거나 성능인증을 받았다는 표시 또는 제품검사에 합격하였다는 표시를 위조 또는 변조하여 사용한 자
10. 제41조 제1항을 위반하여 성능인증의 변경인증을 받지 아니한 자
11. 제43조 제1항에 따른 우수품질인증을 받지 아니한 제품에 우수품질인증 표시를 하거나 우수품질인증 표시를 위조하거나 변조하여 사용한 자
12. 제52조 제3항을 위반하여 관계인의 정당한 업무를 방해하거나 출입·검사 업무를 수행하면서 알게 된 비밀을 다른 사람에게 누설한 자

제59조(벌칙)

다음 각 호의 어느 하나에 해당하는 자는 300만 원 이하의 벌금에 처한다.

1. 제9조 제2항 및 제50조 제7항을 위반하여 업무를 수행하면서 알게 된 비밀을 이 법에서 정한 목적 외의 용도로 사용하거나 다른 사람 또는 기관에 제공하거나 누설한 자
2. 제21조를 위반하여 방염성능검사에 합격하지 아니한 물품에 합격표시를 하거나 합격표시를 위조하거나 변조하여 사용한 자
3. 제21조 제2항을 위반하여 거짓 시료를 제출한 자
4. 제23조 제1항 및 제2항을 위반하여 필요한 조치를 하지 아니한 관계인 또는 관계인에게 중대위반사항을 알리지 아니한 관리업자등

제60조(양벌규정)

법인의 대표자나 법인 또는 개인의 대리인, 사용인, 그 밖의 종업원이 그 법인 또는 개인의 업무에 관하여 제56조부터 제59조까지의 어느 하나에 해당하는 위반행위를 하면 그 행위자를 벌하는 외에 그 법인 또는 개인에게도 해당 조문의 벌금형을 과(科)한다. 다만, 법인 또는 개인이 그 위반행위를 방지하기 위하여 해당 업무에 관하여 상당한 주의와 감독을 게을리하지 아니한 경우에는 그러하지 아니하다.

영철쌤 tip

양벌규정은 벌금 이상에 해당된다.

제61조(과태료)

① 다음 각 호의 어느 하나에 해당하는 자에게는 300만 원 이하의 과태료를 부과한다.
   1. 제12조 제1항을 위반하여 소방시설을 화재안전기준에 따라 설치·관리하지 아니한 자
   2. 제15조 제1항을 위반하여 공사 현장에 임시소방시설을 설치·관리하지 아니한 자
   3. 제16조 제1항을 위반하여 피난시설, 방화구획 또는 방화시설의 폐쇄·훼손·변경 등의 행위를 한 자
   4. 제20조 제1항을 위반하여 방염대상물품을 방염성능기준 이상으로 설치하지 아니한 자
   5. 제22조 제1항 전단을 위반하여 점검능력 평가를 받지 아니하고 점검을 한 관리업자
   6. 제22조 제1항 후단을 위반하여 관계인에게 점검 결과를 제출하지 아니한 관리업자등
   7. 제22조 제2항에 따른 점검인력의 배치기준 등 자체점검 시 준수사항을 위반한 자
   8. 제23조 제3항을 위반하여 점검 결과를 보고하지 아니하거나 거짓으로 보고한 자
   9. 제23조 제4항을 위반하여 이행계획을 기간 내에 완료하지 아니한 자 또는 이행계획 완료 결과를 보고하지 아니하거나 거짓으로 보고한 자
   10. 제24조 제1항을 위반하여 점검기록표를 기록하지 아니하거나 특정소방대상물의 출입자가 쉽게 볼 수 있는 장소에 게시하지 아니한 관계인
   11. 제31조 또는 제32조 제3항을 위반하여 신고를 하지 아니하거나 거짓으로 신고한 자
   12. 제33조 제3항을 위반하여 지위승계, 행정처분 또는 휴업·폐업의 사실을 특정소방대상물의 관계인에게 알리지 아니하거나 거짓으로 알린 관리업자
   13. 제33조 제4항을 위반하여 소속 기술인력의 참여 없이 자체점검을 한 관리업자
   14. 제34조 제2항에 따른 점검실적을 증명하는 서류 등을 거짓으로 제출한 자
   15. 제52조 제1항에 따른 명령을 위반하여 보고 또는 자료제출을 하지 아니하거나 거짓으로 보고 또는 자료제출을 한 자 또는 정당한 사유 없이 관계 공무원의 출입 또는 검사를 거부·방해 또는 기피한 자
② 제1항에 따른 과태료는 대통령령으로 정하는 바에 따라 소방청장, 시·도지사, 소방본부장 또는 소방서장이 부과·징수한다.

영철쌤 tip

300만 원 이하의 과태료
제출, 보고, 기록, 게시 등

시행령 제52조(과태료의 부과기준) 법 제61조 제1항에 따른 과태료의 부과기준은 별표 10과 같다.

별표 10. 과태료의 부과기준

1. 일반기준

　가. 위반행위의 횟수에 따른 과태료의 가중된 부과기준은 최근 1년간 같은 위반행위로 과태료 부과처분을 받은 경우에 적용한다. 이 경우 기간의 계산은 위반행위에 대하여 과태료 부과처분을 받은 날과 그 처분 후 다시 같은 위반행위를 하여 적발된 날을 기준으로 한다.

　나. 가목에 따라 가중된 부과처분을 하는 경우 가중처분의 적용 차수는 그 위반행위 전 부과처분 차수(가목에 따른 기간 내에 과태료 부과처분이 둘 이상 있었던 경우에는 높은 차수를 말한다)의 다음 차수로 한다.

　다. 부과권자는 다음의 어느 하나에 해당하는 경우에는 제2호의 개별기준에 따른 과태료의 2분의 1 범위에서 그 금액을 줄여 부과할 수 있다. 다만, 과태료를 체납하고 있는 위반행위자에 대해서는 그렇지 않다.

　　1) 위반행위가 사소한 부주의나 오류로 인한 것으로 인정되는 경우

　　2) 위반행위자가 법 위반상태를 시정하거나 해소하기 위하여 노력한 사실이 인정되는 경우

　　3) 위반행위자가 처음 위반행위를 한 경우로서 3년 이상 해당 업종을 모범적으로 영위한 사실이 인정되는 경우

　　4) 위반행위자가 화재 등 재난으로 재산에 현저한 손실을 입거나 사업 여건의 악화로 그 사업이 중대한 위기에 처하는 등 사정이 있는 경우

　　5) 위반행위자가 같은 위반행위로 다른 법률에 따라 과태료·벌금·영업정지 등의 처분을 받은 경우

　　6) 그 밖에 위반행위의 정도, 위반행위의 동기와 그 결과 등을 고려하여 과태료 금액을 줄일 필요가 있다고 인정되는 경우

2. 개별기준

위반행위	근거 법조문	과태료 금액(단위: 만 원)		
		1차 위반	2차 위반	3차 이상 위반
가. 법 제12조 제1항을 위반한 경우	법 제61조 제1항 제1호			
1) 2) 및 3)의 규정을 제외하고 소방시설을 최근 1년 이내에 2회 이상 화재안전기준에 따라 관리하지 않은 경우			100	
2) 소방시설을 다음에 해당하는 고장 상태 등으로 방치한 경우			200	
가) 소화펌프를 고장 상태로 방치한 경우 　나) 화재 수신기, 동력·감시 제어반 또는 소방시설용 전원(비상전원을 포함한다)을 차단하거나, 고장난 상태로 방치하거나, 임의로 조작하여 자동으로 작동이 되지 않도록 한 경우				

위반사항	근거 법조문			
다) 소방시설이 작동할 때 소화배관을 통하여 소화수가 방수되지 않는 상태 또는 소화약제가 방출되지 않는 상태로 방치한 경우				
3) 소방시설을 설치하지 않은 경우			300	
나. 법 제15조 제1항을 위반하여 공사 현장에 임시소방시설을 설치·관리하지 않은 경우	법 제61조 제1항 제2호		300	
다. 법 제16조 제1항을 위반하여 피난시설, 방화구획 또는 방화시설을 폐쇄·훼손·변경하는 등의 행위를 한 경우	법 제61조 제1항 제3호	100	200	300
라. 법 제20조 제1항을 위반하여 방염대상물품을 방염성능기준 이상으로 설치하지 않은 경우	법 제61조 제1항 제4호		200	
마. 법 제22조 제1항 전단을 위반하여 점검능력평가를 받지 않고 점검을 한 경우	법 제61조 제1항 제5호		300	
바. 법 제22조 제1항 후단을 위반하여 관계인에게 점검 결과를 제출하지 않은 경우	법 제61조 제1항 제6호		300	
사. 법 제22조 제2항에 따른 점검인력의 배치기준 등 자체점검 시 준수사항을 위반한 경우	법 제61조 제1항 제7호		300	
아. 법 제23조 제3항을 위반하여 점검 결과를 보고하지 않거나 거짓으로 보고한 경우	법 제61조 제1항 제8호			
1) 지연 보고 기간이 10일 미만인 경우			50	
2) 지연 보고 기간이 10일 이상 1개월 미만인 경우			100	
3) 지연 보고 기간이 1개월 이상이거나 보고하지 않은 경우			200	
4) 점검 결과를 축소·삭제하는 등 거짓으로 보고한 경우			300	
자. 법 제23조 제4항을 위반하여 이행계획을 기간 내에 완료하지 않은 경우 또는 이행계획 완료 결과를 보고하지 않거나 거짓으로 보고한 경우	법 제61조 제1항 제9호			
1) 지연 완료 기간 또는 지연 보고 기간이 10일 미만인 경우			50	
2) 지연 완료 기간 또는 지연 보고 기간이 10일 이상 1개월 미만인 경우			100 200	
3) 지연 완료 기간 또는 지연 보고 기간이 1개월 이상이거나, 완료 또는 보고를 하지 않은 경우			200	
4) 이행계획 완료 결과를 거짓으로 보고한 경우			300	

위반행위	근거 법조문	과태료 금액(단위: 만 원)		
		1차 위반	2차 위반	3차 이상 위반
차. 법 제24조 제1항을 위반하여 점검기록표를 기록하지 않거나 특정소방대상물의 출입자가 쉽게 볼 수 있는 장소에 게시하지 않은 경우	법 제61조 제1항 제10호	100	200	300
카. 법 제31조 또는 제32조 제3항을 위반하여 신고를 하지 않거나 거짓으로 신고한 경우	법 제61조 제1항 제11호			
1) 지연 신고 기간이 1개월 미만인 경우		50		
2) 지연 신고 기간이 1개월 이상 3개월 미만인 경우		100		
3) 지연 신고 기간이 3개월 이상이거나 신고를 하지 않은 경우		200		
4) 거짓으로 신고한 경우		300		
타. 법 제33조 제3항을 위반하여 지위승계, 행정처분 또는 휴업·폐업의 사실을 특정소방대상물의 관계인에게 알리지 않거나 거짓으로 알린 경우	법 제61조 제1항 제12호	300		
파. 법 제33조 제4항을 위반하여 소속 기술인력의 참여 없이 자체점검을 한 경우	법 제61조 제1항 제13호	300		
하. 법 제34조 제2항에 따른 점검실적을 증명하는 서류 등을 거짓으로 제출한 경우	법 제61조 제1항 제14호	300		
거. 법 제52조 제1항에 따른 명령을 위반하여 보고 또는 자료제출을 하지 않거나 거짓으로 보고 또는 자료제출을 한 경우 또는 정당한 사유 없이 관계 공무원의 출입 또는 검사를 거부·방해 또는 기피한 경우	법 제61조 제1항 제15호	50	100	300

01 소방시설법상 방염성능검사에 합격하지 아니한 물품에 합격표시를 하거나 합격표시를 위조하거나 변조하여 사용한 자에 대한 벌칙의 기준으로 옳은 것은?　　20. 경채

① 300만 원 이하의 벌금

② 1천만 원 이하의 벌금

③ 1년 이하의 징역 또는 1천만 원 이하의 벌금

④ 3년 이하의 징역 또는 3천만 원 이하의 벌금

02 소방시설법상 과태료 부과대상으로 옳은 것은?　　19. 경채

① 소방시설·피난시설 등이 법령에 위반된 것을 발견하였음에도 필요한 조치를 할 것을 요구하지 아니한 소방안전관리자

② 특정소방대상물에 소방안전관리자 또는 소방안전관리 보조자를 선임하지 아니한 자

③ 특정소방대상물에 화재안전기준을 위반하여 소방시설을 설치 또는 유지·관리한 자

④ 방염성능검사에 합격하지 아니한 물품에 합격표시를 하거나 합격표시를 위조하거나 변조하여 사용한 자

정답 및 해설

01 벌칙
300만 원 이하의 벌금에 처한다.

02 과태료
① 300만 원 이하의 벌금(화재예방법)
② 300만 원 이하의 벌금(화재예방법)
③ 300만 원 이하의 과태료(소방시설법)
④ 300만 원 이하의 벌금(소방시설법)

정답 **01** ①　**02** ③

03 소방시설법상 별표10의 과태료 부과 개별기준으로 옳은 것은?

① 소방시설을 설치하지 않은 경우: 과태료 200만 원

② 법 제10조의2 제1항을 위반하여 임시소방시설을 설치·유지·관리하지 않은 경우: 과태료 200만 원

③ 수신반, 동력(감시)제어반 또는 소방시설용 비상전원을 차단하거나, 고장난 상태로 방치하거나, 임의로 조작하여 자동으로 작동이 되지 않도록 한 경우: 과태료 200만 원

④ 소방시설이 작동하는 경우 소화배관을 통하여 소화수가 방수되지 않는 상태 또는 소화약제가 방출되지 않는 상태로 방치한 경우: 과태료 300만 원

정답 및 해설

03 과태료

위반행위	근거 법조문	과태료 금액(단위: 만 원)		
		1차 위반	2차 위반	3차 이상 위반
가. 법 제12조 제1항을 위반한 경우	법 제61조 제1항 제1호			
1) 2) 및 3)의 규정을 제외하고 소방시설을 최근 1년 이내에 2회 이상 화재안전기준에 따라 관리하지 않은 경우		100		
2) 소방시설을 다음에 해당하는 고장 상태 등으로 방치한 경우		200		
가) 소화펌프를 고장 상태로 방치한 경우				
나) 화재 수신기, 동력·감시 제어반 또는 소방시설용 전원(비상전원을 포함한다)을 차단하거나, 고장난 상태로 방치하거나, 임의로 조작하여 자동으로 작동이 되지 않도록 한 경우				
다) 소방시설이 작동할 때 소화배관을 통하여 소화수가 방수되지 않는 상태 또는 소화약제가 방출되지 않는 상태로 방치한 경우				
3) 소방시설을 설치하지 않은 경우		300		

① 300만 원 이하의 과태료
② 300만 원 이하의 과태료
③ 200만 원 이하의 과태료
④ 200만 원 이하의 과태료

정답 03 ③

이영철

약력

서울시립대학교 방재공학 석사
서울시립대학교 재난과학과 박사수료
현 ㅣ 해커스소방 소방학개론 강의
현 ㅣ 서정대학교 소방안전관리과 겸임교수
현 ㅣ 서울시립대학교 소방방재학과 외래교수
현 ㅣ 세종사이버대학교 소방방재학과 외래교수
현 ㅣ 경희사이버대학교 재난방재과학과 외래교수
현 ㅣ 서울소방학교 외래교수
현 ㅣ 한국소방안전원 외래교수
현 ㅣ 한국장애인 고용공단 BK 심사단
현 ㅣ 법무법인 정률 화재조사 위원

저서

해커스소방 이영철 소방관계법규 기본서
해커스소방 이영철 소방학개론 기본서
해커스소방 이영철 소방학개론 필기노트 + OX·빈칸문제
해커스소방 이영철 소방학개론 단원별 기출문제집
해커스소방 이영철 소방학개론 단원별 실전문제집
해커스소방 이영철 소방학개론 실전동형모의고사

2025 대비 최신판

해커스소방
이영철
소방관계법규 기본서 ㅣ 1권

초판 1쇄 발행 2024년 5월 10일

지은이	이영철 편저
펴낸곳	해커스패스
펴낸이	해커스소방 출판팀
주소	서울특별시 강남구 강남대로 428 해커스소방
고객센터	1588-4055
교재 관련 문의	gosi@hackerspass.com
	해커스소방 사이트(fire.Hackers.com) 교재 Q&A 게시판
학원 강의 및 동영상강의	fire.Hackers.com
ISBN	1권: 979-11-7244-072-5 (14350)
	세트: 979-11-7244-071-8 (14350)
Serial Number	01-01-01

소방공무원 1위,
해커스소방 fire.Hackers.com

해커스소방

· 해커스 스타강사의 **소방관계법규 무료 특강**
· **해커스소방 학원 및 인강**(교재 내 인강 할인쿠폰 수록)

한경비즈니스 선정 2024 한국품질만족도 교육(온·오프라인 소방학원) 부문 1위